EL ENGAÑO DE BOURNE

Robert Ludlum

El engaño de Bourne

por

Eric Van Lustbader

Traducción de Martín Rodríguez-Courel Ginzo

Argentina • Chile • Colombia • España •
Estados Unidos • México • Perú • Uruguay • Venezuela

Título original: *The Bourne Deception*
Editor original: Orion Books, Londres
Traducción: Martín Rodríguez-Courel Ginzo

1.ª edición Enero 2013

Todos los personajes de esta novela son ficticios. Cualquier parecido con personas vivas o fallecidas es mera coincidencia.

Aribau, 142, pral. – 08036 Barcelona
www.umbrieleditores.com

ISBN: 978-84-92915-22-4
E-ISBN: 978-84-9944-468-0
Depósito legal: B-31.296-2013

Fotocomposición: Angela Bailen
Impreso por Romanyà Valls, S.A. – Verdaguer, 1 – 08786 Capellades (Barcelona)

Impreso en España – *Printed in Spain*

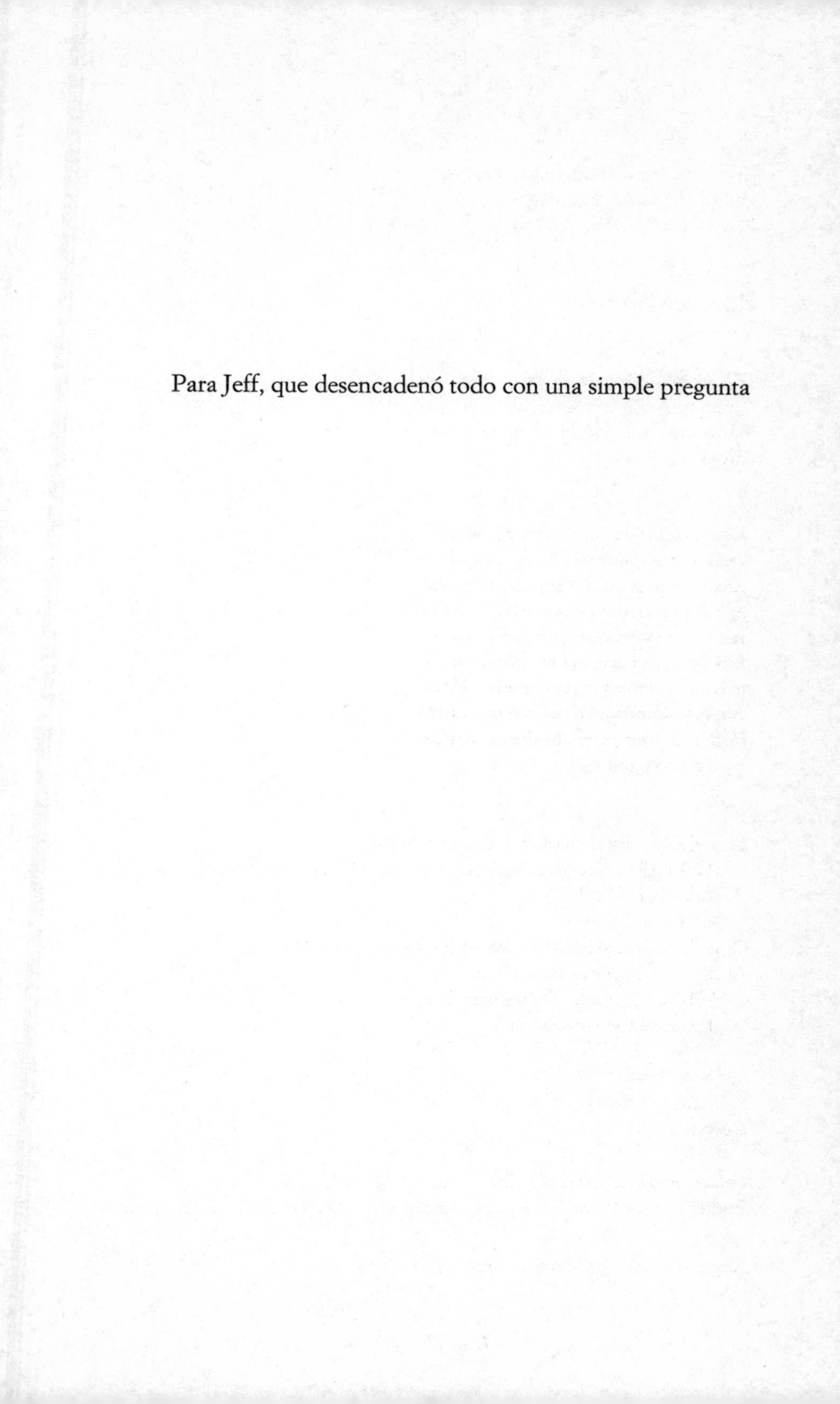

Para Jeff, que desencadenó todo con una simple pregunta

Prólogo

Múnich, Alemania / Bali, Indonesia

—Hablo ruso bastante bien —dijo el secretario de Defensa Bud Halliday—, aunque prefiero hablar en inglés.

—Me parece bien —replicó el coronel ruso con un marcado acento eslavo—. Siempre es una satisfacción hablar otros idiomas.

Halliday dedicó al hombre una sonrisa avinagrada en respuesta a su pulla. Era un lugar común el que los norteamericanos sólo querían hablar inglés cuando estaban en el extranjero.

—Bueno. Así acabaremos esto más deprisa. —Pero en lugar de empezar, se quedó mirando fijamente una pared llena de malas reproducciones de fotografías de grandes del jazz como Miles Davis y John Coltrane, copias, no tuvo ninguna duda, de fotos aparecidas en la prensa.

Después de ver al coronel en carne y hueso, había empezado a pensarse mejor lo de aquella reunión. Por un lado, era más joven de lo que Halliday había imaginado. Llevaba muy corto, al estilo de los militares rusos, el pelo rubio tupido, sin un solo rizo. Por otro, parecía un hombre de acción; Halliday observó que los músculos se le marcaban bajo la tela de su traje barato. El sujeto poseía una serenidad que le inquietó, aunque eran sus ojos —claros, hundidos e imperturbables— lo que verdaderamente desconcertó al secretario. Era como si estuviera viendo una fotografía de unos ojos, más que los ojos en sí. La nariz protuberante y llena de venas no hacía más que resaltar la implacable singularidad de aquellos ojos: era como si el hombre no tuviera alma y sólo se manifestara una voluntad inconmovible, como algo antiguo y perverso. Hallyday había leído algo al respecto en un cuento de H. P. Lovecraft cuando era adolescente.

Sofocó el impulso de levantarse e irse sin mirar atrás en ningún momento. Pero había llegado hasta allí por un motivo, se recordó.

La niebla que asfixiaba Múnich —de la misma tonalidad exacta que el desagradable gris de los ojos de Karpov— era un fiel trasunto del estado de ánimo de Halliday. Deseaba vehementemente no tener que volver a ver aquel despreciable remedo de ciudad. Por desgracia, allí estaba, en aquel olvidado club de jazz subterráneo atestado de humo, después de que una limusina Lincoln blindada lo dejara en una Rumfordstrasse infestada de turistas. ¿Qué era lo que tenía tan de especial aquel ruso, como para hacer que el secretario de Defensa de Estados Unidos se desplazara casi siete mil kilómetros hasta una ciudad que despreciaba? Boris Karpov era coronel de la FSB-2, según parecía la nueva agencia policial antidroga rusa. Y un buen reflejo del meteórico ascenso al poder de la FSB-2, era que uno de sus oficiales pudiera hacer llegar un mensaje a Halliday, e incluso que consiguiera hacerlo salir de Washington.

Pero Karpov había sugerido que podía entregarle algo que Halliday ansiaba muchísimo. Puede que el secretario de Defensa se hubiera preguntado de qué podría tratarse, aunque había estado demasiado ocupado intentando adivinar qué querrían los rusos a cambio. Que en esos acuerdos siempre mediaba un quid pro quo era algo que Halliday sabía muy bien; era un veterano de las luchas políticas internas que siempre rodeaban al presidente como una tormenta de arena. Y también sabía muy bien que los quid pro quo podían ser dolorosos de aceptar, aunque el nombre del juego político, tanto nacional como internacional, era compromiso.

Aun así, de no haber sido por la repentina fragilidad de su posición con el presidente, Halliday tal vez no habría aceptado la oferta de Karpov. La inesperada y sorprendente defenestración de Luther LaValle, el zar de la inteligencia nombrado a dedo por él, había socavado los apoyos políticos de Halliday. Amigos y aliados por igual lo criticaban y cuestionaban a sus espaldas, y había tenido que empezar a preguntarse cuál de ellos sería el primero en clavarle el metafórico cuchillo en la espalda.

Pero había estado en la brecha el tiempo suficiente para comprender que la esperanza llega a veces bajo formas tan aparentemente desagradables como un lecho de clavos. Así que confiaba en que el acuerdo de Karpov le proporcionara el rédito político que restableciera inmediatamente su prestigio ante el presidente y su cuota de poder dentro del sistema multinacional de la industria del armamento.

Cuando el trío del escenario empezó su ruidosa actuación, Halliday repasó mentalmente una vez más el expediente de Boris Karpov, como si en esa ocasión fuera a encontrar alguna información más, cualquier cosa, incluida una foto del coronel, daba igual el grano que tuviera o lo desenfocada que estuviera. No existía tal foto, por supuesto, ni más información que las cuatro manidas frases en la única hoja rotulada con un afiligranado «MÁXIMO SECRETO». Dadas las desdeñosas relaciones de la Administración con Rusia, la NSA, la Agencia Nacional de Seguridad, tenía un conocimiento limitado del funcionamiento interno del sistema político ruso, por no hablar del FSB-2, cuyo cometido a la sazón era altamente secreto, bastante más que el del FSB, el heredero político de lo que otrora había sido el KGB.

—Señor Smith, parece distraído —comentó el ruso. Habían acordado que en público utilizarían los seudónimos de señor Smith y señor Jones.

El secretario giró la cabeza en redondo. En entornos subterráneos se sentía profundamente incómodo, al contrario que Karpov, que se le antojaba cada vez más una criatura de las tinieblas. Levantando la voz para que su interlocutor le oyera por encima del rítmico estruendo, dijo:

—Nada más lejos de la realidad, señor Jones. Me limito a asimilar el peculiar ambiente que ha escogido con la dicha de un turista.

El coronel soltó una risa ronca y gutural.

—Tiene un curioso sentido del humor, ¿no le parece?

—Me tiene completamente calado.

—Eso está por ver, señor Smith —replicó el ruso tras una sonora carcajada—. Dado que ni siquiera conocemos a nuestras esposas, parece improbable que conozcamos a nuestros… homólogos.

El pequeño titubeo hizo que Halliday se preguntara si Karpov no iba a decir «adversarios», en vez de la neutra palabra que había escogido. No se molestó en preguntarse si el ruso era consciente de su posición política, porque eso no tenía ninguna importancia. Lo único que le preocupaba era si el acuerdo que se iba a proponer lo ayudaría.

El trío cambió bruscamente de ritmo, la única pista que tuvo el secretario de que habían cambiado de repertorio sin solución de continuidad, y entonces se encorvó sobre la cerveza demasiado amarga que apenas había tocado. En aquel garito ni siquiera tenían Coors.

—Prosigamos con el asunto, ¿de acuerdo?

—De inmediato. —El coronel Karpov colocó las manos sobre sus antebrazos dorados. Tenía cicatrices en los nudillos, que amarilleaban a causa de los callos, lo que les hacía parecer tan escabrosos como las Montañas Rocosas—. Sé, señor Smith, que no tengo que explicarle quién es Jason Bourne, ¿cierto?

Al oír el nombre Halliday endureció la expresión, y tuvo la misma sensación que si el ruso le hubiera rociado con gas refrigerante.

—¿Adónde quiere ir a parar? —preguntó inexpresivamente.

—Lo que le estoy diciendo, señor Smith, es esto: que mataré a Jason Bourne por usted.

Halliday no perdió el tiempo preguntándole cómo sabía que quería a Bourne muerto; durante el último mes la NSA había desarrollado suficiente actividad en Moscú como para dejarle sobradamente claro a un ciego sordomudo que Bourne era un blanco que exterminar.

—Muy magnánimo por su parte, señor Jones.

—Oh, no, señor, de magnánimo nada. Tengo mis motivos particulares para quererlo muerto.

Al oír tal reconocimiento el secretario se relajó un poco.

—Muy bien, digamos que mata a Bourne. ¿Qué es lo que quiere a cambio?

En los ojos del coronel apareció lo que algún otro podría haber calificado de brillo, pero a Halliday, que todavía andaba intentando calibrar al ruso, le pareció como si alguien hubiera caminado sobre la tumba de Bourne. La muerte le había guiñado un ojo.

—Conozco esa mirada, señor Smith. Sé que se espera lo peor…, una suma elevada. Pero a cambio de que me dé permiso para quitar a Bourne de en medio con total impunidad frente a las consecuencias de los daños o molestias colaterales, quiero que usted elimine a una odiosa espina que tengo clavada.

—A quien no puede eliminar por sus propios medios.

Karpov asintió con la cabeza.

—Me tiene completamente calado, señor Smith.

Los dos hombres se echaron a reír al mismo tiempo, aunque el tono de cada uno fue absolutamente diferente.

—Bueno. —Halliday formó un triángulo con los dedos—. ¿Y quién es el objetivo?

—Abdulla Khoury.

Al secretario se le cayó el alma a los pies.

—¿El líder de la Hermandad de Oriente? Cojones, ya puestos, podría pedirme que asesinara al Papa.

—Asesinar al Papa no nos reportaría nada provechoso a ninguno de los dos. Pero asesinar a Abdulla Khoury, bueno, eso es harina de otro costal, ¿no le parece?

—Por supuesto que me parece. El hombre es un maníaco islamista radical, además de una amenaza. Y en este momento está haciendo manitas con el presidente de Irán. Pero la Hermandad de Oriente es una organización con implantación en todo el mundo. Khoury tiene muchos amigos en esferas muy altas. —El secretario meneó la cabeza con una buena dosis de vehemencia—. Intentar eliminarlo sería un suicidio político.

Karpov asintió con la cabeza.

—Eso es una verdad incuestionable. Pero ¿qué pasa con las actividades terroristas de la Hermandad de Oriente?

Halliday soltó un bufido.

—Castillos en el aire; rumores, en el mejor de los casos. Nadie de nuestros servicios secretos ha encontrado jamás la menor prueba fiable de que la Hermandad tenga relación con ninguna organización terrorista. Y créame, lo hemos intentado.

—De eso no me cabe ninguna duda, lo cual significa que no encontraron ninguna prueba de actividad terrorista en la residencia del profesor Specter.

—No hay la menor duda de que el buen profesor era un cazador de terroristas, pero en cuanto a las acusaciones de que fuera algo más… —Halliday se encogió de hombros.

Una inesperada sonrisa se enseñoreó de la cara del coronel, y sin previo aviso un sobre marrón apareció entre ellos encima de la mesa.

—Entonces encontrará esto de especial valor. —Como si moviera su reina para dar jaque mate, Karpov deslizó el sobre hacia Halliday.

Cuando el secretario rasgó el sobre y examinó el contenido, el ruso continuó.

—Como ya sabe, el FSB-2 se ocupa principalmente del tráfico de drogas internacional.

—Eso he oído —dijo Halliday con aspereza, porque sabía perfectamente que el campo de acción del FSB-2 era muchísimo más amplio.

—Hace diez días —prosiguió Karpov—, iniciamos la fase final de una operación antidroga en México en la que llevábamos trabajando más de dos años, porque una de nuestras *grupperovka* de Moscú, la Kazanskaya, ha estado buscando un canal de distribución seguro desde que se metió en el tráfico de drogas.

Halliday asintió con la cabeza. Tenía una ligera idea de quién era la Kazanskaya, una de las familias criminales más destacadas de Moscú, y su jefe, Dimitri Maslov.

—Tuvimos un éxito rotundo, me complace decir —siguió el coronel—. En la redada definitiva en la casa del difunto señor de las drogas Gustavo Moreno confiscamos un ordenador portátil antes de que pudieran destruirlo. La información que está leyendo proviene del disco duro.

A Halliday se le habían helado las yemas de los dedos. La copia impresa estaba atiborrada de números, referencias y notas.

—Ése es el rastro del dinero. El cártel mexicano de las drogas estaba financiado por la Hermandad de Oriente. El cincuenta por ciento de los beneficios se destinaban a comprar armas, que eran enviadas a diversas ciudades portuarias de Oriente Próximo a través de Air Afrika Airways.

»La cual es propiedad absoluta de Nikolai Yevsen, el mayor traficante de armas del mundo. —El coronel carraspeó—. Para que lo entienda, señor Smith, algunos poderosos elementos de mi Gobierno están aliados con Irán, porque queremos su petróleo y ellos quieren nuestro uranio. Hoy día la energía puede con todo lo demás, ¿no le parece? Así que, con respecto a Abdulla Khoury, me encuentro en la molesta posición de poseer las pruebas que lo implican en actividades terroristas y, sin embargo, no poder actuar en consonancia. —Ladeó la cabeza—. Posiblemente usted pueda echarme una mano.

Acallando el estruendo de su corazón, Halliday dijo:

—¿Y por qué quiere hacer desaparecer a Khoury?

—Se lo podría decir —respondió Karpov—, pero luego, lamentablemente, tendría que matarlo.

Aquélla era una vieja broma, manida hasta decir basta, pero en los ojos implacables y claros del coronel apareció una vez mas aquel brillo inquietante que provocó un escalofrío en el secretario, y absurdamente se le ocurrió que Karpov podría no estar hablando en broma. Aquélla no era una teoría que estuviera deseoso de comprobar, así que tomó su decisión con rapidez.

—Acabe con Jason Bourne, y utilizaré todo el poder del Gobierno norteamericano para poner a Abdulla Khoury donde le corresponde.

Pero el coronel ya estaba meneando la cabeza.

—Eso no es suficiente, señor Smith. Ojo por ojo, ése es el verdadero significado del quid pro quo, ¿no es así?

—Nosotros no asesinamos a la gente, coronel Karpov —dijo Halliday con fría formalidad.

El ruso se rió desconsideradamente por lo bajinis.

—Por supuesto que no —replicó con sequedad, y se encogió de hombros—. Da lo mismo, *secretario Halliday*. Yo no tengo esa clase de escrúpulos.

Halliday titubeó, aunque sólo momentáneamente.

—Sí, por supuesto, en el acaloramiento del momento olvidé nuestro protocolo, señor Jones. Envíeme todo el contenido del disco duro y se hará lo que pide. —Sacando fuerzas de flaqueza, miró aquellos ojos claros de hito en hito—. ¿De acuerdo?

Boris Karpov hizo un seco saludo militar con la cabeza.

—De acuerdo.

Cuando el coronel salió del club de jazz localizó el Lincoln de Halliday y a los guardaespaldas del Servicio Secreto desplegados por aquella manzana de la Rumfordstrasse como soldaditos de hojalata. Empezó a caminar en sentido contrario y, después de doblar una esquina, se hurgó en la boca y se sacó las prótesis de plástico que le habían transformado la forma de la mandíbula. Se agarró la protuberancia venosa de su nariz de látex y se la arrancó, así como la masilla de actor que la adhería, hecho lo cual se quitó las lentillas de color gris y las guardó en una caja de plástico. Volvía a ser él de nuevo. Se rió. En el FSB-2 había un coronel que se llamaba Boris Karpov; de hecho, Karpov y Jason Bourne eran amigos, razón por la cual Leonid Danilovich Arkadin había escogido a Karpov para suplantarlo. La ironía le resultaba seductora: el amigo de Bourne proponiendo liquidarlo. Además, Karpov era una hebra más en la tela de araña que estaba tejiendo.

Por parte del político norteamericano no había peligro; Arkadin sabía a la perfección que la gente de Halliday no tenía la menor idea del aspecto de Karpov. Sin embargo, aunque su adiestramiento en Treadstone le había enseñado a no dejar nunca nada al azar, había una buena razón para que se hubiera convertido en una aproximación visual del coronel.

Pasando desapercibido entre la vorágine de pasajeros, cogió el metro en Marienplatz. Tres estaciones y cuatro manzanas más tarde, en el lugar especificado, encontró un coche completamente anodino que lo estaba esperando. En cuanto subió a él, el vehículo arrancó y se dirigió al Aeropuerto Internacional Franz Josef Strauss. Tenía una reserva en el vuelo de Lufthansa de la 01.20 con destino a Singapur, donde cogería el vuelo de las 09.35 a Denpasar, en Bali. Había sido más fácil seguir el rastro del paradero de Bourne —la gente de NextGen Energy Solutions, donde trabajaba Moira Trevor, sabían adónde habían ido los dos— que robar el ordenador portátil de Gustavo Moreno. Pero tenía a varios hombres infiltrados en la Kazanskaya, y uno de ellos había tenido suficiente suerte para estar en casa de Gustavo Moreno una hora antes de producirse la redada de la FSB-2. Y había huido con las pruebas inculpatorias que en ese momento colocaban a Abdulla Khoury a dos metros bajo tierra. En cuanto Arkadin matara a Bourne.

Jason Bourne estaba en paz. Por fin había superado la muerte de Marie y la culpa se había disipado de su corazón. Estaba tumbado al lado de Moira en un *bale*, un enorme sofá cama balinés con techo de paja soportado por cuatro postes de madera tallados. El *bale* estaba adosado a un muro bajo de piedra a un lado de la infinita piscina de tres niveles que daba al estrecho de Lombok, en el sudeste de Bali. Dado que los balineses estaban pendientes de todo y no se olvidaban de nada, después del primer día todas las mañanas encontraban su *bale* preparado cuando iban a darse su baño antes del desayuno, y sin necesidad de pedirlo, su camarera les llevaba la bebida que más le gustaba a Moira: un Bali Sunrise, un zumo bien frío de naranja, mango y fruta de la pasión.

—No existe el tiempo, sino el momento.

Bourne se removió en el sitio.

—Traduce.

—¿Sabes lo que es el tiempo?

—Me trae sin cuidado.

—Lo que quiero decir —le explicó ella— es que llevamos aquí diez días; y parece que sean diez meses. —Se rió—. Lo digo en el mejor de los sentidos.

Los vencejos se lanzaban de un árbol a otro como si fueran murciélagos o rozaban la superficie de la piscina más alta. El sordo estrépito del oleaje que ascendía desde abajo los hizo callar. Un instante antes dos pequeñas balinesas les habían obsequiado con un ramo de flores frescas colocado en un cuenco de hojas de palma que habían tejido a mano. En ese momento las exóticas fragancias del jazmín rojo y el nardo embalsamaban el aire.

Moira se volvió hacia él.

—Es tal como dicen: en Bali el tiempo se detiene, y en esa quietud se esconden muchas vidas.

Bourne, con los ojos entornados, estaba soñando con otra vida —la suya—, pero las imágenes eran lúgubres y turbias, como si las estuviera viendo a través de un proyector con un foco defectuoso. Sabía que había estado allí antes. Había una vibración en el aire, en el mar apacible, en la sonrisa de la gente, en la isla en sí, que despertaba un eco en su interior. Era un *déjà vu*, sí, pero también algo más. Algo le había ordenado volver, había tirado de él como un imán es atraído por el norte magnético, y ahora que estaba allí, casi podía alargar la mano y tocarlo. Y, sin embargo, el secreto de aquello lo esquivaba.

¿Qué había ocurrido allí? Algo importante, algo que necesitaba recordar. Se sumió aún más en su sueño de una vida vivida en los márgenes del ayer. En el sueño deambuló por Bali, hasta que llegó al océano Índico. Allí, elevándose desde el oleaje espumoso, surgió una columna de fuego que ascendió por el cielo azul claro hasta que su extremo tocó el sol. Y como una sombra, Bourne atravesó la arena suave como el talco para abrazar las llamas.

Entonces se despertó, queriendo hablarle a Moira de su sueño, pero por alguna razón no lo hizo.

Aquella noche, al bajar a la terraza de la playa al pie del acantilado del que colgaba el hotel, Moira se detuvo en uno de los muchos altares esparcidos por la propiedad. Estaba hecho de piedra y tenía todos los refuerzos cubiertos con una tela de cuadros negros y blancos. Una pequeña sombrilla amarilla protegía del sol la parte superior; allí había depositadas numerosas ofrendas de flores de brillantes colores en cuencos de hojas de palma entretejidas. La tela y la sombrilla indicaban que el espíritu del lugar estaba en su morada. El dibujo de la tela también tenía un significado: el blanco y el negro representaban la dualidad de los dioses y demonios balineses, del bien y el mal.

Tras quitarse las sandalias, Moira se subió a la piedra cuadrada colocada delante del altar, juntó las palmas en la frente erguida e hizo una inclinación de cabeza.

—No sabía que eras una hinduista practicante —dijo Bourne, cuando ella terminó. Moira recogió las sandalias y las hizo balancear a su costado.

—Estaba dando gracias al espíritu por los días que hemos pasado aquí, por todos los dones que ofrece Bali. —Le dedicó una sonrisa cargada de ironía—. Y le di las gracias al espíritu del cochinillo que nos comimos ayer por sacrificarse por nosotros.

Habían reservado la terraza para pasar la noche solos. Las toallas los estaban esperando cuando llegaron, además de unas copas escarchadas de *lassi* de mango y jarras de zumos tropicales y agua helada. Los camareros se habían metido discretamente en la cocina auxiliar sin ventanas.

Estuvieron nadando una hora en el océano, yendo y viniendo hasta más allá de la encrespada línea de la rompiente. El agua estaba caliente, y su tacto sobre la piel se notaba tan suave como el terciopelo. Por la playa oscura los cangrejos ermitaños caminaban de aquí para allá de costado, y por todas partes se veían volar murciélagos que entraban y salían de una cueva del otro extremo de la playa, poco más allá de un farallón que formaba parte de la mitad occidental de la cala con forma de media luna.

Después se bebieron sus *lassi* de mango en la piscina, protegidos por un enorme cerdo sonriente de madera que tenía un collar de medallones y una corona detrás de las orejas.

—Está sonriendo —dijo Moira—, porque le rendí tributo a nuestro cochinillo.

Hicieron unos largos, y luego se reunieron en el extremo de la piscina sobre el que colgaban las flores blancas y amarillas de un franchipán. Sujetaron las frondosas ramas, contemplando la luna mientras entraba y salía de unas nubes cada vez más abundantes. Una ráfaga de viento agitó ruidosamente las hojas de las palmeras de más de nueve metros que cubrían el lado de la playa donde estaba la terraza de la piscina, y las piernas de Bourne y Moira pasaron de la claridad a la oscuridad.

—Esto se acaba, Jason.

—¿El qué?

—Esto. —Moira movió nerviosamente la mano bajo el agua como si fuera un pez—. Todo esto. Dentro de unos pocos días nos habremos ido.

Bourne vio desaparecer la luna con un guiño y sintió los primeros goterones sobre la cara. Al cabo de un momento, la lluvia erizaba la superficie de la piscina.

Adentrándose en la sombra de las ramas del franchipán, Moira recostó la cabeza contra el hombro de Bourne.

—¿Y qué va a ser de nosotros?

Él sabía que no quería una respuesta, sino sólo saborear la pregunta en su lengua. Sentía el peso de Moira, su calidez a través del agua contra su corazón. Era un peso agradable; hacía que se amodorrara.

—Jason, ¿qué harás cuando volvamos?

—No lo sé —respondió sinceramente—. No he pensado en ello. —Pero en ese momento se preguntó si se marcharía con ella. ¿Cómo iba a irse, cuando algo de su pasado lo estaba esperando allí, tan cerca que podía sentir su aliento en la nuca? Sin embargo, no le dijo nada de aquello, porque eso exigiría una explicación, y no tenía ninguna. Sólo una corazonada. ¿Y cuántas veces le habían salvado la vida esas corazonadas?

—No voy a volver a NextGen —comentó Moira.

Bourne concentró toda su atención en ella.

—¿Y cuándo has tomado esa decisión?

—Mientras estábamos aquí. —Sonrió—. A Bali se le da bien abrir el camino a las decisiones. Vine aquí poco antes de entrar en Black River. Parece que es la isla de las transformaciones, al menos para mí.

—¿Y qué harás?

—Quiero fundar mi propia empresa de gestión de riesgos.

—Eso está bien. —Bourne sonrió—. En competencia directa con Black River.

—Si lo quieres ver así.

—Es lo que harán los demás.

Había empezado a llover con más fuerza; las hojas de las palmeras chocaban entre sí y era imposible ver el cielo.

—Eso podría ser peligroso —añadió él.

—La vida es peligrosa, Jason, como todo lo que está gobernado por el caos.

—Estoy de acuerdo con eso. Pero está tu antiguo jefe, Noah Petersen.

—Ése es su nombre operativo. Su verdadero nombre es Perlis.

Bourne echó un vistazo a las flores blancas, que en ese momento estaban empezando a caer alrededor de ellos como si fueran nieve. El dulce aroma del franchipán se mezclaba con el olor a fresco de la lluvia.

—Perlis no estaba muy satisfecho contigo cuando nos tropezamos con él en Múnich hace dos semanas.

—Noah nunca está contento. —Moira se acurrucó más entre sus brazos—. Dejé de intentar complacerlo seis meses antes de irme de Black River. Estaba haciendo el idiota.

—Lo cierto es que acertamos en lo del ataque terrorista contra el buque cisterna que transportaba gas natural licuado y él se equivocó. Apostaría lo que fuera a que no lo ha olvidado. Y ahora que vas a invadir su territorio, habrás conseguido un enemigo.

Ella se rió por lo bajinis.

—Mira quién fue a hablar.

—Arkadin está muerto —dijo Bourne tranquilamente—. Se precipitó al Pacífico desde el buque cisterna de GNL frente a la costa de Long Beach. No sobrevivió; sería imposible.

—Era un producto de Treadstone, ¿no es eso lo que te dijo Willard?

—Según Willard, que estuvo allí, fue el primer éxito de Alex Conklin… y su primer fracaso. Se lo envió Semion Icoupov, el otro líder de la Legión Negra y de la Hermandad de Oriente hasta que Arkadin lo mató por asesinar a su novia.

—Y su socio secreto, Asher Sever, tu antiguo mentor, está en coma irreversible.

—Al final todos recibimos lo que nos merecemos —sentenció Bourne implacablemente.

Moira volvió al tema de Treadstone.

—Según Willard, el objetivo de Conklin era crear un guerrero superior…, una máquina de matar.

—Eso es lo que era Arkadin —dijo Bourne—, pero se fugó del programa de Treadstone para volver a Rusia, donde organizó todo tipo de tumultos después de alquilar sus servicios a los jefes de diversas *grupperovka* de Moscú.

—Y tú te convertiste en su sucesor, en el éxito de Conklin.

—No, si haces una encuesta entre los responsables de la Inteligencia Central —dijo Bourne—. Me matarían a tiros en cuanto me vieran.

—Lo cual no les ha impedido coaccionarte para que trabajes para ellos cuando te han necesitado.

—Eso se ha terminado —respondió Bourne.

Moira acababa de decidir cambiar de tema, cuando de pronto se fue la luz. Las luces interiores de la piscina y las de la terraza al aire libre se apagaron con un parpadeo. El viento y la lluvia siguieron arremolinándose en la oscuridad. Bourne se puso tenso e intentó hacerla a un lado para poder levantarse. Ella se dio cuenta de que él buscaba en la oscuridad la causa del apagón.

—Jason —le susurró—, no pasa nada. Aquí estamos a salvo.

Nadaron hasta el otro lado de la piscina. Moira sentía el pulso acelerado de Bourne, su aguzado sentido de la percepción, de estar esperando a que ocurriera algo terrible, y en ese instante se encontró haciendo un repaso de su vida como nunca antes lo había hecho.

Quiso volver a decirle que no se preocupara, que los apagones eran algo habitual en Bali, pero entonces se dio cuenta de que sería inútil. Él estaba programado para tener aquella clase de reacción, y nada de lo que ella dijera o hiciera cambiaría eso.

Así que se puso a escuchar el viento y la lluvia, preguntándose si Bourne oiría algo que ella no oía, y entonces tuvo un momentáneo ataque de angustia: ¿y si no se trataba de un simple apagón? ¿Y si los estaba acechando alguno de los enemigos de Jason?

Entonces la luz volvió de repente, provocándole una carcajada por su necedad.

—Ya te lo dije —dijo Moira, señalando la talla del risueño espíritu porcino—. Él nos protege.

Bourne se tumbó de espaldas en el agua.

—No hay escapatoria —dijo él—. Ni siquiera aquí.

—No crees en los espíritus, ni buenos ni malos, ¿verdad, Jason?

—No me lo puedo permitir —respondió él—. Ya me encuentro con bastante mal de por sí.

Al percibir el tono de su voz, Moira abordó por fin el tema que le tocaba más de cerca el corazón.

—Voy a tener que ponerme a contratar un montón de gente inmediatamente. Así que seguro que no nos vamos a ver mucho, al menos hasta que haya montado mi nuevo negocio.

—¿Eso es una amenaza o una promesa?

Bourne no pudo evitar darse cuenta de que la carcajada de Moira no estaba exenta de crispación.

—De acuerdo, me inquietaba hablar del asunto.

—¿Por qué?

—Ya sabes cómo es esto.

—No. Dímelo tú.

Moira se volvió entre sus brazos y se sentó sobre él a horcajadas dentro del agua burbujeante. Lo único que oían era la lluvia torrencial que atravesaba las hojas.

—Jason, ninguno de los dos somos de la clase de personas... Quiero decir que ambos llevamos un tipo de vida que hace difícil aferrarse a algo estable, en especial a las relaciones, así que...

La interrumpió, besándola. Cuando salieron de la piscina, él le dijo al oído:

—Está bien. Ahora tenemos esto. Si necesitamos más, volveremos.

El corazón de Moira se inundó de alegría, y lo abrazó con fuerza.

—Trato hecho. Oh, sí, eso es.

El vuelo procedente de Singapur en el que viajaba Leonid Arkadin llegó a su hora. En la aduana pagó su visado de entrada y atravesó rápidamente la terminal hasta que encontró un lavabo de caballeros. Una vez dentro, se metió en una de las cabinas, cerró la puerta y echó el pestillo. De una mochila sacó la protuberante nariz de látex, tres tarros de maquillaje, unas prótesis plásticas blandas para las mejillas y las lentillas grises que había utilizado en Múnich. Al cabo de ocho minutos justos salió de la cabina y se acercó a la hilera de los lavabos, donde contempló su aspecto cambiado, que una vez más era la viva imagen del amigo de Bourne, el coronel Boris Karpov del FSB-2.

Tras coger la maleta, cruzó la terminal y salió al calor y al denso tejido humano. Al subir al coche con aire acondicionado que había alquilado en el Aeropuerto Internacional Ngurah Rai se sintió dichosamente aliviado. Se inclinó hacia delante y le dijo al conductor: «Al mercado Badung». El joven asintió con la cabeza y sonrió, y, junto con una flota de muchachos en escúteres, no tardaron en verse atascados detrás de un enorme camión que avanzaba pesadamente hacia el ferry de Lombok.

Después de un estremecedor trayecto de veinte minutos, en el que adelantaron al camión sorteando al tráfico que venía de frente, jugaron a la ruleta rusa con dos adolescentes en moto y a punto estuvieron de atropellar a uno de los miles de perros asilvestrados de la isla, llegaron a la plaza de Gajah Mada, justo al otro lado del río Badung. El taxi aminoró la marcha y siguió muy lentamente hasta que la bulliciosa multitud hizo imposible cualquier intento de seguir avanzando. Arkadin pagó al conductor para que lo esperase y lo recogiera cuando terminara, salió y se adentró en el mercado entoldado.

Enseguida se vio embargado por una veintena de olores penetrantes —pasta negra de gambas, chiles, ajo, *karupuk*, canela, limoncillo, hojas de pandan, jenjibre de Siam, *kencur*, laurel indio— y el griterío de voces que vendían de todo, desde gallos de pelea con el plumaje teñido de rosa y naranja, a lechones atados y sujetos a cañas de bambú para transportarlos mejor.

Al pasar junto a un tenderete lleno de cestas de boca ancha con especias, la dueña, una vieja sin labio superior, hundió una mano que parecía una garra en una tinaja de raíces y sacó un puñado para ofrecérselas.

—*Kencur* —dijo la mujer—. *Kencur* muy bueno hoy.

El *Kencur*, como sabía Arkadin, era una raíz parecida al jengibre, aunque algo más pequeña. Asqueado tanto por la raíz como por la desagradable vendedora, lo rechazó con un gesto y siguió adelante.

Era a uno de los tenderetes de cerdos adonde se dirigía, pero a mitad de camino, unos golpecitos insistentes en su brazo que le parecieron los secos arañazos de la pata de un pollo, lo detuvieron. Cuando se volvió, vio a una joven que llevaba un bebé en brazos y que lo miraba con ojos suplicantes, mientras continuaba dándole golpecitos en el brazo con sus dedos marrones, como si fuera para lo único que sirvieran. Ignorándola, Arkadin siguió avanzando entre la multitud, sabedor de que si le daba algo a aquella chica, inmediatamente se vería asediado por una multitud de otros pedigüeños.

El vendedor de cerdos del centro era un hombre ancho, rechoncho como una rana, de ojos negros brillantes y cara de pan y con una acusada cojera. Después de que Arkadin pronunciara la frase convenida en indonesio, el hombre lo condujo a la parte trasera por entre hileras de lechones atados, unos cuerpos temblorosos con la mirada aterrorizada clavada al frente. Entre las sombras de la parte posterior de la tienda había dos montones de cerdos destripados y despellejados, ya listos para el asador. De la cavidad estomacal de uno de aquellos cerdos el hombre sacó un Remington 700P que intentó enjaretarle a Arkadin, hasta que éste se negó las suficientes veces para que pasara al plan B, que resultó ser precisamente lo que quería: un Parker Hale M85, un rifle de extraordinaria precisión con sistema de carga por cerrojo y cañón grueso. El primer disparo tenía un alcance de setenta metros. El vendedor añadió una mira telescópica Schmidt & Bender Police Marksman II 4-16x50. A Arkadin el precio le pareció un poco alto incluso después de que un intenso regateo lo bajara de la estratosfera, pero estando tan cerca de su presa, no estaba de humor para pararse en minucias. Además, estaba ante un producto de primerísima calidad de principio a fin. Consiguió que el hombre de los cerdos incluyera una caja de cartuchos M118 calibre treinta milímetros con chaqueta metálica y lo consideró un éxito. Pagó, y el comerciante desmontó el rifle y metió el arma y la mira en un estuche con los bordes metálicos.

Al salir del mercado, Arkadin compró bananas, y se las fue comiendo lenta y metódicamente mientras el taxi se abría paso penosamente para salir de Denpasar. Una vez en la carretera, el vehículo aumentó de velocidad de manera espectacular; el escaso tráfico hacía más fácil sortear los camiones que obstruían la carretera.

En Gianyar vio un mercado al aire libre a su izquierda y le dijo al taxista que se detuviera. A pesar de las bananas —o quizás a causa de ellas— el estómago le rugía pidiendo comida de verdad. En el mercado pidió un plato de *babi guling*, lechón asado, servido sobre una hoja ancha de banana de un verde intenso, *lawar*, coco y tiras de tortuga picante. La salsa a base de la sangre cruda del animal le gustó especialmente. Desgarró la suculenta carne del cochinillo entre los dientes y tragó rápidamente para darle otro mordisco.

Dada la gritería reinante en el mercado, comprobaba el móvil periódicamente; cuanto mayor se hacía la espera, más tensión acumulaba, pero tenía que ser paciente porque a su hombre le llevaría algunos días asegurarse de las idas y venidas de Bourne. Sin embargo, estaba inusitadamente nervioso. Lo atribuía al hecho de estar tan cerca de su presa, pero eso sólo le ocasionaba un desasosiego mayor. Había algo de Bourne que se le había metido debajo de la piel y se había convertido en un prurito que no se podía rascar.

En un intento por controlarse, desvió sus pensamientos hacia los acontecimientos recientes que lo habían conducido allí. Dos semanas atrás Bourne lo había arrojado por la borda de un buque cisterna de GNL. Había sido una larga caída hasta el océano, así que se había preparado para el impacto convirtiendo su cuerpo en un arpón, manteniéndolo perfectamente vertical, para que cuando golpeara el agua no se partiera la espalda o el cuello. Había caído de pie, y el impulso de la caída lo había sumergido tan profundamente que el mundo se había quedado en penumbra, y lo había atenazado un frío glacial que se le metió hasta el tuétano antes incluso de que hubiera podido empezar a ascender batiendo las piernas.

Cuando había salido a la superficie, el buque cisterna era ya un borrón que se alejaba a toda máquina hacia los muelles de Long Beach. Manteniéndose a flote en el agua verticalmente, había girado el cuerpo en redondo como el capitán de un submarino podría hacer girar el periscopio para calibrar la situación, por decirlo de alguna manera. El barco que tenía más cerca era un arrastrero, pero hasta que la situación no se convirtiera en una emergencia, no quería saber nada de él. El capitán estaría obligado a informar del rescate de un hombre caído al mar a la Guardia Costera norteamericana, que era precisamente lo que Arkadin no quería: con toda seguridad Bourne estaría al tanto de los informes.

No había sentido pánico, ni tan siquiera preocupación. Sabía que no se ahogaría. Era un excelente nadador, con una gran resistencia, aun después de su agotadora pelea a brazo partido con Bourne a bordo del buque cisterna. El cielo estaba azul, excepto allí donde la bruma marrón flotaba sobre la costa, extendiéndose tierra adentro hacia Los Ángeles. Las olas lo levantaban y luego lo arrastraban hacia sus valles, y Arkadin movía las piernas para mantener su posición. Curiosas, las gaviotas revoloteaban cada dos por tres por encima de él.

Al cabo de veinte minutos su paciencia se había visto recompensada: una embarcación de recreo de casi veinte metros de eslora apareció ante su vista mecida por las olas, moviéndose al cuádruple de la velocidad del arrastrero. No pasó mucho tiempo antes de que estuviera lo bastante cerca para que Arkadin empezara a agitar los brazos, y casi de inmediato la embarcación alteró su rumbo.

Quince minutos después estaba a bordo, envuelto en dos toallas y una manta, porque su temperatura corporal había descendido por debajo de los niveles aceptables. Tenía los labios azules y estaba temblando. El propietario, que se llamaba Manny, le dio un poco de brandy y un trozo de pan y queso italianos.

—Si me disculpas un minuto, avisaré por teléfono a la Guardia Costera para decirles que te recojan. ¿Cómo te llamas?

—Willi —mintió Arkadin—. Pero preferiría que no lo hicieras.

Manny hizo un gesto de disculpa con sus carnosos hombros. Era de estatura media, colorado de tez y calvo. Iba vestido de manera informal aunque con ropa cara.

—Lo siento, amigo. Son las normas de la carretera.

—Espera, Manny, espera. La cosa está así. —Arkadin estaba hablando en inglés con el característico acento nasal de los nativos del Medio Oeste. El tiempo pasado en Estados Unidos le había sido muy útil en muchos aspectos—. ¿Estás casado?

—Divorciado. Dos veces…

—¿Lo ves? Sabía que lo entenderías. Verás. Había alquilado un barco para llevar a mi esposa a pasar un bonito día, con la idea incluso de acercarnos a Catalina a tomar unas copas. De todas formas, ¿cómo iba a saber que mi amante se había metido como polizón en el barco? Le había dicho que iba a salir a pescar con los muchachos, así que pensó en darme una sorpresa.

—Y vaya si te sorprendió.

—¡Joder! —dijo Arkadin—, ¡y que lo digas! —Se terminó el brandy y meneó la cabeza—. Bueno, las cosas más o menos se desmadraron. Vamos, que se pusieron feas. No conoces a mi esposa, pero puede ser una verdadera mala pécora.

—Creo que estuve casado con ella una vez. —Manny se volvió a sentar—. ¿Y qué hiciste entonces?

Arkadin se encogió de hombros.

—¿Qué podía hacer? Salté por la borda.

Manny echó la cabeza hacia atrás con una sonora carcajada, palmeándose el muslo.

—¡Joder! ¡Willi, menudo hijo puta que estás hecho!

—Así que comprendes el motivo de que prefiera que nadie sepa que me has recogido.

—Claro, por supuesto que lo entiendo, pero aun así…

—Manny, ¿a qué te dedicas, si puedo preguntártelo?

—Tengo una empresa de importación y venta de circuitos integrados de tecnología punta.

—Bueno ya, ¿no es increíble? —había dicho Arkadin—. Creo que podríamos llegar a un acuerdo que nos reportaría a ambos una enorme cantidad de dinero.

Mientras terminaba su *lawar* en el mercado de Gianyar, Arkadin se rió para sus adentros. Manny había sacado doscientos mil dólares, y entre una de las remesas habituales de su negocio, Arkadin había recibido en Los Ángeles el ordenador portátil del señor de las drogas mexicano Gustavo Moreno, sin que el FSB-2 ni los Kazanskaya supieran de la misa la media.

Encontró un hostal de media pensión —lo que los balineses llamaban un «alojamiento familiar»— en los alrededores del centro de Gianyar. Antes de ponerse cómodo para pasar la noche, sacó el rifle, lo montó, lo cargó, lo descargó y lo volvió a desmontar. Lo hizo doce veces exactas. Luego corrió la mosquitera, se tumbó en la cama y se quedó mirando fijamente el techo sin pestañear.

Y entonces apareció Devra, pálida, casi fantasmal, como la había encontrado en el piso del artista de Múnich, después de que Semion Icoupov la matara de un disparo cuando Bourne la distrajo con su irrupción en la habitación. Los ojos de Devra escudriñaron los suyos, buscando algo. Si al menos supiera qué.

Incluso un hombre tan diabólico como aquél tenía sus vanidades: desde la muerte de Devra, se había convencido de que era la única mujer que había amado o que podría haber amado, porque eso alimentaba el deseo de otra cosa: la venganza. Había matado a Icoupov, pero Bourne seguía vivo. Éste no sólo había sido cómplice de la muerte de Devra, sino que también había matado a Misha, el mejor amigo de Arkadin.

Entonces Bourne le había dado una razón para vivir. Su plan de apoderarse de la Legión Negra —para culminar su venganza contra Icoupov y Sever— no era suficiente, aunque lo que tenía pensado para la Legión Negra era algo grande y de largo alcance, muy por encima de lo que Icoupov o Sever pudieran haber concebido. Pero aún ansiaba más: un blanco concreto sobre el que descargar su ira.

Allí, bajo la mosquitera, un sudor frío le bañaba el cuerpo de vez en cuando; su cerebro parecía pasar alternativamente del fuego a una inactividad como si estuviera sumergido en hielo. Dormir, algo que apenas conocía ya, ni se lo planteaba; aunque debió de haberse quedado traspuesto en algún momento, porque en medio de aquella oscuridad lo asaltó un sueño: Devra extendía sus brazos blancos y delgados hacia él. Sin embargo, al dejarse estrechar por ellos, ella abría la boca de par en par y vomitaba sobre él, cubriéndole con una bilis negra. Estaba muerta, aunque no podía olvidarla, ni a ella ni lo que había provocado en él: una fisura insignificante en el granito moteado de su alma, a través de la cual la luz misteriosa de Devra había empezado a filtrarse gota a gota, como gotean las primeras nieves derretidas por la primavera.

Moira se despertó y no encontró a Bourne a su lado. Todavía medio dormida, se dio la vuelta y se levantó, aplastando los pétalos de flores que habían hallado esparcidos por la habitación cuando volvieron de su velada en la terraza de la playa. Sus pasos amortiguados en el suelo frío de baldosas la condujeron hasta las cristaleras. Las abrió. Bourne estaba sentado en la terraza que daba al estrecho de Lombok. Al este, unas nubes color salmón con forma de dedo se movían sin rumbo sobre el horizonte. Aunque el sol todavía no había salido, su luz ascendente como la de una baliza hacía batirse en retirada a los últimos jirones de noche.

Tras abrir la puerta, salió a la terraza. El aire estaba cargado de la fragancia de los tiestos de nardos índicos colocados en la mesa de juncos. Bourne se percató de su presencia en cuanto se deslizó la puerta, y se volvió a medias.

Moira le puso las manos en los hombros.

—¿Qué haces?

—Pienso.

Ella se inclinó y le rozó la oreja con los labios.

—¿En qué?

—En el enigma que soy. Soy un misterio para mí mismo.

Como era típico en él, en su voz no había el menor atisbo de autocompasión, tan sólo frustración.

Moira se quedó pensando un momento.

—Sabes cuándo naciste.

—Por supuesto, pero ahí empieza y acaba todo.

Ella se paró delante de él.

—Puede que podamos hacer algo al respecto.

—¿A qué te refieres?

—Hay un hombre que vive a treinta minutos de aquí. He oído hablar de sus sorprendentes habilidades.

Bourne la miró.

—Me estás tomando el pelo, ¿verdad?

Ella se encogió de hombros.

—¿Qué tienes que perder?

Recibió la llamada y, con una impaciencia que no había sentido desde antes de la muerte de Devra, Arkadin se subió a la motocicleta que había encargado la víspera. Volvió a estudiar un plano de la localidad y partió. Después de pasar el recinto de los templos de Keungkung y de girar a la derecha en Goa Lawah, la autopista descendía en pendiente hasta acercarse al mar por su derecha. Entonces la moderna autopista de cuatro carriles se esfumó, dando paso de nuevo a una carretera asfaltada de dos sentidos. Justo al este de Goa Lawah tomó hacia el norte, siguiendo un estrecho sendero que discurría entre montañas.

—Para empezar —dijo Suparwita—, ¿cuándo es su cumpleaños?

—El quince de enero —respondió Bourne.

Suparwita se lo quedó mirando durante un buen rato. Estaba sentado en absoluta inmovilidad sobre el suelo de tierra apisonada de su choza. Sólo movía los ojos, sin perder detalle de nada, pero muy rápidamente, como si estuviera haciendo complejos cálculos matemáticos. Al cabo, meneó la cabeza.

—El hombre que veo ante mí no existe…

—¿Qué quiere decir? —le cortó Bourne bruscamente.

—… por consiguiente, no nació el quince de enero.

—Eso es lo que dice mi certificado de nacimiento. —Marie había hecho las averiguaciones al respecto.

—Menciona un certificado de nacimiento. —Suparwita hablaba con lentitud y cautela, como si cada palabra fuera preciosa—. Lo cual no es más que un pedazo de papel. —Sonrió, y su hermosa dentadura blanca pareció iluminar la penumbra—. Yo sé lo que sé.

Para ser balinés, Suparwita era un hombre grande. Su piel era oscura como la caoba, perfecta, inmaculada y sin una arruga, lo que hacía imposible adivinar su edad. Tenía una espesa mata de pelo negro llena de rizos naturales, recogida hacia atrás desde la frente, con lo que a Bourne se le antojó la misma cinta con aspecto de corona que llevaba la deidad porcina. Los brazos parecían fuertes y sus hombros carecían de la habitual acentuada definición muscular de los occidentales. Su cuerpo lampiño parecía tan liso como el cristal. Iba desnudo de cintura para arriba; por abajo se cubría con el tradicional *sarong* balinés de color blanco, marrón y negro. Sus pies marrones estaban descalzos.

Después de desayunar, Moira y Bourne, subidos a una moto alquilada, se habían dirigido por el verde y exuberante paisaje hasta una casa con la techumbre de paja que se levantaba al final de un estrecho y polvoriento sendero que discurría por la selva; era la casa del santón balinés llamado Suparwita, que, según Moira, podía averiguar algo sobre el pasado perdido de Bourne.

Al llegar, Suparwita los había recibido afectuosamente y sin sorpresa, como si los hubiera estado esperando. Después de invitarlos a entrar con un gesto, les había servido unas pequeñas tazas de café balinés y rodajas de plátano frito recién hechas, todo endulzado con sirope de azúcar de palma.

—Si mi certificado de nacimiento es erróneo —dijo entonces Bourne—, ¿puede decirme cuándo nací?

Los expresivos ojos castaños de Suparwita no pararon de hacer sus misteriosos cálculos.

—El treinta y uno de diciembre —dijo el santón sin titubeos—. Usted sabe que nuestro universo está regido por tres dioses: Brahma, el creador, Vishnu, el conservador, y Shiva, el destructor. —Pronunció Shiva como todo los balineses, haciendo que sonara como *Siwa*. Entonces tuvo un instante de duda, como si no estuviera seguro de que debiera continuar—. Cuando se vayan de aquí, irán a Tenganan.

—¿Tenganan? —terció Moira—. ¿Y para qué habríamos de ir allí?

Suparwita le dedicó una sonrisa indulgente.

—Ese pueblo es famoso por tejer los *ikat* doble. El *ikat* doble es sagrado y protege contra los demonios de nuestro universo. Sólo se teje en tres colores, los colores de nuestros dioses. El azul de Brahma, el rojo de Vishnu y el amarillo de Shiva. —Le entregó una tarjeta a Moira—. Comprarán un *ikat* doble aquí, es el mejor tejedor. —La miró con severidad—. Por favor, no se olviden.

—¿Y por qué nos íbamos a olvidar? —preguntó Moira.

Como si la pregunta no mereciera respuesta, el hombre volvió su atención hacia Bourne.

—Como ha entendido a la perfección, el mes de diciembre (el mes de su nacimiento) está gobernado por Shiva, el dios de la destrucción. —Al llegar ahí, Suparwita hizo una pausa, como si se hubiera quedado sin aire—. Pero, por favor, recuerde que Shiva es también el dios de la transformación.

El santón se volvió entonces hacia una mesa baja de madera que contenía una serie de cuencos pequeños de madera llenos de diferentes polvos y lo que parecían frutos secos o vainas de semillas secas. Escogió una de aquellas vainas y la molió en otro cuenco con una mano de mortero de piedra. Luego le añadió una pizca de un polvo amarillo y vertió la mezcla en un pequeño hervidor de agua de hierro, que puso encima de un pequeño fuego de leña. La habitación se llenó con una olorosa nube de vapor.

La cocción duró siete minutos, al cabo de los cuales Suparwita retiró el hervidor del fuego y vertió el líquido en una cáscara de coco con incrustaciones de madreperla. Sin mediar palabra, le entregó el recipiente a Bourne. Al dudar éste, Suparwita dijo:

—Beba, por favor. —Su sonrisa volvió a iluminar la estancia—. Éste es un elixir hecho de zumo de coco verde, cardamomo y *kencur*. Básicamente, es *kencur*. ¿Sabe lo que es el *kencur*? También recibe el nombre de lirio de la resurrección. —Hizo un gesto con la mano—. Por favor.

Bourne se bebió la mezcla, que sabía a alcanfor.

—¿Qué me puede decir de la vida que no puedo recordar?

—Todo —respondió Suparwita— y nada.

Bourne arrugó la frente.

—¿Y eso que significa?

—No le puedo decir más por el momento.

—Aparte de mi verdadera fecha de nacimiento, no me ha dicho nada.

—Le he dicho todo lo que necesita saber. —Suparwita ladeó la cabeza—. No está preparado para oír más.

Bourne se estaba impacientando por momentos.

—¿Qué le hace decir eso?

Suparwita le sostuvo la mirada.

—El que no se acuerde de mí.

—¿Ya le conocía?

—¿Me conocía?

Bourne se levantó, y la ira contenida estalló en su interior.

—Me trajeron aquí en busca de respuestas, no de más preguntas.

El santón levantó ligeramente la vista hacia él.

—Vino aquí con la intención de que se le dijera lo que debe descubrir por sí mismo.

Bourne cogió a Moira de la mano y la levantó.

—Vamos —dijo—. Nos largamos.

Cuando estaban a punto de trasponer el umbral, el santón, en un tono de total indiferencia, dijo:

—¿Sabe? Todo esto ya ha ocurrido antes. Y volverá a ocurrir de nuevo.

—Ha sido una pérdida de tiempo —dijo Bourne, cuando cogió las llaves que le entregaba Moira.

Ella subió a la moto detrás de él sin decir nada.

Cuando regresaban por el estrecho y polvoriento sendero que habían seguido a la ida, un indonesio pequeño con el rostro ajado y del color de la caoba envejecida, salió del bosque un poco más adelante montado en una moto trucada y se dirigió en línea recta hacia ellos. Sacó una pistola, y Bourne hizo girar en redondo la moto y empezó a subir por las colinas.

Aquel lugar estaba lejos de ser perfecto para una emboscada. Había echado un vistazo al mapa del lugar y sabía que no tardarían en salir del bosque y encontrarse en las terrazas de los arrozales que rodeaban el pueblo de Tenganan.

—Hay una red de regadío que discurre por encima de los bancales —le dijo Moira, hablándole directamente junto a la oreja.

Bourne asintió con la cabeza en el momento en que los retazos de intenso verde esmeralda que formaban como un edredón aparecieron ante su vista, centelleando bajo la brillante claridad. Un sol implacable caía a plomo sobre hombres y mujeres con sombreros de paja y largos cuchillos que se inclinaban sobre las plantas de arroz. Otros caminaban detrás de unas yuntas de vacas que avanzaban lenta y pesadamente, labrando aquellas partes de los bancales donde había sido cosechado el arroz y quemado el rastrojo para que pudieran crecer otros cultivos —patatas, chiles o judías verdes— y garantizar así que el fértil suelo volcánico no viera agotado sus minerales. Otras mujeres, con los cuerpos erguidos como palos, transportaban grandes sacos que mantenían en equilibrio sobre las cabezas. Se movían como funambulistas por los sinuosos y estrechos márgenes entre los bancales, colocando cuidadosamente un pie delante del otro.

Un fuerte chasquido hizo que se agacharan sobre la moto, al mismo tiempo que provocó que los trabajadores levantaran sus cabezas. El indonesio les había disparado en cuanto emergió de los últimos árboles que bordeaban los arrozales.

Bourne viró y siguió por la fina línea serpenteante que dividía los arrozales.

—¿Qué estás haciendo? —gritó Moira—. ¡Nos quedaremos al descubierto y seremos blancos perfectos!

Bourne se acercaba a uno de los bancales donde se estaban quemando los rastrojos. Un humo espeso y acre ascendía hacia el cielo claro.

—¡Coge un puñado al pasar! —gritó hacia Moira.

Ella lo comprendió enseguida. Con la mano derecha asiéndole fuertemente de la cintura, se inclinó a la izquierda, recogió un puñado de tallos de arroz ardiendo y los arrojó hacia atrás. Al soltarlos, salieron volando por los aires en dirección a su perseguidor.

Cuando la visión del indonesio quedó momentáneamente entorpecida, Bourne aprovechó para volver a girar a su derecha y seguir el tortuoso borde que discurría entre el laberinto de bancales. Tenía que tener cuidado; el menor error de cálculo, y se precipitarían en el agua fangosa y repleta de plantas, inutilizando la motocicleta. Entonces sí que serían blancos perfectos.

El indonesio volvió a apuntarlos, pero se le interpuso una mujer, y luego un par de vacas, y apartó la pistola al necesitar ambas manos para lidiar con las mayores dificultades que presentaba el sendero que Bourne había escogido.

Pegándose a la parte exterior de los bancales, Bourne siguió subiendo la colina por ellos, una terraza tras otra, algunas llenas de las brillantes plantas verdes del arroz, otras del marrón ceniciento de las ya cosechadas. Una olorosa neblina causada por el humo se movía lentamente sobre la ladera de la colina.

—¡Ahí! —dijo Moira, apremiantemente—. ¡Ahí!

Bourne vio el contrafuerte del sistema de riego, una banda de cemento de unos diez centímetros sobre la que tenía que conducir la moto. Esperó hasta el último momento y entonces giró bruscamente a la izquierda, corriendo en paralelo a los bancales, que se extendían bajo ellos formando un dibujo mareante, como jeroglíficos, inmensos y misteriosos, labrados en la ladera de la colina.

Gracias a su tamaño y su moto, el indonesio pudo reducir la distancia que los separaba. No estaría a más de dos brazos por detrás de ellos cuando Bourne se encontró con un labrador, un anciano de piernas delgaduchas y ojos del tamaño de uvas. En una de sus manos sostenía uno de los cuchillos de hoja plana que utilizaban para cosechar el arroz, y en la otra un manojo de arroz recién segado. Al ver acercarse las dos motos, el hombre se quedó paralizado de asombro. Cuando Bourne pasó por su lado, le arrancó el cuchillo de la mano.

Al cabo de un instante divisó un tosco tablón de madera atravesado sobre el arroyo de riego y que había que cruzar antes de adentrarse en la selva que tenían a la derecha. Lo cruzó, pero al hacerlo, el tablón medio podrido crujió y entonces se rompió en el momento en que la rueda delantera golpeaba el suelo del otro lado. La moto patinó peligrosamente y a punto estuvo de provocar que salieran despedidos contra la densa barrera que formaban los árboles.

Su perseguidor aceleró al máximo y saltó por encima del riachuelo a la izquierda del puente destrozado. Siguió a Bourne y Moira por un sendero que descendía abruptamente y que estaba lleno de piedras y raíces de árboles medio enterradas.

La pendiente se fue haciendo más empinada, y Moira se aferró a Bourne, que notó el corazón de ella retumbándole en el pecho mientras le respiraba agitadamente en la oreja. Los árboles de ambos lados pasaban como una exhalación en una proximidad aterradora; las piedras hacían que la moto se levantara como un potro encabritado, obligando a Bourne a luchar denodadamente por mantener el control. Un error los mandaría de cabeza fuera del camino, contra los gruesos troncos de los árboles del bosque. Justo cuando parecía que el camino no podía hacerse más empinado, se convirtió en una sucesión de escalones de piedra sobre los que avanzaron traqueteando y brincando a una velocidad de infarto. Moira, arriesgándose a mirar por encima del hombro, vio al indonesio, completamente inclinado sobre el manillar de su moto mientras intentaba darles alcance.

Sin previo aviso la escalera natural cesó y el sendero continuó, en esta ocasión con una inclinación más llevadera. Su perseguidor intentó apuntar de nuevo su pistola, pero Bourne cortó de un tajo un grupo de bambúes con el cuchillo que le había arrebatado al viejo y las delgadas cañas cayeron de golpe sobre el camino. El hombre de caoba se vio obligado a ponerse la pistola entre los dientes; le exigió toda su destreza conseguir no estrellarse contra el amenazante bosque.

Cuando el camino se allanó, empezaron a dejar atrás unas chozas pequeñas, y pasaron junto a hombres que blandían hachas o removían el contenido de ollas colocadas al fuego, y junto a mujeres con bebés en brazos y los ubicuos perros asilvestrados, esqueléticos y asustadizos, que escapaban con un respingo de los veloces vehículos. Se hizo evidente que habían llegado a las afueras de un pueblo. ¿Sería Tenganan?, se preguntó Bourne. ¿Habría previsto Suparwita esa persecución?

Al cabo de poco pasaron por debajo de un arco y entraron en el pueblo propiamente dicho. Los niños que jugaban al bádminton en el exterior del colegio local interrumpieron su juego para concentrar su atención en las motos que pasaban como una bala. Las gallinas salieron despavoridas, cacareando, y los enormes gallos de pelea teñidos de rosa, naranja y azul se alborotaron de tal manera que acabaron por volcar sus jaulas de mimbre, alterando a su vez a las vacas y terneros que estaban tumbados en el centro del pueblo. Los propios lugareños salieron de los recintos tapiados de sus casas y echaron a correr detrás de sus preciados gallos de pelea.

Como todos los pueblos de montaña, aquél estaba erigido en terrazas, de forma muy parecida a los cultivos de arroz: franjas de tierra apisonada y de hierba descuidada se intercalaban con las rampas de piedra que conducía al nivel contiguo. En el centro se levantaba una estructura sin paredes, usada para celebrar los consejos de ancianos del pueblo. A ambos lados se extendían las tiendas, que formaban parte de los recintos de las viviendas, donde se vendían los tejidos de *ikat* doble y sencillo. Al ver el letrero de la primera tienda de tejidos entre la confusión de carreras y gritos de animales, Bourne sintió un escalofrío. Así que aquél era, en efecto, Tenganan, el pueblo de la predicción de Suparwita.

En medio del caos que se había desatado en el pueblo, cortó una cuerda con ropa tendida que ondeaba al viento como un reptil escamoso y que salió aleteando tras ellos. Después de conducir hábilmente la moto por un estrecho callejón, volvió a coger el camino por el que habían llegado.

Entonces se arriesgó a mirar atrás y vio que no había conseguido despistar al indonesio; éste se dirigía rugiendo hacia ellos con el mismo tesón y sin que la caída de la colada le hubiera sorprendido lo más mínimo. Con un acelerón, Bourne consiguió aumentar lo suficiente la distancia con su perseguidor para girar en redondo inopinadamente y, cambiando de sentido, atreverse a pasar por el lado del hombrecillo y salir del pueblo. Pero, una vez más, el indonesio no pareció sorprenderse de la táctica, casi como si la hubiera estado esperando. El hombre se detuvo, sacó la pistola y disparó, obligando a Bourne a girar de nuevo la moto para volver sobre sus pasos, en el momento en que un segundo disparo pasaba junto a su hombro izquierdo bastante desviado. Bourne siguió por la única dirección que tenía expedita y reanudó la marcha por la tierra apisonada llena de baches y las rampas de piedra, alejándose de su obstinado perseguidor.

Leonid Arkadin, sumido en las sombras moteadas del bosque, oyó el rugido de los motores por encima del acompasado cántico que salía de los muros del templo, encima del cual, desde la posición que ocupaba, tenía una vista perfecta. Levantó el Parker Hale M85 para acomodarse la culata en el hombro y miró por la mirilla telescópica Schmidt & Bender.

Tranquilizado ya, el lugar de su ansiedad lo ocupaba en ese momento un extraño fuego malicioso que ardía indiferente a cualquier idea ajena a su propósito y que le había dejado la mente tan despejada como el cielo que tenía encima y tan tranquila como el bosque en el que estaba acurrucado como una víbora en un árbol, mientras esperaba pacientemente a su presa. Lo había planeado todo muy bien, utilizando a su lugareño indonesio a la manera en que un cazador utiliza a un batidor, para que aceche a la presa y la vaya acercando paulatinamente al lugar donde está escondido.

De pronto una moto irrumpió en el claro donde se levantaba el templo, y Arkadin respiró hondo mientras situaba a Bourne en el centro de su mirilla. Y en ese momento el perfil del cuerpo de su objetivo quedó claramente definido, de la misma manera que el vapor se condensa en el néctar venenoso de la venganza.

Bourne y Moira entraron de golpe en un claro donde reinaba una absoluta quietud y se levantaban tres templos, uno grande en el centro y dos más pequeños a ambos lados. No se oía ningún sonido que no fuera el rítmico latido del motor de la moto. Entonces, al oír cantar dentro de los muros del templo central, él detuvo la moto.

En ese momento, Arkadin, acomodándose sobre la rama casi horizontal de un árbol, apretó el gatillo, y Bourne salió despedido de la moto y cayó al suelo de espaldas. Moira gritó.

Arkadin apartó el rifle y sacó un terrible cuchillo de cazador con el filo dentado, saltó al suelo y corrió hacia su presa con la intención de rebanarle el cuello para tener la certeza de su muerte. Pero su avance se vio obstaculizado por una manada de vacas. A éstas las seguían unas mujeres que portaban ofrendas de frutas y flores sobre sus cabezas, y detrás los niños del pueblo. Todos, en ceremoniosa procesión, se dirigían hacia el templo. Arkadin intentó sortearles, pero una de las vacas, asustada por sus movimientos descontrolados, se volvió hacia él. El animal sacudió su larga y afilada cornamenta, y de inmediato la procesión se paralizó como si sus integrantes se hubieran quedado con un pie suspendido en el aire. Las cabezas se volvieron, y todas las miradas apuntaron a él, y con un último vistazo al cuerpo ensangrentado de Bourne. Entonces Arkadin se volvió a desvanecer en la selva.

Los celebrantes corrieron hacia el hombre herido en el suelo, dejando caer sus ofrendas sobre la escasa hierba donde él yacía de espaldas sobre la tierra. Bourne intentó incorporarse, pero no lo consiguió. Moira se arrodilló, y él tiró de ella hasta pegarle la boca a la oreja. La sangre le había empapado la pechera de la camisa y goteaba ya sobre la tierra.

Libro primero

1

Tres meses más tarde

En una zona residencial de clase alta de Múnich, dos jóvenes guardaespaldas de mirada penetrante armados con sendas Glock de nueve milímetros enfundadas en las axilas, flanqueaban a un hombre delgado e hiperactivo cuando salió de una casa. Un anciano de piel oscura a quien las arrugas le tiraban solemnemente de las comisuras de la boca hacia abajo como si fueran bigotes salió de su escondite entre las sombras para estrechar rápidamente la mano del hombre hiperactivo. Luego los tres hombres bajaron trotando las escaleras y se metieron en un coche que los esperaba: uno de los guardaespaldas se sentó en el asiento delantero del acompañante y el otro en la parte de atrás con el hombre hiperactivo. La reunión había sido intensa aunque breve, y el motor ya estaba en marcha, ronroneando como un gato con la barriga llena. Lo único que le ocupaba la mente era cómo iba a estructurar el informe para su jefe, Abdulla Khoury, sobre el cariz que estaba tomando la situación rápidamente cambiante de Turquía, según se le acababa de resumir hacía escasos momentos.

Apenas despierta, la incipiente mañana se extendía somnolienta y en absoluto silencio. Los árboles, frondosos y bien podados, moteaban las aceras envueltas en sombras negras. Soplaba una brisa suave y fría, todavía ignorante del sol implacable que volvería el cielo blanco al cabo de pocas horas. La madrugadora hora había sido escogida deliberadamente. No se podía decir que hubiera mucho tráfico, como era previsible, tan sólo un niño pequeño al final de la manzana que estaba aprendiendo a montar en bicicleta. Un camión de la basura dobló pesadamente la otra esquina de la manzana, y sus enormes escobones empezaron a girar para trasladar hasta la barriga del camión toda la suciedad que pudiera haber en la calle casi inmaculada. De nuevo el panorama era absolutamente normal; los vecinos de aquel barrio tenían influencias con el gobierno municipal, y se sentían orgullosos de que sus calles fueran siempre las primeras en ser limpiadas todos los días.

Cuando el coche fue cogiendo velocidad y avanzó por la calle, el descomunal camión giró hasta cruzarse en el camino del vehículo que se aproximaba, bloqueando la calle. Sin dudarlo ni un instante el conductor del coche metió la marcha atrás y pisó el acelerador. Con un chirrido de neumáticos, el auto salió disparado hacia atrás, alejándose del camión. Al oír el ruido, el niño levantó la vista. Estaba de pie, a horcajadas sobre la bicicleta, aparentemente recuperando el resuello. Pero en el último momento, cuando el coche se acercó a él, alargó la mano hacia la cesta de mimbre de la bicicleta y sacó un arma de aspecto raro que tenía un cañón anormalmente largo. La granada propulsada por cohete hizo añicos el parabrisas trasero y el coche estalló convertido en una aceitosa bola de fuego negra y naranja. Para entonces el niño, inclinado sobre el manillar de su bicicleta, se alejaba pedaleando con pericia, mostrando una sonrisa de satisfacción en el rostro.

Poco después del mediodía de ese mismo día, cuando Leonid Arkadin estaba sentado en una cervecería de Múnich rodeado de una estridente música y unos alemanes borrachos, su móvil sonó. Al reconocer el número de teléfono de quien llamaba, salió a la calle, donde el ruido era ligeramente menor, y gruñó un saludo sin palabras.

—Al igual que el resto, tu último intento de destruir a la Hermandad de Oriente ha fracasado. —La desagradable voz de Abdulla Khoury zumbó en su oído como una avispa furiosa—. Esta mañana has matado a mi ministro de Finanzas, eso es todo. Ya he nombrado otro.

—No me comprendes, no tengo ninguna intención de destruir

la Hermandad de Oriente —respondió Arkadin—. Lo que pretendo es apoderarme de ella.

La respuesta fue una violenta carcajada sin el menor atisbo de humor ni emoción humana alguna.

—Con independencia de la cantidad de nuestros miembros que mates, Arkadin, te aseguro una cosa: yo siempre sobreviviré.

Moira Trevor estaba sentada detrás de su nueva y reluciente mesa de cristal y metal, en las nuevas y relucientes oficinas de Heartland Risk Management, SRL, su flamante empresa, que ocupaban dos plantas de un edificio posmoderno en el corazón del noroeste de Washington, D. C. Estaba hablando por teléfono con Steve Stevenson, uno de sus contactos en el Departamento de Defensa, que le informaba sobre un lucrativo trabajo para cuya ejecución había sido contratada su nueva empresa, uno de la media docena que le habían encargado en las últimas cinco semanas, y al mismo tiempo estaba hojeando la serie diaria de informes de inteligencia en la pantalla de su ordenador. Al lado de éste había una foto de ella y Jason Bourne, con las caras bañadas por el sol de Bali. Al fondo se veía el monte Agung, el volcán sagrado de la isla, hasta cuya cresta habían ascendido una mañana muy temprano, antes de que el sol besara el horizonte por el este. Moira tenía una expresión de absoluta despreocupación en el rostro; en cuanto a Bourne, mostraba aquella sonrisa enigmática que a ella tanto le gustaba. Cuando sonreía así, ella le seguía con la mano la línea de los labios, como si fuera una ciega que pudiera descubrir algún significado oculto con las yemas de sus dedos.

Cuando sonó el interfono dio un respingo, dándose cuenta de que había estado mirando fijamente la foto y de que sus pensamientos se habían desviado, como le ocurría a menudo últimamente, hacia los días dorados en Bali antes de que Bourne hubiera sido tiroteado en Tenganan. Al mirar el reloj electrónico que tenía sobre la mesa, recobró la compostura, dio por terminada la llamada y dijo: «Hazle pasar», por el interfono.

Al cabo de un instante entró Noah Perlis, un veterano asesor de Black River, el ejército privado de mercenarios utilizado por Estados Unidos en los puntos calientes de Oriente Próximo. En ese momento la empresa de Moira era una competidora directa de Black River. La enjuta cara de Noah estaba más amarillenta que nunca y su pelo estaba más entreverado de gris. La larga nariz se proyectaba como el mandoble de una espada por encima de una boca que se había olvidado de reír o incluso de sonreír. El hombre se sentía orgulloso de su agudeza para conocer al prójimo, lo cual era una ironía, si se consideraba que sus defensas eran tan sólidas que incluso estaba aislado de sí mismo.

Moira hizo un gesto hacia una de las sillas metálicas de respaldo de cuero negro situadas delante de su mesa.

—Siéntate.

El hombre permaneció de pie, como si ya tuviera un pie fuera de la puerta.

—He venido a decirte que dejes de bombardear a nuestro personal.

—No me digas que te han enviado como un vulgar mensajero. —Moira levantó la vista, y sonrió con una cordialidad que no sentía. Sus ojos castaños, rasgados hacia arriba, muy separados e inquisidores, no dejaban traslucir nada de lo que sentía. La expresión de su rostro era extraordinariamente dura o intimidatoria, dependiendo de quien la juzgara. Sin embargo, poseía una serenidad que le era muy útil en situaciones tensas como aquélla.

Bourne le había advertido, antes incluso de que fundara Heartland hacía casi tres meses, que aquel momento llegaría. Algo en su interior había estado deseando que ocurriera. Noah había llegado a encarnar a Black River, y ella había estado bajo el talón de su bota durante demasiado tiempo.

Noah avanzó varios pasos hacia ella, cogió la fotografía enmarcada con dos dedos y le dio la vuelta para mirarla fijamente.

—Qué lástima lo de tu novio —dijo—. Ser abatido a tiros en un apestoso pueblo en medio de ninguna parte. Debiste de quedar hecha pedazos.

Moira no tenía ninguna intención de permitir que la alterara.

—Me alegro de verte, Noah.

El hombre hizo una mueca de desprecio mientras volvía a dejar la foto en su sitio.

—Alegrarse es una palabra que utiliza la gente cuando miente educadamente.

Moira mantuvo una expresión de inocencia en el rostro a modo de armadura contra las pedradas y flechazos de Noah.

—¿Por qué no habríamos de seguir siendo educados el uno con el otro?

Noah se volvió y se paró, encogiendo los dedos con fuerza contra las palmas. Tenía los nudillos blancos de la fuerza con que apretaba los puños, y ella no pudo evitar preguntarse si no estaría deseando rodearle el cuello con las manos en vez de mantenerlas a los costados.

—Te estoy hablando jodidamente en serio, Moira. —La miró fijamente a los ojos. Noah podía ser un individuo aterrador cuando se lo proponía—. Ya no tienes vuelta atrás, pero en cuanto a seguir por el camino que has... —Sacudió la cabeza de forma admonitoria.

Ella se encogió de hombros.

—No hay ningún problema. La realidad es que ya no te queda gente que reúna mis exigencias éticas.

Las palabras tuvieron el efecto de relajar a Noah lo suficiente para decir en un tono completamente diferente:

—¿Por qué estás haciendo esto?

—¿Por qué me haces una pregunta cuya respuesta ya conoces?

Noah la miró de hito en hito, guardando silencio, hasta que ella continuó.

—Es necesario que haya una alternativa legítima a Black River, una cuyos miembros no se muevan por los límites de la legalidad y los traspasen de forma habitual.

—Éste es un negocio sucio. Y tú más que nadie sabe eso.

—Por supuesto que lo sé. Por eso he fundado esta empresa. —Moira se levantó y se inclinó sobre la mesa—. Ahora todos están pendientes de Irán. No me voy a quedar sentada y dejar que ocurra allí lo mismo que ha ocurrido en Afganistán e Irak.

Noah giró sobre sus talones y se dirigió a la puerta. Con la mano en el picaporte, la miró por encima del hombro con una intensidad glacial, uno de sus viejos trucos.

—Sabes que no puedes contener la riada de aguas fecales. No seas hipócrita, Moira. Te quieres meter en la mugre igual que el resto de nosotros porque lo único que cuenta es el dinero. —Sus ojos brillaron sombríamente—. Los miles de millones de dólares que se pueden sacar de una guerra en un nuevo teatro de operaciones.

2

Tendido sobre la tierra de Tenganan, Bourne le susurró a Moira al oído:

—Diles…

Completamente inclinada sobre él en medio del polvo y la sangre que no paraba de manar, lo escuchaba con un oído, mientras apretaba el móvil contra la otra oreja.

—No te muevas, Jason. Estoy pidiendo ayuda.

—Diles que he muerto —dijo Bourne poco antes de perder el conocimiento.

Jason Bourne se despertó de su sueño recurrente, sudando como un cerdo entre las sábanas. La mosquitera tendida a su alrededor nublaba la calurosa noche tropical. En algún lugar en lo más alto de las montañas estaba lloviendo. Oía los truenos como si fueran pisadas de pezuñas y sentía el viento húmedo lento sobre el pecho, desnudo allí donde la herida terminaba de cicatrizar.

Habían pasado tres meses desde que la bala lo había alcanzado, tres meses desde que Moira había seguido sus instrucciones al pie de la letra. En ese momento prácticamente todos los que le conocían creían que había muerto. Sólo tres personas aparte de él sabían la verdad: Moira; Benjamin Firth, el cirujano australiano del pueblo de Manggis al que Moira lo había llevado; y Frederick Willard, el único miembro que quedaba de Treadstone y que había puesto en antecedentes a Bourne sobre el adiestramiento de Leonid Arkadin en Treadstone. Fue Willard, con quien Moira se había puesto en contacto a instancias de Bourne, el que le había empezado a poner en forma en cuanto el doctor Firth lo permitió.

—Amigo, tiene muchísima suerte de estar vivo —había dicho Firth cuando Bourne recuperó el conocimiento después de la primera de las dos operaciones. Moira estaba allí, recién llegada de hacer, de forma muy notoria, los preparativos para repatriar el «cuerpo» de Bourne a Estados Unidos—. De hecho, de no haber sido por una deformación congénita de su corazón, la bala lo habría matado casi de forma instantánea. El que le disparó sabía lo que hacía.

Luego había cogido el brazo de Bourne y esbozado una fina sonrisa.

—No se preocupe, amigo. Estará completamente recuperado dentro de un mes o dos.

Un mes o dos. Escuchando cómo se acercaba la lluvia torrencial, alargó la mano para acariciar la tela de doble *ikat* que colgaba junto a su cama, y se tranquilizó. Recordó las interminables semanas que se había visto obligado a permanecer en la consulta del médico, tanto por razones de salud como de seguridad. Después de la segunda intervención, lo único que había podido hacer durante varias semanas era sentarse. Durante aquella temporada excesivamente espesa, Bourne había descubierto el secreto de Firth: era un alcohólico inveterado. Sólo se podía confiar en que estuviera completamente sobrio cuando tenía a un paciente sobre la mesa de operaciones. Entonces demostraba su gran habilidad con el bisturí; en cualquier otro momento, apestaba a *arak*, el licor balinés de palma, que era tan fuerte que cuando alguna vez se olvidaba de hacer el pedido de alcohol puro, solía desinfectar con él el instrumental quirúrgico. Fue así como Bourne descubrió el misterio de qué hacía el doctor escondido allí, tan lejos de todo: lo habían echado a patadas de todos los hospitales de Australia occidental.

El mundo exterior reclamó de pronto la atención de Bourne cuando el médico entró en la habitación situada enfrente de la consulta.

—Firth —dijo, incorporándose—. ¿Qué hace a estas horas de la noche?

El médico se dirigió hacia la silla de caña pegada a la pared. Cojeaba de manera ostensible; tenía una pierna más corta que la otra.

—No me gustan los truenos ni los relámpagos —dijo, dejándose caer pesadamente sobre la silla.

—Es usted como un niño.

—En muchos aspectos, sí. —Firth asintió con la cabeza—. Pero al contrario que muchos tipos que conocí en los malos tiempos, puedo admitirlo.

Bourne encendió la lámpara de la mesilla de noche, y un cono de luz fría se extendió sobre la cama y lamió el suelo. Cuando los truenos retumbaron más cerca, Firth se inclinó para acercarse a la luz, como si buscara protección. Llevaba una botella de *arak* cogida por el cuello.

—Su fiel compañera —dijo Bourne.

El médico hizo una mueca de dolor.

—Esta noche no habrá licor que me ayude.

Bourne alargó la mano y Firth le pasó la botella. Esperó a que le diera un trago y volvió a tomar posesión de ella. Aunque retrepado en la silla, estaba lejos de estar relajado. Los truenos restallaron en lo alto y de inmediato un aguacero golpeó el techo de paja con el estrépito de un disparo. Firth volvió a hacer una mueca de dolor, pero no bebió más *arak*. Parecía que incluso él tenía un límite.

—Tenía la esperanza de convencerlo para que disminuya su entrenamiento físico.

—¿Y por qué habría de hacerlo? —preguntó Bourne.

—Porque Willard le exige demasiado. —Firth se humedeció
labios con la lengua, como si su cuerpo se muriera por otro

—Ése es su trabajo.

—Puede que sí, pero él no es su médico. Él n
hecho trizas y lo ha recompuesto. —Finalmente
a los labios—. Además, ese hombre me da u

—A usted todo le da un miedo atroz —

—No, todo no. —El médico esp
llaba por encima de sus cabezas-
no me asustan.

—Un cuerpo destrozado no pu

Firth sonrió a regañadientes.

—Usted no ha tenido mis pesadillas.

—Eso es cierto. —Bourne se volvió a ver en medio del polvo y la sangre en Tenganan—. Yo tengo las mías.

Durante algún tiempo no dijeron nada más. Entonces Bourne le hizo una pregunta, pero cuando por toda respuesta recibió un sonoro ronquido, se tumbó de espaldas en la cama, cerró los ojos y se dispuso a dormir. Antes de que la tenue luz de la mañana lo despertara, había vuelto de mala gana a Tenganan, donde el cálido olor a almizcle y canela de Moira se mezclaba con el de su propia sangre.

—¿Te gusta? —Moira levantó el vestido tejido con los colores de los dioses Brahma, Vishnu y Shiva: azul, rojo y amarillo. Tenía un elaborado dibujo de flores entrelazadas, quizá de franchipán. Puesto que los tintes utilizados eran todos naturales, unos al agua y otros al aceite, se tardaba de dieciocho meses a dos años en terminar los hilos. Los amarillos —el color que encarnaba a Shiva, el destructor— tardaban otros cinco años más para que se oxidaran lentamente y dejaran ver su tono definitivo. En los doble *ikat*, se teñían tanto los hilos de la trama como de la urdimbre para formar el dibujo, de manera que cuando se tejieran todos los colores fueran puros, al contrario de lo que ocurría con los tejidos más vulgares de *ikat* simple, en los que el dibujo sólo se formaba con un juego de hilos en la trama, mientras que el color de la urdimbre, por ejemplo el negro, servía de fondo. El tejido de doble *ikat* formaba parte de todos los hogares balineses, donde colgaba de la pared en un lugar de honor y respeto.

—Sí —había respondido Bourne—. Me gusta mucho.

Estaba a punto de someterse a la primera de sus dos operaciones.

—Suparwita dijo que era importante que te consiguiera un do-
ikat. —Moira se inclinó sobre él—. Es un objeto sagrado, Ja-
¿recuerdas? Brahma, Vishnu y Shiva te protegerán juntos del
a enfermedad. Ya me encargaré yo de que esté cerca de ti en
omento.

antes de que el doctor Firth lo operara, Moira se acercó
surró al oído:

—Te pondrás bien, Jason. Te bebiste la infusión de *kencur*.

Kencur, pensó Bourne mientras Firth lo anestesiaba. El lirio de la resurrección.

Mientras Benjamin Firth lo abría con pocas esperanzas de que sobreviviera, Bourne soñó que estaba en un templo situado en lo alto de las montañas balinesas. Más allá de las rojas puertas labradas del templo se alzaba la confusa forma piramidal del monte Agung, azul y majestuoso, contra el cielo amarillo. Estaba mirando atentamente la puerta desde una gran altura y, al mirar a su alrededor, se dio cuenta de que estaba en el escalón superior de una empinada escalera triple custodiada por seis feroces dragones de piedra, cuyos dientes al descubierto medían fácilmente dieciocho centímetros. Los cuerpos de los dragones ascendían sinuosamente por ambos lados de las tres escaleras, formando unos pasamanos cuya consistencia parecía hacer ascender la escalera hasta la explanada del templo propiamente dicho.

Cuando su atención se dirigió de nuevo a las puertas y al monte Agung, divisó la silueta de una figura recortada contra el volcán sagrado, y el corazón empezó a latirle con fuerza. Al darle el sol poniente directamente en la cara, se protegió los ojos con una mano e intentó por todos los medios identificar a la figura, que en ese momento se volvió hacia él. Enseguida, sintió un dolor agudo y placer.

En ese preciso instante el doctor Firth contemplaba la curiosa deformación del corazón de Bourne y se puso a trabajar, sabiendo que ya tenía una posibilidad de salvar a su paciente.

Unas cuatro horas más tarde, Firth, agotado aunque cautelosamente exultante, introdujo a su paciente en la sala de reanimación anexa al quirófano, que se convertiría en el hogar de Bourne durante las siguientes seis semanas.

Moira los estaba esperando. Con la cara pálida y con un nudo en la boca del estómago.

—¿Vivirá? —Las palabras casi se le atragantaron—. Dígame que vivirá.

Firth se sentó cansinamente en una silla plegable de lona mientras se arrancaba los guantes ensangrentados.

—La bala lo atravesó limpiamente, lo cual es bueno porque no he tenido que extraerla. Considerando los pros y los contras, mi opinión es que vivirá, señorita Trevor, con la importante salvedad de que nada en la vida es seguro, sobre todo en medicina.

Mientras Firth se servía el primer vaso de *arak* que tomaba aquel día, Moira se acercó a Bourne con una mezcla de júbilo e inquietud. Se había sentido tan aterrorizada durante las últimas cuatro horas y media que el corazón le había dolido tanto como imaginaba que le habría dolido a él. Contemplándole el rostro apacible y casi exangüe, le cogió las manos entre las suyas y se las apretó con fuerza para restablecer el contacto físico entre ellos.

—Jason —dijo.

—Sigue bastante sedado —le informó Firth como si estuviera muy lejos—. No puede oírle.

Moira lo ignoró. Intentaba no imaginarse el agujero que había en el pecho de Bourne debajo de aquel vendaje, pero no lo consiguió. Tenía los ojos arrasados en lágrimas, como lo habían estado de vez en cuando mientras él estaba en quirófano, pero el abismo de desesperación por el que había estado caminando se estaba plegando sobre sí mismo. Sin embargo, le costaba respirar, y tuvo que esforzarse en sentir la solidez del suelo bajo sus pies, porque durante horas había estado segura de que estaba a punto de abrirse y tragársela entera.

—Jason, escúchame. Suparwita sabía lo que te iba a ocurrir y te preparó lo mejor que pudo. Te dio a beber el *kencur* e hizo que te consiguiera el doble *ikat*. Sé que ambas cosas te han protegido, aunque jamás llegues a creerlo.

El día amaneció envuelto en los suaves colores del rosa y el amarillo contra un cielo azul claro. Brahma, Vishnu y Shiva se levantaron cuando Bourne abrió los ojos. La tormenta de la noche había barrido la película de calima que se había formado por la quema de los rastrojos del arroz en los bancales de la ladera de la colina.

Cuando se incorporó, sus ojos se posaron en el doble *ikat* que Moira le había comprado en Tenganan. Al sujetar el áspero tejido entre los dedos, vio como en un fogonazo la silueta que se encontraba entre él y el monte Agung, enmarcada por las puertas del templo, y de nuevo se preguntó quién podría ser.

3

En la cabina de pilotaje del avión de American, vuelo 891 procedente de El Cairo, Egipto, reinaba un murmullo de satisfacción. El piloto y el copiloto, amigos de toda la vida, bromeaban acerca de la azafata que ambos querían llevarse a la cama. Estaban terminando de negociar las condiciones de una competición completamente adolescente, que como premio incluía a la chica, cuando el radar detectó un punto que se acercaba rápidamente al avión. Reaccionando de la manera adecuada, el piloto conectó el intercomunicador y ordenó que todo el mundo se abrochara los cinturones de seguridad, tras lo cual desvió al avión de su ruta preestablecida para intentar una maniobra de evasión. Pero el 767 era demasiado grande y torpe; no estaba construido para maniobrar con facilidad. El copiloto intentó establecer una localización visual del objeto, aunque preguntó por radio a la torre de control del aeropuerto de El Cairo.

—Vuelo Ocho-Nueve-Uno, no hay ningún vuelo programado tan cerca de ustedes —dijo la tranquila voz desde la torre de control—. ¿Puede establecer una localización visual?

—Todavía no. El objeto es demasiado pequeño para que sea otro avión de pasajeros —respondió el copiloto—. Puede que sea un reactor privado.

—No hay registrado ningún plan de vuelo. Repito: no hay registrado ningún plan de vuelo.

—Comprendido —dijo el copiloto—. Pero eso sigue acercándose.

—Ocho-Nueve-Uno, asciendan a cuarenta y cinco mil pies.

—Entendido —dijo el piloto, haciendo los ajustes necesarios en los mandos—. Elevándonos a cuarenta y cinco mil…

—¡Lo veo! —interrumpió el copiloto—. ¡Viaja demasiado deprisa para ser un reactor privado!

—¿Y qué es? —En la voz del controlador de vuelo de El Cairo había un dejo de alarma—. ¿Qué está ocurriendo? ¡Ocho-Nueve-Uno, informe, por favor!

—¡Aquí llega! —gritó el copiloto.

Un instante más tarde, cuando el poderoso puño de metal impactó en el avión de pasajeros con una llamarada cegadora, se produjo el desastre. Una explosión descomunal desmembró el fuselaje igual que una bestia arranca un miembro tras otro a su presa, y los restos retorcidos y ennegrecidos cayeron en picado hacia la tierra a una velocidad escalofriante.

En las entrañas del Ala Oeste de la Casa Blanca, en una espaciosa sala de paredes de hormigón reforzado con acero de casi dos metros y medio de grosor, el presidente de Estados Unidos asistía a una reunión de máximo nivel de seguridad con el secretario de Defensa Halliday; la directora de Inteligencia Central (IC) Veronica Hart; Jon Mueller, jefe del Departamento de Seguridad Nacional; y Jaime Hernandez, el nuevo zar de la inteligencia, que había asumido el mando de la NSA a raíz del escándalo por la práctica ilegal de torturas que había hecho caer a su predecesor.

Halliday, un hombre de mejillas rubicundas, pelo rubio oscuro peinado totalmente hacia atrás, ojos taimados de político y una perfecta sonrisa, daba la sensación de que estuviera leyendo un guión que bien podría haber preparado para un subcomité del Senado.

—Tras meses de arduos trabajos preparatorios, sobornos acertados y sondeos discretos —dijo—, Black River ha establecido por fin un primer contacto con un grupo de iraníes disidentes pro occidentales. —Siempre teatral, hizo una pausa y paseó la mirada alrededor de la mesa, estableciendo contacto visual con todos y cada uno por turnos—. Lo cual es una noticia sensacional —y, haciendo un gesto con la cabeza hacia el presidente, añadió innecesariamente—, algo que esta Administración lleva buscando desde hace años, porque hasta la fecha el único grupo conocido de disidentes iraníes ha resultado ser impotente.

Halliday se mostraba de lo más elocuente, y Hart pensaba que sabía la razón. Aunque las acciones del secretario de Defensa habían subido gracias a la muerte de Jason Bourne, la cual había promovido y de la que se había atribuido el mérito, Hart sabía que necesitaba otra victoria, una de mayor alcance y de la que el presidente pudiera aprovecharse para su propio beneficio político.

—Por fin un grupo con el que podemos trabajar —prosiguió Halliday con desatado entusiasmo, mientras repartía por la mesa la hoja informativa elaborada por Black River en la que se detallaban las fechas y los lugares de las reuniones, así como las transcripciones de las conversaciones grabadas clandestinamente entre los agentes de Black River y los dirigentes del grupo disidente, cuyos nombres habían sido omitidos por razones de seguridad. Todas las conversaciones, se percató Hart, subrayaban tanto su militancia como su compromiso a aceptar la ayuda de Occidente.

—Esta gente está incuestionablemente a favor de Occidente —dijo el secretario de Defensa, como si su audiencia necesitara de una guía verbal para manejarse por las páginas de apretada escritura—. A mayor abundamiento, se están preparando para una revolución armada y están impacientes por recibir todo el apoyo que podamos suministrarles.

—¿Y cuál es su verdadero potencial? —preguntó Jon Mueller, quien tenía el típico semblante de ex militar de la NSA de penetrante mirada que veía a mil metros de distancia. También parecía un hombre que pudiera quebrar un cuerpo con la misma facilidad e indiferencia con que partiría una cerilla de madera por la mitad.

—Excelente pregunta, Jon. Si vas a la página treinta y ocho, verás la detallada valoración de Black River sobre el estado de adiestramiento y pericia con las armas de este grupo concreto. En ambos casos el grupo obtiene un ocho sobre diez según los criterios de Black River.

—Señor secretario, parece que confía extraordinariamente en Black River —dijo Hart con aspereza.

Halliday ni siquiera la miró; era la gente de aquella mujer —Soraya Moore y Tyrone Elkins— la que había acabado con su hombre, Luther LaValle. No la podía ver ni en pintura, aunque Hart sabía que él era un político demasiado astuto para exhibir su ojeriza delante del presidente, quien en ese momento tenía en muy alta estima a la directora de Inteligencia Central.

Halliday asintió con la cabeza con aire sabio, y su voz fue cuidadosamente neutra.

—Ojalá las cosas fueran de otra manera, directora. No es ningún secreto que estamos al límite de nuestros recursos por culpa de los conflictos actualmente en curso de Afganistán e Irak, y que ahora que es evidente que tenemos a Irán como un peligro claro y presente nos vemos obligados a externalizar cada vez más la recopilación de nuestra información sobre los lugares remotos del mundo.

—Quiere decir que la NSA se ve obligada a ello. IC creó Typhon el año pasado con el propósito concreto de manejar más información de campo en Oriente Próximo —observó Hart—. Todos los agentes de campo de Typhon dominan los diferentes dialectos del árabe y el farsi. Dígame, señor secretario, ¿cuántos agentes de la NSA tienen una formación parecida?

Hart vio que el rubor ascendía por el cuello de Halliday hasta sus mejillas, y se inclinó hacia delante con la intención de alentar aún más un estallido desmedido del secretario. Por desgracia para ella, la reunión fue interrumpida por el zumbido del teléfono azul situado junto al codo derecho del presidente. Todo la sala se sumió en un tenso silencio tan absoluto que el discreto sonido resonó como un martillo neumático. El teléfono azul era portador de malas noticias, y todos lo sabían.

El presidente se apretó el auricular contra la oreja con una expresión adusta y escuchó la voz del general Leland que le informaba desde el Pentágono, al mismo tiempo que le decía a su comandante en jefe que un documento más detallado saldría hacia la Casa Blanca por un correo especial al cabo de una hora.

El presidente asimiló todo aquello con la calma habitual. No era un hombre que se dejara llevar por el pánico ni que actuara de manera precipitada. Cuando dejó el receptor en la horquilla, dijo:

—Ha habido una catástrofe aérea. El vuelo Ocho-Nueve-Uno de American procedente de El Cairo fue derribado en el aire por una explosión.

—¿Una bomba? —preguntó Jaime Hernandez, el nuevo zar de la inteligencia. Era un hombre delgado y atractivo con unos ojos calculadores tan negros como su abundante pelo. Parecía la clase de individuo que contaba los wantán de su sopa para asegurarse de que no le hubieran puesto de menos.

—¿Hay supervivientes? —preguntó Hart.

—No tenemos respuesta para ninguna pregunta —dijo el presidente—. Lo único que sabemos es que en ese vuelo viajaban ciento ochenta y un almas.

—¡Dios bendito! —Hart sacudió la cabeza.

Se produjo un momento de silencio por el aturdimiento mientras todos consideraban tanto la magnitud de la calamidad como las terribles repercusiones resultantes. Con independencia de cuál hubiera sido la causa, lo cierto es que muchísimos civiles norteamericanos estaban muertos, y si resultaba cierto el peor de los escenarios posibles, si se demostraba que aquellos civiles norteamericanos habían sido víctimas de un ataque terrorista...

—Señor, creo que deberíamos enviar a un equipo forense conjunto de la NSA y la DHS al lugar del siniestro —dijo Halliday en un intento de tomar las riendas.

—No nos precipitemos —le rebatió Hart. Las palabras de Halliday les habían dado bríos y sacado de la conmoción inicial—. Esto no es Irak. Necesitaremos permiso del Gobierno egipcio para enviar nuestras tropas allí.

—Se trata de ciudadanos norteamericanos..., compatriotas a los que se les ha hecho saltar en pedazos en el cielo —dijo Halliday—. Que se jodan los egipcios. ¿Qué han hecho por nosotros últimamente?

Antes de que la discusión pudiera ir a más, el presidente levantó la mano.

—Lo primero es lo primero. Veronica tiene razón. —Se levantó—. Reanudaremos esta debate una hora después de que haya hablado con el presidente egipcio.

Al cabo de sesenta minutos, el presidente volvió a entrar en la sala, saludó a todos los presentes con la cabeza y se sentó antes de dirigirles la palabra.

—Muy bien, todo arreglado. Hernandez, Mueller, organicen un destacamento conjunto con sus mejores hombres y envíenlos a El Cairo en avión lo más pronto posible. Primero: supervivientes; segundo: identificación de las víctimas; tercero: por amor de Dios, asegúrense de la causa de la explosión.

—Señor, si se me permite —intervino Hart—, sugiero que se incluya en el equipo a Soraya Moore, la directora de Typhon. Es medio egipcia. Su profundo conocimiento del árabe y de las costumbres locales resultará inapreciable, sobre todo en las relaciones con las autoridades egipcias.

Halliday sacudió la cabeza y dijo tajantemente:

—Este asunto ya es lo bastante complicado sin necesidad de que se involucre una tercera agencia. El NSA y el DHS disponen de todas las herramientas necesarias para manejar la situación.

—Dudo que…

—No es necesario que le recuerde, directora Hart, que la prensa cubrirá este incidente como las moscas sobre la mierda —la interrumpió Halliday—. Tenemos que llevar allí a nuestra gente, hacer nuestras averiguaciones y tomar las medidas adecuadas lo más deprisa posible, o de lo contrario nos arriesgamos a convertir esto en un circo mediático internacional. —Se volvió hacia el presidente—. Lo cual es algo que la Administración no necesita en este preciso momento. Lo último que desea, señor, es parecer débil e ineficaz.

—El verdadero problema —dijo el presidente— es que la policía secreta egipcia… ¿Cómo se llama?

—Al-Mokhabarat —dijo Hart, sintiéndose como una concursante de *Jeopardy*, el famoso concurso televisivo.

—Sí, gracias, Veronica. —El presidente anotó algo en su bloc de apuntes. Jamás volvería a olvidar el nombre de al-Mokhabarat—. El problema —prosiguió— es que nuestro equipo estará acompañado de un contingente de esa tal al-Mokhabarat.

El secretario de Defensa soltó un gruñido.

—Señor, si se me permite decirlo, la policía secreta egipcia es un cuerpo corrupto, despiadado y famoso por sus sádicas violaciones de los derechos humanos. Propongo que los eliminemos de la ecuación por completo.

—Nada me complacería más, créame —dijo el presidente con cierto desagrado—, pero me temo que ésta es la contrapartida en la que insistió el presidente egipcio a cambio de dejarnos ayudar en la investigación.

—¿Ayudar nosotros? ¡Qué gracia! —Halliday soltó una carcajada carente de sentido del humor—. Esos malditos egipcios no serían capaces de encontrar una momia en su tumba.

—Tal vez sea así, pero son nuestros aliados —dijo el presidente con dureza—. Y espero que todos tengan eso presente durante los difíciles días y semanas que se avecinan.

Cuando paseó la mirada por la sala, la directora de IC aprovechó su oportunidad.

—Señor, ¿puedo recordarle que el egipcio es el idioma materno de la directora Moore?

—Razón por la cual debería ser eliminada de la lista —dijo Halliday de inmediato—. ¡Es musulmana, por amor de Dios!

—Secretario, ésa es precisamente la clase de comentario ignorante que no necesitamos en este momento. Además, ¿cuántos hombres de ese equipo dominan el árabe de Egipto?

Halliday se puso como un basilisco.

—Los egipcios hablan puñeteramente bien el inglés, muchísimas gracias.

—No entre ellos. —Como había hecho el secretario de Defensa antes que ella, Hart se volvió para dirigirse directamente al presidente—. Señor, es importante... no, vital... que en esta coyuntura el equipo disponga de toda la información posible sobre los egipcios (en especial sobre los miembros de al-Mokhabarat, dado que el secretario Halliday tiene razón respecto a ellos). Ese conocimiento puede resultar trascendental.

El presidente lo considero sólo un instante. Entonces asintió con la cabeza.

—Directora, su propuesta es lógica, así que sigamos adelante con ella. Ponga al corriente a la directora Moore.

Hart sonrió; era el momento de aprovechar su ventaja.

—Tal vez necesite que algunas personas…

El presidente asintió con la cabeza inmediatamente.

—Lo que necesite. No es el momento de andarse con medias tintas.

Hart miraba a Halliday, que le estaba lanzando una mirada ponzoñosa, y le sonrió dulcemente cuando la reunión se levantó.

La directora de IC salió rápidamente del Ala Oeste para evitar otro enfrentamiento virulento con el secretario de Defensa y tomó el camino más corto para volver a su cuartel general, donde convocó a Soraya Moore en su despacho.

Abdulla Khoury se dirigía desde el lago Starnberger a la sede central de la Hermandad de Oriente, distante de aquél menos de quince kilómetros. Tras él, los Alpes nevados y la gélida agua azul del lago —el cuarto más grande de Alemania— centelleaban al sol. Los yates surcaban el lago con las velas de brillantes colores desplegadas. No había sitio para diversiones tan frívolas como navegar en la vida de Khoury, ni siquiera antes de que se convirtiera en el jefe de la Hermandad de Oriente. Su vida había dado un giro trascendental cuando, a la edad de siete años, había descubierto que Alá lo había escogido para que fuera su representante en la tierra. Fue una llamada que se había guardado para sí durante mucho tiempo, intuyendo que nadie le creería, y menos que nadie su padre, que trataba a sus hijos aún peor que a su esposa.

Khoury había nacido con la paciencia de una tortuga. Aun de niño no le había resultado difícil esperar el momento oportuno para sacar provecho de una situación. Como es lógico, su serenidad sobrenatural solía ser malinterpretada como una forma de idiocia por su padre y todos sus profesores, excepto uno, que vio en el muchacho la chispa sagrada que Alá había colocado allí en el momento de su concepción. Desde ese instante, la vida de Khoury cambió. Había empezado a frecuentar la casa de aquel profesor después de terminar su jornada escolar para recibir enseñanzas superiores. El hombre vivía solo, y acogió a Khoury como su acólito y protegido.

En la juventud se había unido a la Hermandad de Oriente, donde fue ascendiendo pacientemente en la jerarquía, lo que hizo con su peculiar estilo separando el trigo de la paja. En su caso, el trigo estaba representado por aquellos miembros de la organización que compartían sus estrictos puntos de vista sobre el islam. Había sido él el que introdujo la idea de luchar por el cambio desde dentro. La suya era una naturaleza de natural subversiva; tenía una habilidad fantástica para socavar el orden imperante y agenciárselas para imponer el propio. Esto fue algo que había conseguido lenta y cuidadosamente, siempre volando bajo para no ser detectado por el doble radar de Semion Icoupov y Asher Sever, porque éstos no eran hombres a los que se debía tomar a la ligera ni convertir en enemigos sin contar antes con todas las ventajas imaginables. Khoury andaba acumulando todavía su arsenal de tales ventajas, cuando los dos hombres fueron asesinados, dejando un descomunal y terrorífico vacío de poder.

Aunque no para Abdulla Khoury. Así que aprovechando que la Hermandad de Oriente seguía sumida en pleno desconcierto, se hizo con el poder de la organización. Después de arrancar una página del manual de estrategia de Icoupov, no tardó en colocar a sus compatriotas en todos los puestos claves de la Hermandad de Oriente, asegurándose así el éxito de su hazaña tanto a corto como a largo plazo.

La caravana de automóviles se detuvo en la primera de las tres escalas antes de que regresara a su sede central. Había lugartenientes responsables de las dos áreas de Oriente Próximo y uno de África a los que tenía que informar de los últimos acontecimientos dentro de Irán.

Mientras la caravana de automóviles lo llevaba de una reunión a otra, no pudo por menos que reflexionar sobre la reciente injerencia de Leonid Arkadin. Se las había visto con hombres como él anteriormente, personas que creían que se podía resolver cualquier situación con el llameante cañón de un arma y utilizar como arma a la gente sin una fe que los guiara; pero ¿de qué servía un arma si no se empleaba al servicio de Alá y el islam? Khoury sabía algunas cosas sobre los antecedentes de Leonid Danilovich Arkadin: se había convertido en un asesino de asesinos alquilándose a las diferentes *grupperovka* de Moscú. Se decía que era íntimo de Dimitri Maslov, el jefe de la familia Kazanskaya, pero no tanto como lo había sido de su mentor, Semion Icoupov, antes de que se volviera contra él y lo matara. Lo cual quizá no fuera sorprendente, puesto que Arkadin había nacido y se había criado en Nizhni Tagil, un infierno en la tierra que sólo podía existir en Rusia; un pozo de cieno industrial que fabricaba carros de combate para el ejército, rodeado de cárceles de alta seguridad cuyos ocupantes, cuando eran liberados, se quedaban en Nizhni Tagil para masacrar a sus ciudadanos. Era un pequeño milagro que Arkadin hubiera tenido la suerte suficiente para escapar.

Aquellos sórdidos y sangrientos antecedentes eran la razón de que Khoury supiera en lo más profundo de su ser que Arkadin no era más que un hombre que había perdido su alma, condenado a caminar entre los vivos cuando la mejor parte de él ya estaba muerta y enterrada.

Y por esa misma razón Khoury había tomado algunas precauciones extraordinarias. Iba bien protegido por dos guardaespaldas en su coche, que se mecía bajo el peso de los laterales blindados y los cristales a prueba de balas. También le protegían tiradores de élite con rifles de caza en los coches que llevaba delante y detrás. Dudaba seriamente que el hombre fuera lo bastante tonto para ir tras él, pero puesto que nadie podía leer la mente de los enemigos de uno, era prudente actuar como si fuera él quien estuviera siendo atacado, y no la Hermandad de Oriente.

Quince minutos más tarde la caravana de automóviles entraba en el aparcamiento privado de la Hermandad de Oriente, y los hombres de los coches que rodeaban el de Khoury se apearon de un salto y realizaron un concienzudo registro de la zona. Entonces, y sólo entonces, uno de ellos comunicó a los guardaespaldas que viajaban con Khoury, a través de una red inalámbrica, que podía salir con toda seguridad.

El ascensor los subió a él y a cuatro guardaespaldas directamente a la última planta del edificio propiedad de la Hermandad de Oriente. Los primeros en salir del ascensor fueron dos de los guardaespaldas, que aseguraron la planta y examinaron las caras de todos los empleados personales de su jefe para comprobar que todos fueran conocidos. Luego se hicieron a un lado, y Khoury atravesó a toda prisa la zona de la recepción hasta su despacho. Cuando su secretario se volvió hacia él y le mostró el rostro contraído y pálido bajo el dorado color de su piel, Khoury se dio cuenta de que algo iba mal.

—Lo siento, señor —dijo el hombre—. Ninguno pudimos hacer nada.

Entonces Khoury miró a los tres extraños, e inmediatamente la parte primitiva de su cerebro —allí donde radicaba el instinto de luchar o salir corriendo— comprendió. Sin embargo, su parte civilizada se asustó, clavándolo en el sitio.

—¿Qué es esto? —preguntó.

Atravesó como un sonámbulo la magnífica alfombra en tonos rubíes, regalo del presidente de Irán, mirando con estupefacción a los tres hombres trajeados alineados detrás de su mesa. El de la izquierda y el de la derecha estaban parados con los brazos colgando en los costados y mostraban unas tarjetas plastificadas que los identificaban como agentes del Departamento de Defensa de los Estados Unidos. El del medio, un sujeto de pelo gris del color de los archivadores de hierro y rostro duro y anguloso, dijo:

—Buenas tardes, señor Khoury. Me llamo Reiniger. —Alrededor del cuello, sujeto con un cordón negro, llevaba una tarjeta de identificación de la Bundespolizei. En la misma se leía que Reiniger era un agente de alto rango de la GSG 9, la unidad antiterrorista de élite—. Estoy aquí para detenerlo.

—¿Detenerme? —Khoury estaba desconcertado—. No lo entiendo. ¿Cómo podrían...?

Su voz se apagó en la garganta cuando bajó la vista hacia el expediente que había sacado Reiniger. Para su horror, vio una foto tras otra, verdosas a causa de la película infrarroja, de él con el ayudante de camarero de dieciséis años del café See, a quien veía tres veces por semana cuando iba al lago Starnberg aparentemente a comer.

Recobrando la compostura con un esfuerzo mayúsculo, Khoury empujó las fotos por la mesa.

—Tengo muchos enemigos con recursos oscuros. Esto es un montaje. Cualquiera puede darse cuenta de que quien está realizando esos actos infames y asquerosos no soy yo. —Levantó la vista hacia los dientes amarillos de Reiniger envuelto en su fraudulenta beatería—. ¿Cómo se atreve a acusarme de semejantes…?

Reiniger hizo un pequeño gesto con la mano y el hombre situado a su derecha dio un paso a la izquierda, y ante ellos se materializó el ayudante de camarero de dieciséis años del café See. El chico no fue capaz de mantener la siniestra mirada de odio de Khoury, y en su lugar mantuvo la vista fija en la punta de sus zapatillas deportivas. En aquella habitación excesivamente caldeada, en medio de los norteamericanos altos y anchos de espaldas vestidos con sus trajes oscuros, el muchacho parecía más joven de lo que era, más fino y frágil que la porcelana china.

—Los presentaría —dijo uno de los norteamericanos con una risilla audible—, pero creo que estaría de más.

A Khoury le ardía el cerebro. ¿Cómo era posible que se viera afligido por semejante horror? ¿Por qué, si él era el elegido de Alá, había sido revelado aquel oscuro secreto aprendido en las rodillas de su maestro de la infancia? No pensaba en quién le había traicionado, sólo en que no podría soportar vivir con la vergüenza, que le despojaría del poder y el prestigio que había acumulado con tantos años de esfuerzo.

—Esto es el final para usted, Khoury —dijo el otro norteamericano.

¿Quién era quién? Todos le parecían iguales. Tenían la mirada maligna de los infieles disolutos. Deseaba matarlos a los dos.

—Su final como personaje público —prosiguió el norteamericano con su implacable voz de humanoide—. Pero lo más importante es que su influencia se ha acabado. Su clase de radicalismo ha quedado al descubierto como una farsa, una broma, una maldita hipocresía…

Khoury soltó un gruñido gutural cuando se abalanzó sobre el muchacho. Vio sacar al norteamericano que estaba más cerca del chico una Taser, pero ya no pudo detenerse. Recibió el impacto de los dos arpones punzantes, uno en el torso, el otro en el muslo, y el dolor lo hizo retroceder entre convulsiones. Se le doblaron las rodillas y se desplomó sobre el suelo, encogido, pero todo estaba envuelto en el zumbido de un silencio, como si ya hubiera pasado a otro plano. Incluso cuando el movimiento en la habitación se hizo frenético, incluso cuando, minutos más tarde, lo subieron a una camilla, lo bajaron en ascensor y lo llevaron a toda prisa a través del vestíbulo de la planta baja lleno de manchas silenciosas y asustadas que una vez debieron de haber sido caras, todo era silencio. Todo estaba en silencio en la calle, incluso el tráfico que pasaba, incluso los sanitarios y los norteamericanos de los trajes oscuros que trotaban junto a la camilla y tenían las bocas abiertas, quizá para gritar a los boquiabiertos peatones que se apartaran o retrocedieran. Silencio. Sólo silencio.

Y entonces lo levantaron como por intercesión de la mano de Alá y lo introdujeron en la ambulancia. Dos sanitarios saltaron dentro junto con un tercer hombre, e incluso cuando todavía no habían acabado de cerrar las puertas traseras, la ambulancia arrancó. Su sirena debía de estar aullando, aunque Khoury no podía oír nada. Ni tampoco podía sentir su cuerpo, que parecía adherido a la camilla como por unas pesas de plomo. Lo único que sentía era el fuego en su pecho, el esfuerzo de su corazón y el pulso irregular de la sangre que circulaba por él.

Confiaba en que el tercer hombre no fuera uno de los norteamericanos; les tenía miedo. Sabía que podría manejar al alemán en cuanto recuperase el habla; había hecho muchas amistades en la Bundespolizei y mientras pudiera mantener lejos a los norteamericanos, siquiera fuera durante una hora, sabía que no le pasaría nada.

Una sensación de alivio lo inundó cuando vio que el tercer hombre era Reiniger. Sintió un cosquilleo en las extremidades y descubrió que podía mover los dedos de los pies y de las manos. Y se disponía ya a poner a prueba sus cuerdas vocales, cuando el agente de la GSG9 se inclinó sobre él y, con el gesto dramático de un mago en el escenario, se quitó la nariz y las mejillas de silicona y una dentadura amarillenta que se había colocado encima de la suya. Inmediatamente, una premonición se apoderó de Khoury con la agitación de una marea negra mortífera.

—Hola, Khoury —dijo lentamente.

Khoury intentó hablar, pero sólo consiguió morderse la lengua.

Reiniger sonrió abiertamente mientras le palmeaba el hombro al afligido sujeto.

—¿Cómo te va? No muy bien, según veo. —Se encogió de hombros y su sonrisa se expandió—. No importa, porque hoy es un buen día para morir. —Colocó la yema de su pulgar derecho sobre la nuez de Khoury y apretó hasta que algo vital reventó—. Bueno para nosotros, en cualquier caso.

4

Cuando Soraya Moore entró en el despacho de la directora de IC, Veronica Hart se levantó de detrás de su mesa y le hizo un gesto para que se sentara a su lado en un sofá situado contra la pared. En el último año de Hart como directora de la agencia, las dos mujeres se habían hecho amigas íntimas además de colegas. Las circunstancias las habían obligado a confiar mutuamente desde que Hart había ocupado el cargo tras la muerte intempestiva del Viejo. Las dos se habían unido contra el secretario de Defensa Halliday, mientras Willard hacía caer a su perro de presa, Luther LaValle, e infligía a Halliday la derrota más humillante de su carrera política. Que en el camino se habían ganado un enemigo mortal jamás estaba lejos de sus pensamientos ni de sus discusiones. Como no lo estaba Jason Bourne, con quien Soraya había trabajado dos veces y a quien Hart había llegado a comprender mejor que nadie en Inteligencia Central, excepción hecha de la propia Soraya.

—Bueno, ¿cómo estás? —preguntó la directora en cuanto ambas se sentaron.

—Han pasado tres meses y todavía no he asumido la muerte de Jason. —Soraya era una mujer tan fuerte como bella, con unos intensos ojos azules que contrastaban poderosamente con la piel color canela y el largo pelo negro. Antigua jefa de estación de la agencia, se le había confiado de buenas a primeras la dirección de Typhon, la organización que había contribuido a crear, cuando su mentor, Martin Lindros, había muerto el año anterior. Desde entonces, había tenido que lidiar con el laberíntico cabildeo político que cualquier director de la comunidad del espionaje estaba obligado a dominar. Sin embargo, al final, su enfrentamiento con Luther LaValle le había enseñado muchas lecciones importantes.

—Para ser sincera, no paro de pensar que lo estoy viendo con el rabillo del ojo. Pero cuando miro (es decir, que miro de verdad) siempre es otra persona.

—Por supuesto que es otra —dijo Hart, no sin compasión.

—No llegaste a conocerlo como yo —dijo Soraya con tristeza—. Engañó a la muerte tantas veces que ahora me parece imposible que esta última vez haya fracasado.

Bajó la cabeza, y Hart le apretó fugazmente la mano.

La noche que se enteraron de la muerte de Bourne, la había llevado a cenar fuera e insistido después en que volviera a su piso, ignorando resueltamente todas las protestas de la directora de Typhon. La noche estuvo llena de dificultades, la menor de las cuales no fue que Soraya fuera musulmana; no pudieron continuar con una buena juerga al viejo estilo. Sufrir completamente sobria era una lata, y Soraya le había suplicado a Hart que bebiera, si quería hacerlo, pero la directora de IC se había negado. Aquella noche había nacido entre ellas un vínculo tácito que ya nada podía romper.

Soraya levantó entonces la vista y sonrió lánguidamente a Veronica.

—Pero supongo que no me has llamado para volver a sujetarme la mano.

—No, no te llamé para eso. —Hart le contó lo del derribo del avión de pasajeros en Egipto—. Jaime Hernandez y Jon Mueller están formando un equipo forense conjunto de la NSA y el DHS que volará hasta El Cairo.

—Que tengan suerte —dijo Soraya cáusticamente—. ¿Y quién del equipo va a interactuar con los egipcios, hablar con ellos en su idioma o ser capaz de interpretar lo que están pensando por su respuestas?

—A decir verdad, tú. —Cuando vio la expresión de asombro en la cara de Soraya, añadió—: Reaccioné igual que tú ante ese destacamento.

—¿Cuánta resistencia opuso Halliday?

—Planteó las objeciones habituales, incluidos algunos comentarios racistas alusivos a tu herencia —respondió Hart.

—Hay que ver cómo nos odia a todos. Ni siquiera distingue entre árabes y musulmanes, ya no digamos entre suníes y chiitas.

—No importa —dijo Hart—. Expuse mis razones al presidente y éste estuvo de acuerdo.

La directora de IC le entregó una copia del informe de inteligencia que estaban leyendo todos cuando llegó la noticia del desastre aéreo.

Cuando Soraya lo hubo examinado, dijo:

—Esta información procede de Black River.

—Como he trabajado para Black River, eso es precisamente lo que me preocupa. Dado los métodos que utilizan para reunir la información, me parece que Halliday depende demasiado de ellos. —Hizo un gesto con la cabeza hacia el expediente—. ¿Qué piensas de su información acerca de ese grupo disidente pro occidental iraní?

Soraya frunció el ceño.

—Existen rumores sobre su existencia desde hace años, por supuesto, pero te puedo asegurar que nadie en la comunidad de la inteligencia occidental ha conocido a un solo miembro ni jamás ha sido contactado por el grupo. Con sinceridad, siempre me ha parecido que formaba parte de la fantasía de los neoconservadores de extrema derecha de un Oriente Próximo democrático. —Siguió hojeando el expediente.

—Sin embargo, hay un verdadero movimiento disidente iraní que ha estado reclamando elecciones democráticas —dijo Hart.

—Sí, pero no está claro que su líder, Akbar Ganji, sea pro occidental. Sospecho que lo más probable es que no lo sea. Por un lado, ha sido lo bastante astuto para rechazar los periódicos ofrecimientos de dinero de la Administración a cambio de una insurrección armada. Por otro, sabe, aunque nuestra propia gente no lo sepa, que arrojar dólares americanos a las que eufemísticamente llamamos «fuerzas liberales indígenas» del interior de Irán es una fórmula para el desastre. No sólo pondría en peligro al ya de por sí frágil movimiento y su objetivo de una revolución con piel de cordero, sino que animaría a sus líderes a hacerse dependientes de la ayuda norteamericana. Eso los distanciaría de sus electores potenciales, como ocurrió en Afganistán, Irak y muchos otros países de Oriente Próximo y convertiría a los sedicentes luchadores por la libertad en nuestros enemigos implacables. Una vez tras otra, la ignorancia de la cultura, la religión y los verdaderos objetivos de esos grupos se han aliado para derrotarnos.

—Razón por la cual formarás parte del equipo forense —dijo Hart—. Sin embargo, como puedes ver, la información de Black River no se ocupa de Ganji ni de su gente. Aquí no estamos hablando de una revolución de guante de seda, sino de una bañada en sangre.

—Ganji ha dicho que no quiere la guerra, pero hace tiempo que está sumido en la confusión política. Sabes tan bien como yo que el régimen no le permitiría sobrevivir, mucho menos decir lo que piensa, si tuviera una fuerza sustancial. Ganji no es de ninguna utilidad para Halliday, pero los objetivos de este nuevo grupo encajarían en sus planes a la perfección.

Hart asintió con la cabeza.

—Eso es justo lo que estaba pensando. Así que mientras estás en Egipto, quiero que husmees un poco por allí. Utiliza los contactos egipcios de Typhon para averiguar lo que puedas acerca de la legitimidad de ese grupo.

—No será fácil —dijo Soraya—. Te puedo asegurar que la policía secreta nacional va a estar encima de nosotros, sobre todo de mí.

—¿Por qué especialmente de ti? —preguntó Hart.

—Porque el jefe de la al-Mokhabarat es Amun Chalthoum. Y ambos tuvimos un acalorado enfrentamiento.

—¿Cómo de acalorado?

Los recuerdos de Soraya se reprimieron inmediatamente.

—Chalthoum tiene un carácter complicado, una personalidad difícil de interpretar... Es como si toda su vida estuviera limitada a su trabajo en al-Mokhabarat, una organización de matones y asesinos a la que parece haber sido condenado de por vida.

—Encantador —dijo Hart, no sin sarcasmo.

—Pero sería una ingenuidad creer que lo es todo para él.

—¿Crees que puedes manipularlo?

—No veo por qué no. Creo que le gusto bastante —dijo Soraya, sin acabar de comprender del todo la razón de que no le estuviera diciendo a Veronica toda la verdad.

Ocho años antes, cuando realizaba una misión como correo, había sido capturada por agentes de al-Mokhabarat que, sin saberlo ella, se habían infiltrado en la red local de IC a la que iba a entregar un micropunto en el que estaban grabadas sus nuevas instrucciones. Ella no tenía ni idea de lo que contenía el micropunto ni ningún deseo de saberlo. Fue arrojada a una mazmorra de las dependencias de al-Mokhabarat en el centro de El Cairo. Tres días más tarde, sin haber dormido y con sólo agua y un mendrugo de pan enmohecido al día por toda comida, fue conducida arriba y llevada ante Amun Chalthoum que, tras echarle una ojeada, le ordenó inmediatamente que se aseara.

La condujeron a una ducha, donde se restregó cada centímetro de su cuerpo con una manopla enjabonada. Cuando salió, la esperaba una muda nueva. Supuso que su antigua ropa estaba siendo hecha jirones y analizada por la policía científica de la al-Mokhabarat en su intento de encontrar la información que transportaba.

Le pareció que todo encajaba a la perfección. Pero para su sorpresa, fue conducida fuera del edificio. Era de noche. Se le ocurrió que no había sido consciente del transcurso del tiempo. En la calurosa calle la esperaba un coche aparcado en la acera, cuyos faros iluminaban a unos guardias vestidos de paisano que la observaron con una estudiada atención. Cuando subió al vehículo, se llevó otra sorpresa: Amun Chalthoum estaba sentado al volante. Y estaba solo.

Amum condujo atentamente por la ciudad a toda velocidad, dirigiéndose al oeste para adentrarse en el desierto. No dijo ni una palabra, pero de vez en cuando, siempre que el tráfico lo permitía, la observaba con su ávida mirada de halcón. Ella estaba hambrienta, aunque decidida a guardarse el hambre para sí.

Amun la llevó a Wadi AlRayan. Detuvo el coche y le dijo que saliera. Permanecieron de pie cara a cara bajo la luz azul de la luna.

Wadi AlRayan estaba tan desolado que bien podrían haber sido los dos últimos seres humanos sobre la tierra.

—Sea lo que sea lo que estés buscando —dijo ella—, no lo tengo.

—Sí, sí que lo tienes.

—Ya ha sido entregado.

—Mis fuentes me dicen lo contrario.

—No pagas lo suficiente a tus fuentes. Además, ya habéis registrado mis ropas y todo lo demás.

El hombre no se rió, ni lo hizo nunca durante el tiempo que ella estuvo con él.

—Lo tienes en tu cabeza. Dámelo. —Al no responderle, añadió—: Nos quedaremos aquí hasta que me des la información.

Ella se percató de su amenaza, y también de la energía que la animaba. A sus ojos era una mujer egipcia, y como tal, estaba educada para obedecer a los hombres incondicionalmente; ¿por qué habría de ser diferente a cualquier otra mujer que él conociera? ¿Porque era medio norteamericana? Amun despreciaba a los norteamericanos. Soraya se percató inmediatamente de la ventaja que le proporcionaba el error del hombre. Así que le hizo frente; mantuvo su historia; no dejó de desafiarlo; y lo más importante, le demostró que no podía asustarla.

Al final Amun había cedido y la había llevado de vuelta a El Cairo, al aeropuerto. En la puerta de embarque le devolvió el pasaporte como podría haberlo hecho un caballero. Fue un gesto formal y en cierto sentido enternecedor. Soraya se alejó, convencida de que no lo volvería a ver nunca más.

La directora de IC asintió con la cabeza.

—Si puedes utilizar la atracción que siente por ti en beneficio propio, hazlo, porque tengo la molesta impresión de que Halliday está a punto de proponer una nueva e importante iniciativa militar basándose en la premisa de una insurrección armada dentro de Irán.

Leonid Arkadin estaba sentado en un café de Campione d'Italia, un pintoresco paraíso fiscal italiano situado en un paraje recóndito de los Alpes suizos. El diminuto municipio se levantaba en pendiente sobre la cristalina superficie azul marino de un lago de montaña salpicado de embarcaciones de todos los tamaños, desde botes de remos a yates de millones de dólares provistos de helipuertos y helicópteros, faltaría más, y, en el más grande de todos, de las mujeres que los acompañaban.

Envuelto en un sopor de indiferencia, Arkadin observaba divertido a dos estilizadas modelos con la clase de piel perfectamente bronceada que sólo los privilegiados y los ricos sabían cómo conseguir. Mientras bebía a sorbos un café solo en una pequeña taza que casi se perdía en su mano grande y cuadrada, las dos modelos saltaron encima de un hombre calvo de cuerpo excesivamente peludo que estaba tendido sobre los cojines azul marino de la cubierta de popa del yate.

Perdió el interés porque para él el placer era un concepto tan efímero, que carecía por igual de forma y función. Su mente y su cuerpo seguían atados a la rueda de hierro y fuego de Nizhni Tagil, lo que no hacía más que demostrar el viejo proverbio: puedes sacar a un hombre del infierno, pero no puedes sacar el infierno de su interior.

Seguía sintiendo en la boca el gusto acre del cielo tóxico de Nizhni Tagil cuando, un instante después, un hombre con la piel del color de su café se acercó. Arkadin levantó la vista con un aire cercano a la indiferencia en el momento en que el desconocido se deslizó sobre la silla que tenía enfrente.

—Me llamo Ismael —dijo el hombre café—. Ismael Bey.

—La mano derecha de Khoury. —Arkadin terminó su café y dejó la taza sobre la pequeña mesa redonda—. He oído hablar de usted.

Bey, un hombre bastante joven, delgado y huesudo como un perro hambriento, tenía una expresión terriblemente angustiada.

—Se acabó, Arkadin. Ha ganado. Con la muerte de Abdulla Khoury, ahora soy el jefe de la Hermandad de Oriente, pero valoro mi vida más de lo que mi predecesor valoraba la suya. ¿Qué es lo que quiere?

Arkadin asió la taza vacía y la movió hasta dejarla en el centro exacto del plato, lo que hizo sin apartar la mirada de los ojos del otro hombre. Cuando estuvo listo, dijo:

—No quiero su puesto, pero le voy a quitar su poder.

Sus labios formaron el espectro de una sonrisa, pero algo en su expresión provocó un visible escalofrío en Bey.

—A ojos del mundo exterior usted ha asumido el mando de su líder caído. Sin embargo, todo (todas las decisiones, todas las acciones que tome a partir de este momento) empezará en mí; cada dólar que gane la Hermandad pasará por mí. Éste es el nuevo orden de combate.

Su sonrisa se volvió lobuna, y la cara de Bey adquirió una apariencia verde brillante.

—Lo primero en el orden de combate es escoger a un contingente de cien hombres de la Legión Negra. Dentro de una semana los quiero ver en un campamento que he levantado en los montes Urales.

Bey ladeó la cabeza.

—¿Un campamento?

—Los entrenaré personalmente.

—¿Entrenar para qué?

—Para matar.

—¿Y a quién se supone que tienen que matar?

Arkadin empujó la taza vacía por la mesa hasta dejarla justo delante de Bey. Ese gesto no ofreció dudas a Bey: no tenía nada; y no tendría nada a menos que obedeciera a Arkadin absoluta y concienzudamente.

Y sin decir ni una palabra más, Arkadin se levanto y lo dejó enfrentado al rostro desapacible de su nuevo futuro.

—Hoy me he despertado pensando en Soraya Moore —dijo Willard—. Estuve pensando que debe seguir llorando tu muerte.

Era poco después del amanecer y, como todas las mañanas en

ese momento, Bourne estaba sentado soportando el tedioso y concienzudo examen del doctor Firth.

Bourne, que había llegado a conocer a Willard bastante bien en los tres meses que habían pasado juntos, dijo:

—No he intentado ponerme en contacto con ella.

Willard hizo un gesto con la cabeza.

—Eso está bien. —Era un hombre bajo y apuesto de ojos grises cuyo rostro podía adoptar cualquier expresión con una facilidad inconsciente.

—Hasta que averigüe quién intentó matarme hace tres meses y me encargue de él, he decidido mantener a Soraya al margen. —No es que Bourne no confiara en ella, todo lo contrario, pero dado los lazos que la unían con IC y la gente con quien trabajaba, había decidido desde el principio que sería injusto para ella tener que llevar a diario el peso de la verdad.

—Regresé a Tenganan, pero no pude encontrar ni rastro de la bala —dijo Willard—. He intentado todo lo que se me ha ocurrido para descubrir quién te disparó, pero no ha habido suerte hasta el momento. Quienquiera que fuera borró sus huellas con una habilidad encomiable.

Frederick Willard era un hombre que había llevado una máscara durante tanto tiempo que ésta se había convertido en parte de él. Bourne le había pedido a Moira que se pusiera en contacto con él porque para Willard los secretos eran sagrados. Había guardado fielmente todos los secretos de Alex Conklin en Treadstone; como un animal herido, Bourne sabía por instinto que guardaría el secreto de que seguía vivo.

Cuando Conklin fue asesinado, Willard ya ocupaba su puesto supersecreto como jefe de seguridad de la casa franca de la NSA en la rural Virginia. Había sido él quien sacó a escondidas las fotos digitales de las celdas de ejecución y ahogamiento del sótano de la casa que habían tumbado a Luther LaValle y que habían exigido un riguroso control de daños por parte del grupo del secretario de Defensa Halliday.

—Listo —dijo Benjamin Firth, levantándose de su taburete—. Todo está bien. Mejor que bien, diría. Las heridas de entrada y salida están cicatrizando a una velocidad verdaderamente notable.

—Eso es gracias al entrenamiento —dijo Willard con aplomo.

Pero en su fuero interno, Bourne no estaba seguro de si su recuperación no se estaba viendo favorecida por el brebaje de *kencur* —el lirio de la resurrección— que Suparwita le había hecho beber poco antes de que le dispararan. Sabía que tenía que hablar con el curandero otra vez si quería descubrir lo que le había ocurrido allí.

Se levantó.

—Me voy a dar un paseo.

—Como siempre, desaconsejo que lo hagas —le advirtió Willard—. Cada vez que pones un pie fuera de este recinto, te arriesgas a comprometer tu seguridad.

Bourne se echó a la espalda una ligera mochila con dos botellas de agua.

—Necesito ejercicio.

—Puedes hacerlo aquí —puntualizó Willard.

—Subir por esas montañas es la única manera de aumentar mi resistencia.

Aquélla era la misma discusión que habían tenido todos los días desde que Bourne se sintió lo bastante en forma para hacer grandes caminatas, y era un consejo que decidía ignorar.

Después de abrir la cancela del recinto del doctor, emprendió briosamente la marcha a través de las empinadas colinas boscosas y los bancales de arrozales del este de Bali. No era sólo que se sintiera acorralado entre aquellas paredes de estuco del recinto de Firth ni que lo considerara necesario para superar las etapas cada vez más difíciles de ejercicio físico, aunque ni una ni otra eran razones suficientes para sus caminatas diarias. Lo que ocurría era que se sentía impulsado a volver una y otra vez al paisaje donde la tentadora llama del pasado —la sensación de que le había ocurrido algo importante allí, algo que necesitaba recordar— no dejaba de parpadear.

En aquellas excursiones que le llevaban por empinados barrancos y ríos turbulentos, junto a santuarios animistas en honor de deidades con forma de tigres o dragones, por desvencijados puentes de bambú e inmensos arrozales y plantaciones de cocoteros, intentaba evocar aquella confusa figura que en sus sueños se volvía hacia él. En vano.

Cuando se sintió suficientemente en forma, salió en busca de Suparwita, pero no encontró al curandero por ninguna parte. Su casa estaba habitada por una mujer que parecía tan vieja como los árboles que la rodeaban. Tenía la cara ancha y la nariz chata y carecía de dientes. Posiblemente también fuera sorda, porque se lo quedó mirando fijamente con indiferencia cuando Bourne le preguntó, tanto en balinés como en indonesio, dónde estaba Suparwita.

Una mañana que ya empezaba a ser calurosa y húmeda, se detuvo sobre el bancal más elevado de un arrozal, cruzó el canal de riego y fue a sentarse a la fresca sombra de un *warung*, un pequeño restaurante familiar donde se podía tomar un tentempié y beber algo. Mientras sorbía una verdosa agua de coco con una paja, se puso a jugar con el más pequeño de los tres hijos, mientras que la mayor, una niña de no más de doce años, lo observaba con ojos sombríos y graves mientras trenzaba elaboradamente unas delgadas hojas de palma que acabarían convirtiéndose en cesta. El niño —un bebé de no más de dos meses— estaba tendido encima de la mesa a la que estaba sentado Bourne; la criatura balbucía mientras exploraba los dedos del hombre con sus diminutos puños marrones. Al cabo de un rato, su madre lo cogió en brazos para darle de comer. Estaba prohibido que los pies de los niños balineses menores de tres meses tocaran el suelo, lo cual significaba que tenían que estar permanentemente en brazos de alguien. Quizás era ésa la razón de que fueran tan felices, reflexionó Bourne.

La mujer le llevó un plato de arroz apelmazado envuelto en hojas de banana, y él le dio las gracias. Mientras comía, Bourne charló con el marido de la mujer, un hombrecillo enjuto y nervudo de dientes grandes y sonrisa alegre.

—*Bapak*, vienes aquí todas las mañanas —dijo el hombre. *Bapak* significaba «padre», y era el tratamiento de los balineses, formal e íntimo al mismo tiempo, otra expresión de la dualidad que subyacía en la vida—. Te observamos cuando asciendes. A veces tienes que pararte para coger aire. Una vez mi hija te vio doblado por la cintura y vomitando. Si estás enfermo, te ayudaremos.

Bourne sonrió.

—Gracias, pero no estoy enfermo. Sólo un poco bajo de forma.

Si el hombre no le creyó, no lo exteriorizó. Sus manos de grandes nudillos y llenas de venas reposaban sobre la mesa como dos pedazos de granito. Su hija terminó de hacer la cesta y se quedó mirando a Bourne de hito en hito, mientras sus ágiles dedos, como por propia iniciativa, empezaron a trabajar en otra. Su madre se acercó y le puso a su hijo pequeño en el regazo. Bourne sintió el peso y los latidos del corazón del niño, y se acordó de Moira, con quien no mantenía a propósito ningún contacto desde que ella se había marchado de la isla.

—*Bapak*, ¿de qué manera puedo ayudarte a recuperar la forma? —preguntó el padre del niño en voz baja.

¿Sospechaba algo o sólo estaba siendo amable?, se preguntó Bourne. ¿Y qué más daba, después de todo? Siendo balinés como era, el hombre se estaba comportando con sinceridad, lo cual, al final, era lo que importaba. Eso era algo que había aprendido del contacto con aquella gente. Eran el polo opuesto de los hombres y mujeres traicioneros que habitaban su mundo sombrío. Allí, las únicas sombras eran los demonios... y además había manera de protegerse de ellos. Bourne pensó en la tela de doble *ikat* que Suparwita le había dicho a Moira que le comprara.

—Hay una manera —dijo entonces—, puedes ayudarme a encontrar a Suparwita.

—Ah, el curandero, sí. —El balinés hizo una pausa, como si escuchara una voz que sólo él podía oír—. No está en su casa.

—Lo sé. Estuve allí —le explicó—. Vi a una anciana desdentada.

El hombre sonrió abiertamente, mostrando sus blancos dientes.

—Es la madre de Suparwita, sí. Una mujer muy mayor. Sorda como un coco; y también muda.

—No me ayudó.

El hombre movió la cabeza.

—Lo que hay dentro de la cabeza de esa mujer sólo Suparwita lo sabe.

—¿Sabes dónde está? —preguntó—. Es importante que lo encuentre.

—Suparwita es curandero, sí. —El hombre estudió a Bourne amablemente, de una manera cortés incluso—. Se ha ido a Goa Lowah.

—Entonces iré allí.

—*Bapak*, no sería inteligente que lo siguieras.

—Para ser sincero —dijo Bourne—, no siempre actúo con inteligencia.

El hombre soltó una carcajada.

—*Bapak*, después de todo, sólo eres humano. —Su sonrisa volvió a aparecer—. No te preocupes. Suparwita también perdona a los tontos además de a los sabios.

El murciélago, uno de las docenas que colgaban de las paredes mojadas, abrió los ojos y miró fijamente a Bourne. Entonces parpadeó, como si no se pudiera creer lo que estaba viendo, y volvió a sumirse en su sueño diurno. Bourne, con la parte inferior del cuerpo envuelta en el tradicional *sarong*, estaba parado en el corazón manantial del complejo religioso de Goa Lowah, en medio de los balineses que acudían a rezar y de los turistas japoneses que se tomaban un respiro de su compulsión compradora.

Goa Lowah, que estaba cerca de la ciudad de Klungkung, en el sudeste de Bali, también era conocida localmente como la Cueva de los Murciélagos. Muchos de los grandes templos estaban construidos alrededor de los manantiales porque estas aguas, que manaban de las entrañas de la isla, estaban consideradas sagradas y se les atribuía la propiedad de limpiar espiritualmente a los que acudían a rezar allí y se empapaban del agua, bien bebiéndola, bien rociándose la cabeza con ella. El agua sagrada de Goa Lowah borboteaba desde las entrañas de la tierra al fondo de la cueva. La gruta estaba habitada por cientos de murciélagos que durante el día colgaban de las paredes goteantes de calcita durmiendo y soñando y por la noche salían a volar por el cielo negro a atiborrarse de insectos. Aunque los balineses odiaban normalmente a los murciélagos, a los de Goa Lowah se les ahorraba esa suerte, porque cualquier cosa que viviera en un lugar sagrado también se volvía sagrado.

Bourne no había encontrado a Suparwita. En vez de eso, se topó con un sacerdote bajito y arrugado con los pies planos y torcidos y dientes de liebre, que estaba realizando una ceremonia de purificación delante de un pequeño altar de piedra en el que se habían depositado algunas ofrendas de flores. Había una media docena de balineses sentados en semicírculo. Mientras los observaba en silencio, el sacerdote cogió un cuenco pequeño trenzado lleno de agua sagrada y, utilizando el retoño de una hoja de palma que mojó en el agua, roció las cabezas de los asistentes. Nadie miró a Bourne ni le prestó la menor atención; para ellos, formaba parte de otro universo. Esa habilidad de los balineses para compartimentar sus vidas con una autoridad total y absoluta era la razón de que su forma de hinduismo y su cultura exclusiva permanecieran incorruptas por las influencias externas, aun después de décadas de invasiones de turistas y de las presiones de los musulmanes que gobernaban en todas las demás islas del archipiélago indonesio.

Bourne sabía que allí había algo para él, algo que era una segunda naturaleza para los balineses, algo que lo ayudaría a averiguar quién era realmente. Tanto David Webb, la persona, como la identidad de Jason Bourne estaban incompletos: el uno irremediablemente destrozado por la amnesia; el otro era algo que había creado para él el programa Treadstone de Alex Conklin.

¿Seguía siendo Bourne la combinación de la investigación, el adiestramiento y las teorías psicológicas de Conklin sometida a la prueba definitiva? ¿Había empezado a vivir como una persona para acabar evolucionando hacia otra completamente distinta? Ésas eran las preguntas que acuciaban a Bourne. Su futuro y el impacto que tenía en aquellos que le importaban y en aquellos que incluso podría querer dependían de la respuesta.

El sacerdote había terminado y estaba colocando el cuenco trenzado en un nicho del altar cuando Bourne sintió la urgente necesidad de que lo purificaran con aquella agua sagrada.

Se arrodilló detrás de los balineses, cerró los ojos y dejó que las palabras del sacerdote fluyeran sobre él hasta que perdió la noción del tiempo. Hasta entonces nunca se había visto libre ni de la identidad de Bourne que le había dado Alex Conklin, ni de la personalidad incompleta que conocía como David Webb. ¿Quién era Webb, en definitiva? El hecho era que no lo sabía; o más exactamente, que no podía recordarlo. Sin duda había retazos de él que habían sido unidos por los psicólogos y por él mismo, y de vez en cuando otros trozos, arrancados por un estímulo u otro, afloraban a la superficie de su conciencia con la fuerza de la explosión de un torpedo. Aun así, lo cierto era que no estaba más cerca de comprenderse, e irónica y trágicamente había veces en que tenía la sensación de comprender a Bourne bastante mejor que a Webb. Al menos, sabía lo que le motivaba, mientras que las motivaciones de Webb seguían siendo un completo misterio. Tras haber intentado, y fracasado, reintegrarse a la vida académica de Webb, había decidido desconectarse de éste. Con un sobresalto palpable se dio cuenta de que allí, en Bali, también había empezado a desconectarse de la identidad de Bourne con que había llegado a asociarse tan íntimamente. Pensó en los balineses que había encontrado allí: Suparwita, la familia que regentaba el *warung* de las montañas —incluso en el sacerdote a quien no conocía de nada, pero cuyas palabras parecían envolverle en una intensa luz blanca—, y luego los comparó con los occidentales, con Firth y Willard. Los balineses vivían en contacto con los espíritus de la tierra, veían el bien y el mal y actuaban en consecuencia. No había nada entre ellos y la propia naturaleza, mientras que Firth y Willard eran criaturas de la civilización con todas sus capas de engaño, envidia y codicia. Esa esencial dicotomía le había abierto la mente como nada lo había hecho anteriormente. ¿Quería ser como Willard o como Suparwita? ¿Era una coincidencia que los balineses no dejaran que los pies de sus hijos tocaran el suelo hasta los tres meses... y que él llevara en Bali exactamente ese mismo tiempo?

En ese momento, y por primera vez en su defectuosa memoria, rotas las amarras con todo y todos los que conocía, se sintió capaz de mirar en su interior, y lo que vio fue algo que no reconoció, ni a Webb, ni a Bourne. Era como si Webb fuera un sueño u otra identidad que le habían asignado como habían hecho con la de Bourne.

Arrodillado en el exterior de la Cueva de los Murciélagos con sus cientos de moradores moviéndose impacientemente, con la salmodia del sacerdote transformando el intenso sol del hemisferio sur en una oración, contempló el quimérico paisaje de su alma, un lugar excepcionalmente penumbroso, como una ciudad desierta una hora antes del amanecer o la desolada orilla del mar una hora después del crepúsculo; un lugar que huía de él, cambiante como la arena. Y mientras viajaba a través de aquel país desconocido, se hizo esta pregunta: *¿Quién soy?*

5

El equipo conjunto de forenses de la NSA y la DHS llegó a El Cairo y, para consternación de todos excepto de Soraya, fue recibido en el aeropuerto por un contingente de élite de la al-Mokhabarat, la policía secreta nacional egipcia. Los miembros del equipo y sus pertenencias fueron introducidos de cualquier manera en unos vehículos militares que, en medio de un calor devastador y bajo un sol implacable, los condujeron a través del caos urbano de El Cairo. Tras salir de la ciudad en dirección sudoeste, enfilaron hacia el desierto formando una única fila silenciosa y taciturna.

—Nuestro destino está cerca de Wadi AlRayan —le dijo a Soraya Amun Chalthoum, el jefe de la al-Mokhabarat. La había localizado inmediatamente y apartado del equipo para que se sentara junto a él en su vehículo, que era el segundo detrás de un pesado transporte blindado semioruga que sin duda estaba utilizando para alardear de su poderío en las narices de los norteamericanos.

El tiempo parecía no haber pasado por Chalthoum. Su pelo seguía siendo negro y abundante y en su amplia frente cobriza todavía no se divisaba ni una arruga. Sus negros ojos de cuervo, hundidos encima de su nariz aguileña, todavía ardían con una emoción reprimida. Era un hombre grande y musculoso que tenía las caderas tan estrechas como un nadador o un alpinista; por el contrario, sus dedos eran largos y estilizados como los de un pianista o un cirujano. Y sin embargo, algo importante sí que había cambiado, porque de su persona emanaba la sensación de un fuego no del todo apagado que podía reavivarse en cualquier momento. Cuanto más se acercaba uno a él, más sentía la agitación de su ira contenida. En ese momento, sentada a su lado, sintiendo las otrora familiares emociones en su interior, Soraya se dio cuenta de por qué no le había dicho a Veronica Hart toda la verdad: porque no estaba en absoluto segura de poder manejar a Amun.

—Qué callada. ¿No estás emocionada por volver a casa?

—La verdad es que estaba pensando en la última vez que me llevaste a Wadi AlRayan.

—Eso fue hace ocho años y tan sólo intentaba conseguir la verdad —dijo Amun, sacudiendo la cabeza—. Admítelo, estabas en mi país pasando secretos...

—No admito nada.

—... que por derecho pertenecían al Estado. —Se dio una palmada en el pecho—. Y yo soy el Estado.

—*Le Roi le Veut* —murmuró Soraya.

—Es la voluntad del rey. —Chalthoum asintió con la cabeza—. En efecto. —Y momentáneamente apartó las manos del volante y abrió los brazos para abarcar el desierto por el que estaban circulando—. Ésta es la tierra del absolutismo, Umm al-Dunya, la Madre del Universo, pero no te voy contar algo que ya sabes. Después de todo, eres egipcia, como yo.

—Medio egipcia. —Ella se encogió de hombros—. De todas maneras, eso no importa. Estoy aquí para ayudar a mi gente a averiguar qué le sucedió al avión de pasajeros.

—Tu gente. —Chalthoum escupió las palabras como si incluso pensar en ellas le dejara un sabor amargo en la boca—. ¿Y qué pasa con tu padre? ¿Qué hay de su gente? ¿Hasta ese punto ha destruido Norteamérica la embravecida árabe que llevas dentro?

Soraya apoyó la cabeza en el respaldo del asiento y cerró los ojos. Sabía que debía controlar sus sentimientos, y pronto, o de lo contrario toda la misión podría entrar en una vorágine de descontrol. Entonces sintió el roce del brazo de Amun en el suyo y se le erizaron los pelos de la nuca. *Dios mío*, pensó, *no puedo sentir lo que siento por él.* Y entonces empezó a sudar frío. *¿Fue ésta la razón de que le ocultara la verdad a Veronica, porque sabía que si le contaba todo jamás me habría permitido volver aquí?* Y de pronto se sintió en peligro, no a causa de Amun, sino de ella, de sus propias emociones desbocadas.

En un esfuerzo por recuperar el equilibrio de alguna manera, dijo:

—Mi padre nunca olvidó que era egipcio.

—Lo suficiente para cambiar el apellido de su familia de Mohammed a Moore —dijo Chalthoum con amargura.

—Se enamoró de Estados Unidos cuando se enamoró de mi madre. El profundo aprecio que siento por mi país me viene de él.

Chalthoum meneó la cabeza.

—¿Por qué ocultarlo? Fue cosa de tu madre.

—Como todos los norteamericanos, mi madre no le daba importancia a todo lo que tenía que ofrecerle su país. No podía haberle importado menos el Cuatro de Julio; era mi padre quien me llevaba a ver los fuegos artificiales al Mall de Washington, donde me hablaba de los derechos y libertades.

Él enseñó los dientes.

—No puedo evitar reírme de su ingenuidad… y de la tuya. Con franqueza, supuse que tendrías… digamos que un punto de vista más pragmático sobre Estados Unidos, el país que exporta a Mickey Mouse, la guerra y las fuerzas armadas de ocupación con idéntica despreocupación.

—Qué oportuno por tu parte que olvides que también somos el país que mantiene al tuyo a salvo de los extremistas, Amun.

Chalthoum apretó los dientes, y estaba a punto de responder cuando el vehículo, dando sacudidas, atravesó un cordón formado por sus hombres —que armados con subfusiles mantenía a la masa vociferante de periodistas internacionales a una distancia prudencial del lugar del accidente—, y frenó en seco. Soraya fue la primera en salir, y en cuanto lo hizo se ajustó las gafas con más firmeza sobre el puente de la nariz, y el liviano sombrero sobre la cabeza. Chalthoum había tenido razón en una cosa: el avión de pasajeros se había precipitado desde el cielo ni a seiscientos metros de la punta suroriental del *wadi*, una masa de agua con sus cascadas y todo, aún más espectacular porque estaba rodeada por el desierto.

—¡Dios mío! —murmuró Soraya cuando empezó a recorrer el lugar del impacto, cuyo perímetro ya había sido cercado, presumiblemente por la gente de Amun. El fuselaje se había partido en dos pedazos principales, incrustados en la arena y las rocas como grotescos monumentos a un dios desconocido, pero los demás trozos, desmembrados violentamente del cuerpo, estaban esparcidos en un amplio círculo junto con una de las alas, doblada por la mitad como si se tratara de una ramita verde.

—Fíjate en el número de trozos de fuselaje —dijo Chalthoum, mientras observaba el despliegue del destacamento norteamericano. Iba señalando los restos del avión mientras rodeaban el perímetro del sitio—. Mira ahí, y ahí. Lo que también está claro es que el avión se partió en el aire, no a causa del impacto, el cual, si consideramos la composición del suelo, provocó unos daños mínimos en el fuselaje.

—Así que el aspecto que presenta ahora es más o menos el mismo que tenía inmediatamente después de la explosión.

Chalthoum asintió con la cabeza.

—Así es.

Se podía decir lo que se quisiera de él, pero en lo tocante a su trabajo era un profesional de primer orden. El problema es que con demasiada frecuencia su trabajo incluía métodos de interrogatorio y tortura que incluso les habría revuelto las tripas a los responsables de Abu Ghraib.

—Los destrozos son terribles —comentó él.

No estaba bromeando. Soraya vio a los miembros del equipo de forenses ponerse sus trajes de plástico y los protectores del calzado. *Kylie*, el labrador amaestrado para localizar explosivos, fue el primero en entrar con su adiestrador. Luego el destacamento se dividió en dos; el primer grupo se dirigió al interior calcinado del avión, mientras que el segundo empezó su examen de los bordes hendidos con la intención de determinar si la explosión había sido interna o externa. Entre este último grupo estaba Delia Trane, amiga de Soraya y experta en explosivos de la ATF, la Agencia de Alcohol, Tabaco y Armas de Fuego y Explosivos. Aunque Delia sólo tenía treinta y cuatro años, era tal su pericia que a menudo era cedida a las diferentes agencias policiales federales, que andaban desesperadas por servirse de su experiencia.

Con Chalthoum pisándole los talones, Soraya se adentró en el círculo de la muerte que bordeaban unos trozos de metal tan negros y retorcidos que era imposible determinar qué habían sido en otro tiempo. Unas masas informes del tamaño de puños, que parecían pedrisco cuando se las miraba de cerca, resultaron ser componentes plásticos derretidos por la violencia del incendio. Cuando Soraya llegó hasta una cabeza humana, se detuvo y se puso en cuclillas. Casi todo el pelo y la mayor parte de la carne habían sido reducidos a cenizas, lo cual confería al cráneo parcialmente visible el aspecto de la carne de gallina.

Un poco más allá, un antebrazo ennegrecido ascendía desde la arena en ángulo, y la mano que tenía encima parecía una bandera de señales que indicara una tierra donde la muerte reinaba absolutamente. Soraya estaba sudando, y no sólo por el despiadado calor. Bebió un trago de agua de una botella de plástico que le entregó Chalthoum y siguió adelante. Justo delante de las inmensas fauces del fuselaje, un miembro del equipo les entregó a ella y a Chalthoum unos trajes de plástico y unos protectores del calzado que se pusieron a pesar del calor.

Una vez que sus ojos se acostumbraron a la oscuridad, Soraya se quitó las gafas de sol y miró atentamente por todas partes. Las filas de los asientos estaban inclinadas en un ángulo de noventa grados; el suelo estaba en el sitio que había ocupado el mamparo izquierdo cuando el avión estaba derecho y todos sus ocupantes vivos, charlando, riendo, agarrándose las manos o discutiendo tontamente hasta el momento decisivo previo a la inconsciencia. Había cuerpos tendidos por doquier, algunos todavía en sus asientos, otros arrancados de ellos por el impacto. La explosión había desintegrado completamente otra sección del avión y a los que se encontraban en ella.

Soraya se dio cuenta de que siempre que un miembro del equipo norteamericano se movía era seguido o seguida de cerca por alguno de los hombres de Amun; habría resultado cómico si la situación no fuera tan siniestra. Su acompañante estaba claramente decidido a que el equipo de forenses no hiciera un solo movimiento, incluido el de ir a orinar en el calor mareante y la fetidez de las letrinas portátiles, sin que él lo supiera inmediatamente.

—Como es natural, la falta de humedad os favorece —dijo Chalthoum—, al demorar la descomposición que haría irreconocibles los cuerpos no incinerados.

—Eso será una bendición para sus familias.

—Por supuesto. Pero la verdad es que, hablando sin pelos en la lengua, no le has dedicado mucho tiempo a pensar en los pasajeros ni en sus familias. Tú estás aquí para averiguar lo que le ha ocurrido al avión: fallo mecánico o un acto de terroristas.

Seguía teniendo el talento natural, nada egipcio, de ir a dar donde más dolía. El país era una pesadilla burocrática; no se podía hacer nada, ni siquiera dar una mísera respuesta, hasta que al menos quince personas de siete departamentos diferentes eran consultadas y daban su aprobación. Soraya sólo dedicó un momento a decidir qué responder.

—Sería una tontería aparentar lo contrario.

Chalthoum asintió con la cabeza.

—Sí, porque el mundo quiere saber, «tiene» que saber. Pero lo que te pregunto a ti es—: ¿Y luego qué?

Una pregunta típicamente astuta, pensó ella.

—No lo sé. Lo que ocurra luego no es cosa mía.

Divisó a Delia y le hizo una señal. Su amiga hizo un gesto con la cabeza, se abrió camino con cuidado a través de los restos y los que trabajaban inclinados sobre ellos hacia donde se encontraban Soraya y Chalthoum, y se paró en el interior de la penumbra achicharrante.

—¿Algo que informar? —le preguntó.

—Estamos iniciando las etapas preliminares. —Delia movió rápidamente los ojos claros hacia el egipcio y los volvió hacia su amiga.

—No pasa nada —la tranquilizó Soraya—. Si tienes algo, aunque sea una mera especulación, tengo que saberlo.

—Vale. —La madre de Delia era una aristocrática colombiana de Bogotá, y por las venas de la hija corría una considerable cantidad de la apasionada sangre de sus antepasados. Al igual que Soraya, tenía un tono de piel oscuro, pero la similitud acababa ahí. Era más bien feúcha, con el cuerpo asexuado de un muchacho, media melena recta, manos fuertes y un carácter serio que solía confundirse con mala educación. A Soraya le resultaba reconfortante; Delia era alguien con quien podía dejarse de ceremonias.

—Mi impresión es que no fue una bomba. Es más que evidente que la explosión no provino de la bodega de equipajes.

—Entonces, ¿qué? ¿Un fallo mecánico?

—*Kylie* dice que no —dijo Delia. Hablaba del perro.

De nuevo aquella vacilación, y eso hizo que Soraya se sintiera insegura. Consideró la posibilidad de presionar a su amiga, aunque se lo pensó mejor. Tendría que encontrar una manera de hablar con ella sin tener a Amun pendiente de todas sus palabras. Así que hizo un gesto con la cabeza, y Delia volvió a su trabajo.

—Sabe más de lo que dice —afirmó Chalthoum—. Quiero saber qué está ocurriendo. —Como Soraya no dijo nada, prosiguió—: Ve a hablar con ella. A solas.

Soraya se volvió hacia él.

—¿Y luego qué?

Él se encogió de hombros.

—Vuelves a informarme. ¿Qué otra cosa?

Era ya muy tarde cuando Moira estuvo lista para marcharse de la oficina. Apagó con mano cansada la CNN, a la que había estado conectada con el volumen apagado desde que salió la noticia del accidente del avión de pasajeros en Egipto. El incidente la había desconcertado, como a tanta gente del mundo de la seguridad. Ni una palabra sobre lo ocurrido realmente; ni siquiera de sus fuentes extraoficiales de apoyo, cuyas lacónicas respuestas fueron tan desabridas que le provocaron dentera. En el ínterin, y como era de rigor, la prensa se estaba dando un festín: locutores de televisión que no paraban de especular sobre posibles ataques terroristas. Y eso que ni siquiera enumeraban las más que redomadas mentiras que se hacían pasar por «la verdad que no quieres saber» en miles de sitios de Internet, incluidos los viejos chismes venenosos que salían a relucir siempre desde el 11-S de que el Gobierno norteamericano estaba detrás del incidente para fomentar sus *casus belli*, su motivo para iniciar una guerra.

Cuando cogió el ascensor para bajar al garaje del sótano, la mente de Moira estaba en dos sitios al mismo tiempo: allí, con la nueva organización que estaba levantando, y en Bali, con Bourne. La gravedad de sus heridas le habían hecho aún más difícil separarse de él. Lo que había parecido tan sencillo cuando habían hablado del futuro de Moira en la piscina del hotel, en ese momento se antojaba vago y ligeramente angustioso. No es que sintiera la necesidad de cuidarlo —bien sabía Dios que no habría sido una enfermera decente—, pero durante aquella eternidad en que la vida de Bourne había pendido de un hilo, se había visto obligada a reconsiderar lo que sentía por él. La posibilidad de que se lo arrebataran la había llenado de espanto. O al menos suponía que era miedo, puesto que nunca antes había sentido algo igual: una oscuridad sofocante que eclipsaba el sol a mediodía, y las estrellas a medianoche.

¿Era eso el amor?, se preguntó. ¿Podía el amor producir aquella locura que trascendía el tiempo y el espacio, que provocaba que su corazón se expandiera más allá de sus límites conocidos, que hacía que sus huesos se volvieran de gelatina? ¿Cuántas veces se había despertado de noche de un sueño ligero e inquieto y había sentido el impulso de entrar silenciosamente en el baño para mirar de hito en hito en el espejo un reflejo que no reconocía? Era como si la hubieran empujado sin ningún miramiento dentro de la vida de otro, una vida que no quería ni comprendía.

—¿Quién eres? —preguntaba una y otra vez al extraño reflejo—. ¿Cómo has entrado aquí? ¿Qué es lo que quieres?

Ni ella ni su reflejo tenían respuestas. En la quietud de la noche lloraba la pérdida de quien había sido, desesperada por el nuevo e incomprensible futuro que había invadido su cuerpo como una transfusión.

Pero por la mañana volvía a ser ella otra vez: pragmática, concentrada, implacable tanto en su selección de personal como en las estrictas normas que había establecido para sus agentes. Obligaba a todos a jurar fidelidad a Heartland como si fuera una nación soberana, lo que, en muchos aspectos, Black River, su principal rival, ya era.

Y sin embargo, en cuanto el sol descendía por el cielo, la penumbra y la incertidumbre la invadían sigilosamente, y sus pensamientos volvían a Bourne, con quien no tenía contacto desde que se había marchado de Bali tres meses atrás con el cadáver de un vagabundo australiano y la documentación que lo identificaba como el de Jason. Era una enfermedad recurrente que había contraído en la isla: el mero hecho de pensar en la muerte inminente de Bourne era suficiente para que la hiciera salir corriendo y no parara. Salvo que siempre que lo hacía, acababa en el terrorífico lugar donde había empezado y en el momento en que él había caído al suelo, el momento en que el corazón de Moira había dejado de latir.

La puerta del ascensor se abrió a la superficie de hormigón del garaje embebida por las sombras y ella salió con la llave del coche en la mano. Detestaba aquel paseo nocturno por el garaje casi desierto; el olor a aceite y gasolina, la fetidez de los tubos de escape, los ecos de los tacones que resonaban contra el hormigón la entristecían y hacían que se sintiera dolorosamente sola, como si no hubiera ningún lugar en el mundo al que pudiera llamar hogar.

Quedaban muy pocos coches; las líneas blancas paralelas pintadas sobre el hormigón sin sellar se extendían por delante de ella, guiándola hasta donde había aparcado el coche. Avanzó oyendo la cadencia de sus zancadas y viendo el sinuoso movimiento de su sombra al pasar junto a un pilar tras otro.

Entonces oyó el estertor de un motor al arrancar y se paró, completamente inmóvil, y sus sentidos se aguzaron buscando el origen del ruido. Un Audi gris paloma salió de detrás de una columna, encendió los faros y se dirigió hacia ella, ganando velocidad.

Moira sacó su Lady Hawk de nueve milímetros personalizada de su cartuchera del muslo, se acuclilló como una tiradora experta y quitó el seguro con el pulgar. Ya estaba a punto de apretar el gatillo cuando la ventanilla del lado del acompañante descendió y el Audi se detuvo con un chirrido, balanceándose sobre los amortiguadores.

—¡Moira!

Ella dobló más las rodillas para bajar su línea de visión.

—¡Moira, soy yo, Jay!

Al mirar detenidamente el interior del Audi, vio a Jay Weston, un agente que le había robado a Hobart, el mayor contratista del departamento de Defensa en el extranjero, hacía seis semanas.

Levantó la Lady Hawk inmediatamente y la enfundó.

—¡Por Dios, Jay!, podría haberte matado.

—Tenía que verte.

Moira entrecerró los ojos.

—Bueno, joder, podrías haber llamado por teléfono.

Jay meneó la cabeza; su rostro contraído mostraba una tensión desacostumbrada en él.

—Los móviles son demasiado inseguros. No podía correr el riesgo, al menos no con esto.

—Bueno —dijo ella, inclinándose sobre la ventanilla—, ¿qué es eso tan importante?

—Aquí no —dijo Jay, mirando furtivamente por el garaje—. En ningún sitio donde se nos pueda oír.

Moira arrugó la frente.

—¿No crees que estás un poco paranoico?

—Ser paranoico es como se describe mi trabajo, ¿no es así?

Ella asintió con la cabeza; supuso que era así.

—De acuerdo, ¿cómo...?

—Tengo que enseñarte algo —dijo su empleado, dando una palmada sobre el bolsillo de una chaqueta de ante azul zafiro de aspecto caro colgada del respaldo del asiento del acompañante, tras lo cual arrancó hacia la rampa que conducía a la calle antes de que ella tuviera la menor oportunidad de subir o siquiera de preguntarle.

Echó a correr hacia su coche, arrancándolo con el mando a distancia mientras corría. Tras abrir la puerta, se sentó al volante, cerró la puerta de un portazo y puso el vehículo en marcha. En cuanto Jay la vio acercarse por el retrovisor, emprendió la marcha y giró a la derecha para salir del garaje. Moira lo siguió.

El tráfico de última hora de la noche de la gente que volvía a casa desde el teatro y los cines era fluido, así que realmente no había motivo para que Jay se saltara el semáforo en la calle P, aunque eso fue exactamente lo que siguió haciendo. Moira aceleró para mantenerse a su altura; en más de una ocasión le costó lo suyo evitar chocar con el tráfico de las calles transversales entre chirridos de neumáticos y furiosos bocinazos.

A tres manzanas de su edificio, se encontraron con un motorista de la policía. Moira le hizo unas ráfagas con las largas a Jay, pero o no estaba mirando o decidió ignorarla, porque siguió saltándose las luces rojas. De pronto vio que el policía pasaba por su lado como una exhalación y se dirigía hacia el Audi que tenía delante.

—Mierda —masculló Moira, acelerando un poco más.

Estaba pensando en cómo iba a explicar las reiteradas infracciones de su agente cuando el policía se colocó a la altura del Audi. Un instante después, sacó su revólver reglamentario, lo apuntó directamente a la ventanilla del conductor y apretó el gatillo dos veces seguidas.

El Audi dio unas sacudidas y giró bruscamente. Moira disponía sólo de segundos para evitar empotrarse en el coche, pero estaba luchando para controlar la excesiva velocidad de su vehículo. Con el rabillo del ojo vio que el motorista se apartaba y se dirigía hacia el norte por una calle transversal. El Audi, después de dar una sucesión de bandazos escalofriantes como si fuera un péndulo, fue a estrellarse contra ella e hizo que su coche empezara a dar vueltas.

La colisión hizo volcar al Audi, que quedó tumbado como un escarabajo sobre su duro y brillante lomo. Entonces, como si un dedo monstruoso le hubiera dado un capirotazo, siguió girando, aunque Moira lo perdió de vista cuando chocó con un semáforo y salió despedida contra un coche aparcado, al que aplastó el parachoques y la puerta delantera del lado del conductor.

Una tormenta de cristales rotos la cubrió cuando salió despedida hacia delante, golpeó el *airbag* activado y fue lanzada violentamente de nuevo contra el asiento.

Todo se volvió negro.

Pasar por encima de las hileras de asientos tumbados era como vadear un mar helado lleno hasta los topes de cadáveres golpeados por los arrecifes. Lo más duro fue mantener la calma al pasar junto a los pequeños cuerpos rotos de los niños. Soraya rezó una oración entre dientes por cada una de las almas privadas del vuelo pleno de la vida.

Cuando llegó a donde se encontraba Delia, se percató de que había estado conteniendo la respiración. Soltó el aire con un pequeño siseo, y el acre olor a quemado de los cables, las telas sintéticas y los plásticos invadieron sus orificios nasales impetuosamente.

Tocó el hombro de su amiga y, consciente de la presencia de su observador egipcio, dijo en voz baja:

—Demos un paseo.

El observador se dispuso a seguirlas, pero un sutil gesto de la mano de Chalthoum lo detuvo. Fuera, la luz del desierto era cegadora, incluso con gafas, pero el calor era limpio, y el árido aroma del desierto y el sol despiadado un bienvenido descanso del pozo de muerte en el que habían estado sumergidas. Volver al hogar del desierto, pensó Soraya, era como volver a un viejo amor añorado. La arena le susurraba en la piel íntimas caricias. En el desierto se podía ver las cosas que se acercaban a uno, lo cual era el motivo de que la gente como Amun mintiera, porque el desierto decía la verdad, siempre, en la historia que ocultaba y que descubría, en los huesos de la civilización de los que la arena eterna había eliminado todas las mentiras. Una excesiva sinceridad, creía la gente como Amun, era terrible, porque no te dejaba nada en lo que creer ni nada por lo que vivir. Soraya sabía que entendía bastante mejor a Amun que lo que él la comprendía a ella. Él, por supuesto, creía que era al revés, pero ésa era una ilusión en la que creer con firmeza le resultaba útil a ese hombre.

—Delia, ¿qué pasa realmente? —le preguntó Soraya, una vez que, con paso lento y pesado, hubieron puesto cierta distancia entre ellas y los centinelas de la al-Mokhabarat.

—Nada que pueda confirmar por el momento. —Miró en derredor para asegurarse de que estaban solas. Al ver a Chalthoum, que las seguía fijamente con la mirada, dijo—: Ese hombre me pone los pelos de punta.

Soraya la alejó un poco más de la penetrante mirada del egipcio.

—No te preocupes, no puede oír lo que decimos. ¿Qué es lo que piensas.

—¡Condenado sol! —Entrecerrando los ojos detrás de sus gafas oscuras, Delia utilizó las manos para darse sombra en la cara—. Se me van a pelar los labios antes de que termine la noche.

Soraya esperó, mientras el sol seguía palpitando en el cielo y los labios de Delia continuaban pelándose.

—Coño —dijo por fin Delia—. Cinco contra dos a que el accidente no fue provocado por algo que viajara dentro del avión. —Era una inveterada jugadora de póquer; cualquier situación admitía el cruce de apuestas. También solía transformar los sustantivos en verbos—. Yo intuición que se trata de un explosivo concreto.

—Así que no fue un accidente. —A Soraya se le heló la sangre en las venas—. Antes descartaste que fuera una bomba, así que ¿qué crees que puede ser?, ¿un misil aire-aire?

Delia se encogió de hombros.

—Podría ser, pero ya leíste la transcripción de la última conversación de la tripulación con la torre de control del Aeropuerto Internacional de El Cairo. No vieron aparecer ningún reactor en su camino.

—¿Y si surgió desde abajo o por detrás?

—Por supuesto, pero entonces el radar no lo captaría. Además, el copiloto dijo que vio algo aún más pequeño que un reactor privado acercándose a ellos.

—Pero sólo en el último instante. La explosión se produjo antes de que tuviera tiempo de describir qué era.

—Si tienes razón, eso nos lleva a un misil tierra-aire.

Delia asintió con la cabeza.

—Si tenemos suerte, la caja negra estará intacta y su grabadora podrá decirnos algo más.

—¿Cuándo?

—Ya ves qué caos hay aquí. Llevará un buen rato averiguar si tan siquiera se puede recuperar.

Envuelta en el siniestro y seco susurro del aire caliente que remodela una y otra vez las dunas, Soraya dijo:

—Un misil tierra-aire introduciría en escena todo un universo nuevo de terribles posibilidades.

—Lo sé —dijo Delia—. Como el de la implicación, por acción o por omisión, del Gobierno egipcio.

Soraya se giró para mirar a Chalthoum.

—O de la al-Mokhabarat.

6

Moira se despertó con el latido del corazón de su madre. Era tan estridente como un reloj de caja, y la aterrorizó. Permaneció tendida durante un momento envuelta en una oscuridad arrebatada, reviviendo el ruido y el movimiento de los sanitarios al llegar y llevarse a su madre al hospital, todo lo cual vio a través de una niebla de lágrimas. Aquélla fue la última vez que había visto viva a su madre. Nunca tuvo la oportunidad de despedirse; antes bien, las últimas palabras que le había dicho fueron: «¡Te odio a muerte! ¿Por qué no te mantienes al margen de mi vida?» Y de pronto su madre estaba muerta. Moira tenía diecisiete años.

Entonces el dolor se extendió y empezó a gritar.

Los latidos eran reales; de hecho era el sonido del ventilador revolucionado del motor. Unas manos tiraban de ella, abriéndose paso a cuchilladas a través de la maraña del cinturón de seguridad y la fláccida nube que era el *airbag*. Como en un sueño, sintió que su cuerpo se movía, que la gravedad le tiraba de los hombros y de la boca del estómago. Tuvo la sensación de que le habían partido la cabeza; el dolor le produjo náuseas. Luego, con un estrépito que resonó a través del algodón de sus orejas, fue sacada de la jaula de acero. Notó que el aire nocturno le acariciaba la mejilla y oyó unas voces cercanas que zumbaban como insectos furiosos.

Su madre, la sala de espera del hospital que apestaba a desinfectante y desesperación, la visión de la muñeca de cera en el féretro abierto, horripilante en su inhumana carencia de vida, el cielo amarillo en el cementerio que hedía a los gases del carbón y la pena, la tierra que se tragó todo el féretro, como una bestia que cerrara sus fauces, terrones de tierra recién removida mojada por la lluvia y las lágrimas…

La sentidos volvieron poco a poco, como una niebla que se extendiera lentamente sobre un páramo, y entonces, con la impetuosidad de un foco al ser encendido, tornó la conciencia en toda su plenitud. Al despertarse del sueño, supo dónde estaba y qué había sucedido. Sintió la cercanía de la muerte, y supo que ésta la había evitado por centímetros. Cada vez que respiraba parecía que inhalara fuego y hielo, pero estaba viva. Movió los dedos de las manos y de los pies. Allí estaban todos; todos respondían.

—Jay —le dijo a la cara al sanitario que se inclinaba sobre ella—. ¿Jay está bien?

—¿Quién es Jay? —preguntó una voz fuera de su campo de visión.

—No había nadie más en su coche. —El sanitario tenía una cara amable; parecía demasiado joven para aquel trabajo.

—En mi coche, no —consiguió decir Moira—. El de delante.

—Ah, caray —dijo la voz que venía de su lado.

La cara amble que tenía encima se contrajo de pena.

—Su amigo... Jay. No logró sobrevivir.

Unas lagrimas resbalaron por las comisuras de los ojos de Moira.

—Oh, mierda —rezongó—. ¡Maldita sea!

Los sanitarios empezaron a ocuparse de ella una vez más.

—Quiero incorporarme.

—Eso no sería una buena idea, señora —dijo la cara amable—. Tiene una conmoción y...

—Me voy a sentar, con o sin tu ayuda.

Poniéndole las manos bajo los brazos, el sanitario tiró de ella hacia arriba. Moira estaba en la calle, cerca de su coche, pero cuando intentó mirar alrededor, hizo una mueca de dolor y unas luces explotaron detrás de sus ojos.

—Levántame —dijo, rechinando los dientes—. Tengo que verlo.

—Señora...

—¿Tengo algo roto?

—No, señora, pero...

—¡Entonces levántame de una puñetera vez!

En ese momento eran dos los sanitarios, y el segundo parecía increíblemente más joven que el primero.

—¿Ya os afeitáis? —dijo Moira, cuando los sanitarios la levantaron del asfalto. A punto estuvo de que se le doblaran las rodillas y una oleada de oscuridad la agotó tanto que tuvo que recostarse contra ellos un minuto.

—Señora, está blanca como una sábana —comentó la cara amable—. De verdad creo…

—Por favor, deja de llamarme señora. Me llamo Moira.

—Los polis no tardarán en llegar —observó el otro entre dientes.

Ella sintió un nudo en la boca del estómago.

La cara amable le dijo:

—Moira, me llamo Dave, y aquí mi compañero es Earl. Hay unos policías que quieren preguntarle sobre lo ocurrido.

—Fue un policía el que provocó todo esto —dijo ella.

—¿Qué? —preguntó Dave—. ¿Qué es lo que ha dicho?

—Quiero ver a Jay.

—Créame —dijo Earl—, no le va a gustar.

Moira bajó la mano y palpó su Lady Hawk.

—Dejad de hacerme la puñeta, eh, chicos.

Sin decir ni una palabra más la ayudaron a avanzar por la calle cubierta de piezas del coche y los brillantes fragmentos de las ventanillas y pilotos reventados. Moira vio un camión de bomberos y una ambulancia de emergencia junto a los horribles restos del Audi. Nadie podría haber sobrevivido a aquel accidente. A cada paso que daba recuperaba la fuerza y la seguridad en sí misma. Estaba machacada y magullada y, posiblemente, como decían los sanitarios, con una conmoción, pero por lo demás estaba ilesa. Una suerte increíble. Se acordó de la deidad porcina de Bali, que debía de seguir protegiéndola.

—Aquí vienen los reactores calientes —anunció Earl.

—Se refiere a la pasma —tradujo Dave.

—Oíd, chicos, necesito estar a solas con mi amigo un rato, y los polis no me lo permitirán.

—Ni nosotros deberíamos —dijo Dave, titubeante.

—Yo me encargaré de esos idiotas. —Earl se apartó para interceptarlos.

—Tranquila.

Dave la agarró con más fuerza cuando Moira trastabilló al perder el apoyo de Earl en el otro lado. Respiró hondo un par de veces para aclararse la cabeza y equilibrar el cuerpo. Sabía que disponía de muy poco tiempo antes de que los policías disiparan cualquier cortina de humo que Earl pudiera inventarse.

Pasaron junto al casi irreconocible amasijo de hierros retorcidos que era el Audi. Moira respiró hondo, se enderezó y de pronto estaba junto a lo que quedaba de Jay Weston. Se parecía más a un trozo de carne que a un ser humano.

—¿Cómo demonios lo sacasteis?

—Con un separador neumático. En su caso, no sirvió de nada. —Dave la ayudó a agacharse junto al cadáver, y la sostuvo cuando otro vahído amenazó con hacerla caer—. Me podría jugar el trabajo por esto —añadió.

—Tranquilízate. Mis amigos te protegerán. —Moira recorrió con la mirada cada centímetro del despojo que era Jay—. ¡Joder!, nadie podría sobrevivir a semejante accidente.

—¿Qué está buscando?

—Ojalá lo supiera, pero su chaqueta...

Dave alargó la mano hacia abajo y sacó algo de debajo de los restos del vehículo.

—¿Se refiere a ésta?

A Moira se le aceleró el corazón. Era la chaqueta de ante azul zafiro de Jay, milagrosamente incólume, salvo por un par de quemaduras en las mangas. Apestaba a humo y colonia torrefacta.

—Lo crea o no, estas cosas pasan continuamente —dijo Dave. Se había colocado deliberadamente entre Moira y los dos policías que en ese momento hacían a un lado a Earl, una vez que se hartaron de la jerigonza médica del sanitario—. No se creería las cosas que encontramos (carteras, llaves, gorras de béisbol, condones), en condiciones prácticamente óptimas, que salen despedidas de los accidentes más horrendos.

Moira estaba escuchando sólo a medias, mientras sus dedos

revolvían con agilidad los bolsillos exteriores e interiores. Unos antiácidos, dos gomas elásticas, un clip de papeles, algunas pelusas... Los bolsillos interiores no contenían ninguna cartera ni identificación del tipo que fuera, lo cual era un procedimiento operativo habitual; si se metía en problemas o necesitaba una autorización hacía una llamada. El dinero estaba en alguna parte en su persona, achicharrado.

Ya estaba a punto de levantarse, cuando vio un hilo suelto en una de las costuras interiores. Tirando de él, abrió un pequeño orificio del que extrajo una memoria flash de dos gigabytes. Al oír el ruido de las fuertes pisadas que se acercaban por detrás de ella, hizo la señal de la cruz sobre el cuerpo de Jay y, con la ayuda de la fuerte mano de Dave cogiéndola del codo, se levantó para afrontar su agotador interrogatorio con los Reactores Calientes.

El cual resultó ser tan ridículo e idiota como había previsto, pero al menos fue la última en reír, porque antes de que volvieran a la carga para hacerle las mismas preguntas por tercera vez, sacó su identificación como miembro de la Comisión de Vigilancia del Mercado de Valores, momento en el que los policías se quedaron mudos. A Dave y Earl les costó Dios y ayuda no reírse en las coloradas caras de los policías.

—Y acerca de ese policía de tráfico —dijo Moira—. Tengo que saber quién era. Ya les he dicho dos veces, aunque es evidente que no me creen, que descargó su arma por la ventanilla lateral del Audi del señor Weston.

—¿Y dice que el señor Weston trabajaba para usted? —El más alto de los dos llevaba una placa con el nombre de Severin.

Cuando Moira le dijo que sí, el agente hizo un gesto con la cabeza a su compañero, que se alejó para llamar por su móvil.

—¿Qué hacía arrodillada sobre el cuerpo? —preguntó Severin. Quizá sólo estuviera pasando el rato, porque había visto lo que estaba haciendo y ya se lo había preguntado dos veces.

—Rezando por el alma de mi amigo.

Severin frunció el ceño, aunque asintió con la cabeza, posiblemente por compasión. Luego señaló a Dave y a Earl con un brusco movimiento de cabeza.

—Estos palurdos no deberían haberle permitido acercarse a su amigo. Éste es el escenario de un crimen.

—Lo entiendo.

El ceño del policía se hizo más intenso, pero la naturaleza de sus pensamientos permaneció oculta cuando su compañero regresó al corrillo.

—Esto es una tocada de huevos —dijo graciosamente—. No hay constancia de que ningún motorista de tráfico, ni ya puestos de cualquier otro departamento, haya estado en las inmediaciones en la franja horaria que nos consta.

—Maldita sea.

Moira abrió su móvil, pero antes de que tuviera oportunidad de llamar, dos hombres se acercaron a ellos caminando tranquilamente. Los dos llevaban sendos trajes negros idénticos, pero tenían el típico porte militar con los hombros caídos de los agentes de la NSA. Supo que estaba en apuros desde el instante en que los hombres les enseñaron sus credenciales a los detectives.

—Chicos, a partir de ahora nos encargamos de esto —dijo Traje Negro Uno mientras su compañero los miraba con aire ausente. Cuando la policía dio media vuelta, Traje Negro Uno metió la mano en el bolsillo de Moira con la destreza de un carterista profesional—. Me llevaré esto, señorita Trevor —dijo, levantando el móvil de Jay entre las puntas de sus gruesos dedos.

Ella se abalanzó hacia el aparato, pero Traje Negro Uno la apartó con una sacudida.

—Eh, eso es propiedad de mi empresa.

—Lo siento —dijo Traje Negro Uno—, ha sido incautado por motivos de seguridad nacional.

Antes de que Moira pudiera decir esta boca es mía, la cogió del brazo.

—Y ahora, si es tan amable de acompañarnos.

—¿Qué? —exclamó Moira—. No tienen derecho a hacer esto.

—Me temo que sí —replicó Traje Negro Uno mientras su compañero se colocaba al otro lado de Moira. Levantó el móvil de Jay en alto—. Ha alterado el escenario de un delito.

Cuando se la llevaban, Dave dio un paso hacia ella.

—¡Quítate de en medio! —vociferó Traje Negro Dos. El tono cortante del agente pareció sorprender al sanitario, que tropezó con Moira y masculló una disculpa antes de apartarse.

En ese momento la visión de la escena de Moira cambió, de modo que pudo ver al hombre que estaba parado detrás del agente de la NSA. Era Noah, que la miraba fijamente con una sonrisa salvaje en los labios. Noah cogió el móvil de Jay y se lo guardó en el bolsillo interior de su chaqueta.

Mientras se alejaba, dijo:

—No puedes decir que no se te advirtió.

Bourne subió por las montañas del este de Bali —donde en algunos puntos el ascenso era casi vertical— con la moto que el doctor Firth le había alquilado, hasta que llegó a los pies de Pura Lempuyang, el recinto del Templo del Dragón. Aparcó bajo la atenta mirada de un diminuto guarda que estaba sentado en una silla de lona, protegido del implacable sol por la sombra moteada de un árbol. Después de comprar una botella de agua en una de las hileras de puestos que atendían tanto a los peregrinos como a los turistas curiosos, empezó a subir la dura pendiente ataviado con el *sarong* y el *sash* tradicionales.

El sacerdote de la Cueva de los Murciélagos no había visto a Suparwita, aunque lo conocía, pero cuando Bourne había recurrido a su sabio consejo y le había descrito su sueño recurrente, el sacerdote había identificado al instante las escaleras de los dragones como las de Pura Lempuyang. Bourne se había despedido después de conseguir las instrucciones detalladas para llegar al grupo de templos situado en lo alto del monte Lempuyang.

No tardó mucho en llegar al primer templo, una construcción bastante sencilla que parecía más una antesala de los empinados escalones que conducían al segundo templo. Cuando llegó al portalón de afiligranada talla, el dolor que sentía en el pecho se había hecho tan fuerte que le obligó a detenerse. Al mirar por la puerta de arco, vio las tres escaleras, que eran aún más inclinadas que las dos por las que acababa de subir. Estaban guardadas por seis enormes dragones de piedra cuyos sinuosos cuerpos escamosos ascendían ondulantemente por las escaleras, haciendo las veces de pasamanos.

El sacerdote no le había guiado mal. Aquél era el lugar de su sueño, donde se encontraba cuando había visto a la figura recortada contra el arco volverse hacia él. Se dio la vuelta y echó un vistazo a la asombrosa vista del monte sagrado de Agung, que se elevaba brumoso y azul, ahora coronado de nubes, mostrando toda la monumental fuerza de su sagrada forma cónica.

Atraído por las escaleras de los dragones, Bourne siguió subiendo. Deteniéndose a mitad del ascenso, se volvió para mirar de nuevo la entrada; allí estaba el volcán enmarcado por los dientes elevados que formaban la entrada. El corazón le dio un brinco cuando apareció la silueta de una figura con el monte Agung al fondo. Bajó un peldaño involuntariamente, y entonces vio que la figura era de una niña pequeña con un *sarong* rojo y amarillo. La niña se volvió, moviéndose de aquella manera fluida y sinuosa que tenían todos los niños balineses, y de pronto desapareció, dejando sólo una estela de luz polvorienta.

Tras reanudar el ascenso, Bourne llegó enseguida a la plaza superior del templo. Había unas cuantas personas diseminadas aquí y allá. Un hombre arrodillado, rezando. Empezó a vagar sin rumbo fijo entre las construcciones de rebuscadas tallas, sintiendo en cierta manera que estaba flotando, como si hubiera entrado en su sueño, en su pasado, pero como un extraño que regresara a un lugar cuya familiaridad hubiera olvidado.

Deseaba que aquel lugar le tocara la fibra sensible, pero no lo hizo, lo cual le molestó. La experiencia que tenía con su forma de amnesia era que un nombre, una visión, un olor provocaban a menudo la recuperación del recuerdo perdido sobre un lugar o una persona. ¿Por qué había estado en Bali? El soñar durante meses que había estado allí, en aquel lugar, debería haber liberado los recuerdos del pozo de su memoria. Pero aquellos recuerdos eran como una platija sobre el fondo arenoso del mar —aquella extraña criatura con dos ojos en un lado y ninguno en el otro—: o todo o nada.

El hombre que rezaba terminó; se levantó de su posición arrodillada y, cuando se dio la vuelta, Bourne reconoció a Suparwita.

El corazón se le aceleró, y se acercó a donde estaba el curandero, que lo contemplaba de pie.

—Tiene buen aspecto —dijo Suparwita.

—Sobreviví. Moira cree que fue gracias a usted.

El curandero sonrió y miró más allá de Bourne durante un instante, hacia el templo.

—Veo que ha encontrado una parte de su pasado.

Bourne se volvió y miró también.

—Si lo he hecho —dijo—, no sé de qué se trata.

—Y sin embargo, vino.

—Llevo soñando con este sitio desde que llegué aquí.

—Lo he estado esperando, y el poderoso ser que le guía y protege lo trajo aquí.

Bourne se volvió a dar la vuelta.

—¿Shiva? Shiva es el dios de la destrucción.

—Y de la transformación. —Suparwita levantó un brazo, indicando que debían caminar—. Hábleme de su sueño.

Bourne miró a su alrededor.

—Estoy aquí, mirando el monte Agung a través de la puerta. De repente, aparece la silueta de una figura allí. Y se vuelve para mirarme.

—¿Y luego?

—Y luego me despierto.

Suparwita asintió con la cabeza lentamente, como si casi esperase esa respuesta. Habían recorrido toda la circunferencia de la explanada del templo y habían llegado ya a la zona situada enfrente de la entrada. La inclinación de la luz era la misma exactamente que en su sueño, y Bourne tuvo un pequeño escalofrío.

—Estuvo viendo a la persona con la que estuvo aquí —dijo Suparwita—. Una mujer llamada Holly Marie Moreau.

El nombre le resultaba vagamente familiar, pero Bourne no fue capaz de ubicarlo.

—¿Dónde está ahora?

—Lamento comunicarle que está muerta. —Suparwita señaló el espacio entre los dos recargados dientes tallados de la entrada—. Estaba allí, como lo recuerda en su sueño, y entonces desapareció.

—¿Desapareció?

—Se cayó. —Suparwita se volvió hacia él—. O la empujaron.

7

—¡Por Dios!, incluso sin los trajes aislantes, hace más calor aquí que en el infierno. —Delia se limpió el sudor de la cara—. Buenas noticias. Hemos recuperado la caja negra.

Soraya, que estaba con Amun Chalthoum en el interior de una de las tiendas que la gente de éste había levantado junto al lugar del siniestro, se sintió agradecida por la interrupción. Estar con Amun en semejante proximidad le suponía una tensión nerviosa excesiva. Que su relación tuviera tantos niveles —profesional, personal, étnica— ya era bastante difícil, pero también eran amigos y enemigos al mismo tiempo, aparentemente militantes ambos del mismo bando, aunque en el fondo en una competencia feroz por la obtención de información, servidores como eran de Gobiernos cuyos objetivos eran radicalmente distintos. Así que su baile era complejo, y a menudo también vertiginoso.

—¿Y qué te dice? —preguntó Chalthoum.

Delia le lanzó una de sus miradas de esfinge.

—Acabamos de empezar a analizar los datos de los últimos momentos del avión, pero por la conversación de la cabina de vuelo queda perfectamente claro que la tripulación no vio ninguna clase de avión. Sin embargo, el copiloto vio «algo» en el último instante. Era pequeño y se acercaba a ellos a gran velocidad.

—Un misil —dijo Soraya mirando a la cara a Amun. No estaba segura de que él no lo supiera ya. Lo sabría si al-Mokhabarat había sido cómplice del incidente. Pero la cara morena de Chalthoum permaneció impasible.

Delia asintió con la cabeza.

—El escenario más probable en esta fase parece ser un misil tierra-aire.

—Así que —dijo Chalthoum en su lengua nativa aun antes de

que Delia hubiera abandonado la tienda—, después de todo, parece que Estados Unidos no nos está protegiendo de los extremistas.

—Creo que nos sería más útil a los dos empezar a resolver quién es el responsable —replicó ella—, en lugar de señalar con el dedo, ¿no te parece?

Chalthoum la observó atentamente durante un instante y asintió con la cabeza, y entonces ambos se dirigieron a lados opuestos de la tienda para poner al corriente a sus superiores. Utilizando el teléfono vía satélite de Typhon que había llevado consigo, Soraya llamó a Veronica Hart.

—Ésta es una mala noticia —dijo la directora de Inteligencia Central desde la otra punta del mundo—. La peor de todas.

—Apenas me puedo imaginar lo que va a hacer Halliday con esto. —Mientras hablaba, supuso que Chalthoum estaba poniendo al presidente egipcio al corriente de la misma información proporcionada por Delia—. ¿Por qué las cosas buenas tienen que pasarle a la gente mala?

—Porque la vida es caos, y el caos no distingue entre el bien y el más. —Hart hizo una pequeña pausa antes de continuar—. ¿Alguna noticia del MIG? —Se refería al grupo militante autóctono iraní.

—Todavía no. Estamos completamente absortos en el accidente. El escenario es dantesco y las condiciones son casi insoportables. Además, no he tenido ni tres minutos para mí.

—Eso no puede esperar —dijo Hart con firmeza—. Averiguar lo del grupo autóctono iraní es tu principal misión.

—Los dos acudieron a mí —dijo Suparwita—. Holly estaba extremadamente nerviosa, aunque nunca le explicó el motivo.

Bourne se quedó mirando fijamente el lugar donde debía de haber acabado el cuerpo, donde su nuevo principio yacía hecho añicos. ¿Por qué había sido tan tonto de pensar que su pasado estaba muerto y enterrado cuando, incluso allí, en un remoto rincón del mundo, existía como un huevo que esperase ser incubado? ¿Por qué siempre andaba enredado con la pérdida de la vida?

Siguió con la mirada fija en las tres escaleras con los sinuosos pasamanos de los dragones. Intentó recordar aquel día: si se había dirigido corriendo a aquel lugar, si la mujer era ya un lejano bulto ensangrentado cuando bajó volando las escaleras. Se esforzó en recordar todo lo relativo al incidente, pero su mente estaba envuelta en una niebla gris, tan densa como los dragones de piedra, los feroces e implacables guardianes del templo. ¿Le estaba protegiendo la niebla del terrible acontecimiento acaecido allí?

El dolor en el pecho, su inseparable compañero desde que le dispararon, se hizo más intenso, extendiéndosele por todo el torso.

Debió empalidecer, porque Suparwita dijo:

—Por ahí.

Habían caminado desde el dintel, desde el abismo del pasado, y regresado a la explanada del templo, donde se habían parado a la fresca sombra de un muro imponente en el que había esculpido un ejército de demonios colocados enfrente de los espíritus locales, los dragones.

Bourne se sentó y bebió agua. El curandero permaneció de pie, con las manos entrelazadas, esperando pacientemente. Bourne estaba recordando lo que tanto le gustaba de Moira: que no fuera nada quisquillosa, ni mimada, que siempre tuviera una respuesta sensata.

Finalmente, Suparwita dijo:

—Vino aquí por Holly. Ella había oído hablar de mí, supongo.

Mientras respiraba para calmar su dolor, haciendo largas, profundas y controladas inspiraciones, Bourne dijo:

—Cuénteme qué ocurrió.

—La envolvía una sombra, como si hubiera traído algo horrible con ella. —Los ojos transparentes de Suparwita se posaron amablemente en la cara de Bourne—. Siempre había vivido tranquila, decía. No, esa palabra no es correcta; sin emociones, es mejor. Pero entonces estaba aterrorizada. De noche, se quedaba levantada, sobresaltada por fuertes ruidos y se mordía las uñas hasta dejárselas en carne viva. Me dijo que nunca se sentaba cerca de las ventanas. Cuando iban los dos a un restaurante, ella insistía en sentarse en una mesa al fondo, donde pudiera controlar el resto de la sala. Entonces usted le decía que incluso en las sombras podía ver que le temblaban las manos. Ella intentaba disimular el temblor cogiendo su copa con fuerza, pero usted lo notaba cuando alargaba la mano para coger un tenedor o apartar su plato.

Se oyó el leve zumbido del motor de un avión que interrumpió brevemente el trino de los pájaros; luego volvió de nuevo la quietud. En la ladera de una montaña cercana ascendían las finas serpentinas de humo de los rastrojos quemados en los márgenes de los bancales de arroz.

Bourne recuperó su entereza.

—Quizás estuviera algo desequilibrada.

El curandero movió la cabeza en un gesto de duda.

—Tal vez. Pero le puedo asegurar que su terror tenía un origen real. Y creo que usted también lo sabía, porque no le seguía la corriente y procuraba hacer todo lo que podía para ayudarla.

—Así que podía haber estado huyendo de algo o de alguien. ¿Qué ocurrió a continuación?

—La purifiqué —dijo Suparwita—. Estaba endemoniada.

—Y, sin embargo, murió.

—Y usted también… casi.

Bourne se acordó de la insistencia de Moira en que tenían que ver al curandero; y se acordó de Suparwita, diciendo: «Todo esto ha ocurrido antes, y volverá a ocurrir». La muerte le pisa los talones a la vida.

—¿Está diciendo que ambos incidentes están relacionados de alguna manera?

—Eso no sería creíble. —Suparwita se sentó a su lado—. Pero Shiva estaba aquí entonces, y Shiva está aquí ahora. Ignoramos esas señales para nuestro peligro.

Era el último paciente que Benjamin Firth tenía anotado para atender ese día. Era un neozelandés alto y cadavéricamente delgado de piel amarillenta y ojos consumidos por la fiebre. No era de

Manggis ni de ninguno de los pueblos de los alrededores —un área bastante pequeña—, porque Firth conocía a todo el mundo. Sin embargo, le resultaba familiar, y cuando dijo llamarse Ian Bowles, recordó que había acudido dos o tres veces en los últimos meses aquejado de unas migrañas devastadoras. Ese día se quejaba del estómago y de problemas intestinales, así que lo hizo tumbar sobre la camilla de exploración.

Mientras le tomaba la presión arterial y el pulso, preguntó:

—¿Cómo va de sus migrañas?

—Muy bien —dijo Bowles con aire ausente, y luego, en un tono más centrado—: Mejor.

Después de palparle el estómago y el abdomen, Firth dijo:

—Lo encuentro perfectamente. Le haré un análisis de sangre y dentro de un par de días…

—Necesito información —dijo Bowles en voz baja.

Firth se quedó paralizado.

—¿Perdón?

Bowles se quedó mirando fijamente el techo, como si intentara descifrar los cambiantes dibujos de la luz.

—Olvídese de sus procedimientos de vampiro, me encuentro perfectamente bien.

El médico meneó la cabeza.

—No entiendo.

Bowles suspiró. Entonces se sentó tan repentinamente que Firth dio un respingo. El neozelandés lo agarró de la muñeca con una fuerza terrible.

—¿Quién es el paciente que tiene aquí desde hace tres meses?

—¿Qué paciente?

Bowles chasqueó la lengua contra el cielo del paladar.

—Eh, Doc, no he venido hasta aquí por mi salud. —Sonrió burlonamente—. Tiene escondido aquí a un paciente y quiero que me hable de él.

—¿Por qué? ¿A usted qué le importa?

El neozelandés tiró aún con más fuerza de la muñeca de Firth, acercando al médico.

—Ejerce aquí sin que nadie le moleste, pero todas las cosas

buenas tienen un fin. —Bajó el tono de voz de forma significativa—. Ahora, escuche, idiota. La policía de Perth le busca por un homicidio imprudente.

—Estaba borracho —susurró Firth—. No sabía lo que hacía.

—Operó a un paciente bajo los efectos del alcohol, Doc, y murió. Eso dicho en pocas palabras. —Sacudió al médico con violencia—. ¿No es así?

Firth cerró los ojos y susurró:

—Sí.

—¿Y bien?

—No tengo nada que decirle.

Bowles se movió para bajarse de la camilla.

—Entonces nos vamos a ver a la policía, amigo. Su vida está acabada.

Firth, retorciéndose para intentar librarse, dijo:

—No sé nada.

—Nunca le dijo su nombre, ¿no es eso?

—Adam —dijo Firth—. Adam Stone.

—¿Eso es lo que dijo? ¿Adam Stone?

Firth asintió con la cabeza.

—Lo confirmé cuando vi su pasaporte.

Bowles rebuscó en un bolsillo y sacó un móvil.

—Doc, esto es todo lo que tiene que hacer para permanecer fuera de la cárcel el resto de sus días. —Tendió el móvil hacia el médico—. Sáquele una foto a ese tal Adam Stone para mí. Una foto buena y nítida de su cara.

Firth se humedeció los labios con la lengua. Tenía la boca tan seca que apenas podía hablar.

—¿Y si lo hago me dejará en paz?

Bowles le guiñó un ojo.

—Cuente con ello, Doc.

Firth cogió el móvil sintiendo un vacío en el pecho. ¿Qué otra cosa podía hacer? No tenía experiencia con ese tipo de gente. Intentó consolarse con el hecho de que al menos no había divulgado el verdadero nombre de Jason Bourne, pero ese gesto carecería de importancia en cuanto entregara su foto a aquel hombre.

Bowles se bajó de la mesa de un salto, pero seguía sin soltarle la muñeca a Firth.

—Y no se le ocurra hacer ninguna tontería, Doc. Si cuenta nuestro pequeño acuerdo, puede estar seguro de que alguien le meterá una bala en la nuca, ¿me sigue?

Firth asintió mecánicamente. Una especie de parálisis se había apoderado de él, clavándolo en el sitio.

Bowles le soltó por fin.

—Me alegra que haya podido hacerme un hueco, Doc —dijo ya en voz más alta para que pudiera oírlo cualquiera que anduviera cerca—. Mañana a la misma hora. Tendrá ya los resultados, ¿no es así?

8

Nagorni Karabaj, en el oeste de Azerbaiyán, es una zona muy conflictiva desde que Stalin intentó limpiar étnicamente de armenios esa parte de la antigua Unión Soviética. Para Arkadin, la ventaja de organizar una fuerza de choque en Azerbaiyán radicaba en que hacía frontera con el límite noroccidental de Irán. La ventaja de escoger aquella zona en concreto era triple: era un terreno escarpado, idéntico al de Irán; estaba escasamente poblado; y la gente de allí lo conocía porque había hecho más de una docena de viajes para Dimitri Maslov, y más tarde para Semion Icoupov, transportando rifles semiautomáticos, granadas, lanzacohetes, etcétera, para los jefes de los grupos armenios que mantenían una guerra de guerrillas permanente contra el régimen de Azerbaiyán, igual que la habían mantenido contra los soviéticos hasta la caída de su imperio. A cambio, Arkadin recibía paquetes de ladrillos de parduscа morfina de una calidad extraordinaria, que transportaba por tierra hasta la ciudad portuaria de Baku, en el mar Caspio, donde eran cargados en un barco mercante que los transportaba hasta Rusia.

En resumidas cuentas, Nagorni Karabaj era, posiblemente, el lugar más seguro que Arkadin podía encontrar. Él y sus hombres no serían molestados y la población armenia los protegería con sus vidas. Sin las armas que él y su gente les proporcionaban, ya les habrían hecho morder el seco polvo rojo de su patria y los habrían exterminado como a alimañas. Los armenios se habían asentado allí, entre los ríos Kura y Araxes, en los tiempos del Imperio romano, y allí habían permanecido desde entonces. Arkadin simpatizaba con su encarnizado patriotismo, el cual había sido la razón de que hubiera decidido que Nagorni Karabaj fuera el lugar para empezar su actividad comercial. También era un inteligente movimiento político; puesto que las armas que vendía a los armenios ayudaban a desestabilizar el país, y por consiguiente le daba a éste un violento empujón para hacerlo volver a la órbita de Moscú, el Kremlin estaba encantado de la vida y hacía la vista gorda con el contrabando.

Y la fuerza de asalto de Arkadin iba a entrenarse allí en ese momento.

Apenas le sorprendió que los líderes lo saludaran como un héroe conquistador cuando llegó.

No es que aquella clase de regreso al hogar fuera simplemente agradable; en la vida de Arkadin no había nada que fuera sencillo. Posiblemente no recordara bien el paisaje o tal vez algo había cambiado dentro de él. Fuera como fuese, en cuanto su vehículo entró en el territorio de Nagorni Karabaj, fue como si le hubieran transportado violentamente de nuevo a Nizhni Tagil.

El campamento se había levantado siguiendo con precisión sus instrucciones: diez tiendas de tela de camuflaje circundaban un gran complejo oval. Al este se extendía la pista de aterrizaje donde había tomado tierra su avión. En el otro extremo de la pista había una corta extensión de terreno en forma de ele en la que estaba posado un avión de carga de la Air Afrika Transport. Las tiendas no tenían el aspecto que él había previsto: le recordaban el cerco de las cárceles de máxima seguridad que circundaban Nizhni Tagil, la ciudad en la que había nacido y crecido, si se podía llamar vivir al ser criado por unos padres psicóticos.

Pero, una vez más, los recuerdos no eran un asunto sencillo. Al cabo de minutos de su llegada, después de haber entrado en una de las tiendas donde se había establecido su puesto de mando, estaba inspeccionando el impresionante despliegue de armas que había transportado: fusiles de asalto Lancaster AK-47, Bushmaster AR15 y LWRC SRT de 6,8 milímetros; lanzallamas M2A1-7 del cuerpo de Marines de Estados Unidos utilizados en la Segunda Guerra Mundial, granadas perforantes anticarro, misiles portátiles Stinger FIM-92, obuses móviles y, la clave para su misión, tres helicópteros Apache AH-64 artillados con misiles Hellfire AGM-114 de cabeza cónica de doble carga de uranio empobrecido, cuya capacidad para penetrar incluso el vehículo con el mayor grosor de blindaje había sido absolutamente garantizada por el vendedor.

Vestido con un traje de faena de camuflaje y armado con una defensa metálica extensible en una cadera, y un Colt 45 American en la otra, Arkadin salió de la tienda más grande y se reunió con Dimitri Maslov, el jefe de la Kazanskaya, la familia más poderosa de la mafia moscovita. Maslov tenía el aspecto de un luchador callejero que estuviera calculando cómo inmovilizarte en el menor tiempo posible y con el máximo dolor. Con sus manos grandes, gruesas y anchas podía retorcerle el cuello a cualquiera. Sus piernas musculosas acababan en unos pies extravagantemente delicados, como si hubieran sido injertados del cuerpo de otro. Desde la última vez que Arkadin le vio le había crecido el pelo, y vestido con un ligero traje de faena de camuflaje, tenía algo del aire anárquico del Che Guevara.

—Leonid Danilovich —dijo Maslov con fingida cordialidad—, veo que no has perdido el tiempo en reunir nuestros pertrechos de guerra. Bien, bueno, eso cuesta una fortuna de cojones.

Con Maslow estaban dos guardaespaldas cuyos trajes de faena lucían unos enormes cercos de sudor; sin duda, en aquel clima tan caliente se encontraban como pez fuera del agua.

Ignorando las armas humanas, Arkadin miró al jefe de la *grupperovka* con una especie de recelo impersonal. Desde que había desistido de ser el principal sicario de la Kazanskaya para trabajar exclusivamente para Semion Icoupov, no estaba seguro de a qué atenerse con aquel sujeto. Que en ese momento hicieran negocios no significaba nada; una combinación de circunstancias de peso y un socio poderoso los echaban a uno en brazos del otro. Arkadin tuvo la impresión de que eran dos perros de presa decidiendo cómo acabar con el otro. Lo cual quedó confirmado cuando Maslov dijo:

—Todavía no me he recuperado de la pérdida de mi canal de distribución mexicano. Y sigo pensando que si hubieras estado disponible, no lo habría perdido.

—Ahora creo que estás exagerando, Dimitri Ilyinovich.

—Pero en vez de eso te quitaste de en medio —prosiguió Maslov, ignorando deliberadamente a Arkadin—. Te volviste inalcanzable

Arkadin pensó que era el momento de prestar atención. ¿Sospechaba Maslov que se había apoderado del ordenador portátil de Gustavo Moreno, un premio que tenía la certeza de que Maslov consideraba suyo por méritos propios?

Pensó que era mejor cambiar de tema.

—¿Por qué estás aquí?

—Me gusta comprobar siempre personalmente mis inversiones. Además, Triton, el hombre que coordina toda la operación, quiere un informe de primera mano sobre tus avances.

—Triton no tenía más que llamarme —dijo Arkadin.

—Es un hombre prudente, nuestro Triton, o eso he oído. Nunca le he visto personalmente, la verdad, ni siquiera sé quién es, sólo que es un hombre con mucho dinero y los recursos para montar este ambicioso proyecto. Y no olvides, Arkadin, que fui yo quien te recomendó a Triton. «No hay nadie mejor para entrenar a esos hombres», le dije con toda claridad.

Arkadin le dio las gracias a Maslov, aunque en su fuero interno le dolió hacerlo. Por otro lado, le alentó saber que no tuviera ni idea de quién era Triton ni para quién trabajaba, mientras que él lo sabía todo. Los millones amasados por Maslov lo habían vuelto excesivamente seguro de sí mismo y descuidado, lo que en su opinión lo convertía en el candidato perfecto para ser masacrado. Eso ocurriría a su debido tiempo, pensó para sí.

Cuando Maslov lo había telefoneado con la propuesta de Triton, al principio se había negado. Una vez convertido en el poder en la sombra de la Hermandad de Oriente ni necesitaba ni quería alquilar sus servicios como autónomo. Cuando los halagos de Maslov, que lo describieron a él y a la Legión Negra como parte esencial del plan, no consiguieron conmoverlo, le pusieron delante de las narices los honorarios de veinte millones de dólares. Aun así dudó, hasta que se enteró de que el blanco era Irán, y el objetivo, derrocar al régimen actual. Entonces la deslumbrante perspectiva del oleoducto de Irán bailó en su cabeza: incontables millones y un poder inenarrable. La recompensa lo había dejado sin respiración.

Era lo bastante astuto para saber, aunque Maslov tuvo bastante cuidado en no mencionarlo, que el oleoducto también debía de ser el objetivo de Triton. Su jugada final era traicionar a Triton en el último minuto y quedarse con el oleoducto, aunque para hacer eso tenía que evaluar adecuadamente los recursos de su enemigo. Tenía que saber quién era Triton.

Vio salir a alguien del *jeep* que, según le habían avisado los vigías de las tribus, había llevado a Maslov y sus matones hasta allí. Al principio, el calor que ascendía del asfalto de la pista oscureció la cara del hombre. Daba igual; Arkadin reconoció aquel tranco relajado, tan deliberadamente parecido a la forma de andar de Clint Eastwood en *Por un puñado de dólares*.

—¿Qué está haciendo aquí? —Arkadin se esforzó en evitar el tono cortante en su voz.

—¿Quién? ¿Oserov? —dijo Maslov con toda la inocencia—. Vylacheslav Germanovich es ahora mi lugarteniente. —Meneó la cabeza con ingenuidad—. ¿No me digas que no te lo dije? Lo habría hecho si hubiera podido hacerme con tus servicios para proteger mis intereses mexicanos. —Se encogió de hombros—. Pero desgraciadamente…

Oserov sonreía en ese momento con aquella expresión medio irónica, medio condescendiente que se había tatuado en el cerebro de Arkadin en Nizhni Tagil. ¿Ser licenciado por Oxford le daba a uno patente de corso en Rusia para mostrarse superior a todos los demás miembros de la *grupperovka*? Él creía que no.

—Arkadin, ¿será posible? —dijo Oserov en un inglés británico—. Es una verdadera vergüenza que sigas vivo.

Arkadin le atizó con fuerza en la barbilla. Oserov, con aquella sonrisa asquerosa todavía cosida a la boca, ya estaba de rodillas y con los ojos en blanco cuando los guardaespaldas de Maslov se aprestaron a intervenir.

Maslov levantó una mano para contenerlos. Sin embargo, su cara estaba congestionada por la ira y tenía una expresión sombría.

—No has debido hacer eso, Leonid Danilovich.

—Y tú no has debido traerlo.

Ignorando las armas que lo apuntaban, Arkadin se arrodilló junto a Oserov.

—Así que estás aquí, bajo el ardiente sol de Azerbaiyán, tan lejos del hogar. ¿Qué tal te sientes?

Oserov tenía los ojos inyectados en sangre y un hilillo de baba rosácea descendía como la hebra de una tela de araña por la comisura de su boca, aunque en ningún momento dejó de sonreír. De repente alargó la mano y agarró a Arkadin de la pechera de la camisa, acercándoselo de un tirón.

—Vivirás para lamentar este insulto, Leonid Danilovich, ahora que Misha ya no sigue vivo para protegerte.

Arkadin se alejó de un brinco y se levantó.

—Te dije lo que le haría si lo volvía a ver.

Maslov entrecerró los ojos. Su cara seguía contraída.

—Eso fue hace mucho tiempo.

—No para mí —replicó Arkadin.

Había dejado clara su postura y hecho una declaración tajante que Maslov no podía ignorar. Nada volvería a ser lo mismo entre ellos, lo cual a Arkadin le produjo un alivio inconfundible, pues sentía el innato horror del cautivo hacia la pasividad. Para él, el cambio era la vida. Dimitri Maslov siempre había visto a Arkadin como un empleado, alguien que contrataba y del que se olvidaba a continuación. Había que cambiar esa idea; había que hacer que Maslov fuera consciente de que en ese momento ambos eran iguales. Y Arkadin no se podía permitir el lujo de emplear mucho tiempo en demostrar su nueva y elevada condición de una manera sutil y delicada.

Mientras Oserov recuperaba la verticalidad, Maslov soltó una carcajada echando la cabeza hacia atrás, aunque recuperó su seriedad con bastante rapidez.

—Vuelve al coche, Vylacheslav Germanovich —dijo entre dientes.

El hombre estuvo a punto de decir algo, pero cambió de idea. Lanzando una mirada asesina a Arkadin, giró sobre sus talones y se marchó airado.

—Así que ahora eres una gran hombre —dijo Maslov en un tono tranquilo que no enmascaró la amenaza latente en su voz.

Lo que significaba, según comprendió Arkadin: «Te conocí cuando no eras más que un piojoso fugitivo de Nizhni Tagil, así que si tienes la intención de ir a por mí, mejor no lo hagas».

—No existen los grandes hombres —contestó Arkadin sin alterarse—, sólo las grandes ideas.

Se miraron de hito en hito en un silencio absoluto. Entonces, como un solo hombre, empezaron a reírse. Se rieron con tantas ganas, que los guardaespaldas se miraron entre sí sin entender nada, y enfundaron sus armas. Mientras, Arkadin y Maslov, tras darse sendos puñetazos cariñosos, se abrazaron como hermanos. No obstante, Arkadin sabía que tenía que desconfiar más que nunca de que no le metieran un cuchillo entre las costillas o le pusieran un poco de cianuro en la pasta de dientes.

Bourne descendió por la empinada ladera de la colina desde el *warung* hasta la zona más alta de los arrozales. Más abajo se veía a dos adolescentes que acababan de salir del recinto familiar para ir al colegio en el pueblo de Tenganan.

Siguió descendiendo por el empinado y pedregoso sendero a un ritmo casi endiablado y pasó junto a la vivienda de la que habían salido los dos adolescentes. Un hombre —sin duda el padre— estaba cortando leña, y una mujer removía el contenido de un *wok* sobre una fogata al aire libre. Dos perros esqueléticos salieron para verlo pasar, pero los adultos no podían haberse inmutado menos.

El camino se estaba allanando por momentos, convirtiéndose en un sendero de tierra apisonada algo más ancho, salpicado con las ocasionales piedras y boñigas de vaca que había que sortear. Aquél era el camino que él y Moira se habían visto obligados a coger por la acción del «batidor» que tan inteligentemente los había arreado hacia el terreno de aniquilación de Tenganan.

Tras pasar por la arcada de la puerta, continuó por el colegio y la pista vacía de bádminton. Entonces se encontró de pronto en la explanada sagrada ocupada por los tres templos. Al contrario que la primera vez que había estado allí, los templos estaban vacíos. En lo alto, unas nubes afiligranadas se precipitaban por el cielo cerúleo y una ligera brisa agitaba la copa de los árboles. Sus pasos, ligeros y prácticamente silencioso, provocaron poca o ninguna agitación entre la manada de vacas y terneros que remoloneaban junto a los frescos muros de piedra del otro extremo del templo, los únicos moteados de sombras. Excepto por los animales, el claro estaba desierto.

Cuando siguió un atajo entre el templo del centro y el de la derecha experimentó una espeluznante sensación de no saber dónde estaba. Pasó el lugar donde, tendido sobre su propia sangre, Moira se había arrodillado sobre él con el rostro contraído por el horror. El tiempo pareció dilatarse hasta el infinito, y luego, al seguir avanzando, se contrajo violentamente como si fuera una goma elástica.

Después de dejar los muros traseros de los templos tras él, no tardó en encontrarse descendiendo abruptamente. El bosque se alzaba como una densa pared verde por encima de él, igual que un recinto sagrado lleno de pagodas que se extendiera hacia el cielo. Allí era donde debía de haber estado tumbado el francotirador, esperándolo.

Poco más allá del lindero inferior del espeso bosque se levantaba un pequeño altar de piedra con los flancos envueltos en las tradicionales telas a cuadros negros y blancos y cubierto todo él por un pequeño parasol amarillo. El espíritu local estaba en casa; y también alguien más. Al detectar un pequeño movimiento con el rabillo del ojo, Bourne se abalanzó hacia la espesura, rodeó con la mano un brazo delgado y marrón y sacó de las sombras a la hija mayor de la familia propietaria del *warung*.

Se quedaron mirando fijamente el uno al otro durante un buen rato. Entonces Bourne se arrodilló para ponerse a la altura de los ojos de la niña.

—¿Cómo te llamas? —le preguntó.

—Kasih —dijo ella enseguida.

Bourne sonrió.

—¿Qué estás haciendo aquí, Kasih?

Los ojos de la niña eran profundos como estanques y negros

como la obsidiana. El cabello negro le caía por debajo de los enjutos hombros. Llevaba un *sarong* color café con un dibujo de flores de franchipán exactamente igual que el doble *ikat* de Bourne. Su piel era sedosa e inmaculada.

—¿Kasih…?

—Hace tres lunas llenas que te hirieron en Tenganan.

La sonrisa de Bourne adquirió el grosor de un papel de seda.

—Te equivocas, Kasih. Aquel hombre murió. Yo asistí a su funeral en Manggis, antes de que su cuerpo fuera enviado en avión a Estados Unidos.

La niña le dedicó una curiosa sonrisa, tan enigmática como la de la Mona Lisa. Entonces alargó la mano y sus dedos le abrieron la camisa manchada de sudor, dejando a la vista la herida vendada.

—Te dispararon, *Bapak* —dijo con la misma seriedad que un adulto—. No moriste, pero te cuesta subir por nuestras empinadas colinas. —Ladeó la cabeza—. ¿Por qué lo haces?

—Para que un día no me cueste. —Bourne volvió a cerrarse la camisa—. Éste es nuestro secreto, Kasih. Nadie más debe averiguarlo, o de lo contrario…

—El hombre que te disparó volverá.

Balanceándose sobre los talones, Bourne sintió que se le aceleraba el pulso.

—Kasih, ¿cómo sabes eso?

—Porque los demonios siempre vuelven.

—¿Qué quieres decir?

Tras acercarse reverentemente al altar, la niña colocó un manojo de flores rojas y violetas en el pequeño nicho del ara, juntó las palmas de las manos a la altura de la frente e inclinó la cabeza mientras recitaba una breve oración para que el espíritu los protegiera contra los malvados demonios que acechaban en las inquietantes sombras verdes del bosque.

Cuando terminó, retrocedió y, arrodillándose, empezó a excavar en la esquina posterior del altar. Al cabo de un momento sacó de la tierra negra y volcánica un pequeño atado de hojas de banano. Se volvió, y con una expresión de terror en los ojos, se lo entregó a Bourne.

Tras sacudirle los suaves coágulos de tierra, él lo desató y apartó las hojas una a una. Dentro, encontró un ojo humano hecho de material acrílico o cristal.

—Es el ojo del demonio, *Bapak* —dijo la niña—, del demonio que te disparó.

Bourne la miró.

—¿Dónde encontraste esto?

—Allí. —Kasih señaló la base de un inmenso *pule* o alstonia que se levantaba a no más de cien metros.

—Enséñame dónde —dijo él, y la siguió a través de los altos helechos con forma de abanico hasta el árbol.

La niña no se acercó en ningún momento a menos de tres pasos, pero Bourne se agachó exageradamente en el lugar que ella le indicó, donde los helechos estaban rotos y aplastados, como si alguien se hubiera marchado de allí con mucha prisa. Levantando la cabeza, vio la madeja que formaban las ramas.

Cuando se preparó para empezar a trepar, Kasih soltó un pequeño grito.

—¡Oh, no, por favor! El espíritu de Durga, la diosa de la muerte, habita en este *pule*.

Bourne levantó una pierna, consiguiendo un punto de apoyo en la corteza y sonrió para tranquilizar a la niña.

—No te preocupes, Kasih, a mí me protege Shiva, mi propio dios de la muerte.

Tras ascender rápida y certeramente, no tardó en llegar a la gruesa rama casi horizontal que había visto desde el suelo. Tumbándose sobre ella boca abajo, se encontró mirando a través de un estrecho espacio entre la maraña de árboles el lugar exacto donde le habían disparado. Se levantó apoyándose en una rodilla y miró alrededor. Al instante encontró el pequeño hueco en el lugar donde la rama era más gruesa al unirse al tronco. Allí había algo que brillaba débilmente. Cuando lo cogió entre los dedos, vio que se trataba del casquillo de un cartucho. Después de metérselo en el bolsillo, volvió a bajar contoneándose hasta el pie del árbol, donde sonrió a la niña, que estaba visiblemente nerviosa.

—¿Lo ves?, sano y salvo —dijo Bourne—. Creo que el espíritu de Durga está hoy en otro *pule* en la otra punta de Bali.

—No sabía que Durga pudiera andar por ahí.

—Pues claro que puede. Éste no es el único *pule* de Bali, ¿no es así?

Ella negó con la cabeza.

—Eso demuestra lo que digo —insistió Bourne—. Hoy no está aquí. Es absolutamente seguro.

Kasih parecía seguir preocupada.

—Ahora que tienes el ojo del demonio, podrás encontrarlo e impedir que vuelva, ¿verdad?

Bourne se arrodilló a su lado.

—El demonio no va a volver, Kasih, esto te lo prometo. —Hizo rodar el ojo entre sus dedos—. Y, sí, con su ayuda espero encontrar al demonio que me disparó.

Moira fue trasladada por los agentes de la NSA al Hospital Naval de Bethesda, donde se le sometió a una batería de pruebas médicas tan angustiosas como embrutecedoras por su exhaustividad. De esta guisa la noche fue pasando lentamente. Cuando, poco después de las diez de la mañana, se la declaró en forma físicamente y completamente ilesa del accidente de tráfico, los agentes de la NSA le dijeron que era libre de marcharse.

—Esperen un minuto —dijo ella—. ¿No me dijeron que me detenían por alterar el escenario de un delito?

—La engañamos —le dijo uno de los agentes con su seco acento del Medio Oeste. Entonces se marcharon, dejándola confusa y no poco alarmada.

Su alarma aumentó considerablemente cuando llamó a cuatro personas diferentes del Departamento de Defensa y de Estado, todas las cuales o estaban «en una reunión», «fuera del edificio» o, lo que fue aún más inquietante, sencillamente estaban «ocupados».

Acababa de terminar de maquillarse cuando su móvil emitió un zumbido avisándola de un mensaje de texto de Steve Stevenson, el subsecretario de Adquisición, Tecnología y Logística del Departamento de Defensa, que la había contratado recientemente.

«PERRY 1 H», leyó en la pantalla. Después de borrarlo a toda prisa, se pintó los labios, cogió su bolso y se marchó del hospital.

Había treinta siete kilómetros desde el Hospital Naval de Bethesda hasta la Biblioteca del Congreso. Google Maps afirmaba que el trayecto duraba treinta y seis minutos, pero eso debía de haber sido a las dos de la madrugada. A las once de la mañana, cuando Moira realizó el trayecto en taxi, duró veintiséis minutos más, lo que significó que llegó a su destino casi con el tiempo justo. En el camino había telefoneado a su oficina para que la recogiera un coche, dando una dirección a tres manzanas de su destino actual.

—Tráeme un ordenador portátil y un quemador —dijo antes de cerrar el teléfono.

No notó los dolores en todos los músculos de su cuerpo hasta que salió del taxi, y sintió que comenzaba a tener un dolor de cabeza postraumático. Hurgó en su bolso, cogió tres Advil y se los tragó a palo seco. El día no era muy frío, aunque estaba feo y nublado, sin ningún claro en el cielo plomizo y con un viento incesante. Las flores rosa claro de los cerezos yacían pisoteadas en las aceras, los tulipanes estaban floreciendo y había un inconfundible olor a tierra en el aire que anunciaba la primavera.

El mensaje de texto de Stevenson, «PERRY», hacía referencia a Roland Hinton Perry, quien a la tierna edad de veintisiete años había creado la escultura de la Fuente de la Corte de Neptuno, situada en la fachada más occidental de la entrada a la Biblioteca del Congreso. La fuente estaba más a la altura de la acera que del nivel elevado de la entrada principal cubierta. Colocada dentro de tres nichos del muro de contención de piedra flanqueado por las escaleras de acceso, la fuente —con la pavorosa figura central del dios romano del mar, una escultura de bronce de más de tres metros y medio de altura— desprendía una energía inquietante y descarnada que contrastaba espectacularmente con el sosegado exterior del edificio en sí. La mayoría de los visitantes que acudían a la biblioteca no llegaban a saber siquiera que existía. Sin embargo, Moira y Stevenson sí que la conocían; era uno de la media docena de lugares de reunión diseminados por y en las cercanías del barrio que ambos habían acordado.

Moira lo vio enseguida. Vestido con una americana azul marino y unos livianos pantalones de lana gris. Stevenson le estaba dando la espalda, contemplando ensimismado el semblante notablemente violento de Neptuno, lo que significaba que tenía la cabeza ligeramente echada hacia atrás y su calva adquiría protagonismo.

El hombre no se movió cuando ella se acercó y se paró a su lado. Podrían haber sido perfectamente turistas sin ninguna relación, entre otras cosas porque Stevenson hacía ostentación de un ejemplar abierto de la guía Fodor de Washington y el Distrito de Columbia, de la misma manera que un faisán proclama su presencia extendiendo la cola.

—No es un día feliz para usted, ¿verdad? —dijo él, sin volverse hacia ella ni pareciendo siquiera que moviera los labios.

—¿Qué carajo está pasando? —preguntó Moira—. Nadie del Departamento de Defensa, incluido usted, me coge las llamadas.

—Todo parece indicar, querida, que ha pisado usted un gran y humeante montón de mierda. —Stevenson volvió una página de la guía. Era uno de esos funcionarios del Estado de la vieja escuela que acudía todos los días al barbero a afeitarse, se hacía la manicura una vez a la semana, pertenecía a todos los clubes adecuados y se aseguraba de que sus opiniones fueran compartidas por la mayoría antes de expresarlas en voz alta—. Nadie quiere verse contaminado por esa peste.

—¿Yo? Yo no he hecho una mierda. —*Excepto tocarle los cojones a mis antiguos jefes*, pensó.

Reflexionó sobre el hecho de que Noah hubiera aparecido para llevarse el móvil de Jay y hacerla detener. Porque había entendido esa parte de camino hacia allí. La única razón para que los agentes de la NSA dijeran que la detenían por alterar el lugar del accidente y luego la hubieran soltado sin ninguna acusación era que por algún motivo Noah había necesitado tenerla fuera de servicio toda la noche. ¿Por qué? Quizá lo averiguara una vez que descargara los archivos de la memoria flash que había encontrado cosida en el interior del forro de la chaqueta de Jay, aunque por el momento su mejor estrategia consistía en fingir que no sabía absolutamente nada.

—No. —Stevenson meneó la cabeza—. Lo que tenemos aquí es algo más. Creo que alguien de su compañía pinchó algún nervio. ¿El difunto Jay Weston, quizá?

—¿Sabe lo que descubrió Weston?

—Si lo supiera —dijo Stevenson lenta y cuidadosamente—, a estas horas me habría atropellado un coche.

—¿Tan gordo es?

El hombre se frotó su inmaculada mejilla roja.

—Más.

—¿Qué carajo está pasando entre la NSA y Black River? —preguntó Moira.

—En el pasado trabajó para Black River, dígamelo usted. —Frunció los labios—. No, pensándolo mejor, no quiero saber nada, ni siquiera una mera especulación. Desde que saltó la noticia de la explosión del avión de pasajeros, la atmósfera en el Departamento de Defensa y en el Pentágono se ha visto envuelta en una nube tóxica.

—¿Lo que significa?

—Que no habla nadie.

—Allí nadie alza la voz jamás.

Stevenson asintió con la cabeza.

—Eso es cierto, aunque esta vez es distinto. Todo el mundo anda como pisando huevos. Incluso las secretarias parecen aterrorizadas. En mis veinte años de servicio al Estado, jamás había vivido algo parecido. Excepto…

Moira sintió que se le formaba un nudo en el estómago.

—Excepto ¿qué?

—Excepto poco antes de que invadiéramos Irak.

9

Willard observó a Ian Bowles cuando éste salió del quirófano de Frith. Le había puesto una cruz la segunda vez que había aparecido en el recinto y, al igual que hacía con todos los demás pacientes del médico, había hecho sus averiguaciones. Bowles era el único sobre el que no se sabía nada en el lugar. Durante los últimos tres meses Willard no se había limitado a entrenar a Bourne; como todos los buenos agentes, había empezado inmediatamente a familiarizarse con su entorno. Se había hecho amigo de todas las personas importantes de la zona, que de hecho se habían convertido en sus ojos y sus oídos. La ventaja de estar en Manggis era que ni el pueblo ni la zona circundante estaba demasiado poblada. Al contrario que Kuta y Ubud, sólo unos pocos turistas conseguían llegar a la zona, así que no era difícil identificar a los pacientes que iban a ver al doctor. Mediante aquel sencillo método, Ian Bowles cantaba como una almeja. Sin embargo, Willard no actuaría hasta que Bowles se destapara en un sentido u otro.

Desde que lo habían liberado de sus obligaciones secretas en el piso franco de la NSA en la rural Virginia, Willard había reflexionado largo y tendido sobre la manera de resultar de la máxima utilidad al servicio secreto, el cual hacía las veces de su madre, padre, hermana y hermano. Treadstone había sido el sueño de Alexander Conklin. Sólo Conklin y el propio Willard conocían el fin primordial de Treadstone.

Acometió aquel trabajo con una prudencia extrema, porque estaba trabajando con una desventaja con la que Conklin nunca había tenido que enfrentarse. En los tiempos de Alex, el Viejo había refrendado Treadstone; lo único que Conklin tenía que hacer era volar fuera del radar de Inteligencia Central y cumplir con los objetivos que había prometido al Viejo, mientras seguía trabajando en sus propios asuntos completamente en la sombra. Willard no contaba con la ventaja de semejante apoyo. Por lo que concernía a Veronica Hart e Inteligencia Central, Treadstone estaba tan muerto y enterrado como el propio Conklin. Willard era demasiado inteligente para creer que Hart le permitiría una reanudación, lo que significaba que tenía que trabajar clandestinamente dentro de una de las mayores organizaciones secretas del mundo. La ironía no le pasó desapercibida.

Mientras seguía a Bowles fuera del recinto y por un solitario callejón, reflexionó sobre lo fortuitas que habían sido las llamadas telefónicas de Moira Trevor, puesto que aquella remota isla alejada de la red de Inteligencia Central era el lugar perfecto para iniciar la resurrección de Treadstone.

Delante de él, Bowles se había parado junto a una motocicleta aparcada a la sombra de un franchipán. Sacó su móvil. Cuando apretó la tecla de marcación rápida, Willard desplegó un fino alambre metálico con agarraderas de madera en ambos extremos y, poniéndose rápidamente detrás de Bowles, le rodeó el cuello con el alambre y tiró con tanta fuerza de las agarraderas que lo puso de puntillas.

El neozelandés dejó caer el móvil y alargó las manos por detrás de él para intentar agarrar a su agresor oculto. Saltando para esquivarlo, Willard mantuvo la presión letal sobre el alambre. Los gestos de Bowles se hicieron más frenéticos. En su desesperado intento por respirar se desgarró la carne del cuello, los ojos se le salieron de las órbitas y unos hilos rojos vetearon el blanco. De pronto el aire se llenó de una asquerosa fetidez y el hombre se desplomó.

Tras desenrollar el alambre del cuello de Bowles, Willard recogió el móvil y, mientras se alejaba a paso vivo, comprobó el número que había estado marcando. Reconoció los primeros números como pertenecientes a un móvil ruso. La llamada no se había realizado, así que se adentró en Manggis hasta un lugar en el que sabía que habría cobertura y pulsó la tecla de volver a marcar. Al cabo de un instante le respondió una voz masculina.

Willard, momentáneamente asombrado, recobró no obstante la serenidad y dijo:

—Tu hombre, Bowles, está muerto. No envíes a otro —y colgó, antes de que Leonid Danilovich Arkadin pudiera decir una sola palabra.

Cuando Moira se separó de Stevenson, se dirigió en la dirección opuesta a la que tenía que ir. Invirtió veinte minutos en seguir diversas rutas indirectas, mirando por los retrovisores de los coches y en las lunas de los escaparate buscando una *cola*, y cuando se hubo asegurado de que no la estaban siguiendo, volvió caminando hacia el coche que la esperaba a tres manzanas al oeste de la fuente de Poseidón.

El chófer la vio acercarse y salió del vehículo. Sin mirarla ni saludarla de ninguna manera se dirigió hacia ella. Pasaron uno junto al otro lo bastante cerca para que el hombre le entregara las llaves sin detenerse ni alterar siquiera el paso.

Moira pasó junto al coche aparcado, cruzó la calle y se paró para mirar hacia todas partes, como si no estuviera segura de qué camino tomar. De hecho, estaba examinando el entorno, descomponiéndolo en vectores, que inspeccionaba en busca de alguien mínimamente sospechoso. Un niño y una niña, presumiblemente su hermana, jugaban con un golden labrador bajo la mirada atenta de su padre. Una madre empujaba el cochecito de su bebé; dos sudorosos corredores corrían en zigzag, mientras escuchaban por unos auriculares conectados a sus iPod sujetos a unos brazaletes.

Nada parecía fuera de lugar, lo cual era exactamente lo que la preocupaba. Podía tener bajo control a los agentes de la NSA en la calle o incluso si pasaban en coche; era la gente que pudiera esconderse detrás de las ventanas de los edificios o en los tejados la que le preocupaba. Bueno, no había forma de evitarlo, pensó. Había hecho todo lo que estaba en sus manos, y ya no quedaba otra cosa que poner un pie delante del otro y rezar para que hubiera logrado despistar cualquier vigilancia que pudieran haberle asignado en cuanto los dos agentes de la NSA la habían dejado en el Hospital Naval de Bethesda.

Como precaución añadida, sacó la tarjeta SIM de su móvil, la aplastó con el tacón del zapato y luego la arrojó de una patada por la rejilla del alcantarillado a un sumidero y también tiró el móvil. Llevaba la llave en la mano mientras se acercaba al coche, aparcado en la acera de enfrente. Cruzó por delante del vehículo y dejó caer el bolso; después de arrodillarse, sacó su polvera y utilizó el espejo interior para examinar los bajos del auto lo mejor que pudo. También examinó la parte posterior. ¿Qué esperaba encontrar? Nada, afortunadamente. Pero siempre existía la posibilidad de que un agente de la NSA hubiera dejado al pasar un micrófono debajo del chasis.

Al no encontrar nada sospechoso, abrió el coche y se sentó al volante. Era un Chrysler plateado último modelo que sus mecánicos habían mejorado con un poderoso motor turboalimentado. Tras encontrar el portátil y el móvil debajo del asiento, arrancó el inmaculado envoltorio de plástico de este último. El teléfono era un móvil desechable cargado con una tarjeta de prepago. Mientras no los utilizaras durante mucho tiempo, era seguro hablar por ellos y nadie podía utilizar la SIM para triangular tu posición como ocurría con los móviles registrados.

Resistiendo el impulso de encender el ordenador allí mismo, giró la llave en el contacto, arrancó y se metió entre el tráfico con prudencia. Ya no se sentía cómoda permaneciendo en un lugar demasiado tiempo; ni tampoco le parecía seguro volver a la oficina ni a su casa siquiera.

Cruzando de nuevo la ciudad hacia Virginia, condujo sin rumbo durante casi una hora, al cabo de la cual ya no fue capaz de reprimir su curiosidad. Tenía que averiguar qué había en la memoria flash que había recuperado del cadáver de Jay. ¿Contendría la clave de lo que se traían entre manos la NSA y Black River y que, según Stevenson, tenía enloquecido a todo el Departamento de Defensa? ¿Por qué, si no, Noah y la NSA habrían perseguido a Jay, y ahora irían tras ella? Tenía que suponer que el policía de tráfico de la capital era un poli falso, que era, de hecho, un agente de la NSA o de Black River. Stevenson se había mostrado aterrorizado. El panorama en su conjunto le produjo un escalofrío.

Después de atravesar Rosslyn se percató de pronto de que estaba hambrienta. No podía recordar la última vez que había comido, aparte de lo que fuera que le habían dado esa mañana en el hospital. ¿Quién podría comerse aquella cosa? Aún más, ¿qué clase de chef era capaz de preparar semejante papilla insípida y recocida?

Giró en Wilson Boulevard, pasó Hyatt y aparcó a varios coches de distancia de la entrada del café Shade Grown, un lugar que conocía por fuera y por dentro y en el que en consecuencia se sentía segura. Cogió el portátil y el teléfono y salió del coche, lo cerró y se metió a toda prisa en el local. La boca se le hizo agua al percibir el olor a beicon y tostadas. Después de meterse en un reservado con los desgastados asientos color cereza, le echó un somero vistazo al menú plastificado antes de pedir tres huevos fritos, doble ración de beicon y tostadas de pan de trigo. Cuando la camarera le preguntó si quería café, dijo:

—Por favor. La crema de leche aparte.

Sola ante la mesa de formica, abrió el pequeño ordenador de manera que la pantalla quedara mirando hacia ella y la pared que tenía detrás. Mientras el aparato se inicializaba, se inclinó hacia abajo y se sacó la memoria flash de debajo del aro de su sujetador. El diminuto rectángulo electrónico estaba caliente y parecía latir como un segundo corazón. Colocando el pulgar en la lector biométrico, respondió a las tres preguntas de seguridad. Por último, conectó la memoria flash a uno de los puertos USB situados en el lado izquierdo del ordenador y, abriendo Mi Ordenador, navegó por la memoria portátil que había aparecido allí y pulsó dos veces encima con el ratón.

La pantalla se oscureció, y por un momento Moira pensó que la memoria tenía estropeado el sistema operativo. Pero entonces en la pantalla empezaron a aparecer unos renglones de lo que parecía un galimatías. No había carpetas ni archivos, sólo aquella serie de letras, números y símbolos que no paraban de avanzar por la pantalla. La información estaba encriptada; típico del prudente Jay.

En el acto pulsó la tecla ESCAPE y volvió a la pantalla de Mi Ordenador. Tras acceder a la unidad C, abrió el asistente de las conexiones de acceso inalámbrico. O la cafetería tenía una conexión Wi-Fi, o lo tenía algún lugar cercano, porque el asistente detectó una red abierta. Eso era bueno y malo al mismo tiempo. Por un lado, significaba que podía acceder a la web, pero la red no tenía ninguna protección codificada. Por suerte, entre otra gran cantidad de medidas de seguridad, había hecho instalar en todos los portátiles de Heartland sus propios paquetes de encriptación, lo que en ese caso significaba que, incluso si alguien pirateaba su dirección IP, no podría leer los grupos de información que enviara y recibiera; ni tampoco podría localizarla.

Apartó el ordenador cuando llegó el desayuno. Al programa Heartland le llevaría algún tiempo descifrar el *software* para analizar los datos de la memoria extraíble. Moira descargó los datos encriptados y apretó la tecla INTRO, que inició el programa.

Cuando acabó de mojar la yema del tercer huevo con una cuña de pan con mantequilla y lo que le quedaba de beicon, oyó un leve repique. Atragantándose casi con el último bocado, le dio un buen trago al café y amontonó los platos en el borde de la mesa.

Su dedo índice planeó sobre la tecla INTRO durante una milésima de segundo antes de apretarla. De inmediato las palabras empezaron a inundar la pantalla, y entonces se ordenaron, desvelando el contenido completo de la memoria externa.

«PINPRICKBARDEM», leyó.

No se lo podía creer. Sus ojos se movieron sobre los renglones que repetían una y otra vez «PINPRICKBARDEM». Las líneas terminaron y ella volvió a examinar el texto. La memoria entera había estado llena de esas catorce letras. Descompuso las letras, formando las palabras más evidentes: «Pin Prick Bar Dem». Luego otra: «PinP Rick Bar Dem». Escribió debajo: «Picture in Picture, un sistema multivisión (¿en una televisión digital?), Rick's Bar (¿?), Demócrata».

Hizo una búsqueda en Google. Había un Rick's Bar en Chicago y otro en San Francisco, y un Andy & Rick's Bar en Truth o Consequences, Nuevo México, pero no había ningún Rick's Bar en Washington, D. C., ni en los alrededores. Tachó lo que había escrito. ¿Qué carajo significarían esas letras?, se preguntó. ¿Eran otro código más? Ya estaba a punto de ejecutar de nuevo el programa de *software* de Heartland cuando, detectando con el rabillo del ojo la aparición inopinada de una sombra, levantó la vista.

Dos agentes de la NSA la miraban fijamente a través del ventanal. Cuando cerró de golpe la pantalla del portátil, uno de ellos abrió la puerta para entrar en la cafetería.

Benjamin Firth estaba dando buena cuenta de su botella de *arak* con espíritu de revancha, cuando Willard entró en la consulta tranquilamente. Firth estaba sentado en la mesa, con la cabeza gacha, bebiendo grandes tragos del licor de palma con precisa resolución.

Willard contempló al médico un instante, acordándose de su padre, cuyo alcoholismo le había llevado a la locura y, finalmente, a un coma hepático. Aquello no había sido agradable, y en el camino había habido varios ataques graves de desdoblamiento de personalidad, tipo Jekyll y Hyde, de los que aquejaban a algunos alcohólicos. Después de que su padre le hubiera golpeado la cabeza contra una pared en uno de aquellos ataques, Willard, que entonces contaba ocho años, aprendió por su cuenta a no tener miedo. Guardó su bate de béisbol debajo de la cama, y en la siguiente ocasión que su padre, apestando a alcohol, se abalanzó sobre él, trazó un arco absolutamente preciso con su bate y le rompió dos costillas. Después de eso, su padre no volvió a tocarlo, ni por ira ni por cariño. En su momento, Willard pensó que había logrado lo que quería, pero más tarde, tras la muerte del viejo, empezó a preguntarse si, junto con su padre, no se habría herido a sí mismo.

Con un gruñido de asco, atravesó la consulta, le arrancó la botella a Firth y le metió a la fuerza una pequeña libreta en la mano. El médico se lo quedó mirando durante un instante con los ojos inyectados en sangre, como si intentara localizar a Willard en su memoria.

—Léalo, Doc. Adelante.

Firth bajó la mirada y pareció sorprendido.

—¿Dónde está mi *arak*?

—Vamos —dijo Willard—. Le he traído algo mejor.

Firth soltó un sonoro bufido.

—No hay nada mejor que el *arak.*

—¿Quiere apostar?

Willard le abrió la libreta y el médico se quedó mirando fijamente la foto del pasaporte de Ian Bowles, el neozelandés que se había hecho pasar por paciente y que lo estaba chantajeando para que le sacara unas fotos a Jason Bourne. Ésa era la razón de que se hubiera emborrachado como una cuba. No podía soportar pensar en lo que tenía que hacer ni en lo que le ocurriría si no lo hacía.

—¿Qué…? —Sacudió la cabeza, confundido—. ¿Qué está haciendo con esto?

Willard se sentó a su lado.

—Permítame que le diga que el señor Bowles ya no volverá a ser un problema para usted.

Firth se despejó como si el otro hombre le hubiera arrojado un cubo de agua helada a la cara.

—¿Lo sabe?

Willard le quitó el pasaporte.

—Lo oí todo.

Un escalofrío recorrió la columna vertebral del médico.

—No podía hacer nada.

—Entonces fue una suerte que estuviera aquí.

Firth asintió desanimadamente con la cabeza.

—Ahora necesito que haga algo por mí.

—Lo que sea —dijo Firth—. Le debo la vida.

—Jason Bourne no debe saber jamás lo ocurrido.

—¿Nada de nada? —El médico lo miró—. Alguien sospecha que está aquí, alguien lo persigue.

La cara de Willard permaneció impávida.

—Nada en absoluto, doctor. —Willard alargó la mano—. ¿Me da su palabra?

Firth apretó con fuerza la mano del otro hombre, que era firme, seca y en cierta manera consoladora.

—No dije nada, ¿no es así?

10

Cuando Moira se abalanzó fuera del reservado, arrancó la memoria extraíble de la rendija del USB. Para entonces ya estaba corriendo por el sucio y estrecho pasillo de la cafetería que conducía a los baños y la cocina.

Dobló a la izquierda para entrar en la cocina y se vio envuelta por una oleada de calor y vapor y una algarabía de voces. Ya se dirigía a la despensa cuando la entrada de servicio de la parte trasera se abrió de golpe, y un agente de la NSA atravesó el umbral. Cuando lo hizo, Moira apretó el lector biométrico dos veces sucesivamente con el pulgar, aunque el ordenador seguía conectado. Entonces se lo lanzó al agente. El hombre levantó los brazos en una acto reflejo para agarrarlo, momento que ella aprovechó para meterse corriendo en la pequeña despensa. Una vez allí, se arrodilló y tiró de la anilla de la trampilla. Cuando la estaba levantando de su marco a nivel del suelo, oyó que el dispositivo incendiario del ordenador portátil explotaba. Le llegaron los gritos y la confusión provocada por el fuego en un lugar cerrado mientras bajaba por la escalera y cerraba la trampilla tras ella. El dispositivo era una medida de seguridad desesperada que había hecho que sus técnicos instalaran en todos los ordenadores portátiles de Heartland; pulsando dos veces sobre el lector biométrico del pulgar mientras el ordenador estaba encendido, se activaba el temporizador de diez segundos del dispositivo incendiario.

Al llegar al final de la escalera, se encontró en el sótano, donde estaban almacenadas la mayor parte de las mercancías. Palpó por encima de su cabeza hasta que encontró el cable y tiró de él. Una bombilla pelada iluminó el entorno con un inhóspito claroscuro. Vio entonces las puertas metálicas que conducían al nivel de la calle y las abrió; había una rampa de metal utilizada para deslizar las cajas de los productos enlatados hasta el sótano. Empezó a subir por ella con dificultad, doblándose casi por la mitad para agarrarse a los laterales y no resbalar por la superficie lisa. Para hacerlo, tuvo que meterse en el bolsillo la memoria extraíble, que había llevado agarrada como si le fuera la vida en ello. Cuando lo hizo, se rozó el dorso de la mano contra lo que le pareció una tarjeta rígida. Al llegar a la calle, se encontró justo a la derecha de la entrada de la cafetería, donde la gente se agolpaba. Mientras se alejaba, oyó la sirena de los coches de bomberos. Se alejó del tumulto con la mano en el bolsillo para comprobar que seguía teniendo la memoria extraíble, y volvió a sentir la presencia de la tarjeta. Al sacarla, vio que tenía inscrito el logo de EMS y el nombre de Dave; debajo, éste había escrito el número de un móvil. Entonces recordó que él la había rozado al pasar por su lado y supo que había sido entonces cuando le metió la tarjeta en el bolsillo. Menudo puerto para una tormenta, pensó; Moira abrió el móvil y marcó el número.

En ese preciso instante, al mirar por encima del hombro, vio que uno de los agentes de la NSA salía por la puerta, y aceleró el paso. Pero el sujeto ya la había visto y salió disparado tras ella.

Moira dobló la esquina y se llevó el teléfono a la oreja.

—¿Sí? —Se sintió aliviada al oír la voz familiar de Dave.

—Estoy en apuros. —Le proporcionó su posición aproximada—. Estaré en Fort Myer Drive y la Diecisiete Norte en tres minutos.

—Espéranos —dijo él.

—Eso es fácil de decir —contestó ella, y dobló corriendo la esquina de North Nash Street.

Mientras observaba a Maslov y a los dos neandertales de hombros caídos subir de nuevo a su vehículo y alejarse, Arkadin reprimió un acceso de ira asesina. Era todo lo que podía hacer para no agarrar una semiautomática de uno de los montones y rociar el vehículo de balas hasta que los cuatro que iban dentro estuvieran muertos. Por suerte, lo que quedaba de la parte racional de su cerebro le impidió cometer un movimiento tan tonto. Tal vez en el momento se sentiría mejor, pero en el panorama general de las cosas acabaría lamentando una desaparición prematura de Maslov. Mientras el jefe de la Kazanskaya le fuera útil, le permitiría seguir vivo.

Pero ni un segundo más.

No cometería el mismo error con Maslov que el que había cometido con Stas Kuzin, el jefe de la mafia de Nizhni Tagil, del que había sido socio y al que luego había asesinado. En aquellos tiempos Arkadin era joven e inexperto; había permitido que Kuzin viviera demasiado. Lo suficiente para que torturara y matara a la mujer con la que él se acostaba. Y claro, el joven Arkadin no había pensado en lo que ocurriría de resultas de la muerte de Kuzin y de un tercio de su banda de depravados.

Con el resto de los asesinos de Kuzin dándole caza para liquidarlo se vio obligado a meterse bajo tierra. Puesto que tenían todas las salidas de la ciudad vigiladas y habían convertido a todos los aterrorizados ciudadanos en confidentes, era imprescindible encontrar un refugio lo antes posible, lo que por desgracia significaba hallarlo dentro de Nizhni Tagil, un lugar donde nunca lo encontraran y donde jamás se les ocurriera siquiera mirar. Había disparado a Kuzin en el edificio del que ambos eran propietarios a medias, donde Kuzin tenía su cuartel general y donde mantenía a las jóvenes que Arkadin había recogido en las calles para él. Y claro que encontró el sitio perfecto; uno que ni siquiera Dimitri Maslov fue lo bastante inteligente para pensar en él.

Sus pensamientos se desviaron repentinamente a otros asuntos más inmediatos. La llamada de Willard no se le iba de la cabeza mientras regresaba a donde sus reclutas de la Legión Negra lo esperaban en el exterior de las tiendas levantadas junto a la planicie de Azerbaiyán. Había confiado en aquel diota de Wayan, que le había recomendado a Ian Bowles, y era evidente que contratarlo había sido un error.

Pero en ese momento incluso Bowles se esfumó de su mente mientras se dirigía hacia sus tropas. No estaban ni de lejos tan bien preparados para una incursión coordinada como había esperado. Sin embargo, aquellos hombres habían sido adiestrados y utilizados para misiones en solitario. Muchos habían estado esperando las órdenes para atarse sus chalecos de C-4, infiltrarse en un mercado, una comisaría de policía o un colegio y apretar el detonador. Sus mentes ya estaban a medio camino del Paraíso, y Arkadin comprendió casi inmediatamente que su labor, además de su deber como jefe de la Hermandad de Oriente, era convertirlos en una unidad, en hombres que pudieran confiar unos en otros —sacrificarse por otro si fuera necesario— sin dudarlo un segundo.

El grupo de hombres —fuertes y física y mentalmente en forma— permanecían desplegados ante él, incómodos porque les había ordenado que se afeitaran las cabezas y las barbas, lo que iba en contra tanto de sus costumbres como de sus enseñanzas islámicas. Ni uno de ellos dejaba de preguntarse cómo demonios iban a infiltrarse en cualquier parte del mundo islámico con el aspecto que tenían en ese momento.

Un hombre, Farid, decidió expresar la preocupación general. Lo hizo con energía, creyendo que hablaba por los otro noventa y nueve reclutas, y no sólo por él.

—¿Qué es lo que has dicho? —La cabeza de Arkadin se volvió con tanta fuerza que una vértebra de su cuello crujió como el disparo de un rifle—. ¿Qué has dicho, Farid?

Si hubiera conocido a Arkadin, Farid habría mantenido cerrada la boca. Pero no lo conocía, y en aquella tierra dejada de la mano de Dios no había nadie que pudiera enseñárselo. Así que repitió la pregunta.

—Señor, nos preguntamos por qué nos has ordenado que nos afeitemos el pelo que Alá ordena debemos tener. Nos preguntamos cuál podría ser tu motivo. Exigimos una respuesta, porque nos has avergonzado.

Sin mediar palabra, Arkadin sacó el bastón defensivo del cinturón y golpeó violentamente a Farid en la sien, derribándolo. Cuando Farid se arrodilló, tambaleándose por el dolor y la consternación, Arkadin sacó su Colt y le disparó a bocajarro en el ojo derecho. El hombre cayó de espaldas con un crujido de sus rodillas y quedó tendido en la tierra rojiza, mudo e inerte.

Nada más doblar la esquina, Moira se paró y se apretó contra la pared de un edificio de oficinas. Levantó el codo derecho y, cuando el agente de la NSA dobló corriendo la esquina, le golpeó violentamente en el pecho. Había tenido la intención de golpearle en el cuello, pero falló, y aunque el hombre se tambaleó de espaldas contra la pared, inmediatamente se abalanzó sobre ella y lanzó un puñetazo que Moira logró interceptar.

Pero había sido sólo un amago, y el agente la agarró de la parte interior del brazo izquierdo y apretó con la intención de romperle el codo. Inmovilizada, Moira le pisó con fuerza en el empeine, pero el sujeto no aflojó su presión, antes bien, la aumentó hasta que de la garganta de Moira se escapó un aullido de dolor. Entonces el agente de la NSA hizo entrar en juego el pulpejo de la mano con un golpe dirigido a la punta de la nariz.

Moira le dejó que se engolfara completamente en el golpe, y entonces lo esquivó moviendo la cabeza a un lado. Al mismo tiempo, concentrando todas sus fuerzas en el vientre, le incrustó la rodilla derecha flexionada en la entrepierna. El hombre abrió las brazos de par en par, aflojó la presión y cayó al suelo.

Moira liberó su brazo de una sacudida, aunque el hombre consiguió agarrarla de la muñeca, arrastrándola con él mientras caía de rodillas. El agente tenía los ojos llorosos y era evidente que se esforzaba en no jadear, en respirar más hondo, en superar el espantoso dolor. Pero Moira no estaba por la labor de permitírselo, así que le propinó un golpe en el cuello con los nudillos y, mientras el hombre intentaba recuperar el resuello, se soltó. A continuación le asestó un golpe en la sien izquierda, haciendo que la cabeza le golpeara ruidosamente contra la sillería del edificio. El agente puso los ojos en blanco y cayó deslizándose sobre la acera. Moira le quitó rápidamente el arma y la identificación y salió corriendo entre el grupo cada vez más numeroso de curiosos embobados —atraídos por la pelea como perros al olor de la sangre—, a la voz de:

—Ese hombre me ha atacado. ¡Que alguien llame a la policía!

En la esquina de Fort Myer Drive y la Diecisiete, Moira se paró en seco. Jadeaba y tenía el pulso acelerado. La adrenalina corría por su cuerpo como un río de fuego, pero consiguió amainar el paso, avanzando contra la marea de personas que seguían el sonido de las sirenas de los coches patrulla, que llegaban a toda velocidad desde varias direcciones. Una se estaba dirigiendo directamente hacia ella..., pero, no, era una ambulancia de los paramédicos.

Dave había llegado en el momento justo. La ambulancia redujo la marcha y Moira vio a Earl detrás del volante. Mientras el vehículo se mantenía a su altura, las puertas traseras se abrieron de golpe y Dave se inclinó hacia fuera. Cuando le cogió de la mano derecha para ayudarla a subir, Moira soltó un grito ahogado. Después de que consiguiera subir el estribo metálico, Dave se abalanzó hacia delante haciéndola a un lado, cerró las puertas y dijo:

—¡Arranca!

Earl pisó el acelerador. Moira se tambaleó en el interior cuando la ambulancia dobló una esquina a toda velocidad. Dave la rodeó con los brazos para sujetarla y la condujo hasta uno de los asientos.

—¿Está bien? —preguntó.

Ella asintió con la cabeza, pero hizo una mueca de dolor cuando dobló el brazo izquierdo.

—Déjame ver eso —dijo Dave, y le subió la manga de la blusa—. Bonito —dijo, y empezó a ocuparse de la articulación tumefacta y amoratada.

En ese momento, Moira tuvo la certeza de que casi tenía la soga al cuello. Uno de sus agentes se había dado de bruces con un secreto tan importante que o Black River o la NSA, o ambos trabajando conjuntamente, lo habían asesinado. Y ahora iban tras ella. Su incipiente empresa apenas tenía algo más de cien agentes, más de la mitad reclutados entre las filas de Black River. Cualquiera de ellos podía ser un traidor, porque de algo sí que estaba absolutamente segura: alguien de dentro de Heartland había rastreado su dirección IP hasta la red inalámbrica del café Shade Grown y se la había pasado a la NSA. Ésa era la única explicación para que hubieran aparecido tan rápidamente.

En ese momento carecía de alternativas; no tenía a nadie en quien confiar. Excepto, pensó sombríamente, en una persona. La persona a la que había prometido no volver a ver ni hablarle, y que después de lo que había ocurrido entre ellos, era inolvidable.

Moira cerró los ojos, balanceándose ligeramente con el movimiento de la veloz ambulancia. Aunque ése no fuera el momento de la clemencia, quizá lo fuera de tener una tregua. ¿A quién más podía llamar? ¿En quién más podía confiar? Soltó un pequeño suspiro de desesperación. Si la situación no fuera tan triste, hasta sería divertida, al tener que recurrir en busca de ayuda a la última persona de la que habría aceptado algo en su vida. *Pero eso fue entonces*, se dijo amargamente, *y esto es ahora.*

Con una palabrota silenciosa, utilizó el móvil para marcar un número local. Cuando la voz de un hombre respondió, Moira respiró hondo y dijo:

—Veronica Hart, por favor.

—¿Quién le digo que la llama?

Ay, a la mierda, pensó.

—Moira.

—¿Moira? Señora, necesitará su apellido.

—No, no lo necesitará —contestó Moira—. Dígale simplemente Moira, ¡y dese prisa, joder!

—La luna ha salido —Amun Chalthoum miró su reloj—. Es hora de que hablemos.

Soraya había estado hablando por su teléfono vía satélite con los agentes locales de Typhon en la zona. Todos estaban siguiendo pistas sobre el nuevo MIG iraní, pero hasta el momento nadie había hecho ningún progreso. Era como si el grupo fuera tan sumamente clandestino que sus contactos hubieran acabado por no tener ningún valor. Si eso se debía a que sus contactos no sabían nada o a que tenían demasiado miedo para divulgar la existencia del grupo, cualquiera lo sabía. Si era esto último, a Soraya no le quedaba más remedio que admirar semejante grado de seguridad.

Decidió aceptar la sugerencia de Amun, aunque no de la manera que él quería. Mientras él sujetaba la portezuela de la tienda para que pasara, ella dijo:

—Deja tu arma aquí.

—¿Eso es realmente necesario? —preguntó el egipcio. Al no contestarle, Amun entrecerró lo ojos durante un instante para mostrar su desagrado, y luego, suspirando, sacó su pistola de la brillante funda de piel y la dejó sobre una mesa de campo.

—¿Satisfecha?

Soraya salió de la relativa calidez del interior al frío de la noche. A cierta distancia, el destacamento norteamericano seguía ocupado en escudriñar los restos del avidu en busca de pistas, aunque Delia no le había vuelto a informar todavía de ninguna novedad, si bien —como había dicho Veronica— el avión derribado no era su misión primordial. Tuvo un escalofrío al sentir la ascética gelidez del aire del desierto. La luna era inmensa, y el eterno y aparentemente infinito océano de tierra le confería una especie de grandeza.

Empezaron a caminar por el perímetro desnudo, donde deberían haber estado apostados los guardias de Chalthoum, pero ella no vio ninguno, y se paró. Aunque él iba un paso por delante de ella, sintió que pasaba algo, y se volvió.

—¿Qué sucede? —dijo Amun.

—No voy a dar ni un paso más en esa dirección —respondió ella—. Quiero estar donde se me oiga con un simple grito. —Soraya señaló la constelación de luces que se veían al otro lado del emplazamiento, un lugar seguro allende el perímetro marcado por Chalthoum, el reluciente campamento de los medios de comunicación internacionales, una visión en cierta manera extraña en la noche ominosa, como si fuera un barco que hubiera embarrancado en los dientes del arrecife del avión siniestrado.

—¿Ésos? —se mofó Chalthoum—. No pueden protegerte. Mi gente no les dejarán traspasar el perímetro.

Soraya hizo un gesto.

—Pero ¿dónde está tu gente, Amun? No los veo.

—Me aseguré de que así fuera. —Levantó un brazo—. Vamos, tenemos muy poco tiempo.

Soraya iba a negarse, pero algo en la voz de Amun hizo que se ablandara. Pensó de nuevo en la tensión que había percibido en él al principio, aquella furia contenida. ¿Qué estaba sucediendo allí realmente? Amun había conseguido picarle la curiosidad. ¿Lo había hecho de manera intencionada? ¿La conducía hacia una trampa? Pero ¿con qué finalidad? Inconscientemente se palpó el bolsillo trasero donde descansaba la navaja automática de cerámica, esperando para protegerla.

Siguieron caminando en silencio. El desierto parecía susurrar en torno a ellos, moviéndose impacientemente, colándose entre la ropa y la piel. El brillo de la civilización pulverizado hasta quedar sólo un pedazo endurecido, áspero y primitivo. Chalthoum se deleitaba en su elemento. Era más grande que la vida, lo cual, por supuesto, era el motivo de que la hubiera llevado allí hacía años y la razón de que estuvieran allí en ese momento. Cuanto más se alejaban de los otros, más parecía crecer Chalthoum así en estatura como en poder, hasta que descolló por encima de ella. Al volverse, sus ojos centellearon, reflejando la luz blanca azulada de la luna.

—Necesito que me ayudes —dijo él con su habitual brusquedad.

Soraya estuvo a punto de echarse a reír.

—¿Que tú necesitas que te ayude?

Amun apartó la mirada un instante.

—Casi eres la última persona en la que habría pensado para pedirle ayuda.

Y con aquella declaración, Soraya comprendió lo espantosas que debían de ser sus circunstancias.

—¿Y si me niego?

Amun señaló el teléfono vía satélite que ella tenía en la mano.

—¿Acaso piensas que no sé a quién has estado llamando con eso? —El blanco de sus ojos parecían misteriosamente azules bajo la luz monocolor—. ¿Crees de verdad que no sé cuál es la verdadera razón de tu presencia aquí? No tiene nada que ver con este desastre aéreo; se trata de ese nuevo MIG iraní.

11

Willard, de pie en el centro del recinto del doctor Firth, esperaba ansiosamente el regreso de Bourne. Había considerado por un momento salir en su busca, pero acabó rechazando la idea. Como ocurría a menudo siempre que pensaba en Bourne, sus pensamientos se desviaron hacia su hijo Oren. Llevaba quince años sin verlo y sin tener noticias de él, y en lo que concernía a su esposa, estaba muerta y enterrada. A menudo había dado por sentado que su ruptura con Oren se había producido en el funeral, mientras esperaba en silencio y con los ojos secos a que el féretro que contenía los restos mortales de su esposa fuera introducido en la tierra.

—¿Es que no sientes nada? —Oren se habían enfrentado a él con una rabia que aparentemente había estado acumulándose durante años—. ¿Nada en absoluto?

—Me siento aliviado de que todo haya acabado —respondió Willard.

Hasta mucho tiempo después no cayó en la cuenta de que decirle la verdad a su hijo había sido un lastimoso error. Aquélla había sido una época de su vida en que, aunque fugazmente, se había hartado de las mentiras. Nunca más volvió a cometer ese error; le había quedado manifiestamente palmario que los seres humanos prosperaban en las mentiras; que las necesitaban para sobrevivir, para ser felices, incluso. Porque la verdad solía ser desagradable, y a la gente no le interesaba semejante cosa. Además, a muchos no les convenía. Preferían mentirse y que los que los rodeaban les mintieran para conservar la ilusión de la belleza. La realidad no era bonita, «ésa» era la verdad.

Pero en ese momento, allí en Bali, se preguntó si no sería como todos los demás, que tejían una cárcel de mentiras a su alrededor para ocultar la verdad. Durante años se había ido abriendo camino subrepticiamente en la NSA como un topo, hasta llegar por fin al piso franco de Virginia, donde se alojaban todas las mentiras. Durante años se había dicho que aquello formaba parte de sus obligaciones. Las demás personas, incluso su propio hijo, se le antojaban fantasmas, como si pertenecieran a la vida de otro. ¿Qué otra cosa tenía?, se había preguntado una y otra vez mientras se afanaba en sus labores como responsable de seguridad de la NSA. Era el deber, y él sólo podía conectar con el deber.

La misión de la NSA había sido cumplida. Su tapadera se había hecho saltar por los aires con ellos por necesidad, y entonces se vio libre. En Inteligencia Central nadie había decidido todavía qué hacer con él; de hecho, por lo que concernía a la nueva directora, él seguía disfrutando de unas vacaciones ampliamente sobrepasadas.

A la sazón, libre de la servil personalidad de Willard, el responsable de seguridad de la NSA, había llegado a darse cuenta de que ser responsable de seguridad era sólo un papel que había estado interpretando; un papel que no le iba en absoluto. Cuando Alex Conklin había empezado a entrenarlo, Willard había soñado con peligrosas proezas en los rincones más remotos del mundo. Había leído todas las novelas de James Bond innumerables veces; se moría de ganas por las descargas de adrenalina de las batallas secretas. A medida que se iba haciendo más diestro y superaba los ejercicios cada vez más difíciles de su maestro, Conklin había empezado a confiar en él. Y se produjo la equivocación fatídica: a medida que iba aprendiendo los secretos de Treadstone, se permitió albergar la fantasía de convertirse en el sucesor de Conklin: en el maestro de la manipulación. Pero la realidad lo había estrellado contra la tierra. Willard fue enviado a actuar en la clandestinidad, dentro de la NSA, a una cárcel, aparentemente sin ninguna posibilidad de indulto.

Había hecho todo lo que se le había pedido, y lo había hecho bien, magistralmente bien, incluso. O eso era lo que todos le habían dicho. ¿Y qué había sacado de todo ello? ¿De verdad de verdad?: nada, nada en absoluto.

Entonces, por fin, había conseguido la libertad para cumplir su sueño de convertirse en un maestro de la manipulación, de sobrepasar a su antiguo maestro. Porque, al final, Conklin había fracasado. Había permitido que Leonid Arkadin se esfumara, y luego, en lugar de ir tras él y hacerlo volver, se había olvidado del ruso e intentado superarlo con Jason Bourne. Pero uno no puede hacer que una creación como Arkadin retroceda. Willard conocía todas las decisiones que Conklin había tomado en relación con Treadstone, y era consciente de todas las equivocaciones. Él no repetiría la última, que fue permitir que Leonid Arkadin escapara. Lo haría mejor, mucho mejor, y cumpliría el último objetivo de Treadstone. Conseguiría crear la máquina de combate suprema.

Se volvió cuando la verja del recinto de Firth se abrió y entró Jason Bourne. El sol se estaba poniendo, y el cielo en el oeste estaba veteado de colores de tonos pasteles por encima del puro azul cobalto. Bourne se acercó sujetando un pequeño objeto entre el pulgar y el índice de la mano derecha.

—La vaina de un cartucho eme ciento dieciocho de treinta milímetros —dijo.

Willard alargó la mano y lo cogió para mirarlo con atención.

—De uso militar, especial para rifle de francotirador. —Soltó un breve y melodioso silbido—. No me extraña que te atravesara con tanta limpieza.

—Desde los atentados con bomba de 2005 en Kuta y Jimbaran, el Gobierno está obsesionado con las armas. Con independencia de lo bueno que fuera este francotirador, es imposible pasar de contrabando el arma y la munición. —Bourne sonrió amargamente—. Bueno, ¿cuántos lugares crees que hay en Bali que venderían munición eme ciento dieciocho del calibre treinta con chaqueta metálica y el rifle que pudiera dispararla?

—¿Alguien más tiene una pregunta? —dijo Arkadin.

Sujetando todavía sus dos armas, miró con dureza a los ojos de cada uno de los noventa y nueve reclutas restantes de la Legión Negra, y vio, en igual medida, un miedo abyecto y una obediencia ciega. Ocurriera lo que ocurriera a continuación, los llevara adonde los llevara, aquellos hombres eran suyos.

Y fue en ese momento cuando su teléfono vía satélite zumbó. Se giró sobre los talones y se alejó de los hombres, que permanecieron en silencio, rígidos como si estuvieran hechos de piedra. Arkadin sabía que no moverían un músculo hasta que él diera la orden, lo cual no ocurriría durante un buen rato.

Tras secarse el sudor de la oreja, se puso el teléfono en ella y dijo:

—¿Qué pasa ahora?

—¿Qué tal la visita de Maslov? —La voz de Triton reverberó a través del éter. Como siempre, hablaba en un inglés absolutamente perfecto.

—Conmovedora —contestó Arkadin—, como siempre. —Mientras hablaba, fue girando hasta formar un círculo completo, intentando averiguar la localización de los hombres de Triton.

—No los encontrarás, Leonid —dijo Triton—. No te gustaría.

Si tú lo dices, pensó Arkadin. Ese hombre era la potencia que montaba aquella misión o que, en cualquier caso, trabajaba para la potencia que pagaba la factura, inclusión hecha de la extremadamente generosa nómina de Arkadin, por lo que éste no le veía ninguna ventaja a enemistarse con él.

Arkadin suspiró, dejando a un lado momentáneamente su ira.

—¿Qué puedo hacer por ti?

—Hoy se trata de lo que yo puedo hacer por ti —contestó Triton—. Nuestro programa se ha adelantado.

—¿Adelantado? —Arkadin echo un vistazo hacia los hombres, bien pertrechados, pero sin la preparación necesaria para aquella misión—. Te dije desde un principio que necesitaba tres semanas, y me aseguraste que…

—Eso fue entonces, y ahora es ahora —dijo Triton—. La fase de la teoría ha pasado; ahora estamos en tiempo real, y el reloj que marca el tiempo no nos pertenece ni a ti ni a mí.

Arkadin sintió que se le contraían los músculos, igual que le ocurría antes de un enfrentamiento físico.

—¿Qué es lo que ha pasado?

—Que se ha descubierto el pastel.

Arkadin arrugó la frente.

—¿Qué cojones significa eso?

—Significa —dijo Triton— que todo va a salir rápidamente a la luz. Las pruebas incontrovertibles que pondrán todo en movimiento. Ya no hay vuelta atrás.

—Eso lo sabía desde el principio —le espetó Arkadin—. Igual que Maslov.

—Tienes hasta el sábado para llevar a cabo tu misión.

Arkadin casi dio un respingo.

—¿Qué?

—No hay más remedio.

Triton colgó con una irrevocabilidad que sonó como un disparo en el oído de Arkadin.

Willard quería ir con él, pero Bourne se negó, y él era lo bastante inteligente para comprenderlo, pero quería sencillamente dejar constancia de su deseo. Mientras Bourne se había estado recuperando, Willard había ido elaborando una lista con una docena de individuos conocidos por sospechosos de traficar con armas, pero sólo había uno que supuestamente comerciara con los rifles altamente especializados de francotirador y la munición con chaqueta metálica que habían utilizado para disparar a Bourne. En una isla tan pequeña como Bali habría supuesto abrir una brecha en la red de seguridad que había tejido alrededor de Bourne investigar de cerca a todos los supuestos traficantes, y habría atraído demasiado atención sobre sí.

En el coche que Firth le había alquilado, Bourne se introdujo en el caos urbano de la capital de Denpasar. No fue difícil localizar el mercado de Badung, aunque otra cosa fue encontrar sitio para aparcar. Al final, encontró una zona controlada por un anciano que tenía una sonrisa que parecía una raja de melón.

Bourne atravesó zigzagueando las zonas de las especias y las verduras hasta llegar a la parte posterior, donde los carniceros y vendedores de ganado tenían sus puestos. Willard le había dicho que el hombre que buscaba parecía una rana y la verdad es que no había andado nada desencaminado.

El comerciante estaba vendiendo un par de cochinillos vivos, todavía atados a las cañas de bambú, a una mujer joven que por su vestimenta y actitud debía de trabajar para alguien con dinero y posición social. En el puesto siguiente la gente estaba haciendo cola para comprar chuletas y pechugas, y los cuchillos de los carniceros bajaban sobre los tendones y los huesos, haciendo que la sangre volara como flores que se abrieran.

Tan pronto como la joven hubo pagado los cerdos y hecho un gesto a dos hombres que esperaban para que se los llevaran, Bourne se acercó y se dirigió al hombre achaparrado. Se llamaba Wayan, que significa «el primero». Todos los balineses recibían su nombre en función del orden de su nacimiento del primero al cuarto; el quinto hijo, si lo había, se convertía de nuevo en Wayan.

—Wayan, tengo que hablar con usted.

El vendedor miró a Bourne con indiferencia.

—Si lo que desea es comprar un cerdo...

Negó con la cabeza.

—Son los mejores de la isla, pregunte a cualquiera.

—Se trata de otro asunto —dijo Bourne—. En privado.

Wayan sonrió sosamente y abrió las manos.

—Como puede ver claramente, aquí no hay intimidad. Si no tiene intención de comprar...

—No he dicho tal cosa.

El balinés entrecerró los ojos.

—No sé de qué está hablando.

Estaba a punto de alejarse, cuando Bourne sacó quinientos dólares en billetes. Wayan echó un vistazo al dinero y algo brilló en el fondo de sus ojos; Bourne estaba dispuesto a apostar que era codicia.

El vendedor se humedeció los gruesos labios con la lengua.

—Por desgracia, no tengo tantos cerdos.

—Sólo quiero uno.

Como por arte de magia, la vaina del cartucho M118 del calibre treinta que Bourne había encontrado en Tenganan apareció entre sus dedos. La dejó caer en el centro de la palma de la mano de Wayan.

—Le pertenece, creo.

El comerciante de cerdos, todavía recalcitrante, se limitó a encogerse de hombros.

Bourne agitó otros quinientos en un apretado rollo.

—No tengo tiempo para regatear —dijo.

Wayan lo miró con dureza, y luego, recogiendo el dinero, le hizo un brusco gesto con la cabeza para que lo siguiera.

Al contrario de lo que había dicho, había un espacio cerrado en la parte posterior del puesto. Sobre un desvencijado banco de bambú descansaban varios cuchillos para deshuesar y desollar. Cuando Bourne lo siguió al interior, un tipo fornido se abalanzó sobre él desde la izquierda; al mismo tiempo un hombre alto avanzó hacia él por la derecha.

Bourne golpeó violentamente al tipo fornido en la cara y le rompió la nariz, se agachó cuando el alto intentó agarrarlo y, haciéndose un ovillo, atravesó rodando el pequeño receptáculo. Chocó con las cañas de bambú e hizo caer los cerdos y los cuchillos, que quedaron desperdigados a su alrededor. Tras coger un cuchillo de desollar, cortó las ataduras de tres de los lechones que, aullando de felicidad por su recién adquirida libertad, salieron corriendo por el suelo, obligando tanto a Wayan como al alto a saltar para esquivarlos.

Bourne arrojó el cuchillo y lo hundió en el muslo izquierdo del tipo alto. Su grito se confundió con el de los lechones, que seguían corriendo como locos. Ignorándolos, Bourne agarró a Wayan de la pechera de la camisa, pero en ese preciso instante el fornido cogió un cuchillo de desollar del suelo y se abalanzó contra Bourne, que hizo girar a Wayan y lo interpuso entre ellos. En cuanto el agresor frenó la estocada con el cuchillo, Bourne se lo quitó de la mano de una patada, derribó al sujeto y le golpeó violentamente la parte posterior de la cabeza contra el suelo. El hombre se quedó con los ojos en blanco.

Bourne se levantó, agarró al comerciante de cerdos para evitar que huyera y lo hizo girar con un rápido movimiento. Tras abofetearlo con fuerza en la cara, dijo:

—Te dije que no tenía tiempo para regateos. Ahora me vas a decir quién te compró ese cartucho.

—No sé su nombre.

Bourne le volvió a abofetear, esta vez con más fuerza.

—No te creo.

—Es la verdad. —La indiferencia de Wayan había sido cortada de raíz, y estaba verdaderamente asustado—. Acudió a mí, pero nunca me dijo su nombre y yo nunca se lo pregunté. En mi negocio, cuanto menos sepas, mejor.

Eso al menos era cierto.

—¿Qué aspecto tenía?

—No me acuerdo.

Bourne lo agarró por el cuello.

—La verdad es que no quieres mentirme.

—Está claro que no. —Los ojos de Wayan se movían frenéticamente en las órbitas. Su piel había adquirido un tono verdoso, como si fuera a vomitar de un momento a otro—. De acuerdo, parecía ruso. No era alto, no era bajo. Aunque muy musculoso.

—¿Qué más?

—Yo no... —Wayan soltó un pequeño grito cuando Bourne volvió a abofetearlo—. Tenía el pelo negro y los ojos... eran claros. No recuerdo... —Levantó las manos—. Espere, espere... eran grises.

—¿Y?

—Ya está. Eso es todo.

—No, no lo es. ¿Quién lo recomendó?

—Un cliente...

—Su nombre. —Bourne sacudió al comerciante de cerdos como si fuera una muñeca de trapo—. Necesito su nombre.

—Me matará.

Bourne se inclinó, recogió el cuchillo del hombre caído y colocó la hoja en el cuello de Wayan.

—O te puedo matar yo ahora. —Movió el cuchillo lo suficiente para que un hilillo de sangre se deslizara sobre el pecho del balinés y manchara el suelo—. Tú eliges.

—Don... —El tratante de cerdos tragó saliva—. Don Fernando Herrera... Vive en España, en el centro de Sevilla. —Sin necesidad de insistir más, le proporcionó entonces la dirección de su cliente.

—¿Cómo se gana la vida el señor Herrera?

—Es un banquero internacional.

Bourne no pudo evitar que una sonrisa apareciera en sus labios.

—Bueno, ¿de qué utilidad podrían serle tus servicios a un banquero internacional?

Wayan se encogió de hombros.

—Como le dije, cuanto menos sé sobre mis clientes, mejor para mi salud.

—En el futuro, deberías tener más cuidado. —Bourne le soltó y lo empujó bruscamente contra las piernas de uno de los hombres, que empezaba a despertarse—. Algunos clientes son muy tóxicos.

La luna había sido llamada al mundo de ultratumba por los fantasmas de Anubis y Thot y tras ella sólo había dejado la luz de unas estrellas desamparadas.

—Me he vuelto a equivocar contigo —dijo Chalthoum, sin amargura—. Tu misión principal aquí es ese grupo autóctono iraní.

Al no responderle Soraya, prosiguió.

—Necesito que me ayudes.

—Tú eres el Estado —replicó ella—. ¿Cómo iba a poder ayudarte?

Él miró alrededor, posiblemente para asegurarse de que ninguno de sus centinelas había vuelto. Soraya lo observó con atención. Si le preocupaba que uno de sus propios hombres lo escuchara a escondidas, ¿qué era lo que eso le indicaba a ella? ¿Que finalmente había dejado la al-Mokhabarat? ¿Que se había convertido en un incontrolado? Pero no, tenía que haber otra explicación.

—Hay un topo en mi división —dijo él—, alguien que está en lo más alto.

—Amun, tú eres el jefe de la al-Mokhabarat, ¿quién…?

—Sospecho que es alguien que está por encima de mí. —Hinchó los carrillos y dejó salir el aire viciado de sus pulmones—. Tus contactos, tu gente de Typhon, creo que podrían averiguar quién es el topo.

—¿Tu trabajo no consiste en conseguir descubrir a los espías y a los traidores?

—¿Crees que no lo he intentado? Y esto es todo lo que he conseguido: cuatro agentes muertos en acto de servicio y un severo rapapolvo por la incompetencia cada vez más acusada de mi agencia. —La rabia volvió a aflorar en sus ojos con toda la fuerza—. Créeme cuando te digo que se me amenazó de forma apenas velada.

Soraya pensó en ello. ¿Por qué habría de preocuparse por él o ayudarlo cuando su organización podría haber sido la que derribó el avión?

—Dame una buena razón por la que debiera ayudarte —dijo.

—Sé que tu gente no ha conseguido confirmar la identidad del grupo autóctono iraní... y no lo conseguirán, eso te lo prometo. Pero yo sí puedo.

En ese momento un haz de luz hizo que una franja de estrellas desapareciera. Soraya dio varios pasos a la izquierda para ver quién se acercaba.

Delia se aproximaba por una pequeña cuesta y el haz de su linterna bailoteó un instante sobre ellos. Su cara se había convertido en una máscara de Halloween por la luz que incidía en ella desde abajo.

—Conozco el origen del misil que derribó el avión.

Chalthoum lanzó una rápida mirada de advertencia a Soraya y cruzó los brazos sobre el pecho.

—El misil era un Kowsar tres tierra-aire.

—Iraní. —Soraya sintió que la recorría un escalofrío—. ¿Estás segura, Delia?

—Encontré unos fragmentos del sistema de guía electrónica. Es chino, parecido a los del ce setecientos uno, que es un misil aire-tierra. Aunque el sistema de guía es parecido al del Sky Dragon, éste tenía un buscador radárico de ondas milimétricas.

—Razón por la cual se pegó al avión con tanta precisión —dijo Soraya.

Delia asintió con la cabeza.

—Este sistema de guía en concreto es exclusivo del Kowsar. —Lanzó a Soraya una expresiva mirada—. Esta criatura alcanza casi una velocidad de Mach Uno; el avión no tuvo ninguna oportunidad en absoluto.

Soraya sintió ganas de vomitar.

—*Yakhrab byuthium!* ¡Que sus casas sean destruidas! —La voz de Chalthoum vibró con verdadera furia—. Los iraníes derribaron el avión.

Y con aquellas palabras el mundo dio un paso de gigante hacia la guerra. No hacia una como la reciente cosecha de guerras circunscritas a determinados territorios como las de Vietnam, Afganistán e Irak, que ya fueron lo bastante terribles y sangrientas, sino hacia una verdadera guerra mundial. Una guerra que acabaría con todas las guerras.

Libro segundo

12

—Acabo de hablar por teléfono con el presidente iraní —dijo el presidente—. Niega categóricamente tener el menor conocimiento del incidente.

—Lo que repite exactamente la reacción oficial de su ministro de Asuntos Exteriores —respondió Jaime Hernandez. La puerta se abrió y el zar de la inteligencia recibió un montón de copias de manos de un hombre delgado de pelo negro que encanecía en las sienes. Tenía la cara insulsa de un contable, aunque en sus ojos había un no sé qué duro y oculto que traicionaba lo que el exterior proclamaba.

Después de examinar los papeles por encima, Hernandez hizo un gesto con la cabeza y presentó al hombre delgado como Errol Danziger, el subdirector de inteligencia de señales de la NSA.

—Como puede ver —dijo Hermandez, mientras entregaba los listados—, no estamos dejando nada al azar. El acceso a este material está restringido al alto mando, y es sólo para ser leído.

Al decir eso, Danziger hizo un gesto con la cabeza a todos los presentes y salió tan silenciosamente como había entrado.

Cinco personas se sentaban alrededor de la mesa de una de las inmensas salas de guerra electrónica del Pentágono, tres plantas por debajo del sótano. Todos tenían delante unos listados idénticos, que contenían los hallazgos más recientes del equipo conjunto de forenses enviado a El Cairo, además de las valoraciones de última hora sobre la información relativa a los rápidos cambios experimentados por la situación. Unas trituradoras de papel montaban guardia al lado de cada uno de los sillones con respaldo de piel.

Como si la pausa de Hernandez le hubiera proporcionado el motivo, el secretario de Defensa Halliday intervino:

—Pues claro que niegan categóricamente cualquier implicación, pero la provocación es grave, y ellos están detrás.

—No pueden negar las pruebas que les hemos enviado —dijo Jon Mueller, el director del Departamento de Seguridad Nacional.

—Y sin embargo lo hacen. —El presidente lanzó un profundo suspiro—. Ese mismo tema ocupó una buena parte de mi beligerante conversación telefónica. Aseguran que nuestro equipo de forenses amañó la «supuesta prueba»... ésas fueron las palabras exactas de su presidente.

—¿Y por qué habría de ordenar él que derribaran a uno de nuestros aviones? —preguntó Veronica Hart.

Al oírlo, Halliday la fulminó con la mirada.

—Porque está harto de recibir fuertes críticas por su programa nuclear. Los hemos estado presionando, así que ahora nos devuelven la presión.

—Según lo veo, esta provocación sirve en realidad a dos propósitos —terció Hernandez—. Como Bud ha señalado con precisión, desvía la atención internacional de su programa nuclear, mientras que al mismo tiempo sirve para advertirnos (y al resto del mundo, si a eso vamos) de que demos marcha atrás.

—A ver si lo entiendo. —Hart se echó hacia delante—. ¿Estás diciendo que han decidido ir más allá de sus inveteradas amenazas para cerrar el estrecho de Ormuz al tráfico marítimo de petróleo?

Mueller asintió con la cabeza.

—Exacto.

—Pero sin duda deben de saber que eso es un suicidio.

Halliday observaba aquel intercambio de opiniones como un halcón que sigue a dos conejos que corren por el campo. Entonces se lanzó.

—Todos sospechamos que el presidente iraní es un desequilibrado.

—Un loco de atar —afirmó Hernandez.

Halliday estuvo de acuerdo.

—Pero bastante más peligroso. —Paseó la mirada por la sala, con la cara misteriosamente iluminada por el reflejo de las grandes pantallas planas de los ordenadores que se alineaban en las paredes—. Y ahora tenemos una prueba incontrovertible.

Hernandez recogió las hojas impresas y alineó sus esquinas.

—Creo que deberíamos hacer públicos nuestros hallazgos. Compartirlos con los medios de comunicación, no sólo con nuestros aliados.

Halliday miró al presidente.

—Estoy de acuerdo, señor. Y luego convocamos una sesión especial del Consejo de Seguridad de Naciones Unidas al que usted se dirigirá personalmente. Tenemos que imputar de manera formal este cobarde acto de terrorismo.

—Hemos de acusar y condenar a Irán —añadió Mueller—. Lo que han cometido es nada menos que un acto de guerra.

—Exacto. —Hernandez se encogió de hombros como un boxeador profesional en un ring—. Es fundamental que actuemos militarmente contra ellos.

—En este momento, eso sería un suicidio —dijo Hart enérgicamente.

—Estoy de acuerdo con la directora de IC —dijo Halliday.

La respuesta fue tan inesperada que Hart lo miró con los ojos como platos durante un instante. Luego el secretario de Defensa prosiguió, y todo quedó aclarado.

—Ir a la guerra con Irán sería un error. Justo cuando estamos a punto de ganar la guerra en Irak, nos veríamos obligados a redesplegar de nuevo nuestras tropas a Afganistán. No, un ataque frontal contra Irán sería, en mi opinión, una grave equivocación. No sólo sería forzar a nuestro ya bastante abrumado personal militar, sino que las consecuencias para los demás países de la región, en especial Israel, podrían ser catastróficas. Sin embargo, si pudiéramos destruir al actual régimen iraní desde dentro… Bueno, ése sí que sería un objetivo que merecería la pena.

—Para hacer eso necesitaríamos un representante —dijo Hernandez, como si le hubieran dado una pista—. Una influencia desestabilizadora.

Halliday asintió con la cabeza.

—Lo cual, a base de un gran esfuerzo, tenemos ahora bajo la

forma de ese nuevo grupo autóctono revolucionario dentro de Irán. Propongo que ataquemos a Irán por dos frentes: diplomáticamente, a través de las Naciones Unidas, y militarmente, apoyando a ese tal MIG de todas las maneras posibles: dinero, armas, asesores estratégicos; en todo, vamos.

—Estoy de acuerdo —dijo Mueller—. Sin embargo, para poner en marcha la iniciativa del MIG necesitaremos disponer de fondos reservados.

—Y los necesitaremos para ayer —añadió Hernandez—, lo que significa mantener al Congreso en la ignorancia.

Halliday soltó una risotada, aunque en su cara había una expresión grave.

—¿Y eso es alguna novedad? Lo único que le interesa a esa gente es salir reelegida. En lo concerniente a lo que conviene al país, no tienen ni la menor idea.

El presidente descansó los codos en la brillante mesa con los puños apoyados en la boca, en la pose de profunda concentración que lo caracterizaba. Mientras meditaba la decisión, sus implicaciones y sus posibles consecuencias, movía los ojos rápidamente de uno de sus asesores al siguiente. Al final, su mirada volvió a la directora de IC.

—Veronica, no te hemos oído. ¿Qué opinas de esta situación?

Hart lo pensó durante un momento; su respuesta era demasiado importante para precipitarse. Sabía que los ojos de Halliday estaban clavados en ella, brillantes y ávidos.

—No hay ninguna duda de que el misil que mató a nuestros conciudadanos era un Kowsar tres iraní, así que estoy de acuerdo con la respuesta diplomática, y cuanto antes mejor, porque es esencial lograr un consenso a escala mundial.

—No se puede olvidar de China y Rusia —intervino Halliday—. Mantienen lazos económicos demasiado estrechos con Irán para que se pongan de nuestro lado, da igual cuáles sean las pruebas, razón por la cual necesitamos que la tercera columna aliente la revolución de dentro afuera.

Ahora llegamos al quid de la cuestión, pensó Hart.

—El problema que tengo con la parte militar es que ya hemos

probado la opción de la tercera columna muchas veces en muchos lugares, incluido Afganistán, ¿y qué hemos logrado? La subida al poder de los talibanes, un grupo revolucionario autóctono, entre otros grupos extremistas muy desagradables convertidos en terroristas.

—Esta vez es diferente —insistió Halliday—. Tenemos las garantías de los líderes de ese grupo. Su filosofía es moderada y democrática, en pocas palabras: pro occidental.

El presidente tamborileó con los dedos sobre la mesa.

—Entonces está resuelto. Sigamos adelante con ese ataque en dos direcciones. Pondré en marcha las ruedas de la diplomacia. Mientras, Bud, prepara un presupuesto preliminar para tu MIG. Cuanto antes lo tengas, antes podremos echar a andar todo, pero no lo quiero ver cerca de mi mesa ni de la Casa Blanca. De hecho, jamás he estado en esta reunión. —Miró a sus asesores cuando se levantó—. Se lo debemos a los ciento ochenta y un norteamericanos inocentes que perdieron la vida en ese ataque con misil.

Veronica Hart observó a Moira Trevor cuando entró en su despacho, tan tranquila y elegante como siempre. Y sin embargo reconoció algo inquieto y oscuro en la mirada de su antigua colega que le provocó un escalofrío.

—Siéntate —dijo desde detrás de su mesa sin acabar de creerse que aquello estuviera sucediendo. Cuando se marchó de Black River había estado segura de que jamás tendría que volver a ver a Moira Trevor, y mucho menos que volvería a tratar con ella. Y sin embargo allí estaba, con la falda crujiendo secamente al sentarse frente a ella, una rodilla cruzada sobre la otra y la espalda tan tiesa como la de cualquier militar.

—Me imagino que estás tan sorprendida como yo —dijo Moira.

Hart guardó silencio; siguió mirando fijamente sus ojos castaños, intentando adivinar la razón de su visita. Pero al cabo de un instante desistió del esfuerzo; sabía demasiado bien que era inútil intentar penetrar con la mirada aquella pétrea fachada.

Aunque procesó mentalmente lo que podía captar: el brazo izquierdo hinchado y vendado de Moira, los pequeños cortes y arañazos en la cara y el dorso de las manos.

—¿Qué demonios te ha ocurrido? —le preguntó, sin poderlo evitar.

—Eso es lo que he venido a contarte.

—No, has venido aquí en busca de ayuda. —Hart se inclinó hacia delante, con los codos apoyados en la mesa—. Es difícil de narices estar fuera, ¿no es así?

—Por Dios, Ronnie.

—¿Qué? El pasado nos acecha a las dos como una serpiente en la hierba.

Moira asintió con la cabeza.

—Supongo que es así.

—¿Lo supones? —Hart ladeó la cabeza—. Ya me perdonarás si no me pongo sentimental. Fuiste tú la que amenazaste. ¿Cuáles fueron tus palabras exactas? —Frunció los labios—. Ah, sí: «Ronnie, te joderé por esto, haré que te caiga encima una tormenta de mierda como no ha habido otra». —Hart se recostó en la silla—. ¿Me he dejado algo? —Sintió que se le aceleraba el pulso—. Y ahora apareces aquí.

Moira la miraba fijamente en un silencio sepulcral.

Hart se volvió hacia una mesa auxiliar, llenó un vaso alto con agua helada y lo empujó por la mesa. Durante un instante Moira no hizo nada; quizá, pensó la directora de IC, no supiera si cogerlo era una señal de confianza o de rendición.

Moira alargó la mano y con mucha parsimonia golpeó el vaso con el dorso de la mano, arrojándolo con fuerza contra la pared, donde se estrelló; el agua y los diminutos trozos de cristal brillaron en el aire como si fueran el estallido de un proyectil. Para entonces ya estaba de pie, con los brazos rígidos y los puños sobre la mesa.

Dos hombres entraron inmediatamente en el despacho con las pistolas desenfundadas.

—Retrocede, Moira —dijo Hart en un tono de voz bajo y acerado al mismo tiempo.

Moira, negándose a sentarse de nuevo, le dio la espalda y atravesó airada la alfombra hasta el otro extremo del despacho.

La directora hizo un gesto con la mano hacia los dos hombres, que enfundaron sus armas y salieron de espaldas. Cuando la puerta se cerró tras ellos, juntó las yemas de los dedos de ambas manos y esperó a que Moira se tranquilizara. Al cabo, dijo:

—Bueno, ¿por qué no me dices qué demonios está pasando?

Cuando Moira se dio la vuelta, efectivamente había recobrado la serenidad.

—Lo has interpretado todo mal, Ronnie. Soy yo la que te va a ayudar.

Mientras sus hombres enterraban a Farid, Arkadin se sentó en un afloramiento rocoso. El crepúsculo azul zafiro de Azerbaiyán lo invadía todo. Incluso sin el rítmico sonido de los picos ni la visión del cadáver tendido en la tierra, la atmósfera habría estado saturada de melancolía. El viento soplaba de manera irregular, como el jadeo de un perro; los hombres de las tribus de la región habían vuelto sus caras hacia la Meca, arrodillados en actitud de oración con sus subfusiles junto a ellos. Más allá de las agrisadas colinas marrones se extendía Irán, y de pronto Arkadin echó de menos Moscú, con las calles adoquinadas, las cúpulas de cebolla y los clubes nocturnos donde era el rey supremo. Por encima de todo extrañaba la interminable colección de altas y rubias *dyevs* de ojos azules en cuyas carnes perfumadas podía perderse, borrando el recuerdo de Devra. Aunque la había amado, en ese momento la odiaba, porque ella no estaba realmente muerta. Como un espectro, lo perseguía día y noche y lo obligaba a vengarse de Jason Bourne, el último vínculo con la vida de Devra… y su asesinato. Para empeorar aún más las cosas, también había sido Bourne el que había matado a Misha, el mentor y mejor amigo de Arkadin. De no haber sido por Misha Tarkanian, dudaba que alguna vez hubiera sobrevivido a su terrible experiencia en Nizhni Tagil.

Misha y Devra, las dos personas más importantes de su vida,

estaban muertas por culpa de Jason Bourne. Éste tenía mucho por lo que pagar, ¡joder, vaya si tenía!

Los hombres casi habían terminado con la tumba. Un par de buitres, unas sombras negras recortadas contra el cielo casi en penumbra, daban vueltas en perezosos círculos. *Soy como esos buitres*, pensó Arkadin. *Esperando pacientemente el momento de golpear.*

Encaramado en la roca con las piernas encogidas daba vueltas en la mano a su teléfono vía satélite una y otra vez. Por increíble que resultara, habían ocurrido varias cosas buenas gracias a la llamada de Willard. Éste era un topo, no un agente de campo, y había cometido un error fatal: su ego había sacado lo mejor de él. Debería haber descuartizado discretamente a Ian Bowles, enterrado los trozos y seguido con sus asuntos. Por supuesto que había querido saber quién había enviado a Bowles, pero su error fue identificarse a Arkadin —peor aún, avisarlo— porque nada menos que le había dicho a Arkadin que Bourne seguía vivo. ¿Por qué, si no, habría de estar Willard en el recinto del doctor Firth? ¿Por qué, si no, habría matado a Bowles? En ese momento Arkadin tenía la prueba de que Bourne seguía vivo, aunque la incógnita de cómo había logrado sobrevivir a un disparo en el corazón era algo que lo irritaba. Sería lo que fuera, pero Bourne no era un superhombre. ¿Por qué no había muerto?

Con una brusca sacudida de cabeza Arkadin dejó de lado por el momento aquel imponderable y marcó un número en su teléfono. Bowles no había sido más que un recurso temporal, utilizado para llevar a cabo un reconocimiento e informar. Había fracasado; había llegado el momento de sacar la artillería pesada.

Los hombres arrojaron a Farid a la tumba sin ninguna ceremonia. Sudorosos y malhumorados, hacía tiempo que habían perdido la paciencia con una tarea que normalmente era solemne. Farid había violado las leyes del grupo; ya no era uno de ellos. Bien, pensó Arkadin, lección aprendida.

La línea estaba dando el tono de llamada.

—¿Estás al día con el trabajo? —preguntó Arkadin tan pronto como respondió la voz familiar—. Bien. Porque he decidido hacerlo a tu manera, y la cuenta atrás ya ha empezado. Te enviaré los detalles actualizados dentro de una hora.

Dos hombres empezaron a echar paletadas de tierra sobre el cuerpo; los demás escupieron en la tumba.

La directora de IC meneó la cabeza.

—Moira, me temo que no soy de la misma opinión.

Moira sintió la tensión en el cuello. ¿Cuánto tiempo había esperado para ese enfrentamiento?

—¿Lo fuiste cuando me abandonaste en Safed Koh? —Safed Koh era el nombre que los lugareños daban a las Montañas Blancas del este de Afganistán, donde las famosas cuevas de Tora Bora penetraban hasta el otro lado de la frontera y salían al oeste de Pakistán, a la sazón controlado por los terroristas.

Hart abrió las manos.

—Yo nunca te abandoné.

—¿En serio? —Moira avanzó hacia ella—. Entonces, por favor, dime cómo me hicieron prisionera en plena noche y me mantuvieron como rehén durante seis días en el monte Sikaram, sin comer nada y sólo con agua contaminada para beber.

—No tengo ni idea.

—Cualesquiera que fueran las bacterias que hubiera en aquella agua, me dejaron fuera de combate durante tres semanas después de aquello —Moira seguía acercándose al borde delantero de la mesa de Hart—, tiempo durante el cual tú asumiste el mando de mi misión…

—Era una misión de Black River…

—… que yo había planeado y para la que me había preparado. Una misión que deseaba por encima de todas las cosas.

Hart intentó sonreír, sin conseguirlo.

—Aquella misión fue un éxito, Moira.

—¿Significa eso que no lo habría sido si yo hubiera estado al mando?

—Tú lo has dicho, no yo.

—Pensabas que era una impulsiva.

—Eso es cierto —reconoció Hart—, lo pienso.

El intencionado presente cogió por sorpresa a Moira.

—Así que sigues pensando...

La directora de IC abrió las manos.

—Mírate. ¿Qué pensarías si estuvieras en mi lugar?

—Estaría deseando saber cómo Moira Trevor podría ayudarme a derrotar a mi peor enemigo.

—¿Y quién sería ese enemigo?

Lo dijo sin ningún entusiasmo, pero Moira percibió el avivamiento del interés en lo más profundo de su mirada.

—El hombre que te la ha tenido jurada desde el momento que el presidente desveló tu nombre para ocupar el puesto de directora de IC. Bud Halliday.

Durante un momento Moira tuvo la certeza de haber sentido el fugaz restallido de un relámpago en la habitación. Entonces Veronica Hart empujó su sillón hacia atrás y se levantó.

—¿Qué es lo que quieres exactamente de mí?

—Que reconozcas tu culpa.

—¿Una confesión firmada? Debes de estar de broma.

—No —dijo Moira—. Sólo entre nosotras, las chicas.

Hart meneó la cabeza.

—¿Por qué habría de hacer eso?

—Para que podamos tener algo más aparte del pasado; para que podamos seguir adelante; para que eso no envenene nuestra relación.

El teléfono sonó varias veces, pero la directora de Inteligencia Central lo ignoró. Finalmente, dejó de sonar, y sólo quedaron los pequeños sonidos: el zumbido de las rejillas del aire acondicionado, las suaves inspiraciones de ambas mujeres al respirar, el latido de sus corazones.

Hart suspiró entonces. Fue un largo suspiro.

—No te gustará oírlo.

¡Por fin!, pensó Moira.

—Prueba a ver.

—Lo que hice —dijo Hart lentamente—, lo hice por el bien de la empresa.

—¡Y una mierda, lo hiciste por ti!

—En ningún momento estuviste realmente en peligro —insistió Hart—. Me aseguré de que fuera así.

En lugar de sentirse mejor, Moira se encontraba cada vez peor.

—¿Cómo podrías haber estado segura de eso?

—Oye, ¿no podemos dejarlo así?

Moira estaba de nuevo en su posición de ataque, inclinada sobre la mesa, apoyada sobre los nudillos emblanquecidos.

—Termina. Termina de una vez.

—De acuerdo. —La directora de IC se pasó los dedos por el pelo—. Estaba segura de que estarías bien, porque Noah me dijo que te cuidaría.

—Oh. —Moira sintió que el suelo se abría bajo sus pies. El mareo la obligó a volver a la silla, donde se dejó caer y se quedó con la mirada perdida—. Noah. —Aquello la abatió, y sintió náuseas—. Fue todo idea de Noah, ¿no es así?

Hart asintió con la cabeza.

—Yo era su chica de los recados. Le hacía el trabajo sucio. Me necesitaban para que fuera el blanco de tu odio cuando volvieras, de manera que él pudiera seguir utilizándote cuando lo considerase necesario.

—¡Por amor de Dios! —Moira se quedó mirando fijamente sus manos—. Él no confiaba en mí.

—Para esa misión no. —Hart lo dijo tan bajo que Moira tuvo que echarse hacia delante para oírla—. Pero para otras, como sabes a la perfección, te prefería a ti.

—No importa. —Sintió un entumecimiento que le salía de dentro—. Menuda cabronada.

—Sí, así fue. —Hart se volvió a sentar—. De hecho, ésa fue la razón de que me marchara de Black River.

Moira levantó los ojos y los clavó en la mujer que había sido su archienemiga durante tanto tiempo. Sintió como si su cabeza hubiera estado rellena de estropajo metálico.

—No te entiendo.

—Hice muchas cosas horrorosas mientras estuve en Black River; eres la última persona a quien tendría que explicárselo. Pero esto, lo que Noah me hizo hacer… —Meneó la cabeza—. Después me sentía tan avergonzada de mí misma que no podía soportar mirarte a la cara, así que, una vez terminada la misión, fui a verte. Quería disculparme…

—Y no te dejé; en vez de eso, te llené de improperios.

—No podía culparte. No me enfadé por las cosas hirientes que dijiste, ¿quién podría tener más derecho? Y, sin embargo, era todo una mentira. Quise desobedecer las órdenes y decirte la verdad. Pero desistí. En realidad, fue un acto de cobardía, porque entonces estaba segura de que jamás tendría que enfrentarme a ti.

—Y aquí estamos ahora. —Moira se sentía vacía y asqueada de corazón. Siempre había sabido que Noah era un amoral, sabía que era taimado; de lo contrario no habría llegado al puesto que ocupaba en Black River. Pero jamás lo habría creído capaz de joderla tan a conciencia, de utilizarla como un pedazo de carne.

—Sí, aquí estamos —admitió Hart.

A Moira la recorrió un escalofrío.

—Noah es la razón de que me encuentre en esta situación, la razón de que esté aquí y no tenga ningún sitio adonde ir.

La directora de IC frunció el ceño.

—¿Qué quieres decir? Tienes tu propia organización.

—Ha sido puesta en peligro, o por Noah o por la NSA.

—Hay una gran diferencia entre Black River y la NSA.

Moira miró a Hart y se dio cuenta de que ya no sabía qué pensar acerca de nadie ni de nada. ¿Cómo se podía recuperar uno de una traición como aquélla? De pronto se vio invadida por una furia terrible. Si Noah hubiera estado en la habitación, habría agarrado la lámpara de la mesa de Veronica Hart y le habría atizado con ella en la cara. Pero no, mejor que no estuviera. Se acordó de una frase de *Las amistades peligrosas*, su novela favorita porque en ella participaban espías de salón: «La venganza es un plato que se sirve frío». Y en este caso, pensó, cocinado en una cocina absolutamente limpia. Respiró hondo y exhaló el aire lenta y completamente.

—No en este caso —dijo Moira—. Jay Weston, mi agente, fue asesinado, y yo me libré por los pelos de ser acribillada a balazos, porque Black River y la NSA están haciendo el mismo nido, y lo que quiera que estén incubando es tan grande que están dispuestos a matar a cualquiera que se acerque a olisquear.

En el horrorizado silencio que siguió, Hart dijo:

—Espero que tengas pruebas de esta acusación.

En respuesta a eso, Moira le entregó le memoria extraíble que había cogido del cadáver de Jay Weston. Diez minutos después, la directora de IC levantaba la vista de su ordenador.

—Moira, hasta el momento, lo único que puedo sacar en conclusión es que tienes a un policía de tráfico que nadie puede encontrar y una memoria extraíble llena de chorradas.

—Jay Weston no murió en un accidente de tráfico —dijo Moira acaloradamente—, lo mataron a tiros. Y Steve Stevenson, el subsecretario de Compras, Tecnología y Logística del Departamento de Defensa, me confirmó que Jay fue asesinado porque había descubierto algo. Me dijo que desde que se hizo pública la noticia de la explosión del avión de pasajeros la atmósfera en el Departamento de Defensa y el Pentágono se ha visto envuelta en una nube tóxica. Ésas fueron sus palabras exactas.

Sin dejar de mirar fijamente a Moira, Hart cogió el teléfono y pidió a su secretario que la pusiera con el subsecretario Stevenson en el Departamento de Defensa.

—No lo hagas —dijo Moira—. Está acojonado. Hasta tuve que suplicarle que se reuniera conmigo, y eso que es un cliente.

—Lo siento —dijo la directora de IC—, pero es la única manera. —Esperó un momento, tamborileando con los dedos sobre la mesa. Entonces su expresión cambió—. ¿Sí, subsecretario Stevenson?, soy… Ah, entiendo. ¿Cuándo cree que volverá? —Su mirada se volvió hacia Moira—. Seguro que tiene que saber cuándo… Sí, entiendo. No importa, lo volveré a intentar más tarde. Gracias.

Volvió a dejar el auricular y sus dedos empezaron a tamborilear de nuevo.

—¿Qué ha ocurrido? —preguntó Moira—. ¿Dónde está Stevenson?

—Según parece, nadie lo sabe. Salió del despacho a las doce menos veinticinco de esta mañana.

—Fue para ir a reunirse conmigo.

—Y todavía no ha regresado.

Moira sacó su teléfono y llamó al móvil de Stevenson; salió el buzón de voz directamente.

—No responde. —Guardó el teléfono.

Hart se quedó mirando atentamente la pantalla del ordenador y pronunció la palabra *Pinprickbardem* articulando las palabras; luego, volvió su mirada a Moira.

—Creo que deberíamos averiguar qué demonios le ha ocurrido al subsecretario.

Wayan, bastante satisfecho con las ventas del día, estaba en la trastienda cerrada de su puesto, preparando uno o dos cerdos que habían quedado sin vender para llevarlos de vuelta a su granja, cuando apareció el hombre. No lo oyó por culpa de la algarabía de gritos en que se convertía el enorme mercado cuando empezaban a cerrar para la noche.

—Eres el vendedor de cerdos llamado Wayan.

—Está cerrado —dijo sin levantar la mirada—. Por favor, vuelva mañana. —Al no percibir ningún movimiento, empezó a darse la vuelta, diciendo—: Y en cualquier caso, no puede volver a...

El contundente golpe lo alcanzó directamente en la mandíbula y lo envió tambaleándose sobre los lechones, que aullaron alarmados. Igual que Wayan. Apenas tuvo tiempo de ver la cara de toscas hechuras del hombre cuando fue levantado en vilo. El segundo puñetazo se hundió en su estómago y lo hizo caer de rodillas sin respiración.

Jadeando, con unas lastimosas arcadas, levantó los ojos llorosos para mirar fijamente al hombre increíblemente alto. Éste iba vestido con un traje negro con tantos brillos y que le quedaba tan mal que tenía un aspecto espantoso. Llevaba barba de varios días, azul como las sombras de la noche, y sus ojos, negros como el carbón, miraban a Wayan sin piedad ni remordimiento. En un lado del cuello tenía la huella de una cicatriz bastante discreta, igual que el lazo rosa del regalo de cumpleaños de un niño, que ascendía hasta su mandíbula, donde el músculo había sido cortado y ahora era un gurruño. En el otro lado del cuello llevaba tatuadas tres calaveras agrupadas: una miraba directamente al frente, y las otras, de perfil, miraban adelante y hacia detrás de él.

—¿Qué le dijiste a Bourne?

El hombre hablaba un inglés con un acento gutural que Wayan, en su estado de turbación, no fue capaz de situar. Era un europeo, aunque no británico ni francés. Quizá rumano o serbio.

—¿Qué le dijiste a Bourne? —repitió.

—¿A-a quién?

Aquel desconocido zarandeó a Wayan hasta que le castañetearon los dientes.

—El hombre que vino a verte. El norteamericano. ¿Qué le dijiste?

—No sé a qué se...

El intento de negarlo de Wayan se convirtió en un gruñido de dolor cuando el otro le cogió el índice derecho y se lo dobló hacia atrás hasta rompérselo. La sangre que abandonó a toda prisa la cabeza del balinés casi le hizo perder el conocimiento, pero el hombre lo abofeteó dos veces para que sus ojos se centraran en su torturador.

Se inclinó tanto sobre Wayan que éste percibió su olor avinagrado, y supo que debía de haber llegado recientemente en avión y que no se había duchado ni cambiado de ropa.

—No me jodas, pequeño gilipollas. —Ya había agarrado el dedo corazón de la mano derecha de Wayan—. Tienes cinco segundos.

—¡Por favor, está usted equivocado!

Soltó un pequeño aullido cuando le rompió el dedo corazón. Le pareció que toda la sangre había abandonado su cabeza, y al igual que antes, aquel desconocido le abofeteó en los mofletudos carrillos varias veces.

—Dos rotos, quedan ocho —dijo agarrándole el pulgar derecho.

Wayan abrió la boca de par en par, como un pez fuera del agua.

—De acuerdo, de acuerdo. Le dije dónde encontrar a don Fernando Herrera.

El hombre se sentó sobre sus talones y soltó un breve suspiro.

—Eres un irresponsable de mierda. —Entonces se volvió, cogió una caña de bambú y, sin inmutarse, se la clavó a Wayan en el ojo derecho.

13

Durante las siguientes dieciocho horas Arkadin se dedicó exclusivamente a entrenar a sus reclutas. No les permitió comer, dormir ni hacer otra cosa que no fuera tomarse algún respiro para ir a orinar. Treinta segundos, ése era todo el tiempo que tenían para vaciar sus vejigas sobre la tierra roja de Azerbaiyán. El primer hombre que tardó más recibió un contundente golpe detrás de la rodilla con el bastón defensivo de Arkadin; el primer hombre se convirtió en el único hombre en desobedecer esa orden o, de hecho, cualquier otra.

Como Triton le había advertido, tenía cinco días para convertir a aquellos asesinos en una unidad de choque. Más fácil de decir que de hacer, la verdad, aunque Arkadin tenía experiencia de sobra para conseguirlo, no en vano había sufrido en sus carnes algo parecido en Nizhni Tagil cuando era joven, y más tarde en su huida por haber asesinado a Stas Kuzin y a una tercera parte de su banda.

Nizhni Tagil estaba más o menos asentada sobre un yacimiento de hierro tan rico que no se había tardado en explotar una enorme cantera. Eso había ocurrido en 1698. Hacia 1722 se había fundado la primera fundición de cobre, y a la sombra de ésta y de la cantera había empezado a estirar sus huesos entre crujidos una ciudad, una máquina llena de crimen y vicio para servir y alojar a los exhaustos trabajadores. Ciento trece años más tarde, allí se construyó la primera locomotora de vapor rusa. Al igual que la mayoría de las ciudades fronterizas dominadas por la industria y sus magnates sedientos de dinero, el lugar destilaba una especie de naturaleza descarnada y anárquica que la influencia semicivilizada de la ciudad moderna jamás fue capaz de domeñar, y mucho menos de erradicar. Posiblemente ésa fuera la razón de que el Go-

ıbiera rodeado el ponzoñoso lugar de cárceles de n focos cegadores que blanqueaban la noche.

Nizhni Tagil sólo había sonidos solitarios, cuando no aterradores, como el pitido lejano del silbato del tren que resonaba desde los montes Urales o el inesperado alarido de las sirenas de las cárceles; como el gemido de un niño perdido en las calles mugrientas o el blando chasquido de los huesos que se rompían en las trifulcas de borrachos.

Cuando Arkadin andaba esquivando al ejército de mafiosos que se habían desplegado por las calles y los barrios bajos de la ciudad, aprendió a seguir a los perros callejeros amarillos que se escabullían por los callejones sombríos con el rabo encogido entre las patas. Entonces, inopinadamente, se había topado con dos hombres que escudriñaban la misma red de lugares apartados y desprovistos de todo que le habían parecido bastante seguros sólo un momento antes. Dándose la vuelta, los dejó creer que le iban a dar alcance. Al doblar una esquina, agarró rápidamente un trozo de madera astillada que había formado parte de una cama vieja, se agachó y le atravesó la pierna al que iba en cabeza. El hombre soltó un gritó y cayó hacia delante. Arkadin estaba preparado, así que lo agarró y lo lanzó contra el suelo para aplastarle la cara contra la acera mugrienta. El segundo hombre se le echó encima, pero Arkadin le golpeó con el codo en la nuez. Cuando el tipo empezó a dar arcadas, Arkadin le arrancó la pistola de la mano y le disparó a bocajarro. Luego dirigió el arma contra el primer hombre y le metió una bala en la nuca.

Desde ese momento supo que las calles eran demasiado peligrosas para él; tenía que encontrar un refugio. Pensó en dejarse detener y que lo arrojaran a una de las cárceles cercanas como manera de protegerse, pero no tardó en desechar tal idea: lo que podría haber funcionado en otra parte del país, estaba fuera de lugar en Nizhni Tagil, donde los policías eran tan corruptos que a menudo resultaba imposible distinguirlos de los delincuentes de la ciudad. No es que anduviera escaso de ideas; nada más lejos de la realidad. La experiencia que había acumulado hasta el momento había hecho del pensar con inteligencia su forma de vida.

Sin detenerse, consideró y rechazó diversas posibilidades, las cuales eran todas demasiado públicas, demasiado trufadas de potenciales chivatos que estarían al acecho por la promesa de una botella de verdadero aguardiente o de una noche de sexo desatado con alguna menor. Al final, dio con lo que estuvo seguro que era la solución perfecta: se escondería en el sótano de su propio edificio, donde la banda y el maníaco de su nuevo jefe, Lev Antonin, seguían teniendo su cuartel general. El objetivo reconocido de Lev Antonin era encontrar y destruir al asesino del hombre al que había sucedido. No descansaría ni daría respiro a sus hombres hasta que le llevaran la cabeza decapitada de Arkadin.

Dado que era él quien había comprado el edificio en la época en que había adquirido su negocio inmobiliario, estaba íntimamente familiarizado con cada palmo de él. Sabía, por ejemplo, que se había proyectado y empezado a construir un renovado sistema de aguas residuales para el edificio, aunque nunca se había terminado. A través de un solar municipal largo tiempo abandonado lleno de hierbajos y detritus, accedió a aquel frío y húmedo símbolo abandonado de su ciudad natal, un repulsivo conducto subterráneo que hedía a descomposición y muerte, y al cabo de un buen trecho apareció en las enormes tripas del edificio. Se habría reído de lo fácil que había sido conseguirlo de no ser plenamente consciente del atolladero en el que estaba metido. Se encontraba prisionero en el lugar que más desesperadamente ansiaba abandonar.

El avión dio unos bandazos mareantes y Bourne se despertó sobresaltado. La lluvia repiqueteaba con fuerza contra la ventana de plexiglás. Se había quedado dormido, soñando con la conversación que había tenido con Tracy Atherton, la joven sentada a su lado. En sus sueños, hablaban de Holly Marie Moreau, en lugar de Francisco de Goya.

Había dormido profundamente y sin soñar durante el viaje de más de veintitrés horas desde Bali a Madrid, vía Bangkok, en Thai Air. El vuelo desde Madrid a Sevilla en Iberia, aunque era el más corto, en ese momento se había convertido en un suplicio. Las bolsas da aire, unidas a los latigazos de la tormenta, hacían que el avión se zarandeara y cabeceara. Tracy Atherton permanecía callada e inmóvil, con la mirada fija al frente, mientras que su tez se había vuelto blanca como el papel. Bourne le sujetó la cabeza dos veces para que vomitara en la bolsa para los mareos que sacó del respaldo del asiento delantero.

Tracy era una rubia, delgada como un suspiro, de grandes ojos azules y una sonrisa que parecía enseñorearse de toda su cara. Su dentadura era blanca y uniforme, tenía las uñas rectas y por toda joya lucía una alianza de oro y unos pendientes tachonados de diamantes, lo bastante grandes para ser caros, aunque lo suficientemente pequeños para ser discretos. Iba vestida con una blusa rojo fuego debajo de un liviano traje sastre de seda plateado con la falda de tubo y la chaqueta entallada.

—Trabajo en el Prado, en Madrid —le había dicho ella—. Me contrató un coleccionista privado para autentificar un Goya recién encontrado que creo que es falso.

—¿Por qué dices eso? —le había preguntado Bourne.

—Porque supuestamente es una de las Pinturas Negras que Goya pintó al final de su vida, cuando ya estaba sordo y se estaba volviendo loco a causa de la encefalitis. La serie constaba de catorce cuadros. Este coleccionista cree que posee el decimoquinto. —Meneó la cabeza—. La verdad es que la historia no está de su parte.

Cuando el tiempo se calmó, le dio las gracias a Bourne y se dirigió al baño para lavarse.

Bourne esperó varios segundos antes de alargar la mano hacia abajo, abrir la cremallera del delgado maletín de la chica y revisar su contenido. Para ella, él era Adam Stone, tal y como rezaba en el pasaporte que Willard le había entregado antes de abandonar el recinto del doctor Firth. Según la historia que se había inventado, era un inversor de capital riesgo que iba a ver a un cliente potencial a Sevilla. Sin dejar de pensar ni un segundo en el agresor desconocido que había intentado matarlo, desconfiaba de todos los que se sentaban cerca de él, de quien entablaba una conversación casual y de todo aquel que quisiera saber en dónde había estado y adónde se dirigía.

Dentro del maletín había unas fotos —algunas con mucho detalle— del cuadro de Goya, un estudio terrorífico sobre un hombre del que tiraban, hasta descuartizarlo, cuatro sementales encabritados que resoplaban por las hocicos, mientras unos oficiales del ejército haraganeaban cerca, fumando, riendo y pinchando alegremente a la víctima con sus bayonetas.

Junto con aquellas fotos había un juego de radiografías, también de la pintura, acompañadas de una carta que autentificaba el cuadro como genuino de Goya firmada por el profesor Alonzo Pecunia Zúñiga, un especialista en Goya del Museo del Prado de Madrid. No habiendo nada más de interés, Bourne devolvió las hojas al maletín y volvió a cerrar la cremallera. ¿Por qué le había mentido la mujer, diciéndole que no sabía si el cuadro era un Goya auténtico? ¿Por qué le había mentido acerca de que trabajaba en el Prado, cuando, en su carta, Zúñiga se dirigía a ella como a una extraña, no como a una respetada colega del museo? Estaba seguro de que no tardaría en averiguarlo.

Miró fijamente por la ventanilla hacia el infinito blanco grisáceo y se concentró en su presa. Había utilizado el ordenador de Firth para reunir la información sobre don Fernando Herrera. Para empezar, Herrera era colombiano, no español. Nacido en Bogotá en 1946, el menor de una familia con cuatro hijos, fue enviado a Inglaterra a cursar estudios universitarios, donde se licenció en Económicas por Oxford. Luego, inexplicablemente, su vida tomó otros derroteros totalmente distintos durante un tiempo. Trabajó como *petrolero** para la Tropical Oil Company y consiguió llegar a *cuñero*** —taponador de tuberías— y aún más arriba, trasladándose de campamento en campamento, siempre aumentando la producción de barriles diarios en cada traslado. Incansable siempre, siguió prosperando, y acabó comprando un campamento a precio de saldo porque los expertos de Tropical Oil estaban segu-

* En español, en el original. *(N. del T.)*

** En español, en el original. *(N. del T.)*

ros de que estaba en declive. En efecto; Herrera le dio la vuelta y, al cabo de tres años, se lo revendió a Tropical Oil por un precio que decuplicaba el de compra.

Ése fue el momento en que se metió en el negocio del capital riesgo y, a continuación, utilizando sus gigantescos beneficios, se introdujo en el sector más estable de la banca. Compró un pequeño banco local en Bogotá que había estado al borde de la quiebra, le cambió de nombre y se pasó la década de 1990 transformándolo en una potencia nacional. Después se expandió por Brasil, Argentina y, en los últimos tiempos, España. Hacía dos años había resistido enérgicamente una OPA del Banco de Santander, prefiriendo permanecer como su propio amo. En ese momento su Aguardiente Bancorp, así llamado en honor del potente aguardiente aromatizado con regaliz de su país natal, tenía más de veinte sucursales, la última abierta cinco meses antes en Londres, donde, cada vez más, tenía lugar toda la actividad internacional.

Había estado casado dos veces, tenía dos hijas, las cuales vivían en Colombia, y un hijo, Jaime, a quien don Fernando había colocado como director gerente de la sucursal en Londres del Aguardiente. Parecía un hombre inteligente, sobrio y serio; Bourne no había podido encontrar ni el menor atisbo de algo siniestro en relación con él o con el AB, como era conocido el banco en los círculos financieros internacionales.

Percibió el regreso de Tracy antes de que el perfume a helecho y cítrico de la chica llegara hasta él. Ésta se sentó en el asiento de al lado con un susurro de seda.

—¿Te sientes mejor?

Ella asintió con la cabeza.

—¿Cuánto tiempo llevas trabajando en el Prado? —le preguntó Bourne.

—Unos siete meses.

Pero había titubeado un instante demasiado largo, y él supo que estaba mintiendo. Pero, una vez más, ¿por qué? ¿Qué tenía que esconder?

—Si no recuerdo mal —dijo Bourne—, ¿no estuvieron bajo la sombra de la sospecha algunos de los últimos trabajos de Goya?

—En 2003 —dijo Tracy, asintiendo con la cabeza—. Pero desde entonces las catorce Pinturas Negras han sido autentificadas.

—Pero no la que tú vas a ver.

La chica frunció la boca.

—Nadie la ha visto todavía, excepto el coleccionista.

—¿Y quién es ese coleccionista?

Tracy apartó la mirada, repentinamente incómoda.

—No soy libre de decirlo.

—Sin duda…

—¿Por qué estás haciendo esto? —Volviéndose de nuevo hacia él, se mostró repentinamente enfadada—. ¿Crees que soy idiota? —El color rosa ascendió desde su cuello a las mejillas—. Sé por qué estás en este vuelo.

—Dudo que lo sepas.

—¡Por favor! Vas a ver a don Fernando Herrera, igual que yo.

—¿El señor Herrera es tu coleccionista?

—¿Lo ves? —La victoria iluminó sus ojos—. ¡Lo sabía! —Sacudió la cabeza—. Te diré una cosa: no vas a conseguir el Goya. Es mío; me da igual lo que tenga que pagar.

—Eso no parece propio de alguien que trabaje en el Prado —dijo Bourne—, ni de hecho en ningún museo. ¿Y cómo es que dispones de un presupuesto ilimitado para comprar una falsificación?

Ella cruzó los brazos por delante del pecho y se mordió el labio, decidida a guardar silencio.

—El Goya no es falso, ¿verdad?

Ella no dijo nada.

Bourne soltó una carcajada.

—Tracy, te prometo que no voy tras el Goya. De hecho, hasta que no hablaste de él, no tenía ni idea de que existiera.

Ella lo miró con miedo.

—No te creo.

Él sacó un paquete del bolsillo interior de la americana y se lo entregó.

—Anda, léelo —dijo—. No me importa. —Willard había hecho un trabajo realmente extraordinario, pensó Bourne, cuando Tracy abrió el documento y lo examinó.

Al cabo de un momento, levantó la vista hacia él.

—Esto es un folleto informativo sobre la puesta en marcha de una empresa de comercio electrónico.

—Necesito financiación, y la necesito pronto, antes de que nuestros rivales se nos adelanten en el mercado —mintió Bourne—. Me dijeron que don Fernando Herrera era el hombre idóneo para evitar el papeleo y conseguir el resto del capital inicial que yo y mi gente necesitamos para ayer. —No podía contarle su verdadero motivo para ver a Herrera, y cuanto antes la convenciera de que era un aliado, más pronto lo conduciría adonde quería llegar—. No lo conozco de nada. Si me llevas a verlo, te lo agradecería.

Ella le devolvió el documento, que Bourne guardó, aunque la expresión de la chica siguió mostrando desconfianza.

—¿Cómo sé que puedo confiar en ti?

Él se encogió de hombros.

—¿Cómo se puede estar seguro de algo?

Tracy pensó en ello durante un momento, y entonces asintió con la cabeza.

—Tienes razón. Lo siento, no puedo ayudarte.

—Pero yo sí puedo ayudarte a ti.

Ella levantó una ceja con escepticismo.

—¿De verdad?

—Te conseguiré el Goya a cambio de una canción.

Tracy soltó una carcajada.

—¿Y cómo podrías hacer eso?

—Dame una hora cuando lleguemos a Sevilla, y te lo demostraré.

—Todos los permisos han sido cancelados y se ha hecho volver de sus vacaciones a todo el personal —dijo Amun Chalthoum—. He puesto a todos mis efectivos a trabajar en la investigación de cómo cruzaron los iraníes mi frontera con un misil tierra-aire.

Aunque Amun no se estuviera moviendo ya en un terreno movedizo con algunos de sus superiores, Soraya sabía que la situación del egipcio era mala. Aquella brecha en la seguridad llevaba escrito encima «fracaso personal». ¿O no? ¿Y si todo lo que él le había contado no fuera más que una sarta de mentiras destinadas a distraerla de la verdad: que con el consentimiento, bien del Gobierno egipcio, bien de algunos ministros demasiado temerosos de levantar su voz contra Irán, al-Mokhabarat había decidido utilizar a Estados Unidos como su representante bélico?

Habían dejado atrás a Delia en el lugar del siniestro y atravesado el ejército de buitres mediáticos que rodeaban el perímetro, y en ese momento circulaban a toda velocidad por la carretera en el todoterreno de Amun. El sol estaba justo encima del horizonte, llenando la bóveda celeste de una claridad translúcida. Unas nubes blancas se extendían por el horizonte occidental como si estuvieran agotadas de nadar por la oscuridad nocturna. El viento les azotaba la cara llevando el último frescor de la mañana. Pronto Amun tendría que subir las ventanillas y poner el aire acondicionado.

Después de escudriñar todos los trozos del lugar del impacto en la panza del avión, el equipo de imvestigación había creado una simulación en 3D de los últimos quince segundos del vuelo. Cuando Amun y Soraya se apiñaron sobre un ordenador portátil dentro de una tienda, el jefe del equipo había empezado con las explicaciones.

—La simulación es todavía un poco burda —había advertido— debido a la premura con que hemos tenido que prepararla. —Cuando el misil penetró como una centella en la estructura, el hombre señaló—: Tampoco podemos estar seguros al cien por cien de la verdadera trayectoria del misil. Podemos equivocarnos en uno o dos grados.

El misil impactó en el avión de pasajeros, lo partió en dos e hizo que cayera a tierra dando vueltas vertiginosamente.

—Lo que sí sabemos es el alcance máximo del Kowsar. —Pulsó una tecla en el ordenador, y la imagen cambió a la de un mapa topográfico por satélite de la zona. Puso una equis roja—. Éste es el lugar donde se estrelló. —Pulsó otra tecla e hizo que un círculo azul se superpusiera encima de la zona que rodeaba el lugar del siniestro—. El círculo muestra el alcance máximo del misil.

—Lo que significa que el arma fue disparada dentro de esa área —dijo Chalthoum.

Soraya se dio cuenta de que estaba impresionado.

—Eso es —dijo el responsable. Era un hombre musculoso y calvo, con una típica barriga de norteamericano bebedor de cerveza y unas gafas demasiado pequeñas que no paraba de subirse por el puente de la nariz—. Podemos reducirlo aún más, si quieren. —Pulsó con el índice una tecla más y en la pantalla apareció un cono de color amarillo—. El punto en el vértice es donde el misil impactó en el avión. El inferior es más ancho porque tomamos en consideración un error de un tres por ciento para el lugar de la trayectoria.

De nuevo volvió a pulsar una tecla y la vista se movió, haciendo un zum sobre un cuadrado del desierto cercano.

—Además podemos determinar que el misil fue lanzado desde algún lugar dentro de esta zona.

Chalthoum miró la imagen con más detenimiento.

—¿Qué extensión tiene? ¿Un kilómetro cuadrado?

—Casi —había dicho el responsable con una pequeña sonrisa de triunfo.

Aquella zona relativamente pequeña del desierto era adonde se dirigían en ese momento, confiando en encontrar algún rastro de los terroristas y sus identidades. De hecho, formaban parte de un convoy de cinco todoterrenos que transportaban personal de la al-Mokhabarat. A Soraya le pareció extraño y ligeramente inquietante que estuviera acostumbrándose a tenerlos alrededor. Tenía un mapa desplegado sobre el regazo en el que estaba señalada la zona que habían visto en el ordenador, y había también un primer plano de otra imagen enmarcada en una cuadrícula. En cada uno de los otros coches un copiloto disponía del mismo material. El plan de Chalthoum consistía en enviar un vehículo a cada una de las esquinas de la zona, para que desde ahí se desplazaran hacia el interior, mientras que él y Soraya se dirigirían directamente al centro y empezarían su búsqueda allí.

Mientras avanzaban traqueteando a un velocidad de vértigo, Soraya miró a Amun, cuyo rostro mostraba la dureza y la contracción de un puño. Pero ¿hacia qué la estaba guiando? Si la al-Mokhabarat estaba implicada, era evidente que él no le permitiría acercarse mínimamente a la verdad. ¿Estaban cazando gamusinos?

—Los encontraremos, Amun —dijo ella, más para aliviar la tensión que porque tuviera ningún íntimo convencimiento de tal cosa.

La risa de Amun fue tan desagradable como el ladrido de un chacal.

—Por supuesto que los encontraremos. —Su tono era siniestro, sardónico—. Pero, aunque por alguna especie de milagro lo logremos, ya es demasiado tarde para mí. Mis enemigos utilizarán este fallo en la seguridad en mi contra, dirán que he traído la desgracia no sólo sobre la al-Mokhabarat, sino sobre todo Egipto.

Su desacostumbrado tono de lástima de sí mismo desconcertó a Soraya y la hizo endurecer su voz.

—Entonces, ¿por qué te molestas en llevar a cabo esta investigación? ¿Por qué no volver grupas sin más y dejarlo estar?

La sombría expresión de Amun se reforzó cuando se puso colorado. Tenía todos los músculos en tensión, y a Soraya le pareció que intentaba reunir fuerzas; durante un instante se preguntó si no la golpearía. Pero entonces, con la misma rapidez con que había llegado, el arrebato emocional pasó, y entonces la risa de Amun, cuando surgió, fue radiante e intensa.

—Sí, debería tenerte siempre a mi lado, *azizti*.

Una vez más, Soraya fue víctima del desconcierto, en esta ocasión por la utilización del entrañable tratamiento familiar, y sintió un repentino arrebato de afecto larvado por él. No pudo evitar preguntarse si sería tan buen actor, y al pensarlo la vergüenza hizo que se ruborizase al instante, porque deseaba que fuera inocente y no estuviera involucrado en aquel acto odioso. Quería algo de él que sentía no podía tener, y sin duda no lo tendría jamás si fuera culpable. Su corazón le decía que Amun era inocente, pero su mente seguía moteada por las sombras de la sospecha.

El egipcio se volvió un momento hacia Soraya y posó sus ojos oscuros y ardientes en ella.

—Encontraremos a esos hijos de la boñiga de un camello, y los llevaré ante mis superiores engrilletados y de rodillas, te lo juro por la memoria de mi padre.

Al cabo de quince minutos habían llegado a una zona del desierto que no se distinguía en lo más mínimo del inhóspito paisaje por el que habían estado viajando. Los otros cuatro todoterrenos se habían separado hacía algún rato, aunque sus conductores estaban en permanente contacto con Amun y entre sí a través de la radio. Mientras realizaban sus respectivas búsquedas hacían continuos comentarios.

Soraya levantó unos prismáticos y empezó a buscar cualquier objeto fuera de lugar, aunque no era optimista al respecto. El propio desierto era el peor enemigo que tenían, porque los vientos habrían desplazado la arena, y lo más probable es que hubieran enterrado cualquier cosa que los terroristas pudieran haberse dejado por descuido.

—¿Algo? —pregunto Chalthoum al cabo de veinte minutos.

—No… ¡Espera! —Ella apartó los ojos de los prismáticos y señaló a la derecha de donde se encontraban—. Allí, a las dos…, a unos cien metros.

Chalthoum giró en la dirección indicada y aceleró un poco.

—¿Qué ves?

—No lo sé, parece una mancha —dijo, mientras apuntaba los prismáticos hacia el lugar.

Se apeó del vehículo de un salto aun antes de llegar al sitio. Después de tambalearse dos pasos a causa de la inercia y de la blandura del suelo, siguió adelante. Se estaba acuclillando delante de la mancha oscura cuando Chalthoum llegó hasta ella.

—No es nada —dijo él con evidente indignación—, sólo una rama ennegrecida.

—Puede que no.

Soraya alargó las manos y, ahuecándolas, excavó alrededor de la rama, que estaba casi totalmente quemada. Cuando el agujero se ensanchó, Chalthoum ayudó a evitar que la arena volviera a cubrir el agujero. A medio metro más o menos, ella tocó con las yemas de los dedos algo frío y duro.

—¡El palo está atrapado en algo! —dijo con excitación.

Pero lo que desenterró fue la lata vacía de un refresco. Un extremo del palo estaba enganchado en el orificio del abrefácil. Cuando extrajo el palo, la lata se volcó, haciendo que de su orificio se esparciera una lluvia de ceniza gris.

—Alguien encendió un fuego aquí —dijo Soraya—. Aunque no hay manera de saber el tiempo que llevan aquí las cenizas.

—Quizá sí haya una manera.

Chalthoum estaban mirando con atención las cenizas derramadas, que formaban una mancha semejante al cono amarillo de la pantalla del ordenador que representaba el margen de error del lugar de lanzamiento del misil.

—¿Tu padre te enseño algo acerca de Nowruz?

—¿La celebración prerrevolucionaria del año nuevo persa? —preguntó Soraya, asintiendo con la cabeza—. Sí, pero nunca lo celebramos.

—En los dos últimos años ha experimentado un resurgimiento en Irán. —Chalthoum puso la lata en posición vertical, la sacudió para extraer el contenido e hizo un gesto con la cabeza—. Aquí hay más ceniza de la que razonablemente cabría esperar de una hoguera para cocinar. Además, una célula terrorista habría dispuesto de comida precocinada que no requiriese ser calentada.

Soraya se estaba devanando la sesera intentando recordar los rituales del Nowruz, pero al final tuvo que recurrir a Chalthoum para que le diera un curso de reciclaje.

—Se enciende una buena hoguera y todos los miembros de la familia saltan por encima mientras piden que la tez pálida generada por el invierno sea sustituida por unas saludables mejillas coloradas. Luego se celebra una fiesta durante la que se cuentan historias para entretener a los niños. Cuando el día se acaba y llega la noche, la hoguera se extingue y las cenizas, que representan la mala suerte del invierno, son enterradas en el suelo.

—Me cuesta creer que unos terroristas iraníes hayan celebrado el Nowruz aquí.

Chalthoum utilizó el palo para hurgar entre las cenizas.

—Eso parece un trozo de cáscara de huevo y ahí hay un trozo

de monda de naranja quemado. Tanto el huevo como la naranja se usan al final de la celebración.

Soraya meneó la cabeza.

—Jamás se arriesgarían a encender una hoguera.

—Es cierto —dijo Chalthoum—, pero éste sería un lugar perfecto para enterrar la mala suerte del invierno. —La miró—. ¿Sabes cuándo empezó el Nowruz?

Soraya pensó durante un segundo, y entonces se le empezó a acelerar el pulso.

—Hace tres días.

Chalthoum asintió con la cabeza.

—Y en el momento del Sa'at-I tahvil, cuando acaba el viejo año y empieza el nuevo, ¿qué sucede?

A Soraya le dio un vuelco el corazón.

—Que se disparan los cañones.

—O —dijo Chalthoum— un misil Kowsar tres.

14

Bourne y Tracy Atherton llegaron a Sevilla ya bien avanzada la tercera tarde de la Feria de Abril, la fiesta de siete días de duración que se apodera como una fiebre de toda la ciudad poco después de la Semana Santa. Durante la máxima festividad religiosa del catolicismo, los penitentes encapuchados siguen en masa los pasos afiligranados y escalonados magníficamente adornados, llenos de hileras de velas blancas y ramilletes de flores blancas, en el centro de los cuales se situaban las imágenes de Jesucristo o la Virgen María. Bandas de músicos con uniformes coloristas acompañan los pasos, interpretando música tan triste como marcial.

En ese momento como entonces, las avenidas estaban cortadas al tráfico automovilístico, e incluso en muchas calles era imposible transitar a pie, porque, según parecía, toda Sevilla estaba fuera, tomando parte u observando el impresionante espectáculo.

En la abarrotada avenida de Miraflores se abrieron paso hasta un cibercafé. Era un local estrecho y oscuro, y el encargado atendía detrás de un mostrador enano situado al fondo. Toda la pared de la izquierda estaba ocupada por terminales de ordenador conectados a Internet. Bourne pagó una hora, hecho lo cual se pusieron a esperar junto a la pared a que una de las pantallas quedara libre. El local estaba envuelto en la penumbra a causa del humo; todos estaban fumando, excepto ellos dos.

—¿Qué estamos haciendo aquí? —le preguntó Tracy en voz muy queda.

—Tengo que encontrar una foto de alguno de los expertos en Goya del Pardo —dijo Bourne—. Si puedo convencer a Herrera de que soy ese hombre, sabrá que tiene una falsificación muy hábil y no el verdadero Goya perdido.

A Tracy se le iluminó el rostro, y soltó una carcajada.

—Menudo elemento estás hecho, Adam. —De pronto la preocupación se apoderó de la chica, que frunció el ceño—. Pero si te presentas como ese experto en Goya, ¿cómo demonios vas a conseguir que don Fernando te dé dinero para tu empresa?

—Sencillo —respondió Bourne—. El experto se marcha y yo regreso como Adam Stone.

Un sitio quedó libre, y Tracy ya empezaba a dirigirse hacia allí cuando Bourne la detuvo con una seca sacudida de la cabeza. Cuando ella lo miró inquisitivamente, él le habló en voz muy baja.

—El hombre que acaba de entrar... No, no mires. Lo vi en nuestro vuelo.

—¿Y qué?

—Que también estaba en mi vuelo de Thai Air —dijo Bourne—. Ha viajado conmigo desde Bali.

Tracy le dio la espalda al sujeto y utilizó un espejo para echarle un rápido vistazo.

—¿Quién es? —Entrecerró los ojos—. ¿Y qué es lo que quiere?

—No lo sé —dijo Bourne—. ¿Te has fijado en la cicatriz que tiene en un lado del cuello y que se extiende hasta la mandíbula?

Ella se arriesgó a echar otro vistazo al espejo y asintió con la cabeza.

—Quienquiera que lo enviara, quiere que sepa que está ahí.

—¿Tus rivales?

—Sí. Son unos matones —improvisó Bourne—. Es una típica táctica de intimidación.

Una expresión de alarma cruzó el rostro de Tracy y se apartó de él.

—¿En qué clase de negocio sucio estás metido?

—Exactamente en lo que te conté —dijo Bourne—. Pero en el sector del capital riesgo abunda el espionaje industrial, porque ser el primero en el mercado con un nuevo producto o idea suele marcar la diferencia entre que te lo compren Google o Microsoft por quinientos millones de dólares o vayas a la quiebra.

La explicación pareció tranquilizarla un poco, aunque era evidente que seguía nerviosa.

—¿Y qué vas a hacer?

—Por el momento, nada.

Bourne se movió hacia el sitio libre y se sentó, y Tracy lo siguió. Mientras encontraba el Museo del Prado en Google, ella se inclinó sobre su hombro y dijo:

—No te molestes. El hombre que buscas es el profesor Alonso Pecunia Zúñiga.

Aquél era el experto del Prado que había autentificado el Goya de Herrera. Bourne se acordó de la carta del profesor que había visto en el maletín de Tracy.

Sin decir una palabra, tecleó el nombre. Tuvo que avanzar por varios artículos nuevos antes de dar con una foto del profesor, que estaba recibiendo un premio de una de las muchas fundaciones españolas dedicadas a difundir la vida y la obra de Goya por todo el mundo.

Alonso Pecunia Zúñiga era un hombre delgado que aparentaba cincuenta y tantos años. Lucía una atildada y poblada barba y unas cejas espesas que daban sombra a sus ojos como una visera. Bourne comprobó la fecha de la foto para asegurarse de que fuera reciente. La amplió y la imprimió, lo que le costó un par de euros adicionales. En Google buscó las direcciones de varias tiendas.

—Nuestra primera escala —le dijo a Tracy— es al final del paseo de Cristóbal Colón, a dos pasos del teatro de la Maestranza.

—¿Y qué pasa con el hombre de la cicatriz? —le susurró ella.

Bourne salió de la pantalla, accedió a la memoria caché del buscador y borró tanto el historial del sitio como los *cookies* de las páginas web que había visitado.

—Cuento con que nos siga —dijo.

—¡Por Dios! —Tracy tuvo un ligero escalofrío—. Yo no.

El amplio paseo discurría junto al brazo oriental del Guadalquivir a su paso por el barrio de El Arenal. Éste era el barrio histórico de la ciudad, que muchas de las hermandades de la Semana Santa consideraban su hogar. Desde la hermosa plaza de toros de la Maestranza, vecina del descomunal teatro, vieron la tres veces centenaria Torre del Oro, una grandiosa torre, otrora revestida de oro, que formaba parte de las murallas que protegían Sevilla de sus antiguos enemigos, los musulmanes del norte de África, los fundamentalistas almohades, bereberes de Marruecos que fueron expulsados de Sevilla y de toda Andalucía en el año 1492 por los ejércitos de los Reyes Católicos de Castilla y Aragón.

—¿Has asistido alguna vez a una corrida? —preguntó Bourne.

—No. Odio la idea del toreo.

—Ahora tienes la oportunidad de verla con tus propios ojos. —Cogiéndola de la mano, se dirigió a la taquilla que había junto a la puerta principal y compró dos entradas de barrera sol, las únicas que quedaban.

Tracy vaciló.

—No creo que quiera hacer esto.

—O vienes conmigo —dijo Bourne—, o te dejo aquí para que te interrogue Cara Cortada.

Ella se puso tensa.

—¿Nos ha seguido hasta aquí?

Bourne hizo un gesto con la cabeza.

—Vamos. —Mientras entregaba las entradas y la empujaba para que entrara, añadió—: No te preocupes. Me ocuparé de todo. Confía en mí.

Un rugido feroz les indicó que la corrida ya había empezado. El lugar estaba lleno de asientos escalonados, sobre los cuales se alzaba una línea continúa de arcos decorativos. Mientras avanzaban por el pasillo, el primer toro estaba a punto de ser desbravado por la suerte de varas. Los picadores, montados en sus caballos protegidos con petos acolchados y anteojeras, introducían el corto final de sus picas en el morrillo del toro, mientras éste gastaba energías intentando arrojarlos de sus monturas. Los caballos llevaban unos trapos empapados en aceite en las orejas para evitar que se asustaran por el rugido de la multitud, y tenían las cuerdas vocales cortadas para enmudecerlos y que no distrajeran al toro.

—Muy bien —dijo Bourne, entregándole su entrada a Tracy—. Quiero que vayas a comprar una cerveza al puesto que hay allí. Bébetela tranquilamente rodeada de mucha gente y luego dirígete a nuestros asientos.

—¿Y dónde estarás tú?

—Eso no importa —dijo él—, limítate a hacer lo que te he dicho y espérame en el asiento.

Bourne había avistado al hombre de la cicatriz rosada, que ahora se encontraba en una zona de localidades bastante arriba para conseguir una posición más ventajosa. Observó cómo Tracy se abría paso hacia el puesto de refrescos y sacó su móvil, fingiendo que hablaba con un contacto con el que, quería que creyera Cara Cortada, se iba a reunir allí. Con un tajante gesto de la cabeza, se guardó el móvil y empezó a rodear el ruedo. Tenía que encontrar un lugar oculto, lo bastante privado para mantener un encuentro y donde pudiera encargarse de Cara Cortada sin interferencias.

Con el rabillo del ojo vio que Cara Cortada echaba un rápido vistazo hacia Tracy antes de avanzar por uno de los pasillos que se cruzaba con la fila por donde caminaba Bourne.

Éste había estado allí antes y conocía el trazado básico de la plaza. Estaba buscando el toril, el recinto donde se mantenía a los toros, porque sabía que cerca de allí había un pasillo que conducía a los baños de ese lado de la Maestranza. Una pareja de toreros jóvenes estaban apoyados contra la puerta de toriles. A su lado, el torero, que había cambiado su capote rosa y oro por otro rojo, estaba quieto como un muerto, esperando a que llegara el momento de la suerte de matar, cuando entraría al ruedo sin otra cosa que su espada, su capa y su destreza atlética para acabar con la jadeante bestia que no paraba de resoplar. Al menos así era como los aficionados de esas corridas lo veían. Otros, como la Asociación para la Defensa de los Animales, tenían otra imagen completamente distinta.

Cuando ya llegaba al toril, se produjo una sacudida contra la puerta que hizo que los jóvenes toreros se apartaran sobresaltados. El matador volvió fugazmente su atención al animal del redil.

—Bien, estás impaciente por salir —dijo en español— al olor de la sangre.

Luego volvió a centrar su atención en la verdadera corrida, en la que, cuando el toro estuviera agotado, le tocaría participar.

«¡Fuera! —gritaron, frenéticos, los aficionados. ¡Fuera!» Les pedían a los picadores que se fueran, temiendo que sus picas debilitaran demasiado al toro y que el enfrentamiento definitivo no acabara en el encuentro sangriento que ansiaban.

En ese momento, cuando los picadores alejaron sus monturas de la bestia, el torero empezó a avanzar, y entró a la corrida cuando sus subalternos salieron. El alboroto que causaba la multitud era casi ensordecedor. Nadie prestó la más ligera atención a Bourne cuando llegó a la zona cercana al toril, salvo Cara Cortada, que, como Bourne pudo ver en ese momento, llevaba tatuadas tres calaveras en el otro lado del cuello. Eran toscas y desagradables, sin duda unos tatuajes carcelarios y casi con total seguridad realizados dentro de una cárcel rusa. Y aquel hombre era algo más que un simple intimidador. Una calavera significaba que era un asesino profesional: tres calaveras, tres asesinatos.

Bourne había llegado al mismísimo final de aquella parte de las tribunas, y más allá había un arco decorativo que conducía de nuevo a la zona situada debajo de las tribunas. Justo debajo de él estaba una de las barreras que les permitían a los toreros eludir las embestidas del toro. Y a la derecha de Bourne, estaba el toril.

Cara Cortada se acercaba rápidamente, avanzando por el pasillo y las filas de asientos como un fantasma o un espectro. Bourne se dio la vuelta y pasó por debajo del arco hasta llegar a una pendiente que descendía hasta el interior en penumbra del recinto. Inmediatamente le llegó el efluvio de la orina humana y el potente almizcle de los animales. A su izquierda salía un pasillo de hormigón que llevaba hasta los baños; en la pared de su derecha se abría una puerta, en cuyo exterior había un policía uniformado.

Cuando se dirigió hacia aquel hombre alto y delgado, una figura ocultó la luz del día: Cara Cortada. Bourne se acercó al policía, que le dijo, con bastante brusquedad, que no se le había perdido nada en una zona tan próxima a los animales. Sonriendo, Bourne no se separó del policía, alargó la mano y, mientras se ponía a hablar en tono amistoso con el agente, le apretó la arteria carótida.

Aunque el policía hizo ademán de sacar su arma, él se lo impidió con la otra mano. El hombre intentó resistirse, pero Bourne, con un rápido movimiento, utilizó uno de los codos para paralizar temporalmente el hombro derecho del policía. Éste estaba perdiendo rápidamente el conocimiento por la falta de riego sanguíneo a su cerebro y, cuando cayó hacia delante, Bourne lo sujetó para mantenerlo erguido y continuó hablando con él porque quería que Cara Cortada pensara que aquél era el hombre con el que había hablado por el móvil, un amigo del hombre al que Bourne había ido a ver allí. Era esencial que siguiera adelante con la pantomima, ya que Cara Cortada se estaba acercando.

Después de coger la llave de la cadena que colgaba de la cadera del policía, descorrió el cerrojo de la puerta y empujó al policía al interior a oscuras. Mientras lo seguía adentro, cerró la puerta tras de él, pero no antes de alcanzar a ver a Cara Cortada, que bajaba la rampa corriendo. Una vez que se había cerciorado del lugar de la cita de Bourne, estaba preparado para dar alcance a su presa.

Bourne se encontró en una pequeña antesala llena de cubos de madera que contenían comida para los toros y una enorme pila de esteatita con unos gigantescos caños y grifos de zinc, bajo la cual se almacenaban baldes, trapos, fregonas y botellas de plástico con líquidos de limpieza. El suelo estaba cubierto de paja, que sólo absorbía una parte minúscula del hedor. El toro, escondido detrás de un muro de hormigón que le llegaba al pecho a Bourne, resopló y bramó al oler su presencia. Los frenéticos gritos de la multitud rompían como olas por encima del toril, sobre el que la luz del sol, a la que los reflejos que desprendía el traje de luces del matador y los vestidos del público volvía multicolor, caía sobre las paredes superiores del corral como las pinceladas anchas y descuidadas de un artista.

Bourne sacó un trapo de uno de los cubos, y estaba en mitad de la antesala dirigiéndose hacia el otro lado cuando la puerta que tenía detrás se abrió tan despacio que había que estarla mirando directamente para darse cuenta del movimiento. Tras apoyar la espalda contra el muro, se desplazó hacia su izquierda, hacia la parte de la estancia donde la puerta, al abrirse, impediría que Cara Cortada le viera.

El toro, asustado, furioso, o ambas cosas a la vez, por los nuevos olores humanos inesperados, golpeó el muro de hormigón con las pezuñas, y su fuerza descomunal hizo saltar unos trozos de estuco que salieron volando sobre el lado de Bourne. Cara Cortada pareció titubear, sin duda intentando identificar el ruido. Bourne estaba casi seguro de que no tenía ni idea de que el siguiente toro estaba esperando allí a que le llegara el turno de morir entre mugidos en el ruedo. Era una criatura puro músculo e instinto, fácil de provocar, fácil de desconcertar, rápida y mortífera a menos que se la desgastara por agotamiento y las cientos de heridas por las que se le escapaba la vida goteando sobre la arena del ruedo.

Bourne se movió sigilosamente hasta detrás de la puerta mientras ésta se abría poco a poco, cuando apareció la mano izquierda de Cara Cortada sujetando un cuchillo con una hoja larga y delgada que tenía la misma forma que el estoque del torero. La aviesa punta estaba ligeramente inclinada hacia arriba, una posición desde la que aquel sujeto podía estoquear, rajar y arrojar con la misma facilidad.

Bourne se envolvió el trapo alrededor de los nudillos de su mano izquierda, acolchándolos convenientemente. Dejó que Cara Cortada diera un paso indeciso dentro de la antesala, y entonces se abalanzó sobre él desde el costado. El instinto del asesino hizo que la hoja trazara un amplio semicírculo hacia arriba y hacia fuera cuando se giró hacia el borroso movimiento que percibió en el ángulo más extremo de su campo de visión.

Desviando la hoja con los nudillos envueltos, Bourne consiguió que Cara Cortada abriera su defensa, lo que aprovechó para dar un paso al frente, girar las caderas y golpear el plexo solar de Cara Cortada con el puño derecho. El asesino jadeó casi de manera inaudible y abrió los ojos por el momentáneo desconcierto, aunque casi inmediatamente había enganchado su brazo derecho en el de Bourne, trabándole la cara interna del codo con el dorso de su mano. Sin perder un instante, presionó e hizo palanca en un intento de romperle los huesos del antebrazo.

El dolor recorrió velozmente el brazo de Jason, que se tambaleó. Cara Cortada aprovechó la oportunidad y bajó la hoja del cuchillo hacia el interior de la mano envuelta de Bourne de manera que la punta fuera directamente a su caja torácica. Al no poder concentrarse en los dos movimientos a la vez, aflojó mínimamente la presión sobre el antebrazo, lo suficiente para dirigir la hoja hacia dentro, buscando el corazón de su contrincante.

Bourne dio un paso adelante para detener la embestida, y el movimiento sorprendió a su adversario. De pronto estaba demasiado cerca y la hoja le pasó junto al costado, lo que le permitió atrapar la mano de Cara Cortada entre el costado y el brazo izquierdo. Al mismo tiempo, mantuvo el impulso hacia delante, empujando de soslayo a su atacante a través de la sala y poniéndolo de espaldas contra el muro de estuco.

Cara Cortada se enfureció y redobló sus esfuerzos por romperle el brazo a Bourne; un instante más y los huesos se partirían con un chasquido. Al otro lado del muro, el toro olió la sangre en el aire, lo que lo enfureció aún más. Volvió a golpear el muro con las pezuñas. El golpe reverberó por la columna vertebral de Cara Cortada y con una sacudida le hizo perder su posición dominante de palanca.

Bourne se encontró libre durante un instante, pero Cara Cortada había movido el cuchillo en la mano que tenía atrapada para que la hoja se arrastrara por la espalda de Bourne, haciéndolo sangrar. Éste se giró, pero la hoja del cuchillo lo siguió, acercándose cada vez más hasta que saltó por encima del muro.

Cara Cortada lo siguió sin pensárselo dos veces, y ambos se encontraron en territorio desconocido, enfrentándose no sólo entre sí, sino también al enfurecido toro.

Bourne contaba con la ventaja inmediata de conocer la presencia del astado, pero aun así le sorprendió su tamaño. Al igual que el ruedo, el corral estaba dividido por el sol y la sombra. Las motas de polvo bailoteaban a la luz en la mitad superior del corral, pero a continuación estaba la oscuridad de la cueva del Minotauro. Vio al toro en las sombras, los ojos rojos brillantes, los labios negros festoneados de espuma. Lo estaba mirando fijamente, pateando el suelo con las enormes pezuñas; la cola se movía adelante y atrás, y sus descomunales paletillas eran un manojo de músculos y tendones. Tenía la cabeza amenazadoramente humillada.

Y entonces Cara Cortada se le echó encima. El hombre, totalmente absorto en Bourne, no era todavía consciente de la criatura con la que compartían el corral. Las tres calaveras, cada una mirando en una dirección distinta, concentraron la atención de Bourne, que levantó un codo en dirección al cuello y en su lugar lo estrelló en la barbilla de Cara Cortada cuando el asesino desvió parcialmente el golpe. Casi al mismo tiempo Cara Cortada aplastó su puño en la sien de Bourne y lo tiró al suelo de tierra apisonada. Después se dio la vuelta, agarró a Bourne de las orejas, le levantó la cabeza y se la golpeó violentamente contra el suelo.

Bourne estaba perdiendo el conocimiento rápidamente. Cara Cortada estaba sentado a horcajadas encima de él y su mole le presionaba dolorosamente la caja torácica. Hubo un momento en que sonrió de forma burlona. Volvió a golpearle la cabeza una y otra vez, cada vez con mayor placer.

¿Dónde está su cuchillo?, pensó Bourne.

Palpó el suelo a su alrededor con ambas manos, pero detrás de sus ojos estallaron unos fogonazos, y la luz y la oscuridad del recinto empezaron a girar, mezclándose en un molinete de chispas plateadas. Le costaba respirar, sintió el corazón golpeándole en el pecho, pero cuando su cabeza volvió a chocar contra el suelo una vez más, incluso aquellas sensaciones vitales empezaron a desvanecerse, sustituidas por una calidez paralizante que fluía desde sus extremidades hacia el interior. Aquella calidez resultaba tranquilizadora, pues eliminaba todo el dolor, todo el esfuerzo, toda la voluntad. Se vio flotando en un río de luz blanca, mientras se alejaba de su mundo de sombras y oscuridad.

Y entonces se inmiscuyó algo frío, y durante un instante tuvo la certeza de que era el aliento de Shiva, el destructor, cuya cara sentía suspendida encima de él. Entonces reconoció la espada del frío como lo que era. Coger la empuñadura del cuchillo lo salvó del desastre, y hundió la hoja en el costado de Cara Cortada, atravesándole la carne entre las costillas y ensartándole el corazón.

Cara Cortada se enderezó, con los hombros temblando, aunque quizá, pensó Bourne, no estuvieran temblando en absoluto, puesto que la cabeza le seguía dando vueltas a causa de los golpes que le había dado el otro. Tenía problemas para enfocar. ¿Qué otra cosa explicaba que la cabeza de Cara Cortada hubiera sido sustituida por la de un toro? Aquello no era Creta ni él estaba en la cueva del Minotauro. Estaba en Sevilla, en una corrida en la Maestranza.

Entonces recuperó el conocimiento por completo y, con él, la conciencia de en qué lugar exactamente estaba en aquella plaza.

¡El corral!

Y cuando levantó la cabeza desde su posición de decúbito prono, vio al toro, enorme y amenazador, con la cabeza agachada y los cuernos de puntas afiladas como hojas de afeitar inclinados para destriparlo.

El subsecretario Stevenson no parecía tener buen aspecto cuando Moira y Veronica Hart lo encontraron, pero de todas formas nadie tiene un aspecto especialmente bueno tendido sobre una losa de la fría sala del depósito de cadáveres de Washington. Las dos mujeres habían estado buscando en la zona que rodeaba la escultura de la Fuente de la Corte de Neptuno situada cerca de la puerta de entrada de la Biblioteca del Congreso. Como dictaba el protocolo del trabajo de campo, empezaron en el punto de origen —en este caso, la fuente— y siguieron moviéndose en círculos concéntricos hacia fuera, con la esperanza de encontrar alguna pista que Stevenson pudiera haber dejado y que les dijera qué le había ocurrido.

Moira ya había llamado a la esposa y a la hija casada de Stevenson, ninguna de las cuales lo había visto ni tenido noticias de él. Acababa de buscar el número de Humphry Bamber, un amigo y antiguo compañero de habitación de Stevenson en la universidad, cuando Hart recibió una llamada comunicándole que acababan de llevar al depósito un cadáver que se ajustaba a la descripción del subsecretario. La policía metropolitana quería una identificación positiva. La directora de IC se había vuelto hacia Moira, que dijo que haría el reconocimiento preliminar. Si era Stevenson, los policías podrían llamar a su esposa para que realizara la identificación oficial.

—Tiene un aspecto de mierda —dijo Hart en ese momento, cuando se pararon sobre el cadáver del difunto Steve Stevenson—. ¿Qué le ha ocurrido? —preguntó a la ayudante del forense.

—Lo atropellaron y se dieron a la fuga. Aplastamiento de las vértebras C1 a C4, además de la mayor parte de la pelvis, así que el vehículo debía de ser bastante grande: un todoterreno o un camión. —La ayudante del forense era una mujer pequeña y corpulenta con una descomunal aureola de indómitos rizos cobrizos—. No sintió nada, si es que sirve de consuelo.

—Dudo que lo sea para la familia —dijo Moira.

La ayudante del forense siguió adelante sin inmutarse; había visto y oído de todo. No es que fuera lo que se dice insensible, sólo que su trabajo le exigía templanza.

—La poli está investigando, pero dudo que encuentren algo. —Se encogió de hombros—. Rara vez lo consiguen en estos casos.

Moira se agitó.

—¿Ha encontrado algo fuera de lo normal?

—No, al menos en el examen preliminar. Su nivel de alcohol era casi de dos, más del doble del límite legal, así que muy probablemente se desorientara y se bajara del bordillo cuando debía haberse quedado quieto —dijo la forense—. Estamos esperando la identificación oficial para empezar la autopsia completa.

Cuando las dos mujeres se dieron la vuelta para marcharse, Hart dijo:

—Lo que me resulta curioso es que no le encontraran ninguna cartera encima, ni llaves, ni nada que lo identificara.

—Si lo atropellaron a propósito —dijo Moira—, sus asesinos no querrían que lo identificaran enseguida.

—De nuevo tu teoría de la conspiración. —Hart meneó la cabeza—. De acuerdo, juguemos a eso un minuto. Si fue asesinado, ¿por qué lo han encontrado? Podrían haberlo cogido, matado y enterrado donde no fuera encontrado durante años, si es que lo encontraban.

—Por dos razones —dijo Moira—. Primero, es un subsecretario del Departamento de Defensa. ¿Te imaginas la magnitud de la búsqueda en cuanto se informara de su desaparición y todo el tiempo que su nombre abriría los informativos de noticias? No, esa gente lo quería muerto, y quería que todo acabara pronto, lo que define un accidente.

Hart ladeó la cabeza.

—¿Y cuál es la segunda razón?

—Quieren asustarme para que me aleje de lo que sea que encontrara Weston y que atemorizaba a Stevenson.

—Pinprickbardem.

—Exactamente.

—Te has vuelto tan dañina como Bourne con todas esas teorías conspirativas.

—Todas las teorías conspirativas de Jason resultaron ser ciertas —dijo Moira acaloradamente.

La directora de IC no pareció convencida.

—No nos precipitemos, ¿de acuerdo?

Cuando llegaron a la puerta, Moira se volvió para echarle una última mirada a Stevenson. Luego abrió la puerta. Cuando salieron al pasillo, dijo:

—¿Sería precipitarnos si te dijera que Stevenson era un alcohólico rehabilitado?

—Puede que el miedo le hiciera recaer.

—No lo conocías —dijo Moira—. Había convertido su enfermedad en una religión. Permanecer sobrio era su santo y seña, la razón de que siguiera vivo. No se había tomado una copa en los últimos veinte años. Nada podría haberle inducido a hacerlo.

El toro se estaba acercando, y nada podía detenerlo. Bourne agarró el cuchillo, lo extrajo del costado de Cara Cortada y rodó hacia un lado. El toro, al oler la sangre fresca, sacudió los cuernos, empitonando a Cara Cortada en la ingle. El animal giró su descomunal cabeza, levantando la masa de aquel hombre del suelo como si fuera de papel maché y lo lanzó contra el muro.

El toro resopló y pisoteó con sus pezuñas delanteras y embistió al cadáver, al que le clavó ambos cuernos y sacudió de un lado a otro. A buen seguro que la bestia no tardaría en hacerlo añicos, así que Bourne aprovechó para levantarse lentamente y acercarse al toro con pasos medidos. Cuando estuvo lo bastante cerca, lo golpeó hábilmente en el hocico negro y brillante con la parte plana de la hoja.

El toro se paró en seco, confundido, y retrocedió, dejando que el cuerpo empapado de sangre cayera al suelo como un pelele. Y allí se quedó, con las patas delanteras completamente separadas, sacudiendo la cabeza de un lado a otro como si no fuera capaz de decidir de dónde había provenido el golpe ni qué significaba. La sangre le bajaba en espiral por los cuernos y goteaba sobre el suelo. Mirando fijamente a Bourne, indeciso sobre cómo tratar a aquel segundo intruso en su territorio, emitió un ronco sonido gutural. En cuanto avanzó un paso hacia él, Bourne volvió a pegarle con la hoja y el toro se paró, pestañeando, resoplando, sacudiendo la cabeza como si quisiera librarse de un dolor punzante.

Entonces Bourne se dio la vuelta, se arrodilló al lado del desastrado cadáver, y sin perder un momento le registró los bolsillos. Tenía que averiguar quién había enviado a aquel hombre. Según la descripción de Wayan de un hombre de ojos grises, Cara Cortada no era el que había intentado matarlo en Bali. ¿Había sido enviado por el mismo sujeto que había contratado al francotirador? Tenía que encontrar alguna respuesta, porque Cara Cortada no le resultaba desconocido. ¿Lo había conocido en un pasado que no lograba recordar? Como siempre que existía la posibilidad de que alguien reapareciera, esas preguntas lo volvían loco y exigían una inmediata aclaración, pues de lo contrario Bourne no lograba quitárselas de la cabeza.

Excepto por un fajo de euros ensangrentados, los bolsillos de Cara Cortada estaban vacíos, como era de prever. Debía de haber escondido su pasaporte falso y los demás documentos igualmente falsos en un piso franco o quizás en la consigna del aeropuerto o de la estación de ferrocarril, aunque si ése era el caso, ¿dónde estaba la llave?

Entonces le dio la vuelta al cuerpo ligeramente, buscándola, cuando el toro salió de su estupor pasajero y se arrancó contra él. Bourne tenía el brazo justo en el camino de los cuernos. En el último instante se apartó de un salto, aunque el toro giró la cabeza violentamente y le rozó el brazo con todo el cuerpo, arrancándole un fina tira de piel.

Se agarró al cuerno y lo utilizó como punto de apoyo para balancearse sobre el lomo del toro. Durante un instante la bestia no supo qué había ocurrido. Entonces, al desplazarse el peso que sentía sobre el lomo, embistió hacia delante y arremetió otra vez contra el muro. Pero en esta ocasión lo embistió de costado, y si Bourne no hubiera levantado la pierna derecha, ésta habría acabado aplastada entre los músculos de la bestia y el estuco. Al hacerlo, casi sale despedido de encima del toro. Si se hubiera caído, habría sido su fin, pues la criatura lo habría pateado hasta matarlo en cuestión de segundos.

Y de nuevo se tuvo que agarrar, cuando el toro se lanzó corriendo otra vez contra el muro, intentando sacudírselo de encima. Bourne seguía teniendo el cuchillo de Cara Cortada; cabía la posibilidad de que, si la hoja era lo bastante larga, pudiera darle el golpe de gracia y hacerle doblar las rodillas, siempre que escogiera con precisión el sitio exacto y lo clavara en el ángulo correcto. Pero Bourne supo que no lo haría. Matar a aquella bestia por la espalda, cuando era él quien la estaba aterrorizando le pareció una cobardía y una mezquindad. Se acordó del cerdo de madera que dominaba la piscina de Bali, de su cara tallada pintada con la sonrisa eterna del sabio místico. Aquel toro tenía una vida que vivir, y no tenía derecho a quitársela.

A punto estuvo de salir despedido en ese momento, cuando la bestia chocó contra el muro de soslayo, doblando la cabeza hacia abajo y a la izquierda en otro intento desesperado de descabalgar a aquel peso movedizo que llevaba a cuestas. Bourne, rebotando dolorosamente con todas las partes de su cuerpo, se aferraba a los cuernos del toro. El brazo le dolía donde Cara Cortada había intentado rompérselo, la herida de cuchillo que tenía en la espalda seguía sangrándole y lo peor de todo era que sentía la cabeza como si la tuviera rota en mil pedazos. Sabía que no podría aguantar mucho más tiempo, pero bajarse del toro significaba la muerte casi con toda seguridad.

Y entonces, cuando los gritos de la multitud procedentes de la corrida se hicieron ensordecedores, el toro dobló sus patas delanteras, inclinó hacia delante el lomo y se liberó con una sacudida de Bourne, que salió despedido dando volteretas y fue a parar contra el muro, donde para entonces las grietas ocasionadas por la brutalidad de las embestidas del toro formaban una tela de araña.

Bourne quedó tendido hecho un ovillo, medio aturdido. Sintió el aliento caliente de la bestia encima de él; los cuernos estaban a no más de un palmo de su cara. Intentó moverse, pero no pudo. Le costaba sacar y meter el aire de sus pulmones, y una terrible sensación de vértigo se apoderó de él.

Los ojos rojos lo miraban encolerizadamente, los músculos bajo el pelaje brillante se estaban tensando para la arremetida final, y Bourne supo que al cabo de un rato no sería más que un pelele ensartado, como Cara Cortada, en las puntas de aquellos cuernos ensangrentados.

15

El toro se tambaleó hacia delante, cubriendo la cara de Bourne con una rociada de vaho caliente. La bestia puso los ojos en blanco y su enorme cabeza impactó contra el suelo a sus pies con un golpetazo seco. Esforzándose en aclarar sus confusas ideas, Bourne se limpió los ojos con el antebrazo, apoyó la cabeza contra el muro y vio al policía que había dejado sin sentido y al que luego había metido en la antesala.

Estaba parado en la actitud típica de un tirador: las piernas separadas, las plantas de los pies apoyadas con firmeza y una mano ahuecada alrededor de la culata de la pistola con la que había disparado al toro dos veces y que, una vez muerto el animal, apuntaba directamente hacia Bourne.

—¡Levántese! —le ordenó—. Póngase en pie y muéstreme las manos.

—De acuerdo —dijo él—. Un momento. —Poniendo una mano encima del muro para sujetarse, se levantó como pudo. Después de dejar cuidadosamente el cuchillo de Cara Cortada encima del muro, levantó las manos con las palmas hacia fuera.

—¿Qué está haciendo aquí? —El policía estaba blanco de ira—. Hijo de puta, mire lo que me ha obligado a hacer. ¿Tiene idea de lo que cuesta ese toro?

Bourne señaló el cuerpo desgarrado de Cara Cortada.

—No tengo nada que ver. Era de ese hombre, un asesino profesional, de quien estaba intentando huir.

El policía frunció el ceño con absoluto desconcierto.

—¿De quién? ¿De quién habla? —Dio varios pasos vacilantes hacia Bourne y entonces vio lo que quedaba de Cara Cortada—. ¡Madre de Dios! —gritó.

Bourne dio un salto desde el muro hacia el interior del corral y el policía cayó hacia atrás. Los dos hombres forcejearon momentáneamente por hacerse con el arma, pero entonces Bourne le dio un golpe en el cuello con el canto de la mano y el cuerpo del policía quedó inerte.

Antes de quitarse de encima rodando, Bourne se aseguró de que el pulso del policía fuera constante, luego volvió a saltar por encima del muro y metió la cabeza debajo del grifo sobre el fregadero de esteatita, utilizando el agua fría para lavar los restos de la sangre del toro además de para reanimarse. Utilizando el trapo más limpio de los que había debajo de la pila, se secó, y luego —todavía ligeramente mareado— desanduvo sus pasos, subiendo por la rampa y saliendo al colorista resplandor de la plaza, donde el torero triunfador daba la vuelta al ruedo lenta y majestuosamente, levantando en alto las orejas del astado hacia la multitud entusiasmada.

El toro yacía cerca del centro del ruedo, mutilado y olvidado, con las moscas zumbando alrededor de su inmóvil cabeza.

Soraya sintió a su lado a Amun como si el egipcio fuera una pequeña central nuclear. Se preguntó cuántas mentiras le habría contado el egipcio. ¿Tenía realmente unos enemigos poderosos en las altas instancias del Gobierno egipcio, o se trataba de las mismas personas que le habían ordenado que se agenciara un misil Kowsar 3 y derribara un reactor norteamericano?

—Lo verdaderamente inquietante —dijo él, rompiendo el breve silencio— es que los iraníes tuvieron que recibir ayuda para llegar hasta aquí. Sería bastante fácil pasar a través del caos de Irak, pero después ¿qué alternativa les quedaría? No habrían cogido la ruta septentrional, que atraviesa Jordania y el Sinaí, porque es demasiado arriesgada. Los jordanos los habrían matado a tiros y en el Sinaí hay demasiadas patrullas. —Sacudió la cabeza—. No, tuvieron que venir a través de Arabia Saudí y el mar Rojo, lo que significa que el sitio más lógico para recalar sería Al Ghardaqah.

Soraya conocía la turística ciudad del mar Rojo, un tranquilo lugar bañado por el sol, visita obligada para la gente demasiado estresada, y que no se diferenciaba en nada de Miami Beach. Amun tenía razón: su atmósfera relajada y carnavalesca lo convertía en un lugar ideal de desembarco para un pequeño grupo de terroristas que se hicieran pasar por turistas o, mejor aún, por pescadores egipcios, para llegar y marcharse sin que los reconocieran.

Amun apretó el acelerador a fondo, pasando como una centella a coches y camiones por igual.

—He pedido que preparen un pequeño avión que nos lleve a Al Ghardaqah en cuanto lleguemos al aeropuerto. Nos servirán el desayuno a bordo. Podemos trazar una estrategia mientras comemos.

Soraya llamó a Veronica Hart, que contestó inmediatamente.

Cuando la hubo puesto al corriente, la directora dijo:

—El presidente se va a dirigir al Consejo de Seguridad de Naciones Unidas mañana por la mañana. Pedirá que se formule una condena formal contra Irán.

—¿Sin ninguna prueba concluyente?

—Halliday y su gente de la NSA han convencido al presidente de que el informe escrito que han presentado es toda la prueba que necesitamos.

—Deduzco que no estás de acuerdo —dijo Soraya con frialdad.

—De eso puedes estar completamente segura. Si nos la jugamos como hicimos con las armas de destrucción masiva en Irak, y a continuación se demuestra que estamos equivocados, el desastre, tanto política como militarmente, será absoluto, porque enredaremos al mundo en una guerra más grande que la que nadie pueda manejar en la actualidad, y eso nos incluye, diga lo que diga Halliday. Tienes que encontrarme pruebas definitivas de la implicación iraní.

—Eso es en lo que estamos trabajando Chalthoum y yo, aunque la situación se ha complicado más.

—¿Qué quieres decir?

—La teoría de Chalthoum es que los iraníes tuvieron que recibir ayuda para transbordar el misil, y estoy de acuerdo. —Repitió los problemas logísticos que Amun le había explicado—. Mucha a gente que tomó parte en el desastre del once de septiembre eran saudíes. Si el mismo grupo está ahora implicado con una red terrorista iraní o, lo que sería aún más inquietante, con el propio Gobierno iraní, las implicaciones son de un alcance mayor, porque los iraníes son chiitas y una abrumadora mayoría de saudíes son wahhib, una rama de la secta suní. Como sabes, los chiitas y los suníes son enemigos mortales, y esto plantea la posibilidad de que de alguna manera hayan establecido una tregua temporal o una alianza para un objetivo común.

Hart tomó aire.

—¡Por Dios bendito!, estamos hablando de un panorama de pesadilla que lleva años aterrorizándonos a nosotros y a los servicios de inteligencia europeos.

—Y no sin razón —dijo Soraya—, porque eso significa que un islam unido se está preparando para una guerra total contra Occidente.

Bourne sentía unas punzadas tan fuertes en la herida que tenía cerca del corazón que temió que pudiera haberse reabierto. Al salir del corral, se dirigió a los baños, donde al menos podría quitarse los restos de sangre de la ropa, aunque a medio camino de allí vio a dos policías que doblaban la esquina del pasillo y se dirigían a los corrales. ¿Algún asistente a la corrida había visto algo y dado la alarma? O quizás el vigilante hubiera recuperado el conocimiento. No había tiempo para especulaciones, así que tomó el rumbo contrario y, con paso un tanto vacilante, subió la rampa para salir al estrellado crepúsculo sevillano. Oyó gritar a alguien detrás de él. ¿Era a él? Sin mirar atrás, se giró para buscar a Tracy, pero como si intuyera el creciente peligro de la situación, la chica ya se había levantado de su asiento y lo estaba buscando. En cuanto se vieron, ella se dirigió, no hacia él, sino hacia la salida más cercana, guiándolo hasta allí con el ejemplo.

El griterío en la plaza se hizo más generalizado cuando la gente se levantó para estirar las piernas, dar vueltas y ponerse a hablar, o bien para dirigirse a los bares y los baños. En el ruedo, los mozos se llevaban a rastras el cuerpo del toro caído, rastrillaban la tierra para cubrir la sangre fresca y hacían en general los preparativos para el siguiente toro.

Bourne sintió que el dolor explotaba en su pecho como una bomba. Trastabilló y cayó sobre dos mujeres, que se volvieron para mirarlo mientras se enderezaba. Pero incluso en su estado de debilidad, se dio cuenta de la proliferación de policías que estaban entrando en la plaza. No había ninguna duda de que la alarma había saltado.

Uno de los agentes de policía que había visto acercándose a él en las entrañas de la plaza había salido y le buscaba con la mirada. Bourne se abrió paso culebreando entre la multitud, agradeciendo que prácticamente todo el mundo se estuviera moviendo, lo que le hacía más fácil confundirse entre el público mientras se dirigía a la salida donde lo esperaba Tracy.

Pero el agente de policía debía de haber alcanzado a verlo, porque echó a correr detrás de él, sorteando hábilmente a la gente que se ponía en su camino. Bourne intentó calcular la distancia hasta la salida, no muy seguro de que fuera a conseguir llegar allí, porque el policía se acercaba rápidamente. Al cabo de un momento vio emerger a Tracy de entre la multitud. Sin mirarlo siquiera, la chica pasó por su lado como una exhalación, dirigiéndose en sentido contrario. ¿Qué estaba haciendo?

Sin dejar de avanzar, Bourne se arriesgó a echar un vistazo por encima del hombro, momento en que vio que Tracy se paraba enfrente del policía. Al poco rato la oyó hablar en voz alta y lastimera, mientras se quejaba de que le habían robado el móvil del bolso. El agente se mostró comprensiblemente impaciente con ella, pero cuando intentó hacerla a un lado para pasar, ella levantó la voz hasta tal punto que cuantos estaban a su alrededor se volvieron para fulminar con la mirada al policía, que no tuvo más remedio que atenderla.

Pese al dolor cada vez mayor que sentía, Bourne consiguió sonreír débilmente. Con tres zancadas más llegó a la salida, pero en cuanto se volvió para cruzarla, sintió una punzada de dolor más intensa en el pecho y se desplomó contra la áspera pared de hormigón, respirando con dificultad mientras la gente iba y venía y lo empujaba al pasar.

—Vamos —le apremió Tracy al oído, cuando le cogió del brazo y lo arrastró entre el flujo de gente que bajaba la rampa hasta el enorme vestíbulo, donde una muchedumbre fumaba mientras charlaba sobre los méritos del torero. Más allá del gentío, en línea recta, se abrían las puertas de cristal que daban a la calle.

Sea como fuera Tracy se había librado del agente para ir a su encuentro. Bourne necesitaba toda su concentración para respirar hondo, y para hacerlo pese al dolor que sentía.

—¡Por Dios!, ¿qué te ha ocurrido allí dentro? —preguntó la chica—. ¿Estás muy malherido?

—No mucho.

—¿En serio? Porque parece que ya estuvieras muerto.

En ese momento, tres policías cruzaron las puertas principales de la plaza con gran alboroto.

Moira y Veronica Hart decidieron coger el turismo que había alquilado la primera, puesto que el Buick blanco era tan discreto como podía serlo cualquier coche. Encontraron a Humphry Bamber, el íntimo amigo del difunto subsecretario Stevenson, en el gimnasio. Acababa de terminar su entrenamiento, y uno de los empleados había ido a buscarlo a la sauna. Salió con unas silenciosas chancletas azul marino, una toalla alrededor de la cintura y otra más pequeña, alrededor del cuello, que utilizaba para limpiarse el sudor de la cara.

La verdad, pensó Moira, es que no había ningún motivo para que llevara nada más. Tenía un cuerpo duro como la piedra y tan bien formado como el de un atleta profesional. De hecho, daba la impresión de que se pasara la mayor parte del tiempo en el gimnasio para mantener sus impresionantes abdominales y sus protuberantes bíceps.

Las saludó con una sonrisa simpática e inquisitiva. El pelo rubio y abundante le caía sobre la frente. Sus ojos claros y separados las estudiaron con una frialdad y minuciosidad que a Moira se le antojaron extrañamente indiferentes.

—Señoras —dijo—, ¿qué puedo hacer por ustedes? Marty me dijo que era urgente. Me refiero al empleado.

—Y es urgente —dijo Hart—. ¿Hay algún sitio donde podamos hablar en privado?

La expresión de Bamber se volvió seria.

—¿Son policías?

—¿Y qué si lo somos?

El hombre se encogió de hombros.

—Que sentiría más curiosidad de la que siento ahora.

Hart le mostró sus credenciales, lo que provocó que Bamber arqueara las cejas.

—¿Sospechan acaso que le paso secretos al enemigo?

—¿Qué enemigo? —preguntó Moira.

Él se echó a reír.

—Me gusta usted —dijo—. ¿Cómo se llama?

—Moira Trevor

—Ajá. —La expresión de Bamber se tornó inesperadamente sombría—. Me han advertido contra usted.

—¿Ah, sí? —dijo Moira?—. ¿Quién? —Aunque pensó que ya lo sabía.

—Un hombre llamado Noah Petersen.

Moira recordó a Noah cogiendo el móvil de Jay Weston en la escena del crimen. Era una apuesta segura que había sido así como había encontrado a Bamber.

—Me dijo…

—Su verdadero nombre es Perlis —le cortó Moira—. Noah Perlis. Y usted no debería creerse nada de lo que le dijo.

—Me dijo que usted diría eso.

Ella se rió amargamente.

—Un lugar privado, señor Bamber. Por favor —terció Hart.

El hombre hizo un gesto con la cabeza y las condujo hasta un despacho vacío. Entraron y él cerró la puerta. Cuando todos estuvieron sentados, la directora de IC dijo:

—Me temo que tenemos malas noticias. Steve Stevenson ha muerto.

Una gran aflicción pareció embargar a Bamber.

—¿Qué dice?

—¿No se lo dijo el señor Peter... el señor Perlis? —prosiguió Hart.

Bamber negó con la cabeza. Se cubrió los hombros con la toalla pequeña, como si de repente sintiera frío. Moira no lo culpó.

—¡Dios mío! —Bamber sacudió la cabeza con incredulidad, y luego las miró con una expresión de súplica—. Debe de haber alguna clase de error, una de esas estúpidas cagadas burocráticas de las que Steve siempre anda quejándose.

—Me temo que no —dijo Hart.

—Noah..., bien, uno de los hombres del señor Perlis... mató a su amigo e hizo que pareciese un accidente —dijo Moira en un arrebato temperamental. Ignorando la mirada de advertencia de Hart, prosiguió—: El señor Perlis es un hombre peligroso que trabaja para una organización peligrosa.

—Yo... —Bamber se pasó distraídamente una mano por el pelo—. ¡Joder!, no sé qué creer. —Miró primero a una y luego a la otra—. ¿Puedo ver el cuerpo de Steve?

Hart asintió con la cabeza.

—Podemos arreglar eso en cuanto acabemos aquí.

—Ah. —Bamber le dedicó una sonrisa lastimera—. Como una recompensa, ¿no?

La directora no dijo nada.

El hombre se rindió con un gesto de la cabeza.

—De acuerdo, ¿cómo puedo ayudarlas?

—No sé si puede —replicó Hart con una mirada significativa a Moira—. Porque si pudiera, el señor Perlis no le habría dejado con vida.

Bamber pareció verdaderamente alarmado por primera vez.

—¿Qué demonios es esto? —preguntó, con comprensible indignación—. Steve y yo somos amigos íntimos desde la universidad, eso es todo.

Desde que Bamber había aparecido Moira se había estado preguntando por la amistad de décadas de aquel atleta provecto con Steve Stevenson, un hombre que no distinguía el béisbol del fútbol y al que, además, le traía sin cuidado. Entonces algo que Bamber acababa de decir hizo que varias pequeñas contradicciones encajaran con un chasquido.

—Creo que hay otra razón para que Noah se sintiera seguro para dejarlo en paz con una advertencia, señor Bamber —dijo—, ¿estoy en lo cierto?

Él arrugó la frente.

—No sé de qué está hablando.

—¿Qué le asustaría tanto como para que Noah pudiera estar seguro de que usted no hablaría?

El hombre se levantó inesperadamente.

—Ya me he hartado de este acoso.

—Siéntese, señor Bamber —dijo Hart.

—Usted y el subsecretario Stevenson fueron algo más que compañeros de cuarto en la universidad —siguió presionando Moira—. Algo más que unos simples buenos amigos. ¿No es cierto?

Bamber se sentó como si las fuerzas le hubieran abandonado las piernas.

—Quiero protección contra Noah y su gente.

—La tiene —dijo Hart.

Bamber la miró fijamente.

—No estoy bromeando.

La directora sacó su móvil y marcó un número.

—Tommy —dijo por teléfono—, necesito un equipo de vigilancia en un santiamén. —Proporcionó a su ayudante la dirección del gimnasio—. Y Tommy, ni una palabra de esto a nadie que no sea del equipo, ¿queda claro? Bien.

Guardó el teléfono y le dijo a Bamber:

—Yo tampoco.

—Bien —El hombre suspiró, aliviado. Luego, volviéndose a Moira, sonrió sombríamente—. No se equivoca en cuanto a Steve y a mí, y Noah sabía que ninguno de los dos podría sobrevivir si la verdadera naturaleza de nuestra relación se hacía pública.

Moira sintió que se quedaba sin resuello de golpe.

—Le ha llamado Noah. ¿Pretende decirnos que lo conoce?

—En cierto sentido, trabajo para él. Ésa es la otra razón, y la más importante, de que no pudiera tocarme. ¿Sabe?, creé un programa de *software* por encargo para él. Todavía tiene algunos fallos y soy el único que puede resolverlos.

—Qué gracia —dijo Hart—, no tiene usted pinta de genio informático.

—Sí, bueno, Steve decía que ése era uno de mis encantos. Nunca he parecido nada de lo que soy realmente.

—¿Qué es lo que hace ese programa de *software*? —preguntó Moira.

—Es un programa de análisis estadístico altamente sofisticado que puede tomar en consideración millones de variables. Lo que esté haciendo con él lo desconozco. Me aseguró que yo me quedaría fuera de ese aspecto, eso fue parte de nuestro acuerdo y la razón de que le pidiera y recibiera unos honorarios más elevados.

—Pero ha dicho que seguía trabajando en los fallos.

—Es cierto —dijo Bamber, asintiendo con la cabeza—, pero para ello tengo que trabajar en una copia limpia del programa. Cuando termino, lo envío electrónicamente al ordenador de Noah. Nadie sabe lo que ocurre luego.

—Oigamos lo que usted supone —dijo Moira.

Bamber volvió a suspirar.

—De acuerdo, ésta es mi teoría. Dado el nivel de complejidad del programa, es casi seguro que lo está aplicando a hechos reales.

—Traduzca, por favor.

—Hay escenarios de laboratorio y escenarios reales —dijo Bamber—. Como pueden imaginarse, algo que intenta resolver qué ocurriría durante ciertas situaciones de la vida real tiene que ser increíblemente complejo, porque intervienen todos las factores posibles.

—Millones de factores.

Él asintió con la cabeza.

—Que es lo que proporciona mi programa.

Una posibilidad surgió en la mente de Moira y durante un momento tuvo que reclinarse en su asiento, obnubilada. Entonces dijo:

—¿Le ha puesto nombre a ese programa?

—A decir verdad, sí. —Bamber pareció un poco avergonzado—. Se trata de una broma privada entre Steve y yo. —La utilización del presente le refrescó la noticia de la muerte de su amigo y amante y se detuvo, bajó la cabeza y emitió un débil gemido gutural—. ¡Dios mío, Dios mío, Steve!

Moira espero un momento, y luego carraspeó.

—Señor Bamber, lamentamos profundamente su pérdida. Conocía al subsecretario Stevenson, hacía negocios con él. Y siempre me ayudó, aunque eso significara jugársela.

Bamber levantó la cabeza; tenía los ojos enrojecidos.

—Sí, bien, así era Steve.

—¿Y el nombre que le puso al programa que creó para Noah Perlis?

—Ah, eso. No es nada, una broma, como ya les dije, porque tanto a Steve como a mí… nos gustaba… Javier…

—Bardem —dijo Moira.

Bamber pareció sorprendido.

—Sí, ¿cómo lo ha sabido?

Y Moira pensó, Pinprickbardem.

16

El Museo Taurino estaba situado en el edificio de la plaza de la Maestranza, y fue allí adonde Bourne le pidió a Tracy que lo llevara. Habían tenido el tiempo suficiente para cambiar de rumbo entre la multitud antes de que los policías se sumaran a la muchedumbre del vestíbulo. Dos de ellos se habían dirigido directamente hacia el ruedo. Desde sus posiciones a ambos lados de las puertas de cristal, el par restante empezó a escudriñar entre el gentío buscando al sospechoso.

Ese día el museo estaba cerrado, y la puerta interior tenía echada la persiana. Bourne, apoyándose en la puerta, utilizó un clip que Tracy había encontrado en el fondo de su bolso para abrir la cerradura, se colaron dentro y cerraron la puerta tras ellos. Las cabezas disecadas de todos los grandes toros lidiados en aquella plaza los miraban fijamente con sus ojos de cristal. Pasaron junto a unas vitrinas que contenían los espléndidos trajes de luces utilizados por los toreros famosos desde el siglo XVII, cuando fue construida la Maestranza. Toda la historia de la plaza estaba exhibida en aquellas salas con olor a humedad.

Bourne no estaba interesado en nada de lo mostrado en aquel vistoso despliegue; sólo buscaba el baño, que estaba al fondo del museo, al lado de una sala poco utilizada. Una vez dentro, hizo que Tracy buscara algún líquido de limpieza y se lo aplicara a la herida de la espalda. El lacerante dolor lo dejó sin respiración y, de paso, sin conocimiento.

Lo despertó la mano de Tracy sobre su hombro. Lo estaba sacudiendo, lo que hacía que la cabeza le doliera aún más.

—¡Despierta! —le ordenó ella en tono apremiante—. Estás en peor forma de lo que aparentas. Tengo que sacarte de aquí.

Él asintió con la cabeza; las palabras eran vagas, aunque el mensaje se registró. Juntos, volvieron a atravesar el museo con paso vacilante en dirección a la entrada independiente que salía a la calle en el extremo opuesto a la entrada principal de la plaza de toros. Tracy descorrió el cerrojo de la puerta y asomó la cabeza fuera. Cuando hizo un gesto, Bourne salió a la casi oscuridad.

Tracy debía de haber utilizado el móvil para llamar a un taxi, porque lo siguiente que supo Bourne es que lo estaba metiendo en un asiento trasero y que ella se inclinó hacia delante para indicarle una dirección al conductor cuando se sentó a su lado.

Una vez que arrancaron, Tracy se volvió y miró por la ventanilla trasera.

—La Maestranza está plagada de policías —dijo—. Lo que quiera que hicieras los ha puesto como locos.

Pero Bourne no la oyó; ya se había desmayado.

Soraya y Amun Chalthoum llegaron a Al Ghardaqah poco antes del mediodía. No muchos años antes, el lugar no era más que un modesto pueblo de pescadores, pero la combinación de la iniciativa egipcia con el capital extranjero lo había convertido en un destacado centro turístico del mar Rojo. El centro del pueblo era El Dahar, el más antiguo de los tres sectores, que acogía las villas y el bazar tradicionales. Como ocurría con la mayoría de las ciudades costeras de Egipto, Al Ghardaqah no se adentraba demasiado en tierra firme, sino que se aferraba a la costa del mar Rojo como si le fuera la vida en ello. El barrio de Sekalla era más moderno, y la proliferación de hoteles baratos lo había vuelto desagradable. El Korra Road era más bonito, plagado de hoteles de lujo, exuberantes plantíos, fuentes fastuosas y complejos residenciales privados tapiados, propiedad de magnates rusos que no tenían nada mejor en qué invertir el dinero que tan fácilmente ganaban.

Primero fueron a hablar con los pescadores... Vamos, con lo que quedaba de ellos, pues el tiempo y el negocio turístico los habían diezmado. Eran ancianos ya, con la piel arrugada y morena como cuero ajado, los ojos desvaídos por el sol, las manos como tablones, endurecidas por el trabajo, nudosas y con unos enormes nudillos de decenios de faenar en el mar. Sus hijos los habían abandonado para irse a trabajar a oficinas con aire acondicionado o aviones que volaban muy alto, olvidando su terruño. Eran los últimos de su estirpe, y por consiguiente cerrados, y su suspicacia se agudizaba por los embaucadores egipcios que les quitaban sus embarcaderos para acomodar sus motos náuticas. El miedo innato que sentían por Chalthoum y su al-Mokhabarat se manifestó en una fría hostilidad. Después de todo, debían de haber razonado, habiéndolo perdido todo, ¿qué más podían perder?

Por otro lado, quedaron subyugados con Soraya. Les encantó la dulzura con que les habló al mismo tiempo que admiraron su belleza y su cuerpo bien proporcionado. Respondieron a las preguntas en consideración a ella, aunque insistieron en que sería imposible que alguien que no perteneciera a su cerrado círculo se hiciera pasar por un pescador nativo sin que ellos lo supieran. Conocían de vista todas las barcas y barcos que surcaban las aguas locales, y le aseguraron que no había ocurrido nada fuera de lo ordinario en su memoria colectiva reciente.

—Pero hay unas empresas de buceo —les dijo un marinero de pelo gris. Sus manos, que entretanto remendaban unas redes, eran tan grandes como su cabeza. Escupió a un lado para mostrar su desagrado—. ¿Quién sabe quiénes son sus clientes? Y en cuanto a sus empleados, bueno, parecen cambiar todas las semanas, así que nadie puede controlarlos, y mucho menos estar pendiente de sus ires y venires.

Soraya y Chalthoum se repartieron la lista de veinticinco empresas de buceo que les habían proporcionado los pescadores y se encaminaron a un extremo diferente de la ciudad cada uno, acordando reunirse en una tienda de alfombras del bazar de El Dahar cuyo dueño era un buen amigo de él.

Soraya bajó hasta el mar, donde visitó, una a una, ocho de las empresas de buceo, que fue tachando de la lista sucesivamente. Subió a las embarcaciones de todas, interrogó a los patrones y a la tripulación, examinó los registros de clientes de las últimas tres semanas. A veces tuvo que esperar el regreso de los barcos; en otras ocasiones, el propietario fue lo bastante amable para llevarla hasta los lugares de inmersión. Al cabo de cuatro horas de trabajo frustrante haciendo las mismas preguntas y obteniendo idénticas respuestas, se enfrentó a la realidad: aquélla era una tarea imposible. Era como buscar una aguja en una fila interminable de almiares. Aunque los terroristas hubieran utilizado aquel método para entrar en Egipto, no había ninguna seguridad de que los monitores de buceo lo supieran. ¿Y cómo narices habrían justificado la presencia de un cajón lo bastante grande para albergar el Kowsar 3? Una vez más, la asediaban las dudas sobre la historia de Amun y el temor de que hubiera estado implicado en el derribo del avión de pasajeros.

¿Qué estoy haciendo aquí?, pensó. *¿Y si Amun y al-Mokhabarat son los verdaderos culpables?*

Desesperada, decidió darle puerta a toda la misión después de que entrevistara al personal de la novena empresa de buceo. La trasladó a su barco un egipcio de pelo gris que no paraba de escupir por la borda. Hacía un calor extraordinario, y el sol le caía a plomo sobre la cabeza. Incluso con las gafas de sol puestas, todo parecía desvaído bajo la luz deslumbrante. El salitre del mar, embriagador y mineral, le llenaba las orificios de las narices. La rutina había minado su entusiasmo, de lo contrario habría reparado en el joven de pelo rubio oscuro alborotado que se alejó de ella poco a poco cuando fue presentada por el dueño de la empresa de buceo. Empezó sus interrogatorios, haciendo siempre la misma pregunta: ¿ha reparado en alguna cara desconocida en las últimas tres semanas? ¿En algún grupo de supuestos egipcios que llegaran en otro barco y que desembarcaran el mismo día? ¿En algún bulto insólitamente grande? No, no, y no… ¿Qué otra cosa esperaba?

No vio que el joven del pelo alborotado recogía su equipo al mismo tiempo que retrocedía, y no fue hasta que saltó por la borda que Soraya se despertó de su letargo de aburrimiento. Mientras echaba a correr, se deshizo del bolso, se quitó los zapatos y se zambulló en el mar tras él. El joven se había puesto unas gafas de buceo y una bombona de oxígeno antes de saltar por la borda, y Soraya lo vio debajo de ella. Aunque él no llevaba aletas, estaba sumergiéndose a considerable profundidad, donde debía de sospechar que ella —que no iba equipada de manera similar— no lo seguiría.

Estaba equivocado, tanto en lo relativo a la capacidad como a la decisión de Soraya. Su padre la había tirado a una piscina al cumplir un año para notable espanto de su madre, y le había enseñado aguante, resistencia y velocidad, todo lo cual le había servido de mucho durante el instituto y la universidad, cuando había ganado todos los premios imaginables. Podía haber formado parte del equipo olímpico, pero para entonces los servicios de inteligencia ya la habían reclutado y tenía cosas más importantes a la vista.

Se impulsó hacia abajo, hendiendo el agua como un cuchillo, pero al acercarse a él, el rubio se dio la vuelta, sobresaltado por la rapidez con que se acercaba Soraya, y levantó su fusil submarino. Ya estaba amartillando el mecanismo que hacía retroceder el cerrojo con lengüeta, cuando ella lo golpeó. El hombre mantuvo el arma agarrada con tenacidad, logrando prepararla para el disparo al mismo tiempo que Soraya giraba el cuerpo hacia atrás. Entonces la golpeó en la sien con la culata del fusil, y cuando logró que ella le soltara, bajó el arpón hasta apuntarlo directamente a su pecho.

Soraya hizo una tijereta con las piernas pateando con fuerza justo antes de que él apretara el gatillo, y la varilla pasó por su lado como una exhalación. Entonces lo agarró. Ya no estaba interesada en el arma, ni en las manos ni los pies del joven. Lo único imperioso para ella era arrancarle la máscara de buceo, igualar el campo de batalla entre los dos, porque empezaba a notar que le quemaban los pulmones y sabía que no podría permanecer bajo el agua mucho más tiempo.

Los fuertes latidos de su corazón iban desgranando los segundos: uno, dos, tres, mientras luchaban, hasta que por fin logró arrancarle la máscara. El agua golpeó la cara del sujeto y, aunque se retorció a izquierda y derecha, Soraya le arrancó la boquilla y se la metió en la boca, tomando un par de bocanadas de oxígeno antes de empezar a ascender pateando, sujetando al rubio con una llave. Cuando salieron a la superficie, la joven escupió la boquilla.

El capitán había levado el ancla mientras estaban bajo el agua, y en ese momento maniobró para acercarse lo suficiente y que quedaran al alcance de las manos que se estiraron para subirlos a los dos a bordo.

—Tráigame mi bolsa —dijo Soraya sin resuello, mientras se sentaba sobre la espalda del joven, inmovilizándolo contra la cubierta. Respiró hondo y acompasadamente varias veces, se apartó el pelo de la cara y sintió que el agua ya caliente por el sol le corría gota a gota por los hombros.

—¿Es éste al que estaba buscando? —le preguntó con preocupación el propietario, cuando le entregó el bolso—. No lleva aquí más de tres días.

Después de sacudirse las manos para secarlas, Soraya hurgó en el bolso en busca del teléfono. Lo abrió, acompasó aún más su respiración y marcó el número de Chalthoum. Cuando el egipcio contestó, le contó dónde estaba.

—Buen trabajo. Me reuniré contigo en el muelle dentro de diez minutos —dijo él.

Después de guardar el móvil, Soraya miró al joven que tenía debajo.

—Quítese de encima —dijo, jadeando—. No puedo respirar.

Ella sabía que sentarse sobre su diafragma no era de ninguna ayuda, pero no fue capaz de sentir compasión.

—Hijito —dijo—, se viene al mundo a sufrir.

Bourne se despertó en una maraña de sombras. El leve siseo intermitente del tráfico atrajo su mirada hacia una ventana oculta en las sombras. Fuera, las farolas brillaban en la oscuridad. Estaba tumbado de costado en lo que parecía una cama. Movió la cabeza y paseó la vista por la habitación, que era pequeña, amueblada acogedoramente, aunque no parecía del todo habitada. A través de la rendija de una puerta entreabierta se veía un salón. Se movió, teniendo la sensación de estar solo. ¿Dónde estaba? ¿Y dónde estaba Tracy?

En respuesta a su segunda pregunta, oyó abrirse la puerta principal en el salón y reconoció el andar brioso y rápido de la joven al atravesar el suelo de madera. Cuando entró en el dormitorio, Bourne intentó incorporarse.

—Por favor, no lo hagas, sólo empeorarías tu herida —dijo ella. Dejó algunos paquetes y se sentó a su lado en la cama.

—Apenas era un rasguño lo que tenía en la espalda.

Ella negó con la cabeza.

—Algo un poco más profundo, aunque me refería a la herida de tu pecho. Ha empezado a sangrar. —Desenvolvió los productos que a todas luces había comprado en una farmacia local: alcohol, una pomada antibiótica, gasas estériles y cosas parecidas—. Ahora quédate quieto.

Mientras arrancaba el vendaje viejo y limpiaba la herida, dijo:

—Mi madre me previno contra los hombres como tú.

—¿Qué tengo de malo?

—Siempre andas metiéndote en problemas. —Los dedos de Tracy se movían con rapidez, con destreza, con aplomo—. La diferencia es que sabes salir de todos los líos que surgen a tu alrededor.

Bourne hizo una mueca de dolor, aunque no retrocedió.

—No me queda más remedio.

—Oh, no creo que eso sea verdad. —Hizo un gurruño con varias gasas sucias y cogió otra limpia, que empapó en alcohol y la aplicó a la carne enrojecida—. Creo que te gusta meterte en problemas, que eres así, que serías desdichado (y lo que aún sería peor para ti, que te aburrirías) si no lo hicieras.

Bourne se rió débilmente, aunque le pareció que no andaba desencaminada.

Tracy examinó la herida una vez limpia.

—No tiene tan mal aspecto, así que dudo que necesites tomar antibióticos de nuevo.

—¿Eres médico?

—En ocasiones, cuando tengo que serlo.

—Esa respuesta requiere una explicación.

Ella le palpó la carne alrededor de la herida.

—¿Qué demonios te ocurrió?

—Me dispararon, pero no cambies de tema.

Ella asintió con la cabeza.

—De acuerdo, cuando era joven (muy joven) estuve dos años en África Occidental. Se produjeron disturbios, enfrentamientos y se cometieron atrocidades terribles. Estaba destinada en un hospital de campaña donde aprendí a catalogar urgencias y vendar heridas. Un día estábamos tan sobrecargados de heridos y moribundos que el médico me puso un instrumento en la mano y dijo: «Hay herida de entrada, pero no de salida. Si no le saca la bala a su paciente, morirá». Entonces se fue a atender a otros dos pacientes de inmediato.

—¿Y tu paciente murió?

—Sí, pero no por la herida. Era un enfermo terminal antes de que le dispararan.

—Eso debió de ayudar algo.

—No —dijo ella—, no ayudó. —Tras arrojar las últimas vendas usadas a una papelera, aplicó la pomada antibiótica y empezó el proceso de vendaje—. Esta vez tienes que prometer que no te extralimitarás. Si vuelve a sangrar, será peor. —Se echó hacia atrás e inspeccionó su trabajo—. Lo ideal sería que fueras a un hospital o que al menos te viera un médico.

—Éste no es un mundo ideal —replicó Bourne.

—Ya me había dado cuenta.

Tracy lo ayudó a incorporarse.

—¿Dónde estamos? —preguntó él.

—En un apartamento de mi propiedad. Estamos al otro lado de la ciudad de donde se encuentra la Maestranza.

Bourne se trasladó a una silla y se sentó con prudencia. Sentía el pecho como si estuviera hecho de plomo. Le palpitaba con un malestar sordo, como si fuera el recuerdo de un antiguo dolor.

—¿No tenías una cita con don Fernando Herrera?

—La pospuse. —Tracy lo miró inquisidoramente—. Era totalmente imposible ir sin ti, el profesor Alonso Pecunia Zúñiga. —Estaba hablando del experto en Goya del Prado al que Bourne iba a suplantar. Entonces sonrió de pronto—. Me gusta demasiado el dinero para gastarlo cuando no lo tengo.

Se levantó y se dirigió de nuevo a la cama.

—Pero ahora tienes que descansar.

Bourne iba a contestar, pero ya se le estaban cerrando los párpados. Con la oscuridad llegó un sueño profundo y apacible.

Arkadin obligaba a sus reclutas a avanzar por el desolado paisaje de Nagorni Karabaj, haciéndolos trabajar veintiuna horas al día. Cuando empezaban a adormilarse de pie, les golpeaba con su bastón defensivo; jamás tuvo que golpear a ninguno dos veces. Dormían durante tres horas allí donde la casualidad los encontrara, repanchigados sobre el suelo, todos excepto Arkadin, para quien hacía meses que dormir estaba proscrito. En su lugar, su mente se llenaba de escenas del pasado, de sus últimos días en Nizhni Tagil, cuando los hombres de Stas le pisaban los talones y parecía que la única alternativa era que matara a todos los que pudiera, antes de que lo mataran a él a tiros.

No tenía miedo a morir; eso lo tuvo claro desde el inicio de su reclusión obligada en el sótano, cuando sólo se podía aventurar de noche a hacer rápidas incursiones en busca de alimentos y agua fresca. Encima de él había un hervidero de actividad, mientras los miembros restantes de la banda de Stas coordinaban febrilmente su búsqueda, cada vez más intensa. A medida que los días se fueron convirtiendo en semanas, y éstas en meses, podría haber tenido motivos para pensar que la banda pasaría a ocuparse de otros asuntos, pero no, alimentaban su rencor como un bebé con cólicos, inhalando su veneno hasta que todos sin excepción se vieron poseídos por una obsesión inquebrantable. No descasarían hasta que arrastraran su cadáver por las calles, como lección práctica para cualquiera que pudiera ocurrírsele interferir en sus asuntos.

Incluso los policías, que de todas maneras estaban a sueldo de la banda, habían sido captados por la red que se extendía por toda la ciudad por los aleatorios estallidos de violencia que se producían en Nizhni Tagil noche tras noche. Solía pagárseles para que hicieran la vista gorda, incluso a veces para que se lo tomaran a chacota, pero no en ese momento, cuando los ataques se habían intensificado hasta un nivel que los convirtió en el hazmerreír a los ojos de la policía estatal. Era habitual que pensaran que en vez de apretar las tuercas a la banda de Stas, era mejor coger el camino fácil y ceder a sus exigencias. Así que casi todo el mundo andaba ojo avizor por si aparecía Arkadin; no había el menor descanso, así que el fin sólo podía ser desagradable.

Fue entonces cuando Mijail Tarkanian, a quien Arkadin terminaría llamando Misha, llegó a Nizhni Tagil desde Moscú. Lo había enviado su jefe, Dimitri Ilyinovich Maslov, jefe de la Kazanskaya, la familia más poderosa de la *grupperovka* moscovita, que se dedicaba al tráfico de drogas y al comercio ilegal de vehículos. Maslov había oído hablar de Arkadin por medio de sus muchos ojos y oídos, se había enterado del baño de sangre que había provocado él solito y del punto muerto en que se encontraba la situación. Quería que le llevaran a Arkadin a su presencia. «El problema —había dicho Maslov a sus hombres —es que la Stas quiere despedazarlo.» Les había entregado una carpeta. Dentro había un juego de fotografías de vigilancia en blanco y negro con mucho grano, una galería de los miembros que quedaban de la banda de Stas, cada una con el nombre escrito pulcramente en el reverso. En efecto, los ojos y los oídos de Maslov habían estado ocupados, y a Tarkanian se le ocurrió, aunque no así al ceñudo Oserov, que Maslov debía de querer desesperadamente a Arkadin para estar dispuesto a meterse en tantos problemas a fin de sacarlo de lo que parecía una situación sin salida.

Maslov podría haber puesto a su ejecutor jefe, Vylacheslav Germanovich Oserov, al mando del grupo de asalto encargado de capturar a Arkadin por la fuerza, pero Maslov era un astuto administrador de su poder. Era mucho mejor convertir a la banda de Stas en parte de su imperio que empezar una sangrienta guerra con quien fuera que quedara después de que su gente se encargara de ellos.

Así que en su lugar había enviado a Tarkanian, su negociador político principal. Ordenó a Oserov que lo acompañara para protegerlo, un encargo que éste despreció sin reserva; de hecho, no paraba de insistir en que si Maslov lo hubiera escuchado, él, Oserov, podría haber arrebatado fácilmente a Arkadin a aquellos babuinos palurdos de Nizhni Tagil, como los llamaba.

—Habría llevado a ese tal Arkadin a Moscú en cuarenta y ocho horas, garantizado —le dijo a Tarkanian varias veces durante el tedioso viaje a las estribaciones de los montes Urales.

Cuando llegaron a Nizhni Tagil, Tarkanian estaba hasta las narices de Oserov, que, como le diría más tarde a Arkadin, «fue como si llevara un pájaro carpintero atado a la cabeza».

En cualquier caso, aun antes de que los emisarios de Maslov abandonaran Moscú, Tarkanian había perfilado un plan para sacar a Arkadin de su aprieto. Era un hombre con una mente maquiavélica innata. Los acuerdos que había alcanzando para Maslov eran legendarios, tanto por su complejidad desconcertante como por su infalible efectividad.

—La misión es desorientar —le había dicho a Oserov cuando se acercaban a su destino—. Y para eso necesitamos crear un hombre de paja para que la banda de Stas lo persiga.

—¿A qué te refieres con que «necesitamos»? —dijo Oserov con su habitual mal genio.

—Me refiero a que eres el hombre perfecto para crearme ese hombre de paja.

(«Oserov me miró con aquella mirada siniestra que tenía —le diría Tarkanian a Arkadin mucho tiempo después—, pero no podía hacer otra cosa que gañir como un perro apaleado. Sabía lo importante que era yo para Dimitri, y aquello lo mantuvo a raya. A duras penas.»)

—Tienes razón en una cosa: en que tratamos con babuinos —le había dicho a Oserov, lanzándole carnaza—. Y a los babuinos sólo se les motiva con dos cosas: la zanahoria y el palo. Te voy a proporcionar la zanahoria.

—¿Por qué habrían de querer hacer algo contigo? —preguntó Oserov.

—Porque en cuanto lleguemos a nuestro destino, vas a hacer lo que mejor sabes hacer: convertir sus vidas en un infierno.

Aquella respuesta había arrancado una extraña sonrisa a Oserov.

«¿Y sabes lo que dijo entonces? —le diría Tarkanian en un

susurro a Arkadin mucho tiempo después—. Dijo: "Cuanta más sangre, mejor".»

Y lo decía en serio. Cuarenta y tres minutos después de que entrara en Nizhni Tagil, Oserov encontró a su primera víctima, uno de los más antiguos y leales soldados de Stas. Le metió una bala por el oído a dos pasos y luego se dedicó a hacer una carnicería con él. Eso sí, le dejó la cabeza intacta, y se ensañó en la cavidad pectoral en una burda parodia de una película de terror barata.

Huelga decir que el resto de los hombres de Stas se enfurecieron. Los negocios se pararon en seco. Destacaron a tres escuadrones de la muerte, de tres hombres cada uno, para que buscaran a aquel nuevo asesino. Sabían que no era Arkadin porque el asesinato no era su método habitual. Sin embargo, no estaban asustados, aunque eso ya llegaría; si había algo que Oserov sabía engendrar en los demás era el miedo. Tras escoger a otra víctima al azar entre las fotos del expediente que Maslov les había entregado, empezó a seguir los pasos del miembro de la banda. Al encontrarlo en la entrada de su casa, con la puerta abierta y sus hijos asomando la cabeza, le disparó, haciéndole añicos el fémur derecho. Mientras los hijos de su víctima gritaban y la esposa corría a la puerta principal desde la cocina, Oserov atravesó corriendo la acera, subió de un salto los escalones de hormigón y le metió tres balas en el abdomen, exactamente en los lugares donde sangraría más profusamente.

Ése fue el segundo día. Oserov sólo estaba entrando en calor; algo bastante peor estaba por llegar.

—Pinprick —dijo Humphry Bamber—. ¿A qué se refiere con eso de Pinprick?

Veronica Hart lanzó una mirada nerviosa a Moira.

—Esperaba que pudiera decírmelo usted —dijo.

El móvil de Hart sonó y, tras apartarse lo suficiente para que no la oyeran, lo cogió. Cuando regresó, anunció:

—Los refuerzos que pedí esperan fuera.

Moira asintió con la cabeza y se inclinó hacia delante, hacia Bamber, con los antebrazos apoyados en la rodilla que tenía cruzada.

—La palabra Pinprick estaba unida al nombre de su programa de *software*.

Bamber paseó la mirada de ella a la directora de IC.

—No lo entiendo.

Moira sintió que se quedaba sin aire.

—Me reuní con Steve poco antes... antes de que desapareciera. Estaba aterrorizado por lo que estaba pasando en el Departamento de Defensa y en el Pentágono. Dio a entender que la niebla de la guerra, la incertidumbre bélica, había empezado a impregnar la atmósfera de ambos lugares.

—¿Y qué?, ¿cree que Bardem tiene algo que ver con esa tal niebla de la guerra?

—Sí —dijo Moira con convicción—. Lo creo.

Bamber había empezado a sudar.

—¡Dios mío! —dijo—, si hubiera tenido la menor idea de que la situación real para la que Noah iba a utilizar el programa incluía la guerra...

—Perdone —dijo Moira con acaloramiento—, pero Noah Perlis es un alto cargo de Black River. ¿Cómo podía usted no saberlo... o al menos sospecharlo?

—Echa el freno, Moira —dijo Hart.

—No echaré el freno. Este... sabio idiota... ha entregado a Noah las llaves del castillo. Y gracias a su estupidez, Noah y la NSA están planeando algo.

—¿Qué algo? —la voz de Bamber era casi suplicante. Parecía desesperado por saber de qué era cómplice.

Moira meneó la cabeza.

—Ésa es la cuestión, que no sabemos de qué se trata, pero le diré una cosa: a menos que lo averigüemos y los paremos, me temo que todos viviremos para lamentarlo.

Bamber, a todas luces impresionado, se levantó.

—Todo lo que pueda hacer, cualquier cosa en la que pueda ser de ayuda, no tienen más que decírmelo.

—Vaya a vestirse —dijo Hart—. Luego nos gustaría echar un vistazo a Bardem. Confío en que a partir del propio programa podamos hacernos una idea más clara de lo que Noah y la NSA tienen en mente.

—No tardaré ni un minuto —replicó Bamber, y salió precipitadamente del despacho.

Las dos mujeres permanecieron sentadas en silencio durante un rato. Entonces Hart preguntó:

—¿Por qué tengo la sensación de que me están engañando?

—¿Te refieres a Halliday?

Hart asintió con la cabeza.

—El secretario de Defensa ha decidido tender la mano al sector privado para lo que sea que tenga en la cabeza... y no te quepa la menor duda de que Noah Perlis puede ser todo lo inteligente que quieras, pero está recibiendo sus órdenes directamente de Bud Halliday.

—Y también llevándose su dinero —añadió Moira—. Me pregunto cuál va a ser la factura de Black River para esta pequeña aventura.

—Moira, cualquiera que hayan sido nuestras diferencias en el pasado, estamos de acuerdo en una cosa: que nuestro antiguo empleador carece de escrúpulos. Black River hará cualquier cosa, si el precio es el apropiado.

—Halliday tiene unos recursos prácticamente ilimitados: el Departamento del Tesoro. Tú y yo vimos los vagones de billetes de cien dólares que Black River transportó de aquí a Irak durante los primeros cuatros años de la guerra.

Hart asintió con la cabeza.

—Cien millones en cada vagón, ¿y adónde fue a parar el dinero? ¿A la lucha contra la insurgencia? ¿A pagar al ejército de informadores nativos del que Black River afirmaba recibir sus informaciones? No, tú y yo sabemos, porque lo vimos, que el noventa por ciento fue a las cuentas opacas de Liechtenstein y las Caimán de empresas fantasmas pertenecientes a Black River.

—Ahora no tienen que robarlo —dijo Moira con una risa cínica—, porque Halliday se lo está dando.

Se levantaron y salieron del despacho al cabo de un rato, momento en el que Humphry Bamber salió del vestuario de caballeros. Iba vestido con unos vaqueros pulcramente planchados, mocasines relucientes, camisa a cuadros negros y azules y un chaquetón de ante gris.

—¿Hay otra salida? —le preguntó Moira.

Bamber se la indicó.

—Hay una entrada de empleados y mercancías detrás de la administración.

—Iré a por mi coche.

—Espera. —Hart abrió el móvil—. Es mejor que lo haga yo; mi gente está fuera y tengo que darles instrucciones para que se desplieguen en el exterior de la entrada principal y que así parezca que lo sacamos por ahí. —Extendió la mano y Moira le entregó las llaves—. Luego iré a por tu coche y os recogeré a los dos en la parte de atrás. ¿Moira?

Moira sacó su Lady Hawk personalizado de la cartuchera del muslo mientras Bamber asistía a todo esto con los ojos como platos y la boca medio abierta.

—¿Qué demonios está pasando? —preguntó.

—Que está recibiendo la protección que quería —respondió Hart.

Cuando desapareció por el pasillo, Moira le hizo un gesto a Bamber y dejó que la guiara de nuevo a las oficinas de la administración. Utilizó su identificación facilitada por el Departamento de Defensa para silenciar a los pocos encargados que cuestionaron su presencia en las oficinas del gimnasio.

Cuando se aproximaban a la puerta trasera, Moira sacó su teléfono y marcó el número privado de Hart. En cuanto la directora de IC respondió, dijo:

—Estamos en posición.

—Cuenta hasta veinte —contestó Hart— y entonces sácalo.

Moira cerró con fuerza su teléfono y lo guardó.

—¿Listo?

Bamber asintió con la cabeza, aunque aquélla no fue realmente una pregunta.

Moira terminó de contar, abrió de un tirón la puerta con la mano que tenía libre y, pistola en ristre, salió ofreciendo sólo su perfil. Hart había detenido el Buick blanco justo enfrente de la entrada y había abierto la puerta trasera más próxima al gimnasio.

Moira miró hacia todos los lados. Estaban en una zona apartada del aparcamiento. La zona asfaltada estaba rodeaba por una valla metálica de más de tres metros y medio de altura coronada con alambre de espino. A la izquierda, entre los contenedores de la basura orgánica, había una hilera de enormes cubos con tapa para los desperdicios y los materiales reciclables del gimnasio. A la derecha estaba el punto donde se cambiaba de sentido para salir del aparcamiento. Más allá se alzaban las manzanas de pisos de aspecto anónimo y los edificios de uso mixto. No había ningún otro vehículo en aquella sección del aparcamiento, y la vista de la calle estaba tapada por la malla protectora del exterior de la valla.

Moira miró por encima del hombro y estableció contacto visual con Bamber.

—Vale —dijo—, mantenga la cabeza agachada y métase en el asiento trasero lo más deprisa que pueda.

El hombre se agachó y recorrió rápidamente la corta distancia entre la entrada y el Buick sin que Moira dejara de cubrirlo ni un instante. Una vez en la seguridad del vehículo, Bamber se desplazó como pudo por el asiento hasta el otro extremo.

—¡Agache la cabeza! —le ordenó Hart, girando el torso en el asiento delantero—. Y manténgala así pase lo que pase.

Luego llamó a Moira.

—¡Vamos, vamos! ¿A qué estás esperando! ¡Salgamos de aquí a toda pastilla!

Moira rodeó el Buick por la parte trasera y echó una última mirada de comprobación hacia los cubos de basura colocados contra la verja. ¿Se había movido algo allí o era sólo una sombra? Avanzó algunos pasos hacia los cubos, pero Veronica Hart sacó la cabeza por la ventanilla.

—¡Maldita sea, Moira!, ¿te quieres meter en el coche?

Moira se dio la vuelta. Agachó la cabeza, rodeó la parte posterior del Buick y se paró en seco. Entonces se arrodilló y miró por el tubo de escape. Allí había algo, algo con un diminuto ojo rojo, un diodo electromagnético que empezó a parpadear rápidamente en ese preciso instante...

¡Joder!, pensó. *¡Dios mío!*

Rodeó el coche hasta la puerta abierta y gritó:

—¡Salid! ¡Salid ahora mismo!

Se inclinó, tiró de Bamber a través del asiento de piel y lo sacó a rastras del coche.

—¡Ronnie! —gritó—, ¡sal de ahí! ¡Sal del condenado coche!

Vio que Hart se volvía, momentáneamente desconcertada, y se movía para desabrochar el cinturón de seguridad. Enseguida resultó evidente que algo iba mal, porque no podía soltarse; algo la entorpecía o el mecanismo de cierre no funcionaba.

—Ronnie, ¿tienes una navaja?

Hart había sacado un cortaplumas y estaba cortando a toda prisa la tela que la retenía.

—¡Ronnie! —gritó Moira—. ¡Por amor de Dios...!

—Llévatelo —le gritó Hart, y entonces, cuando Moira dio un paso hacia ella, añadió—: ¡Vete de una puñetera vez!

Un instante después el Buick se convertía en una bengala y la onda expansiva tiraba a Moira y a Bamber violentamente contra el asfalto, rociándolos con trozos incandescentes de plástico y espirales de metal caliente que pinchaban como un enjambre de abejas que salieran de su colmena.

17

El ronco tañido de las campanas de una catedral despertó a Bourne. El sol se filtraba por la celosía de la ventana formando unos dedos de oro claro que se alargaban por la tarima encerada.

—Buenos días, Adam. La policía te anda buscando.

Tracy se había parado en el umbral de la puerta y apoyado contra una de las jambas. Un intenso aroma a café recién hecho entró con ella y se arremolinó tentadoramente sobre Bourne como una bailarina de flamenco.

—Lo dijeron en la televisión esta mañana temprano. —Había cruzado los brazos por delante del pecho. El pelo, liso y brillante, todavía mojado por la ducha, lo llevaba recogido en un coleta atada con una cinta de terciopelo negro que se lo retiraba del rostro. Tenía la cara brillante, recién lavada. Pantalones deportivos marrón oscuro, camisa de hombre color crema y zapatos sin tacones componían su atuendo. Parecía preparada para ir a ver a don Fernando Herrera o para lo que fuera que pudiera deparar el día—. Aunque no te preocupes, no tienen tu nombre, y el único testigo, un vigilante de la Maestranza, no supo o no fue capaz de hacer una descripción fiable de ti.

—Me vio con muy poca luz. —Bourne se incorporó y se desplazó por la cama—. A veces sin ninguna luz.

—Mejor para ti.

¿Era de cinismo la sonrisa que le dedicó? En su estado, Bourne fue incapaz de decidirlo.

—He preparado el desayuno, y a las tres de la tarde tenemos una cita para ver a don Fernando Herrera.

A Bourne le seguía palpitando la cabeza, y con la boca tan seca como un desierto, sólo percibía un regusto acerbo que era ligeramente nauseabundo.

—¿Qué hora es? —preguntó.

—Las nueve recién pasadas.

Al flexionarlo, se dio cuenta de que el brazo que Cara Cortada le había intentado romper había mejorado, y la herida superficial de la espalda apenas le escocía, aunque el dolor del pecho le hizo dar un respingo cuando se rodeó la cintura con la sábana encimera y se levantó de la cama.

—Perfecto —dijo Tracy—. Un senador romano.

—Confiemos en que esta tarde parezca más castellano que romano —dijo Bourne mientras se dirigía descalzo al cuarto de baño—, porque quien te acompañará esta tarde a ver al señor Herrera será el profesor Alonso Pecunia Zúñiga.

Tracy lo miró con curiosidad, se dio la vuelta y volvió a entrar en el salón. Bourne cerró la puerta del baño tras él y se metió a toda prisa en la ducha. Encima del lavabo había un espejo rodeado de unas pequeñas bombillas: el baño de una mujer, decidió, pensado para maquillarse.

Al volver al dormitorio después de ducharse, se encontró un grueso albornoz en el que se envolvió. Tracy le había cubierto la herida del pecho con un vendaje impermeable en el que Bourne no había reparado hasta que se metió debajo del chorro del agua caliente.

Cuando entró en el salón, Tracy estaba vertiendo el café en un tazón descomunal. La pequeña cocina era apenas una hornacina en uno de los extremos de la diáfana habitación única, que aunque espaciosa, al igual que el dormitorio, contaba con tan pocos muebles y tan impersonales como la habitación de un hotel. Sobre la mesa de caballete de madera estaba servido un típico desayuno popular andaluz: un tazón de chocolate caliente y un plato de churros espolvoreados con azúcar.

Bourne sacó una silla y se pusieron a desayunar, y aunque ella le dejó todos los churros para él, él seguía hambriento cuando terminó. Así que se dirigió al frigorífico.

—Me temo que no hay gran cosa ahí dentro —dijo ella—. Llevo sin venir aquí algún tiempo.

Sin embargo, Bourne encontró un poco de beicon en la nevera. Mientras lo freía, ella dijo:

—Apúntame tu talla y te compraré ropa nueva.

Él asintió con la cabeza.

—Cuando salgas a comprarla, necesito que me hagas un recado. —Después de encontrar un lápiz y una libreta en la encimera de la cocina, Bourne arrancó una hoja y escribió una lista de cosas, junto con la talla de la ropa.

Cuando le entregó la hoja de papel, Tracy le echó un vistazo y dijo:

—¿El profesor Zúñiga, supongo?

Él asintió con la cabeza, ocupándose de las lonchas doradas de tocino.

—Ayer te di las direcciones de las tiendas de accesorios de teatro que había encontrado. Nos dirigíamos allí cuando Cara Cortada olió nuestro rastro.

Tracy se levantó, cogió el bolso y fue hacia la puerta.

—Esto me llevará cerca de una hora —dijo—. Mientras, disfruta del resto de tu desayuno.

Después de que se fuera, Bourne retiró la sartén del fuego y puso el beicon sobre una hoja de papel de cocina. Luego volvió a la libreta. La hoja que había arrancado era del medio, porque quería mantener intacta la de arriba. Inclinando casi horizontalmente el lápiz, pasó la mina ligeramente sobre la hoja. Las letras empezaron a tomar forma, la huella dejada por la última nota que alguien —presumiblemente Tracy— había escrito.

Surgieron sobre el papel el nombre y la dirección del señor Herrera, así como la hora, las tres de la tarde, como ella le había dicho. Arrancó la hoja y se la metió en el bolsillo. Fue entonces cuando reparó en las hendiduras en la que en ese momento era la primera hoja de la libreta. También la arrancó, y al pasar la mina del lápiz sobre esa hoja, aparecieron una línea de números y letras que se amontonaban entre sí.

Se comió el beicon de pie junto a la ventana que daba a la calle, mientras miraba fijamente la brillante mañana. Todavía era demasiado temprano para que la gente se dirigiera a la feria, pero el afiligranado balcón morisco del edificio de enfrente estaba enguirnaldado con flores y alegres trapos de colores. Escudriñó los dos lados de la calle buscando a alguien o algo que resultara siquiera remotamente sospechoso, sin resultado alguno. Vio a una mujer joven cruzando la calle con tres niños, y a una vieja pequeña y encorvada vestida de negro que llevaba una bolsa de malla llena de frutas y verduras.

Después de meterse el último trozo de beicon en la boca, se limpio las manos con el trapo de la cocina y atravesó la habitación hasta el ordenador portátil de Tracy, colocado en el otro extremo de la mesa de caballete. Estaba encendido, y Bourne vio que el aparato disponía de una conexión inalámbrica a Internet.

Se sentó delante del portátil e introdujo en Google la serie de números y letras, pero sólo obtuvo este resultado:

La búsqueda de «aveelgamhuria779» no obtuvo ningún resultado.
Sugerencias
*Compruebe que todas las palabras están escritas correctamente.
*Intente usar otras palabras.
*Intente utilizar palabras más generales.

Entonces vio su error y colocó los espacios en los sitios adecuados: «Avenida El Gamhuria, 779». Una dirección, pero ¿de dónde?

Volvió a Google, tecleó «Avenida El Gamhuria», y apareció Jartum, Sudán. Vaya, aquello era interesante. ¿Qué estaba haciendo Tracy con una dirección del norte de África?

Tecleó la dirección completa, incluido el número, que resultó pertenecer a la Air Afrika Corporation. Bourne se recostó en la silla. ¿Por qué le resultaba tan familiar aquel nombre? Había varias entradas para Air Afrika, algunas en sitios verdaderamente raros, y otras en *blogs* de dudosa naturaleza, pero la información que quería la encontró en una entrada de la segunda página de Interpol, donde, citando a diversas fuentes, se especulaba con que Air Afrika pertenecía y estaba gestionada por Nikolai Yevsen, el legendario traficante de armas. Desde que Viktor Anatoliyevich Bout había sido detenido, Yevsen había ocupado su lugar como el mayor y más poderoso traficante de armas del mundo.

Bourne se levantó de la silla, volvió a la ventana y por un acto reflejo escudriñó la calle de nuevo. Tracy era una experta que había comprado un Goya descubierto recientemente. El precio debía de ser astronómico; tal vez sólo un puñado de personas en todo el mundo podría permitírselo. ¿Quién era su cliente?

Con el tañido de las campanas de las iglesias dando la hora, Bourne distinguió la silueta de Tracy cuando entró en su campo de visión. Llevaba una bolsa de la compra de malla. Observó su segura zancada mientras los tacones de sus zapatos matraqueaban rítmicamente sobre la acera. Un hombre joven apareció detrás de ella y los músculos de Bourne se tensaron. A mitad de manzana, el joven levantó un brazo, agitando la mano, y cruzó la calle corriendo hacia donde le esperaba una joven. La pareja se abrazó cuando Tracy entró en el edificio. Al cabo de un instante apareció por la puerta y dejó la bolsa de malla encima de la mesa.

—Si sigues teniendo hambre, he comprando jamón serrano y queso de la Garrotxa. —Colocó la comida, envuelta en papel blanco, encima de la mesa—. El resto es todo lo que me pediste.

Después de vestirse con la ropa cómoda y ligera que Tracy le había escogido, Bourne estudió minuciosamente el contenido de la bolsa de malla, poniendo en fila los objetos, abriendo las tapas y oliendo los contenidos, y asintió con la cabeza para sí.

Ella lo observaba con solemnidad.

—Adam —dijo, atreviéndose a hablar—, no sé en qué andas metido...

—Ya te lo dije —respondió él tranquilamente.

—Sí, pero ahora me doy cuenta de la gravedad de tus heridas, y de que ese hombre que nos siguió tenía un aspecto malvado.

—Era malvado —reconoció Bourne. Entonces levantó la vista hacia ella y sonrió—. Todo esto forma parte del tipo de actividad al que me dedico, Tracy. El dinero ya no flota por ahí como en el año 2000, así que las empresas recién fundadas ya no pueden recaudar tanto. Y eso provoca una competencia feroz. —Se encogió de hombros—. Es inevitable.

—Pero a juzgar por tu aspecto, esta clase de trabajo podría enviarte al hospital.

—Sólo tengo que ser más prudente a partir de ahora.

Ella frunció el entrecejo.

—Te estás riendo de mí. —Se acercó y se sentó a su lado—. Pero esa herida que tienes en el pecho no tiene nada de gracioso.

Bourne sacó la foto que había impreso en el cibercafé y la colocó entre ellos dos.

—Voy a necesitar tu ayuda para convertirme en el profesor Alonso Pecunia Zúñiga.

Tracy permaneció absolutamente inmóvil, estudiando la cara de Bourne con sus ojos transparentes durante un instante. Entonces asintió con la cabeza.

En el tercer día del reino del terror de Oserov cayó un aguacero como nadie en Nizhni Tagil era capaz de recordar, y eso que era una ciudad donde se alimentaba el rencor, lo que significaba que los recuerdos eran tan viejos e intensos como el frío del invierno. El tercer día también había traído otras muertes, algunas tan brutales, tan abominables, que a los que quedaban de las huestes de Stas Kuzin les entró pánico. Un terror que se les metió silenciosamente hasta el tuétano, alojándose allí como un grano de polonio, erosionando su confianza de la misma manera que el material radiactivo corroe la carne.

Todo empezó a primeras horas de la mañana, poco después de las dos, como después alardearía Oserov ante Arkadin.

—Entré con gran sigilo en casa del jefe de la banda, lo até y le obligué a ver lo que le hacía a su familia —le diría Oserov tiempo después a Arkadin.

Cuando hubo terminado, arrastró a su víctima hasta la cocina, donde lo torturó utilizando la punta al rojo vivo de un cuchillo de trinchar que había cogido de un cuchillero de madera. El dolor que le infligió sacó de golpe de su conmoción al ejecutor, que empezó a gritar hasta que Oserov le cortó la lengua.

Al cabo de una hora, Oserov había terminado. Dejó al hombre

en medio de un charco de sangre y vómitos, moribundo. Cuando los compañeros del ejecutor llegaron para recogerlo como hacían todas las mañanas para empezar la patrulla diaria, encontraron la puerta principal abierta, lo que les condujo al matadero del interior. Fue entonces, y sólo entonces, cuando Mijail Tarkanian entró en Nizhni Tagil. Para entonces, aquellos criminales estaban en tal estado de agitación que casi se habían olvidado de Arkadin.

—Lev Antonin, creo que puedo darte la solución a tu problema —le había dicho Tarkanian al nuevo jefe de la banda de Stas cuando se reunió con él en su despacho. Había siete hombres armados hasta los dientes montando guardia—. Encontraré a ese asesino por ti y me ocuparé de él.

—¿Quién eres tú, extranjero? ¿Y por qué habrías de hacer tal cosa? —Lev Antonin lo había mirado recelosamente con los ojos entrecerrados. En las mejillas y barbilla de su cara gris, cuyas orejas eran grandes, se enseñoreaba una barba de varios días. Parecía que no hubiera dormido en una semana.

—Quién sea yo carece de importancia; sólo la tiene el hecho de que estoy íntimamente familiarizado con hombres como tu asesino —había contestado Tarkanian sin titubeos—. Y en cuanto al motivo de mi presencia aquí, la respuesta es sencilla: quiero a Leonid Danilovich Arkadin.

La expresión de Antonin había pasado de la suspicacia a la furia.

—¿Y por qué querrías a ese chulo putas de mierda, a ese bellaco borracho?

—Eso es asunto mío —contestó Tarkanian sin inmutarse—. El tuyo es preservar la vida de tu gente.

Aquello era cierto. Antonin era un hombre pragmático en el que no había ni rastro de la furia vesánica de su predecesor. Tarkanian podía leer en él como en un libro de historietas: era evidente que era demasiado consciente de que el terror que en ese momento lamía las rodillas de sus hombres estaba socavando tanto la efectividad de éstos como su propia autoridad. También sabía que, una vez que el miedo hacía sentir su presencia, se extendía como un incendio descontrolado. Por otro lado, no estaba en absoluto dispuesto a entregar la herencia. La cabeza de Arkadin en una bandeja era con lo que todos soñaban desde que éste había matado a Kuzin e incendiado su mundo con balas y muerte. Desprenderse de aquel sueño no le granjearía el cariño de su tropa.

Se restregó la cara con las manos y dijo:

—Bien, pero me traerás la cabeza del asesino para que todos mis hombres puedan ver con sus propios ojos el final de esa inmundicia. Y luego, si eres capaz de encontrar a ese bastardo de Arkadin, te lo puedes quedar.

Como era natural, Tarkanian no creyó al neandertal aquél. Había reconocido la codicia en sus ojos amarillos e intuido que entregarle la cabeza del asesino no sería suficiente para él; también quería a Arkadin. Las dos cabezas ensangrentadas cimentarían su poder sobre su gente para siempre. «Lo que Lev Antonin quería era irrelevante —le diría Tarkanian a Arkadin más tarde—. Pero yo me había preparado para la contingencia de una traición así.»

A Oserov le habría divertido enormemente «encontrar al asesino» para aquel babuino llamado Antonin y llevarle la cabeza recién cortada, pero no, le iba a privar de semejante placer. Cuando Tarkanian le dijo que él personalmente, encontraría y entregaría al «asesino» a Antonin, Oserov frunció el entrecejo. «Libera tu corazón de la rabia; tengo otro encargo para ti —le había anunciado Tarkanian—. Un trabajo mucho más importante que sólo tú puedes hacer.» Al cabo del tiempo Misha Tarkanian le diría a Arkadian: «Sospecho que dudó de que fuera tan importante, pero cuando oyó lo que quería que hiciera, una sonrisa se adueñó de su rostro. Pobre hijo de puta, no podía evitarlo».

Tarkanian necesitaba a alguien para llevárselo a Lev Antonin. Pero no un alguien cualquiera; tenía que parecer un asesino. Transitando en el crepúsculo por las calles de Nizhni Tagil, peinó los bares en busca de la víctima propicia. Una y otra vez se vio obligado a sortear charcos tan grandes como lagunas pequeñas, ocasionados por el diluvio que sólo hacía poco se había convertido en una ligera neblina. Como había ocurrido desde el amanecer, el cielo bajo y claustrofóbico era de un gris mortecino, aunque en ese momento aparecía manchado aquí y allí por pequeños cardenales amarillos y morados, como si la tormenta le hubiera dado una paliza al día.

Tarkanian aparcó en el exterior del más ruidoso de los bares y encendió un aromático cigarrillo turco, metiéndose el humo bien adentro de los pulmones y expulsándolo luego en una nube gris tan espesa como las que tenía sobre la cabeza. La noche se pegó a él como un acólito cuando las risas ebrias llegaron hasta él en oleadas, acompañadas del ruido de cristales rotos y los fuertes jadeos de una pelea a puñetazos. Un instante después un hombre grande que sangraba por la nariz y por varios cortes que tenía en la cara, salió a la acera tambaleándose.

Cuando se inclinó, apoyando las manos en las rodillas, resollando y con arcadas, Tarkanian aplastó el cigarrillo en el suelo con el talón de su bota, se acercó y, con el canto de la mano, le propinó un golpe brutal en la nuca desprotegida. El borracho cayó hacia delante y se golpeó la frente contra la acera con un chasquido satisfactorio.

Tarkanian lo agarró por las axilas y lo arrastró hacia el interior del callejón. Si algún transeúnte había reparado en lo que estaba haciendo, ninguno dio la menor señal de que así fuera; todos siguieron caminando apresuradamente, ocupándose de sus asuntos, sin lanzar siquiera una mirada en su dirección. La vida en Nizhni Tagil los había enseñado a ignorar todo lo que no fuera asunto suyo. Era la única manera de conservar la salud en aquella ciudad.

En las sombras crecientes del maloliente callejón, Tarkanian miró su reloj. No había medio de ponerse en contacto con Oserov; no tenía más remedio que confiar en que cumpliera su parte del plan.

Al cabo de quince minutos Tarkanian entró en una panadería y compró la tarta más grande que había en la vitrina. De vuelta en el callejón, tiró la tarta y, levantando la cabeza decapitada del hombre por los pelos empapados en sangre y cerveza, la colocó cuidadosamente en la caja de la tarta. Los ojos vidriosos del difunto lo miraron fijamente sin expresión hasta que bajó la tapa.

Al otro lado de la ciudad se le franqueó la entrada al despacho de Lev Antonin, donde el jefe seguía custodiado por siete matones armados hasta los dientes.

—Como te prometí, Lev Antonin, te traigo un regalo —dijo, mientras colocaba la caja sobre su mesa. Camino de allí, la cabeza se había vuelto sorprendentemente pesada.

Antonin paseó la mirada desde Tarkanian a la caja, mostrando poco entusiasmo. Hizo una señal a uno de sus guardaespaldas y le ordenó abrir la caja. Entonces se levantó y examinó el interior con atención.

—¿Quién carajo es éste?

—El asesino.

—¿Cómo se llama?

—Mijail Gorbachov —replicó Tarkanian con cinismo—, ¿cómo demonios podría saberlo?

La cara de Antonin adoptó una expresión especialmente desagradable cuando sonrió.

—Si no sabes su nombre, ¿cómo sabes que es el asesino?

—Lo pillé con las manos en la masa —contestó Tarkanian—. Había entrado en tu casa, y estaba a punto de matar a tu esposa y a tus hijos.

La cara de Antonin se ensombreció y, tras coger violentamente el teléfono, marcó un número. Su cara se relajó un poco cuando oyó la voz de su esposa.

—¿Te encuentras bien? ¿Estáis todos a salvo? ¿A qué te refieres? ¿Qué…? ¿Qué carajo es esto? ¿Dónde está mi esposa? —Su rostro había recuperado la expresión sombría y miró a Tarkanian—. ¿Qué hostias está pasando aquí?

Tarkanian habló con tranquilidad y sin levantar la voz

—Tu familia está a salvo, Lev Antonin, y así seguirán siempre que tenga vía libre para llevarme a Arkadin. Si interfieres de alguna manera…

—Rodearé la casa y mis hombres entrarán…

—Y tu mujer y tus tres hijos morirán.

Antonin sacó como una exhalación una pistola Stechkin y apuntó a Tarkanian con ella.

—Te pegaré un tiro aquí mismo, y te prometo que tu muerte no será rápida.

—En ese caso, tu mujer y tus hijos morirán. —La voz de Tarkanian adquirió entonces un tono más amenazador—. Lo que me hagas a mí, se les hará a ellos.

Antonin lo miró con odio y dejó caer la Stechkin sobre la mesa junto a la caja de la tarta. Parecía a punto de tirarse de los pelos. «La clave con los neandertales —le diría a Arkadin tiempo después— consiste en conducirlos de la mano por sus posibles reacciones, demostrándoles la inutilidad de cada una.»

—Escúchame, Lev Antonin, tienes lo que acordamos. Si sigues queriéndolo todo, procura recordar que a los cerdos se les sacrifica —había dicho Tarkanian.

Después, salió del despacho para ir al encuentro de Leonid Danilovich Arkadin.

Tracy Atherton y Alonso Pecunia Zúñiga se presentaron en la casa de don Fernando Herrera a las tres de la tarde exactamente, bañados por un sol que un cielo casi sin nubes hacía aún más resplandeciente.

Bourne, con su barba y un nuevo peinado, vestía ropa acorde con un distinguido profesor de Madrid. La última parada de ambos había sido en una óptica, donde había comprado unos lentes de contacto del color de los ojos del profesor.

Herrera vivía en el sevillano barrio de Santa Cruz, en una preciosa casa estucada de tres plantas pintada de blanco y amarillo cuyas ventanas del último piso estaban protegidas por unos espléndidos balcones de hierro forjado. Su fachada ocupaba todo un lado de una pequeña plaza en cuyo centro un viejo pozo había sido convertido en una fuente octogonal. En los otros tres lados se alineaban pequeñas tiendas de ropa de caballeros y de loza, a cuyas pintorescas fachadas daban sombra las palmeras y los naranjos.

La puerta se abrió al poco de llamar, y cuando Tracy dio sus nombres, un joven bien vestido los hizo pasar a un recibidor de techos altos donde dominaban el mármol y la madera. Flores blancas y amarillas recién cortadas sobresalían de un jarrón alto de porcelana sobre una reluciente mesa de madera clara situada en el centro de la pieza, mientras que aromáticas naranjas llenaban a rebosar un frutero de plata en un aparador de marquetería.

Una música suave y envolvente de piano llegó hasta ellos. Desde donde estaban podían ver un salón antiguo, donde una pared cubierta por una librería de ébano recibía la luz rasante de una hilera de puertas correderas que daban a un patio interior. Había un elegante escritorio, un par de sofás a juego de piel color canela y un aparador en el que cinco delicadas orquídeas estaban dispuestas como chicas en un desfile de belleza. Pero el salón estaba dominado por una antigua espineta a la que se sentaba un hombre de gran estatura y con una enorme mata de exuberante pelo blanco que se peinaba hacia atrás, dejando a la vista una frente amplia e inteligente. Estaba inclinado en actitud de rigurosa concentración, y tenía un lápiz entre los dientes, lo que hacía que pareciera aquejado de algún dolor. De hecho, estaba componiendo una canción con una melodía bastante florida deudora de diferentes virtuosos ibéricos, además de ciertas canciones populares flamencas.

Cuando entraron, el hombre levantó la vista. El señor Herrera tenía unos asombrosos ojos azules ligeramente saltones que, cuando se levantó, separándose del taburete por etapas, hicieron que recordara algo a una mantis religiosa. La piel oscura y curtida quemada por el viento y arrugada por el sol lo señalaba como un inveterado aficionado al aire libre. Parecía llevar los años que había pasado en los campos petrolíferos de Colombia como una segunda piel.

Quitándose el lápiz de entre los dientes, sonrió afectuosamente.

—Ah, mis distinguidos invitados, qué inmenso placer. —Besó el dorso de la mano de Tracy y estrechó la de Bourne—. Querida señorita. Y profesor, es un honor recibirles a ambos en mi casa. —Hizo un gesto hacia uno de los sofás de piel—. Por favor, pónganse cómodos. —Iba vestido con una camisa blanca con el cuello abierto, debajo de un inmaculado y liviano traje de seda color crema que parecía tan suave como la mejilla de un bebé—. ¿Les apetece un jerez, o quizás algo más fuerte?

—Jerez y tal vez un poco de queso de la Garrotxa, si tiene —dijo Bourne, interpretando su papel a fondo.

—Una idea excelente —afirmó Herrera, que llamó al joven para hacerle el encargo. Entonces meneó un índice largo y afilado hacia Bourne—. Le alabo el gusto, profesor.

Bourne fingió sentirse fatuamente complacido, mientras Tracy se esmeró en ocultar su regocijo al hombre mayor.

El joven llegó llevando una bandeja de plata labrada en la que había un decantador de cristal tallado con jerez, tres vasos del mismo cristal y un plato de queso de oveja, pan ácimo y un trozo de dulce de membrillo de un color naranja oscuro. Dejó la bandeja en una mesa baja y se marchó tan silenciosamente como había llegado.

Su anfitrión sirvió el jerez y les entregó los vasos. Herrera levantó el suyo y ellos lo imitaron.

—Por la incorrupta búsqueda de la investigación académica. —El señor Herrera le dio un sorbo a su jerez, y Bourne y Tracy probaron los suyos. Mientras comían el queso con membrillo, dijo—: Bueno, denme su opinión. ¿Va a entrar el mundo efectivamente en guerra contra Irán?

—Carezco de la mínima información para emitir un juicio —dijo Tracy—, pero en mi opinión Irán lleva demasiado tiempo haciendo ostentación de su programa nuclear ante nuestras narices.

El señor Herrera asintió sabiamente con la cabeza.

—Creo que al final Estados Unidos ha actuado correctamente. Esta vez la provocación de Irán ha ido demasiado lejos. Pero considerar la posibilidad de otra guerra mundial, bueno, en pocas palabras, la guerra es mala para los negocios de la mayoría, aunque extraordinariamente buena para unos pocos. —Se giró en redondo—. Y usted, profesor, ¿que opina?

—En lo tocante a la política —dijo Bourne—, mantengo una postura absolutamente neutral.

—Pero, señor, con toda seguridad ante un asunto tan grave como el que nos afecta a todos, se decantará de un lado o de otro.

—Le aseguro, señor Herrera, que estoy bastante más interesado en el Goya que en Irán.

El colombiano lo miró decepcionado, aunque no perdió ni un segundo en pasar a los negocios.

—Señorita Atherton, le he dado libre acceso a mi tesoro recién descubierto, y ahora ha traído con usted al principal experto del Prado, y por extensión de toda España, sobre Goya. Bueno —abrió las manos—, ¿cuál es su veredicto?

Tracy, sonriendo evasivamente, dijo:

—Profesor Zúñiga, ¿por qué no da usted la respuesta?

—Señor Herrera —intervino Bourne, aceptando la sugerencia—, el cuadro de su propiedad, atribuido a Francisco José de Goya y Lucientes, nunca fue pintado por él.

Herrera frunció el entrecejo y los labios durante un instante.

—¿Pretende decirme, profesor Zúñiga, que he estado guardando una falsificación?

—Eso depende de su definición de falsificación —respondió Bourne.

—Con los debidos respetos, profesor, o es una falsificación o no lo es.

—Si quiere lo puede considerar de esa manera, señor Herrera, pero hay otras. Permítame que me explique diciendo que el cuadro, aunque de ninguna manera alcanza el precio que le ha puesto, dista mucho de ser despreciable. Verá, las pruebas que he hecho confirman que fue realizado en el estudio de Goya. Es posible incluso que haya sido bocetado por el propio maestro antes de morir. En cualquier caso, no cabe ninguna duda de que el dibujo es de él. Sin embargo, en el cuadro propiamente dicho se echan a faltar las particulares arremetidas ligeramente coléricas de sus pinceladas, aunque la imitación resulta bastante convincente, incluso para los ojos de un experto.

El señor Herrera se bebió lo que le quedaba del jerez y se recostó en la silla con las grandes manos cruzadas en el bajo vientre.

—Así pues —comentó finalmente—, mi cuadro tiene algún valor, pero no llega al precio que le comenté a la señorita Atherton.

—Así es —afirmó Bourne.

Herrera emitió un grave sonido gutural.

—Me llevará algún tiempo acostumbrarme a este giro de los

acontecimientos. —Se volvió hacia Tracy—. Señorita, dadas las actuales circunstancias, comprendo perfectamente su deseo de dar por resuelto nuestro acuerdo.

—Todo lo contrario —replicó ella—. Sigo interesada en el cuadro, aunque sería necesario ajustar notablemente el precio a la baja.

—Entiendo —concedió Herrera—. Bueno, es natural. —Retrajo su mirada durante un rato. Luego se animó—. Antes de seguir adelante, me gustaría hacer una llamada.

—Adelante —dijo Tracy.

El señor Herrera asintió con la cabeza, se levantó y se dirigió a una mesa con unas delicadas patas de cabriolé. Marcó un número en su móvil y espero un momento antes de decir:

—Soy don Fernando Herrera. Está esperando mi llamada.

Sonrió a Bourne y a Tracy mientras esperaba. Luego dijo al teléfono:

—Por favor, un momentito.

Totalmente de improviso, le entregó el móvil a Bourne. Éste, expectante, levantó la vista hacia su anfitrión, pero la cara del señor Herrera no dejó traslucir un ápice de lo que estaba ocurriendo.

—Hola —dijo Bourne, continuando en un español perfecto.

—Sí —dijo la voz del otro extremo de la línea—. Aquí el profesor Alonso Pecunia Zúñiga ¿con quién hablo?

18

—Nada —dijo Amun Chalthoum con evidente disgusto.

Estaba mirando fijamente al joven que Soraya había pescado en el mar Rojo después de que hubiera saltado por la borda para escapar de su interrogatorio. Estaban en uno de los camarotes del barco que el dueño de la tienda de submarinismo les había cedido, un lugar apestoso y angosto cuyo exagerado balanceo convertía al sol en un compañero irregular.

La expresión de Chalthoum era una mezcla de frustración y temor.

—No es más que un correo, una avanzadilla de los traficantes de drogas.

Aquello no le pareció algo preocupante a Soraya, aunque se dio cuenta de que Amun no estaba de humor para pensar en otra cosa que no fuera el grupo terrorista. Fue en ese momento, cuando la angustia del egipcio se hizo más evidente, que desistió de la idea de que él pudiera estar engañándola. Estaba segura de que no se mostraría tan sensible ante la situación si estuviera encubriendo la implicación de al-Mokhabarat. La oleada de alivio que le recorrió fue tan poderosa que se tambaleó. Cuando se recuperó, puso los cinco sentidos en el origen de la célula terrorista.

—De acuerdo, así que cruzaron por aquí —explicó ella—, pero debe de haber otros lugares a lo largo de la costa…

—Mis hombres los han inspeccionado —explicó Amun con aire siniestro—. Lo que significa que la ruta que planteé es errónea. Al final, no vinieron por tierra a través de Irak.

—Entonces, ¿cómo entraron en Egipto? —preguntó Soraya.

—No lo sé. —Chalthoum pareció rumiar esa idea durante un rato—. No serían tan estúpidos como para intentar trasladar el misil Kowsar en avión desde Irán. Nuestros radares... o algunos de vuestros satélites... los habrían detectado.

En eso tenía razón, pensó Soraya. Entonces, ¿cómo habían introducido el misil en Egipto los terroristas iraníes? Aquella incógnita la hizo volver al punto de partida, de nuevo a su primera sospecha de que los egipcios —aunque no al-Mokhabarat— estaban implicados, pero no fue hasta que volvieron a la cubierta, después de dejar bajo custodia al correo, y el barco emprendió el regreso a tierra que se lo planteó a Chalthoum en voz alta.

Estaban junto a la barandilla de estribor, con el viento azotándoles el pelo, mientras el sol convertía la superficie del agua en un blanco deslumbrador. Amun tenía los antebrazos sobre la barandilla, con las manos ligeramente cruzadas, y miraba fijamente el agua.

—Amun —dijo ella en voz baja—, ¿es posible que alguien de tu Gobierno, uno de tus enemigos, algunos de nuestros enemigos, diera a los terroristas iraníes la posibilidad de actuar?

Aunque había tenido mucho cuidado en formular la pregunta de la manera más suave, le pareció que se ponía rígido. Un músculo de la mejilla de Amun empezó a moverse espasmódicamente, pero a Soraya le sorprendió su respuesta.

—Ya había pensado en eso, *azizti*, y con gran disgusto por mi parte he hecho varias discretas averiguaciones esta tarde, mientras llevaba a cabo mi investigación sobre las empresas de buceo. Eso tiene un coste político para mí, pero lo hice, y no di con nada. —Se volvió hacia ella, y en sus ojos oscuros había una aflicción que ella no le había visto nunca—. La verdad, *azizti*, si lo que me has preguntado hubiera sido cierto, habría sido el final para mí.

Y fue en ese preciso instante cuando ella lo supo. Amun había sido plenamente consciente de las sospechas de Soraya, y las había aceptado con incomodidad hasta que la posibilidad se le hizo insoportable. Se había humillado haciendo aquellas llamadas, porque el mero hecho de hacer la pregunta era una traición en sí, y en ese momento Soraya se dio cuenta de lo que había querido decir con lo del «coste político», porque era probable —incluso posible— que alguna de las personas a las que había llamado no se olvidara de sus dudas. Aquello también formaba parte del Egipto moderno, algo con lo que Amun tendría que vivir el resto de su vida. A menos que…

—Amun —dijo ella en voz tan baja que él tuvo que inclinarse en dirección al viento para oírla—, una vez que acabe esto, ¿por qué no vuelves conmigo?

—¿A Estados Unidos? —Lo preguntó como si Soraya estuviera hablando de Marte o de algún otro lugar aún más lejano y extraño, pero cuando prosiguió, su voz poseía un dejo de amabilidad que ella no le había oído antes—. Sí, *azizti*, eso resolvería muchos problemas. Pero, por otro lado, provocaría una legión de otros diferentes. Por ejemplo, ¿a qué me dedicaría?

—Eres un oficial de inteligencia, podrías…

—Soy egipcio. Peor aún, soy el jefe de la al-Mokhabarat.

—Piensa en la cantidad de información que podrías proporcionar.

Amun sonrió con tristeza.

—Me denostarían, tanto aquí como en tu país. Para ellos, soy el enemigo. Con independencia de la información que proporcionase, siempre sería el enemigo, siempre bajo sospecha, siempre vigilado, nunca aceptado.

—No, si nos casamos. —Le salió prácticamente antes de pensarlo.

Entre ellos se alzó un silencio de estupefacción. El barco, que se estaba aproximando al muelle, había reducido la velocidad, y el viento había cesado por completo. El sudor apareció de sopetón y se secó en la piel de ambos.

Amun le cogió de la mano, acariciándole el despliegue de huesecillos del dorso con el pulgar.

—*Azizti* —dijo—, casarte conmigo también sería el fin para ti, el fin de tu carrera en los servicios de inteligencia.

—¿Y qué? —Su mirada era implacable. Una vez expresado lo que había en su corazón, la invadió una especie de libertad desenfrenada hasta entonces nunca experimentada.

Amun sonrió.

—No tienes intención de hacer eso, así que, por favor, no finjas que sí.

Ella se dio la vuelta completamente hacia él.

—No deseo fingir contigo, Amun. Todos los secretos que guardo me angustian, y no paro de repetirme que debe de haber un final para esto, en algún lugar, con alguien.

Él le rodeó la estrecha cintura con un brazo y, cuando los tripulantes empezaron a moverse rápidamente, amarrando los cabos a las relucientes cornamusas de la borda del barco, Amun asintió con la cabeza.

—Al menos en esto podemos estar de acuerdo.

Y Soraya levantó la cabeza hacia el sol.

—Eso es lo único que importa, *azizti*.

—Señorita Trevor, ¿tiene alguna idea de quién podría haber...?

Aunque el hombre que dirigía la investigación sobre la muerte de la directora de IC Veronica Hart —¿cómo se llamaba? Simon algo... Simon Herren, sí, eso era— no paraba de hacerle preguntas, Moira había dejado de escuchar. La voz de aquel tipo era apenas un zumbido en sus oídos, que estaban llenos del ruido posterior a la explosión. Ella y Humphry Bamber estaban tumbados codo con codo en la sala de urgencias, después de que hubieran sido examinados y tratados del puñado de cortes y abrasiones. Eran afortunados, les había dicho el médico de urgencias, y Moira le creyó. Los habían transportado hasta allí en ambulancia, y obligado a permanecer tumbados mientras les administraban oxígeno y les hacían una exploración superficial en busca de conmociones cerebrales, huesos rotos y cosas parecidas.

—¿Para quién trabaja? —le preguntó Moira a Simon Herren.

El agente sonrió indulgentemente. Tenía el pelo castaño y corto, ojos pequeños de roedor y una mala dentadura. Llevaba el cuello de la camisa almidonado, y su corbata de bordones longitudinales era de una partida exclusiva para funcionarios. Herren no iba a responder, y los dos lo sabían. En resumidas cuentas, ¿qué importaba a qué parte de la sopa de letras de los servicios de inteligencia perteneciera? Al final, ¿no eran todos iguales? Bueno, Veronica Hart, no.

Su recuerdo la golpeó de pronto con la fuerza de un martillo, y las lágrimas se le escaparon por las comisuras de los ojos.

—¿Qué sucede? —Simon Herren buscó a una enfermera con la mirada—. ¿Le duele algo?

Moira consiguió reír pese a las lágrimas. *¡Menudo idiota!*, pensó. Para evitar soltárselo en la cara, preguntó por el estado de su compañero.

—El señor Bamber está comprensiblemente afectado —dijo Herren con un atisbo de compasión—. Es comprensible, puesto que es un civil.

—Váyase al infierno. —Moira apartó la vista de él.

—Me advirtieron que usted podría ser difícil.

Aquello captó la atención de Moira, que se volvió de nuevo y le sostuvo la mirada.

—¿Quién le dijo que podía ser difícil?

Herren le dedicó la más enigmática de sus sonrisas.

—Ah, ya —dijo ella—. Noah Perlis.

—¿Quién?

Herren no debería haber dicho eso, pensó ella. Si hubiera mantenido la boca cerrada, tal vez hubiera evitado el parpadeo de sus ojos antes de soltarlo. Así que Noah seguía manteniendo las distancias con ella. ¿Por qué? No quería nada de ella, lo que significaba que habría empezado a temerla. Era una buena noticia; que la ayudaría a superar los días y semanas aciagos que se avecinaban, cuando, sola y en peligro, se culpara de la muerte de Ronnie, porque ¿no era a ella a quien había ido dirigida la bomba? La habían colocado en el tubo de escape de su coche de alquiler. Nadie —ni siquiera Noah— podría haber previsto que Ronnie lo fuera a conducir. Pero incluso la pequeña satisfacción del fracaso de Noah palideció al compararla con los daños colaterales.

La muerte ya la había rondado con anterioridad, había tenido colegas u objetivos que habían muerto en la contienda; eso era algo que formaba parte del trabajo sucio. La habían preparado para eso, de la misma manera que se podía preparar a tantos seres humanos para la muerte de alguien conocido. Pero la contienda estaba lejos, al otro lado de un océano u otro; la contienda estaba a cierta distancia de la civilización, de su vida personal, de su hogar.

La muerte de Ronnie era algo completamente diferente. Había sido provocada por una sucesión de acontecimientos y la reacción de Moira a tales acontecimientos. De pronto la engulló una oleada de «síes». Si no hubiera creado su propia empresa; si Jason no estuviera «muerto»; si no hubiera acudido a Ronnie; si Bamber no estuviera trabajando para Noah, si, si, si…

Pero todo aquello había ocurrido, e igual que en una reacción en cadena, podía mirar atrás y ver cómo se habían entrelazado todos los acontecimientos, cómo uno había llevado inexorablemente a otro, y cómo el resultado final siempre era el mismo: la muerte de Ronnie Hart. Se acordó entonces del curandero balinés Suparwita, que la había mirado a los ojos con una expresión que Moira no había sido capaz de descifrar hasta ese momento. Lo que había habido allí era el conocimiento incontrovertible de la pérdida, como si incluso entonces, allí en Bali, el hombre hubiera sabido lo que le aguardaba a ella.

El insistente zumbido de la voz de Simon Herren la sacó de la negrura de sus pensamientos. Volvió a enfocar la mirada.

—¿Qué? ¿Qué estaba diciendo?

—Que al señor Bamber le han dado el alta y está bajo mi custodia.

Herren se paró entre la cama de Moira y la de Bamber, como si la retara a desafiarlo. Bamber ya estaba vestido y listo para marcharse, pero parecía asustado, indeciso, traumatizado por la explosión.

—El médico ha dicho que usted tiene que quedarse aquí para que le hagan más pruebas.

—Ni pensarlo. —Moira se incorporó, sacó las piernas por el lateral y se levantó.

—Creo que debería quedarse tumbada —dijo Herren con aquel tono ligeramente burlón que tenía—. Son órdenes del doctor.

—Que le jodan. —Moira empezó a vestirse sin importarle si el otro alcanzaba a verle partes de su cuerpo o no—. Que le jodan a usted y a la escoba en la que ha venido volando.

Herren no pudo disimular el desprecio que se reflejaba en su cara.

—No es una reacción muy profesional, es...

Al instante siguiente estaba doblado por la cintura, después de que ella le hundiera el puño en el plexo solar. Moira subió la rodilla hasta topar con la barbilla que descendía, y cuando Herren se desplomó, lo subió a rastras a la cama y allí lo dejó despatarrado. Luego se volvió hacia Bamber.

—Aquí sólo tiene una posibilidad. O viene conmigo o Noah lo tendrá para siempre.

El inmóvil Bamber no se movió. Miraba fijamente a Simon Herren como si estuviera en las nubes, pero cuando ella extendió la mano, él la cogió. En ese momento necesitaba a alguien que lo guiara, alguien que pudiera decirle la verdad. Stevenson había muerto, Veronica Hart había saltado por los aires delante de él y ya sólo quedaba Moira, la persona que lo había sacado a rastras del Buick sentenciado, la mujer que le había salvado la vida.

Moira lo condujo fuera de la sala de urgencias con la mayor rapidez y eficiencia posible. Por suerte, las urgencias eran una casa de locos, donde los sanitarios y los policías se abrían paso trotando al lado de sus pacientes, informando a vuela pluma a los internos, que a su vez daban órdenes gritando a las enfermeras. Todo el mundo estaba agotado y demasiado estresado; nadie los paró ni reparó siquiera en su partida.

Un contingente de los hombres de Amun se reunió con ellos en el muelle, donde el jefe de la al-Mokhabarat sujetaba al joven traficante de drogas por el cogote. El pobre muchacho estaba cagado de miedo. No era uno de aquellos jóvenes egipcios duros que sabían muy bien dónde se metían. El muchacho parecía lo que era: un turista indigente que había confiado en ganar algo de dinero rápido para continuar su odisea por el mundo. De entrada, probablemente ésa había sido la razón de que los traficantes de drogas lo hubieran escogido. Parecía inocente.

Chalthoum podría haberlo soltado con una amonestación, pero

no estaba de humor para ser magnánimo. Le había esposado las manos a la espalda, y luego había retrocedido rápidamente cuando el muchacho había vomitado su última comida.

—Amun, ten un poco de compasión —le dijo entonces Soraya.

—No se puede hacer la vista gorda con el tráfico de drogas.

Ése era el Amun que ella conocía, duro como una piedra y con la mirada implacable. Soraya tuvo un escalofrío involuntario.

—No es nadie, tú mismo lo dijiste. Si lo encierras, encontrarán a otro idiota que ocupe su sitio y asunto concluido.

—Entonces también lo pillaremos —dijo él—. Encerradlo y tirad la llave.

Al oír aquello, el joven empezó a gemir.

—Por favor, ayúdeme. Nunca me comprometí en serio.

Chalthoum le lanzó una mirada tan siniestra que el joven se espantó.

—Deberías haberlo pensando antes de coger dinero de los criminales. —Lo arrojó sin ningún miramiento a los brazos de sus hombres—. Ya sabéis lo que tenéis que hacer con él —dijo.

—¡Espere, espere! —El joven intentó clavar los talones en el suelo cuando los hombres de Chalthoum empezaron a llevárselo—. ¿Y si tuviera información? ¿Me ayudaría, entonces?

—¿Y qué clase de información podrías tener tú? —preguntó con desprecio—. Conozco muy bien la estructura de esas redes de traficantes. Tú único contacto fue con la gente situada un escalón por encima de ti, y puesto que estás en el último... —Se encogió de hombros e hizo un gesto a sus hombres para que se llevaran al detenido.

—No me refería a esa gente. —El joven había levantado la voz por el miedo—. Fue algo que oí casualmente. A otros submarinistas que estaban hablando.

—¿Qué submarinistas? ¿De qué hablaban?

—Ya se han ido —dijo el joven—. Estuvieron aquí hace diez días, quizás algo más.

Chalthoum sacudió la cabeza.

—Demasiado tiempo. Quienesquiera que fuesen, y fuera lo que fuese lo que dijeran, no me interesa.

Soraya dio un paso hacia el joven.

—¿Cómo te llamas?

—Stephen.

Ella hizo un gesto con la cabeza.

—Yo me llamo Soraya, Stephen. Dime, ¿esos submarinistas eran iraníes?

—Míralo —terció Chalthoum—. Si no distinguiría a un iraní de un indio.

—Los submarinistas no eran árabes —dijo Stephen.

Chalthoum soltó un bufido.

—¿Ves a qué me refería? Amigo, los iraníes son persas, descendientes de los nómadas escitas-sármatas de Asia Central. Son musulmanes chiitas, no árabes.

—A lo que me refiero… —Stephen tragó saliva con dificultad—. Lo que quería decir era que eran blancos como yo. Caucásicos.

—¿Podrías decirnos de qué nacionalidad eran? —preguntó Soraya.

—Eran norteamericanos —dijo el joven.

—¿Y qué? —Chalthoum estaba perdiendo la paciencia.

Soraya se atrevió a ir un poco más allá.

—Stephen, ¿qué fue lo que oíste? ¿De qué estaban hablando esos submarinistas?

Con una mirada de temor dirigida a Chalthoum, Stephen dijo:

—Eran cuatro. Estaban de vacaciones, eso estaba claro. Sólo que ellos lo llamaban licencia.

Soraya miró a los ojos a Chalthoum.

—Militares.

—Eso dice —dijo el egipcio con un gruñido—. Continúa.

—Acababan de subir de la segunda inmersión del día y estaban algo así como aturdidos. Les estaba ayudando a quitarse las botellas, pero se comportaban como si yo no estuviera allí. De todas formas, se estaban quejando por tener que acortar su permiso. Se había producido una especie de emergencia, una misión caída del cielo…, así es como lo dijeron. Que había salido de la nada.

—Eso es una tontería —dijo Chalthoum—. Es evidente que se lo está inventando para salvarse de la cadena perpetua.

—¡Oh, Dios mío! —Al oír pronunciar su sentencia de muerte, al muchacho se le doblaron las rodillas y los hombres de Chalthoum se vieron obligados a sujetarlo con fuerza para mantenerlo en pie.

—Stephen —Soraya alargó la mano y volvió la cara del joven hacia ella. Estaba mortalmente pálido, y de tan desorbitados que tenía los ojos le podía ver todo el blanco—, cuéntanos el resto de lo que oíste. ¿Dijeron los submarinistas en qué consistía su misión?

Él negó con la cabeza.

—Me dio la impresión de que todavía no lo sabían.

—¡Ya es suficiente! —gritó Chalthoum—. ¡Deshaceos de este pedazo de carne!

Soraya levantó la mano para que los hombres dejaran de arrastrar al muchacho.

—¿Y dónde era, Stephen? ¿Adónde se iban a dirigir esos hombres?

—Iban a coger un avión a Jartum —dijo el joven entre lágrimas—, dondequiera que esté ese lugar dejado de la mano de Dios.

19

El presidente fue abordado por el secretario de Defensa Halliday cuando salía de Naciones Unidas. Después de haber puesto frenética a la Asamblea General presentando las pruebas contra Irán por el atentado del avión de pasajeros norteamericano y la pérdida de 181 vidas, el presidente había hecho un alto para asistir a una improvisada rueda de prensa con los medios de comunicación, que se congregaron a su alrededor como gallinas a la hora de comer. Les proporcionó gustosamente media docena de datos contundentes para que los difundieran o se los llevaran a sus directores, antes de que el secretario de Prensa le susurrara al oído que el secretario Halliday lo esperaba con una noticia urgente.

El presidente estaba exultante. Había pasado mucho tiempo desde que un presidente norteamericano hubiera podido dirigirse a aquel augusto organismo de Naciones Unidas provisto de pruebas tan irrefutables que sumiera a los representantes de Rusia y China en la estupefacción y el silencio. El mundo estaba cambiando, inclinándose en contra de Irán de una manera nunca vista anteriormente. El presidente, cuya presencia allí se debía en no poca medida a Bud Halliday, consideró adecuado que la primera persona con la que hablara en relación con su éxito indiscutible fuera el secretario de Defensa.

—¡Descorcha el champán! —le dijo gritando, mientras hacía una señal a Halliday, y los dos hombres entraron en la larga limusina a prueba de balas y bombas.

El vehículo arrancó en cuanto los dos se sentaron. Enfrente de ellos estaba el secretario de Prensa, con las mejillas tan coloradas por la victoria como las del presidente y una botella fría de vino espumoso norteamericano en la mano.

—Señor, si no le importa, demoremos la celebración —dijo Bud Halliday.

—¿Que si no me importa? —dijo el presidente—. ¡Pues claro que me importa! ¡Solly, abre esa condenada botella de champán!

—Señor —dijo Halliday—, se ha producido un suceso.

El presidente se quedó inmóvil a mitad del ademán y se volvió lentamente hacia su secretario de Defensa.

—¿Qué clase de suceso, Bud?

—Veronica Hart, la directora de Inteligencia Central, ha muerto.

El color desapareció de golpe de las mejillas coloradas del presidente.

—¡Dios Bendito, Bud!, ¿qué ha ocurrido?

—Un coche bomba..., creemos. Se está llevando a cabo una investigación, pero ésa es la teoría más reciente.

—Pero ¿quién...?

—Seguridad Nacional, la ATF y el FBI están coordinando sus esfuerzos bajo la tutela de la NSA.

—Bien. —El presidente asintió secamente con la cabeza—. Cuanto antes aclaremos el lío éste del coche bomba, mejor.

—Como siempre, estamos de acuerdo, señor. —Halliday le echo una mirada a Solly—. A propósito, vamos a necesitar una nota de prensa exhaustiva y que no se nos vaya de las manos. Después del suceso del avión, lo último que necesitamos son especulaciones sobre terroristas y atentados.

—Solly, haz que nuestros portavoces se pongan a ello inmediatamente —dijo el presidente—, y luego mete la directa para hacer un comunicado oficial. Coordínalo con la oficina del secretario Halliday, ¿quieres?

—Inmediatamente, señor —Solly volvió a meter la sudorosa botella en su cubo de hielo y empezó a llamar a sus contactos por el móvil.

Halliday esperó a que el secretario de Prensa empezara a hablar en su primera conversación.

—Señor, tenemos que pensar en la sustitución de la directora Hart. —Y antes de que el presidente pudiera interrumpirlo, continuó—: Parece razonable decir que el experimento con la contratación de gente del sector privado ha ido bien. En cualquier caso, tenemos que actuar rápidamente para cubrir la vacante.

—Consígueme una lista de los veteranos cualificados de IC.

—Sin duda. —Halliday envió un mensaje de texto a su oficina mientras hablaban. Entonces levantó la vista—. La lista estará en su mesa dentro de una hora. —Pero su cara seguía mostrando una profunda preocupación.

—¿Qué sucede, Bud?

—No es nada, señor.

—Oh, vamos, Bud. Nos conocemos hace mucho tiempo, ¿no es cierto? Tienes algo en la cabeza, y éste no es el momento de guardárselo.

—De acuerdo. —Halliday soltó un profundo suspiro—. Éste es el momento perfecto para fusionar todas las organizaciones de inteligencia en un todo orgánico que comparta la información sin procesar, que coordine las decisiones y reduzca todo el inútil papeleo que nos tiene a todos frustrados.

—Eso ya lo he oído antes.

No sin esfuerzo Halliday esbozó una sonrisa.

—Nadie sabe eso mejor que yo, señor, y lo comprendo. En el pasado usted se coordinaba con el director de IC, quienquiera que fuera.

El presidente se mordió el labio inferior con preocupación.

—Hay antecedentes que deben ser respetados, Bud. IC es la institución más antigua y venerable de toda la constelación de agencias de inteligencia. En muchos aspectos es la joya de la corona. Y comprendo por qué querrías echarle el guante.

En lugar de perder el tiempo negando la verdad, Halliday decidió cambiar completamente de tercio.

—La crisis actual es otra causa que debemos estudiar. Estamos teniendo dificultades para coordinarnos con IC, especialmente con Typhon, que podría tener la información que necesitamos para garantizar que nuestras represalias contra Irán no tropiecen con ningún obstáculo.

El presidente se quedó mirando por el cristal ahumando hacia los monumentales edificios públicos del centro de la ciudad.

—Has recibido el dinero para..., ya sabes, para la... ¿cómo has llamado a tu operación?

El secretario de Defensa renunció a intentar seguir el curso de los pensamientos del presidente.

—Pinprick, señor.

—¿A quién se le ocurren esos nombres?

Halliday intuyó que su jefe no quería una respuesta.

El presidente se volvió hacia él de nuevo.

—¿A quién tenías en mente?

Con su elección en primera línea de sus pensamientos, Halliday estaba preparado para aquello.

—Danziger, señor.

—¿En serio? Pensé que ibas a proponer a tu zar de la inteligencia.

—Jaime Hernandez es un funcionario de carrera. Necesitamos a alguien con unos antecedentes más... contundentes.

—Bien cierto. Pero ¿quién demonios es ese tal Danziger?

—M. Errol Danziger. El actual subdirector de inteligencia de señales para el análisis y la producción de la NSA.

El presidente volvió a la contemplación del paisaje urbano por el que transitaban.

—¿Me he reunido con él?

—Sí, señor. Dos veces. La última cuando estuvo en el Pentágono el pasado...

—Recuérdamelo, por favor.

—Fue quien trajo las copias que distribuyó Hernandez.

—No lo recuerdo.

—No es de extrañar, señor. No hay nada en él que llame la atención. —Halliday se rió por lo bajinis—. Eso es lo que lo hizo tan valioso durante el trabajo de campo. Trabajó en el sudeste asiático antes de entrar en el Directorio de Operaciones.

—¿Trabajo sucio?

A Halliday le alarmó la pregunta. Sin embargo, no vio ningún motivo para mentir.

—En efecto, señor.

—Y regresó a casa para contarlo.

—Sí, señor.

El presidente hizo un sonido gutural ininteligible.

—Llévalo al Despacho Oval a las... —Chasqueó los dedos para captar la atención del secretario de Prensa—. ¿Solly? Hora de inicio, de hoy.

Solly puso la llamada en espera y se desplazó por la pantalla de una segunda agenda electrónica.

—A las cinco y veinticinco, señor. Pero sólo tiene diez minutos antes de la conferencia de prensa oficial. Tenemos que llegar a las noticias de las seis.

—Por supuesto que llegamos. —El presidente levantó una mano, sonriendo—. A las cinco y veinticinco, Bud. Diez minutos es más que suficiente para un sí o un no.

Entonces volvió repentinamente a los demás asuntos, a un programa de crisis lleno de sobrecogedores temas de seguridad cuyo final no fue un baño caliente y una buena cena, sino una conferencia telefónica con su director de protocolo para decidir a quién invitar al funeral de Estado por la directora Hart.

Segundos después de que Bourne cogiera el teléfono, el joven ayudante de Herrera había entrado a hurtadillas en la habitación. En ese momento apretaba el cañón de una pistola Beretta Px4 de nueve milímetros contra la sien izquierda de Tracy, que estaba sentada dolorosamente erguida en el borde del sofá con los ojos como platos.

—Mi querido amigo —dijo don Fernando Herrera cuando le quitó el móvil a Bourne—, puede que no sepa quién es usted, pero sí sé una cosa: que amenazarle no me reportará nada. —Su sonrisa era dulce, casi indulgente—. Mientras que si le digo que haré que Fausto le salte la tapa de los sesos a ella (perdón por la crudeza de mis palabras, señorita Atherton) a menos que me diga quién es usted, tengo la certeza de que se sentirá más inclinado a decirme la verdad.

—Admito que lo he subestimado, señor Herrera —replicó Bourne.

—Adam, por favor, dile la verdad. —Tracy estaba a todas luces aterrorizada ante la perspectiva de perder la vida.

—Sé que es usted un estafador, igual que sé que ha venido a embaucarme con mi Goya, del que, dicho sea de paso, el profesor Alonso Pecunia Zúñiga (el verdadero don Alonso) me ha confirmado su autenticidad. —Señaló con el dedo—. También me ha confirmado que la señorita Atherton es la verdadera. Cómo la haya seducido para que participara en su estratagema es cosa que les incumbe sólo a ambos. —Pero su expresión dejó traslucir su abatimiento y decepción ante la caída en desgracia de Tracy—. Lo que me preocupa es saber quién es usted y cuál de mis enemigos lo ha contratado para timarme.

Tracy se estremeció.

—Adam, por amor de Dios...

Herrera ladeó la cabeza.

—Vamos, vamos, señor estafador, ha perdido el derecho a asustar a la jovencita.

Era el momento de actuar, y Bourne lo sabía. También sabía que la situación era como caminar sobre el borde de una navaja. Herrera era el comodín. A primera vista, parecía improbable que un caballero tan refinado de Sevilla ordenara realmente al joven que apretara el gatillo. Sin embargo, el oscuro trabajo de Herrera en los campos petrolíferos de Colombia traicionaban su actual identidad caballeresca. En el fondo, tal vez siguiera siendo aquel hombre levantisco que se había abierto camino a base de peleas, diplomacia e intimidación hasta conseguir una fortuna en la industria petrolífera. Un hombre no hacía sustanciosos negocios con la Tropical Oil Company sin tener un corazón tan duro como la caoba y sin algún derramamiento de sangre. En cualquier caso, no sería Bourne quien jugara con la vida de Tracy.

—Tiene razón, señor Herrera. Le presento mis disculpas —dijo—. Y ahora la verdad: me contrató uno de sus enemigos, pero no para quitarle el Goya.

Tracy abrió los ojos todavía más.

—Se me ocurrió esta estratagema para poder verlo.

Los ojos de Herrera brillaron cuando sacó una silla para sentarse enfrente de Bourne.

—Prosiga.

—Me llamo Adam Stone.

—Perdone si me muestro algo escéptico. —Chasqueó los dedos—. Pasaporte. Y utilice la mano izquierda. No quiero alarmar a Fausto, créame.

Bourne le creyó. Con las puntas de los dedos de su mano izquierda sacó el pasaporte, que Herrera examinó con detalle como si fuera un agente especial de inmigración.

Cuando le devolvió el documento, dijo:

—De acuerdo, señor Stone, ¿a qué se dedica?

—Soy un especialista independiente en, llamémosle, armamento de una naturaleza especial.

Herrera meneó la cabeza.

—Ahora sí que me he perdido.

—Señor Herrera, usted conoce a un comerciante balinés llamado Wayan.

—No.

Bourne dejó claro que ignoraba la mentira.

—Trabajo para la gente que suministra a Wayan.

—Adam, ¿qué es esto? —dijo Tracy—. Me dijiste que estabas interesado en conseguir el capital inicial para una empresa de comercio electrónico.

Al oír eso, Herrera se retrepó en su asiento, contemplando a Bourne, al menos aparentemente, bajo una luz por completo nueva.

—Según parece, señorita Atherton, este tal Adam Stone le mintió con tanta facilidad como a mí.

Bourne sabía que había hecho una apuesta desesperada. Había calculado que la única manera de asumir el control de la situación era asombrar al colombiano. En esto, aparentemente, había tenido éxito.

—La pregunta es: ¿por qué?

Bourne vio la oportunidad de inclinar la balanza a su favor.

—La gente que me contrató…, la gente que suministra a Wayan…

—Ya le he dicho que no conozco a nadie llamado Wayan.

Bourne se encogió de hombros.

—La gente para la que trabajo no se deja engañar. No les gusta la manera en que hace usted los negocios. De hecho, quieren deshacerse de usted.

El señor Herrera se rió.

—Fausto, ¿has oído esto, has oído a este hombre? —Se encorvó hacia delante para acercar su cara a la de Bourne—. ¿Me está amenazando, Stone? Porque el aire de mi casa está vibrando y de qué manera.

Entonces apareció un estilete en su mano. El mango tenía incrustaciones de jade y la larga hoja era tan afilada como los dedos de Herrera. Inclinó la hoja hacia delante, hasta que la punta rozó la piel que cubría la nuez de Bourne.

—Debería saber que no encajo demasiado bien las amenazas.

—Lo que me ocurra a mí no tiene ninguna importancia —replicó Bourne.

—Sus manos se mancharán con la sangre de la señorita.

—Sin duda es usted consciente del poder de mis patrones. Ocurrirá lo que tenga que ocurrir.

—A menos que cambie mis prácticas mercantiles.

A Bourne no se le escapó el cambio de opinión de Herrera aun antes de que la expresara; ya no negaba que se dedicara al tráfico de armas.

—Correcto.

El señor Herrera suspiró y le hizo un gesto a Fausto, que enfundó la Beretta en la cartuchera que llevaba a la altura de la riñonada. Luego arrojó el estilete sobre el cojín del sofá y, dándose una palmada en los muslos, dijo:

—Creo, señor Stone, que ambos deberíamos dar un paseo por el jardín.

Fausto abrió la cristalera, y los dos hombres salieron a un sendero de losas. El jardín era un octógono rodeado de los macizos escudos de la casa. Había un pequeño limonar y, en el centro, una fuente de mosaicos de estilo morisco que recibía la sombra de una palmera. Aquí y allí, unos bancos de piedra desperdigados, tanto al sol como a la sombra moteada. El aire estaba perfumado por los limoneros, cuyas hojas nuevas estaban surgiendo como mariposas de los capullos invernales.

Dado que hacía frío en el exterior, el señor Herrera señaló un banco a pleno sol. Cuando estuvieron sentados coco con codo, dijo:

—Debo admitir que Yevsen me sorprende; me envía un hombre que no sólo no es un matón, sino que posee una inteligencia fuera de lo común. —Hizo una inclinación de cabeza apenas perceptible, como si moviera el ala de su sombrero hacia Bourne—. ¿Cuánto le paga ese hijo de puta ruso?

—No lo suficiente.

—Sí, Yevsen es un tacaño bastardo.

Bourne se rió. Su arriesgada apuesta le había salido bien; tenía la respuesta que quería. Nikolai Yevsen suministraba a Wayan. Yevsen había enviado a Cara Cortada para que siguiera a Bourne desde Bali, donde había intentado asesinarlo la primera vez. Todavía no sabía por qué Yevsen lo quería muerto, pero sabía que acababa de dar un paso de gigante para averiguarlo. Tenía ya una ligera idea de quién era realmente don Fernando Herrera: un competidor de Yevsen. Y si convencía a Herrera de que podía cambiar de bando, lograría que le revelara todo lo que sabía sobre Yevsen, lo que tal vez incluyera lo que Bourne necesitaba saber.

—Desde luego que no me paga lo suficiente para tener que soportar que me pongan un estilete en el cuello.

—Nadie lamenta más que yo que eso sea así.

Los surcos de las arrugas del rostro de Herrera se distendieron con gran alivio cuando los rayos de sol incidieron sesgadamente en ellas. De aquella cara emanaba un orgullo implacable que el hombre había mantenido en suspenso mientras interpretaba el papel de caballero, una dureza granítica que Bourne agradecía.

—Estoy al corriente de su historia en Colombia —dijo Bourne—. Sé cómo se enfrentó a la Tropical Oil Company.

—Ah, sí, bueno, eso pasó hace mucho tiempo.

—La iniciativa nunca desaparece.

—Escúchese a sí mismo. —El colombiano lo miró astutamente de soslayo—. Dígame, ¿debería venderle mi Goya a la señorita Atherton?

—Ella no tiene nada que ver conmigo —dijo Bourne.

—Hay que decir que es muy caballeroso por su parte, aunque no me esté diciendo toda la verdad. —Herrera levantó un dedo con aire admonitorio—. Ella estaba absolutamente dispuesta a llevarse el Goya por un precio injusto.

—Eso sólo la convierte en una buena negociante.

Herrera rió.

—En efecto, nada más. —Le lanzó otra mirada de soslayo—. Supongo que no me va a decir su verdadero nombre.

—Ya vio mi pasaporte.

—No es el momento de insultarme.

—Lo que quería decir es que un nombre es tan bueno como cualquier otro —aclaró Bourne—, sobre todo en mi clase de trabajo.

Herrera tuvo un escalofrío.

—¡Caray!, está empezando a hacer frío.

Se levantó. Las sombras se habían alargado durante su charla. Sólo quedaba un trocito de sol sobre la parte superior del muro occidental, mientras el día se convertía en una noche huidiza.

—Volvamos a reunirnos con la señorita comerciante, ¿le parece? Y averigüemos hasta qué punto desea mi Goya.

M. Errol Danziger, el actual subdirector de inteligencia de señales para el análisis y la producción de la NSA, estaba contemplando tres monitores al mismo tiempo y leyendo los informes de los avances en tiempo real desde Irán, Egipto y Sudán, mientras tomaba notas. De tanto en tanto también hablaba por el micrófono de un auricular electrónico, utilizando palabras en clave inventadas por él mismo, aunque estaba hablando a través de una línea encriptada aprobada por la NSA.

Fue en su sala de información de señales donde el secretario de Defensa Bud Halliday lo encontró analizando y coordinando la información y dirigiendo a los elementos remotos de las más encubiertas de las misiones encubiertas. Irónicamente, entre sus colaboradores más próximos era conocido como el Árabe, debido al incesante número de misiones que había conseguido dirigir con éxito contra los extremistas musulmanes de todas las facciones.

No había nadie más en la sala, sólo ellos dos. Danziger levantó la vista fugazmente y saludó con la cabeza a su jefe, antes de volver a su trabajo. Halliday tomó asiento. No le importó la brusquedad del saludo que en cualquier otro garantizaría una dura reprimenda. De hecho, la intensa concentración de su subordinado era señal de que todo iba bien.

—Dame tu mordisco, Triton —dijo Danziger al micrófono. *Mordisco* era la palabra clave para «programa».

—Alto y apretado. Bardem es certero.

Triton era el nombre operativo de Noah Perlis, tal como sabía el secretario. El programa de *software* Bardem, que analizaba los cambios en la situación de la contienda en tiempo real, era de su responsabilidad.

—Empecemos con la Final a Cuatro —dijo el Árabe. *Final a cuatro*: la última fase de la misión.

A Halliday le dio un brinco el corazón. Ahora estaban cerca de la línea de meta y se aproximaban al mayor golpe de fuerza que ningún funcionario norteamericano hubiera conseguido dar jamás. Reprimiendo su excitación, dijo:

—Confío en que terminarás pronto con esta sesión.

—Eso depende —constató Danziger.

Halliday se acercó a él.

—Haz que termine. Vamos a ir a ver al presidente en menos de tres horas.

Danziger desvió la atención de sus pantallas.

—Triton, cinco —dijo al micrófono antes de accionar un interruptor y silenciar temporalmente la conexión—. ¿Te has reunido con el presidente?

Halliday asintió con la cabeza.

—Sugerí tu nombre y está interesado.

—Lo bastante interesado como para contar conmigo, pero todavía no hay nada hecho.

El secretario de Defensa sonrió.

—No te inquietes. No va a escoger a ninguno de los candidatos internos de IC.

El Árabe asintió con la cabeza; sabía lo suficiente para no cuestionar la legendaria influencia de su jefe.

—Tenemos un pequeño problema en ciernes en Egipto.

Halliday se encorvó.

—¿Cómo es eso?

—Soraya Moore, a quien ambos conocemos, y Amun Chalthoum, el jefe del servicio de inteligencia egipcio, han estado fisgoneando por la granja.

La granja era la palabra clave para el teatro de operaciones de la misión en curso.

—¿Qué han encontrado?

—El equipo original estaba de vacaciones cuando recibieron sus órdenes. Según parece, se encabronaron lo suficiente con la cancelación de su permiso como para que se les escapara su lugar de destino.

Halliday arrugó el entrecejo.

—¿Estás diciendo que Moore y Chalthoum están al corriente de que el equipo fue enviado a Jartum?

Danziger asintió con la cabeza.

—Este problema tiene que ser atajado de raíz; y sólo hay una solución.

Aquello desconcertó a Halliday.

—¿Qué? ¿A nuestros propios hombres?

—Violaron el protocolo de seguridad.

El secretario sacudió la cabeza.

—Pero aun así...

—Contención, Bud. Contención mientras siga siendo posible. —El Árabe se inclinó hacia delante y le dio una palmadita a su jefe en la rodilla—. Considéralo sólo como otro lamentable caso de fuego amigo.

Halliday se retrepó en el asiento y se frotó la cara con los pulpejos de las manos.

—Es una buena cosa que los humanos tengamos una capacidad infinita de racionalización.

A punto de girarse de nuevo hacia sus pantallas, Danziger dijo:

—Bud, ésta es mi misión. Yo concebí Pinprick, lo diseñé hasta el último detalle. Pero tú lo aprobaste. Bueno, sé positivamente que no estás por la labor de dejar que cuatro hijos de puta descontentos pongan nuestras cabezas en el punto de mira, ¿verdad que no?

20

Don Fernando Herrera se detuvo en las puertas correderas, levantó un dedo y miró a Bourne, sosteniéndole la mirada.

—Antes de que entremos, debería aclarar una cosa. En Colombia, he tomado parte en las guerras entre los militares y las guerrillas, la lucha entre el fascismo y el socialismo. Ambos son débiles e imperfectos, porque los dos sólo buscan controlar a los demás.

Las sombras azules de Sevilla le conferían una expresión ávida y penetrante. Era como un lobo que hubiera divisado la cara de su presa.

—Yo y otros como yo fuimos adiestrados para matar a víctimas despojadas de sus defensas y sin ninguna capacidad de respuesta. Lo cual es conocido como crimen perfecto. ¿Comprende lo que le quiero decir?

Siguió escudriñando la cara de Bourne como si estuviera conectado a un aparato de rayos X.

—Sé que no fue contratado por Nikolai Yevsen ni por Dimitri Maslov, su silencioso socio. ¿Y cómo es que lo sé? Aunque casi no sé nada sobre usted (incluido su verdadero nombre, que es lo que menos me importa), sé que no es usted el hombre que alquilaría sus servicios a nadie. Lo sé por instinto; el instinto con el que calaba a mis enemigos tras mirarlos a los ojos tantas veces como desparramé sus tripas, hombres que medían su inteligencia exclusivamente por su entusiasmo por la tortura.

Bourne se sintió excitado. Así que Yevsen y Maslov eran socios. Había conocido a Maslov meses atrás, en Moscú, cuando el jefe de la *grupperovka* se hallaba inmerso en una guerra con una familia mafiosa rival. Si ahora estaba asociado a Yevsen, eso sólo podía significar que había ganado la guerra y que estaba afianzando su poder. ¿Era Maslov, y no Yevsen, quien estaba detrás del atentado que había sufrido?

—Comprendo —dijo Bourne—. No siente ningún temor hacia Yevsen ni tampoco hacia Maslov.

—Ni me interesan lo más mínimo —replicó Herrera—. Aunque sí que estoy interesado en usted. ¿Por qué ha venido a verme? No ha sido por mi Goya, y no es por la señorita de ahí dentro, por más hermosa y deseable que pueda ser. Entonces, ¿qué es lo que quiere?

—Un sicario ruso con una cicatriz en un lado del cuello y tres calaveras tatuadas en el otro me siguió hasta aquí.

—Ah, sí, Bogdan Machin, más conocido como el Torturador. —Herrera se dio un golpecito con la yema del índice en el labio inferior—. Así que fue usted quien mató ayer a ese bastardo en la Maestranza. —Miró a Bourne con reconocimiento—. Estoy impresionado. Machin ha dejado una estela de muertos y mutilados tras él igual que la de un accidente ferroviario.

Bourne no estaba menos impresionado; la información de Herrera era rápida y excelente. Se desabotonó la camisa y dejó a la vista la herida del pecho.

—Intentó matarme de un tiro en Bali. Le compró un Parker Hale Eme ochenta y cinco y dos miras telescópicas Schmidt and Bender Marksman a Wayan. Fue Wayan quien me dio su nombre. Me dijo que usted había sido quien había hablado de él a Machin.

Herrera arqueó las cejas sorprendido.

—Debe creerme, jamás llegué a conocerlo.

Bourne cogió al colombiano por la pechera de la camisa y lo estampó contra las puertas correderas.

—¿Por qué habría de creerlo? —le espetó en la cara—, si el hombre que compró el Parker Hale no podía ser Machin porque tenía los ojos grises.

En ese momento Fausto apareció por una entrada situada en el otro lado del jardín, con la pistola apuntada hacia Bourne, que apretó el pulgar contra la nuez de Herrera.

—No tengo ningún deseo de hacerle daño, pero voy a saber quién intentó matarme en Bali —dijo.

—Fausto, aquí somos todos personas civilizadas —dijo Herrera mientras miraba fijamente a Bourne a los ojos—, aparta el arma.

Cuando el joven obedeció, Bourne soltó al colombiano. En ese momento la puerta corredera se abrió y apareció Tracy. Miró a los tres hombres por turno.

—¿Qué diablos está pasando? —dijo.

—El señor Herrera está a punto de decirme lo que necesito saber —respondió Bourne.

La chica volvió a mirar al colombiano de hito en hito.

—¿Y el Goya?

—Es suyo por el precio convenido.

—Estoy dispuesta a...

—Señorita, no abuse de mi paciencia. Recibiré íntegro el precio convenido, y después de lo que intentó, puede considerarse afortunada.

Tracy sacó su móvil.

—Tendré que hacer una llamada.

—Por supuesto. —Herrera levantó la mano—. Fausto, lleva a la señorita a un lugar donde pueda tener privacidad.

—Preferiría llamar fuera de la casa —dijo Tracy.

—Como le plazca. —El colombiano abrió la marcha de nuevo al interior de la casa. Cuando Fausto hubo cerrado la puerta y desapareció por el pasillo, se volvió hacia Bourne y, en voz muy baja y con mucha seriedad, preguntó—: ¿Confía en ella?

Harvey Korman acababa de darle un mordisco a un mediocre bocadillo de rosbif y queso Havarti con pan de centeno cuando, para su asombro, Moira Trevor y Humphry Bamber salieron por la puerta de urgencias del Hospital de la Universidad George Washington sin su compañero, Simon Herren, al que no se veía por ningún sitio. Korman arrojó un billete de veinte, se levantó, se echó por encima su cazadora acolchada y abrió la puerta de la cafetería, que estaba al otro lado de la calle, casi enfrente de la puerta del hospital.

Era una peculiaridad afortunada que Korman fuera un hombre bajo y un poco regordete de mejillas redondas y casi sin pelo, más parecido a Tim Conway que a su tocayo. Sin embargo, con su físico y sus modales poco atractivos nadie le habría tomado por un agente secreto privado, mucho menos por un miembro de Black River.

¿Qué pasa aquí?, pensó, siguiendo de cerca prudentemente a la pareja por la calle. *¿Dónde demonios está Simon?* Noah Perlis le había dicho que Moira Trevor era peligrosa, aunque, como era natural, él se había tomado la advertencia con ciertas reservas. No es que él o Simon no conocieran a Trevor —razón por la cual Perlis los había escogido para aquella misión—, pero todo el mundo en Black River sabía que Perlis estaba obsesionado con Moira Trevor, y esa obsesión desvirtuaba la opinión que tenía de ella. Perlis no debería de haber sido nunca el responsable de Moira cuando ésta trabajaba para Black River. En opinión de Korman, Perlis había cometido algunos errores trascendentales, incluido el de utilizar a Veronica Hart como pantalla para que Trevor no se cabreara con él cuando la había retirado sin previo aviso de la misión que ella estaba realizando.

Aquéllas eran cosas del pasado, no obstante; Korman tenía que concentrarse en el presente. Dobló la esquina y miró hacia todos los lados, desconcertado. Bamber y Trevor le llevaban media manzana de ventaja. ¿En dónde diablos se habían metido?

—¡Por aquí! ¡Deprisa! —Moira guió a Bamber al interior de la tienda de lencería de la esquina. La tienda tenía dos puertas, una que daba a New Hampshire Avenue Noroeste, y la otra a la calle I Noroeste. Llamó por el móvil mientras lo conducía por la tienda y lo hacía salir por la puerta del otro lado, de nuevo a New Hampshire Avenue, donde se perdieron entre la multitud. Al cabo de cinco minutos y cuatro manzanas el taxi de Blue Top que Moira había llamado se paró junto al bordillo y se metieron rápidamente en él. Cuando se alejaron a toda prisa, empujó a Bamber para que se tumbara sobre el asiento. Poco antes de que ella misma se deslizara hacia abajo, alcanzó a ver al hombre que los había estado siguiendo, un hombre que se parecía cómicamente a Tim Conway. Sin embargo, no había nada de cómico en su expresión mientras hablaba por el móvil, sin duda informando a Noah de la situación.

—¿Adónde? —dijo el taxista por encima del hombro.

Moira se dio cuenta de que no tenía ni idea de en dónde esconderse.

—Conozco un sitio —dijo Bamber con un titubeo—, un lugar donde no nos encontrarán.

—No conoce a Noah como yo —dijo Moira—. Pero a estas alturas él le conoce a usted mejor que su propia madre.

—Él no sabe nada de este sitio —insistió Bamber—. Ni siquiera Steve lo sabía.

—¿Por qué habría de confiar en nadie? —preguntó Bourne.

—Porque, amigo mío, en esta vida uno debe aprender a confiar en alguien. De lo contrario, acaba consumido por la paranoia y el deseo de morir. —Herrera vertió tres dedos de tequila Asombroso Añejo en dos vasos, y entregó uno a Bourne. Le dio un sorbo al suyo antes de decir—: Yo, por ejemplo, no confío en las mujeres, y punto. Por un lado, hablan demasiado, sobre todo entre ellas. —Se dirigió a la pared de los libros y pasó las yemas de los dedos por los lomos de piel—. A lo largo de la historia ha habido infinidad de hombres, desde obispos a príncipes, que han encontrado su ruina a causa de una indiscreción de alcoba. —Se dio la vuelta—. Mientras que nosotros luchamos y matamos por el poder, es así como ellas acumulan el suyo.

Bourne se encogió de hombros.

—Seguro que no las culpa.

—Por supuesto que las culpo. —Herrera se terminó su tequila—. Las muy putas están en el origen de todos los males.

—Lo que le deja a usted como único merecedor de mi confianza. —Bourne apartó su copa sin tocarla—. El problema, señor Herrera, es que ya ha demostrado que no es digno de confianza. Me ha mentido una vez.

—¿Y cuántas veces me ha mentido usted desde que cruzó el umbral de mi puerta? —El colombiano atravesó la habitación, cogió el tequila de Bourne y se lo bebió de un trago. Chasqueó los labios y se secó la boca con el dorso de la mano. Entonces dijo—: El hombre que Wayan describió, el hombre que intentó matarlo, fue contratado por alguien de su propia gente.

—El nombre del asesino.

—Boris Illyich Karpov.

Bourne se quedó inmóvil, y durante un instante se negó a creer lo que acababa de oír.

—Ha de haber algún error.

Herrera inclinó la cabeza.

—¿Conoce a ese hombre?

—¿Por qué un coronel del FSB-2 trabajaría para un norteamericano?

—No es un norteamericano cualquiera —respondió el colombiano—. Estamos hablando del secretario de Defensa Ervin Reynolds Halliday, a quien ambos conocemos, y quien se cuenta entre las personas más poderosas del planeta. Y Karpov no se estaba alquilando.

Pero no podía ser Boris, se dijo Bourne. Boris era un amigo, que lo había ayudado en Reikiavik y más tarde en Moscú, donde lo había sorprendido apareciendo en una reunión con Dimitri Maslov, con quien se había mostrado abiertamente cordial. ¿Es que eran algo más que amigos? ¿Era Boris socio de Yevsen, además de Maslov? Jason sintió que le corría un sudor frío por la espalda. La tela de araña en la que se había metido estaba creciendo exponencialmente con cada hebra interconectada que descubría.

—Pero aquí… —Herrera se había alejado momentáneamente para hurgar en el cajón del escritorio. Cuando se dio la vuelta, tenía una carpeta marrón en una mano y una micrograbadora en la otra—. Eche un vistazo a esto.

Bourne abrió la carpeta cuando el colombiano se la entregó y vio que había unas fotos, a todas luces tomadas clandestinamente, en blanco y negro y con mucho grano, aunque lo bastante claras para distinguir a dos hombres que hablaban. Aunque las caras estaban en primer plano, la escasa luz volvía todo ligeramente borroso.

—Se encontraron en una cervecería de Múnich —comentó Herrera amablemente.

Bourne reconoció los rasgos de la cara de Boris. El otro hombre, mayor, más alto, era probablemente un norteamericano; de hecho, era el secretario de Defensa Bud Halliday. Entonces vio la fecha impresa en una esquina de la foto. Indicaba que había sido tomada varios días antes de que le dispararan en Bali.

—Es un montaje con Photoshop —dijo, devolviendo las fotos.

—En estos tiempos todo es posible, lo admito. —Herrera le entregó la micrograbadora como si fuera un premio—. Quizás esto le convenza de que las fotos no están manipuladas.

Cuando Bourne apretó el botón de REPRODUCCIÓN, esto fue lo que oyó por encima del griterío de fondo, que había sido reducido:

—Liquide a Jason Bourne, y utilizaré todo el poder del Gobierno norteamericano para poner a Abdulla Khoury donde le corresponde.

—Eso no es suficiente, señor Smith. Ojo por ojo, ése es el verdadero significado del quid pro quo, ¿no es así?

—Nosotros no asesinamos a la gente, coronel Karpov.

—Por supuesto que no. Da lo mismo, secretario Halliday. Yo no tengo esa clase de escrúpulos.

Después de una ligera pausa, Halliday dijo:

—Sí, por supuesto, en el acaloramiento del momento olvidé nuestro protocolo, señor Jones. Envíeme todo el contenido del disco duro y se hará. ¿De acuerdo?

—De acuerdo.

Bourne apretó PARADA y miró a Herrera.

—¿De qué disco duro están hablando?

—No tengo ni idea, pero como puede imaginar estoy intentando averiguarlo.

—¿Cómo entró en posesión de este material?

Una lenta sonrisa apareció de nuevo en la cara del colombiano mientras cruzaba el dedo índice sobre los labios.

—¿Y por qué habría de querer matarme Boris?

—El coronel Karpov no me informó al respecto cuando me pidió el favor. —Herrera se encogió de hombros—. Pero, por pura rutina, hice una verificación del teléfono desde el que estaba llamando. Era un teléfono vía satélite y fue localizado en Jartum.

—En Jartum —repitió Bourne—. Quizás en el número setecientos setenta y nueve de la avenida El Gamhuria, la oficina central de Nikolai Yevsen.

Herrera abrió los ojos como platos.

—Ahora sí que estoy verdaderamente impresionado.

Bourne se sumió en un silencio meditabundo. ¿Era posible que hubiera una conexión entre Boris y Nikolai Yevsen? ¿Podía ser que fueran colaboradores y no adversarios? ¿Qué grandioso proyecto podía unir a aquellos dos hombres, provocar que Boris intentara asesinarlo y, una vez que descubrió que seguía vivo, contratara al Torturador para terminar el trabajo?

Algo en todo aquello carecía de lógica, aunque ya no le quedaba tiempo para intentar aclararlo, porque Tracy estaba abriendo la puerta corredera para entrar en la habitación, y Herrera, sonriendo a la muchacha, dijo:

—¿Su representado ha tomado una decisión?

—Quiere el Goya.

—¡Excelente! —El señor Herrera se frotó las manos; su sonrisa era la de un gato que hubiera atrapado un bocado realmente excepcional y delicioso—. El mundo no tiene ni idea de quién es Noah Petersen, aunque tengo la sospecha de que aquí nuestro amigo, sí. —Arqueó las cejas cuando miró fijamente a Bourne.

»¿No dice nada? —Se encogió de hombros—. No importa. El señor Petersen es el representado de la señorita Atherton.

Tracy miró a Bourne de hito en hito.

—¿Conoces a Noah? ¿Cómo es posible?

—Su verdadero nombre es Noah Perlis. —Bourne, atónito, los miró, primero a uno y después al otro. La tela de araña se presentaba en una dimensión totalmente nueva—. Trabaja para una empresa privada norteamericana de subcontratación militar llamada Black River. He hecho algunos negocios con él en el pasado.

—Esto sí que es asombroso —dijo Herrera—. El mundo está lleno de camaleones y, como sería de esperar, todos se conocen entre sí. —Le dio la espalda a Bourne y le hizo una reverencia burlona a Tracy—. Señorita Atherton, ¿por qué no le dice al caballero adónde va a ir a entregar el Goya? —Comoquiera que ella dudara, el colombiano se rió con jovialidad—. Vamos, no tiene nada que perder. Aquí todos confiamos unos en otros, ¿no es verdad?

—Voy a entregar el Goya personalmente en Jartum —dijo Tracy.

Bourne casi se queda sin respiración. ¿Qué demonios estaba pasando?

—Por favor, no me digas que lo vas a entregar en el número setecientos setenta y nueve de la avenida El Gamhuria.

La boca abierta de Tracy formó una O perfecta a causa del asombro.

—¿Y cómo lo ha sabido? —Herrera meneó la cabeza—. Ésa es una pregunta cuya respuesta a todos nos gustaría conocer.

Libro tercero

21

—¡Norteamericanos! —exclamó Soraya—. ¡Cielo santo!, ¿qué locura es ésta?

Medio esperaba que Amun hiciera algún comentario acerbo, pero permaneció en silencio, observándola con sus grandes ojos azabache.

—A un equipo de militares norteamericanos que casualmente están de permiso aquí, en Al Ghardaqah, se les asigna una misión que empieza en Jartum dos semanas antes más o menos de que un misil iraní Kowsar tres derribe un avión de pasajeros norteamericano en el espacio aéreo egipcio. Es inconcebible. —Se pasó una mano por su abundante cabellera negra—. ¡Por amor de Dios, Amun, di algo!

Estaban sentados en un restaurante a la orilla del mar, comiendo porque sabían que tenían que hacerlo. Soraya no tenía apetito y, por lo que veía, Amun aparentemente no tenía mucho más. Tres de los hombres de Amun se sentaban cerca, vigilando a Stephen, que estaba devorando su comida como si hubiera de ser la última que tomara. El sol era un disco liso y rubicundo cerca de la línea del horizonte. El cielo despejado se arqueaba por encima de ellos, inmenso y en cierto modo desolador.

Chalthoum empujó su plato por la mesa.

—Sigo pensando que miente para salvar el pellejo —dijo agriamente.

—¿Y si no es así? El dueño de la tienda de submarinismo corroboró su historia. Cuatro norteamericanos salieron en barco a practicar submarinismo hace aproximadamente dos semanas. Estuvieron buceando durante tres días, pagaron en metálico y se marcharon de repente sin decirle una palabra nadie.

—No parece nada fuera de lo normal —Amun lanzó una mirada envenenada hacia el prisionero—. Lo que la convierte en una historia irresistible, ¿verdad?

—Amun, no creo que podamos permitirnos asumir la posibilidad de que esté mintiendo. Creo que deberíamos ir a Jartum.

—¿Y abandonar la probabilidad de que los terroristas iraníes estuvieron aquí, en Egipto? —Sacudió la cabeza—. No es posible.

Soraya ya estaba al teléfono, marcando el número de Veronica Hart. Si iba a ir a Jartum —con o sin Amun—, tenía que confirmar su decisión con la directora de Inteligencia Central. Adentrarse en Sudán era una cosa muy seria.

Frunció el ceño cuando Verónica no cogió el teléfono y no saltó el contestador. Por fin respondió una voz masculina.

—¿Quién llama?

—Soraya Moore. ¿Quién demonios es usted?

—Soy Peter, Soraya. Peter Marks. —Marks era el jefe de operaciones de IC, un tipo inteligente y fiable.

—¿Y qué haces respondiendo por el móvil privado de la directora?

—Soraya, la directora Hart ha muerto.

—¿Qué dices? —Se quedó lívida, y de golpe sintió que le costaba respirar—. ¿Muerto? ¿Cómo ha podido…? —Su voz sonó débil, atenuada, lejana.— ¿Qué ha ocurrido?

—Una explosión…, un coche bomba, creemos.

—¡Oh, Dios mío!

—Había dos personas con ella: Moira Trevor y alguien llamado Humphry Bamber, un diseñador de *software*, dueño de una pequeña empresa especializada.

—¿Están vivos o muertos?

—Vivos, presumiblemente —dijo Marks—, aunque esto es pura especulación. No tenemos ni idea de dónde están. Por lo que sabemos, son los responsables de la muerte de la directora.

—O huyeron para salvar sus vidas.

—Es otra posibilidad —reconoció Marks—. Como mínimo, hay que traerlos e interrogarlos como únicos testigos que son del incidente. —Guardó silencio durante un instante—. La cuestión es que Moira Trevor está relacionada con Jason Bourne.

Los acontecimientos se sucedían más deprisa de lo que Soraya podía seguir en su estado actual.

—¿Y cómo es que eso es tan importante? —preguntó con sequedad.

—No sé si lo es, pero también estaba relacionada con Martin Lindros. Hace unos meses, la directora Hart estuvo investigando la conexión.

—Participé en esa investigación —dijo Soraya—. No salió nada raro. Moira Trevor y Martin eran amigos, punto.

—Y, sin embargo, ahora tanto Lindros como Bourne están muertos. —Marks se aclaró la garganta—. ¿Sabías que la señora Trevor estaba con Bourne cuando lo mataron?

Un escalofrío premonitorio recorrió a Soraya.

—No, no lo sabía.

—He estado husmeando un poco. Y resulta que Moira Trevor trabajó en Black River.

A Soraya todo le daba vueltas.

—También la directora Hart.

—¿Interesante, no? Hay más: Trevor y Bamber fueron atendidos en las urgencias del Hospital Clínico George Washington algo menos de veinte minutos después de la explosión. Nadie los vio marcharse, pero, y ésta es realmente la parte buena, un hombre que mostró una credencial oficial preguntó por ellos, dando su nombre y apellidos, menos de cinco minutos después de que empezaran a atenderlos.

—Alguien los siguió.

—Yo diría que sí —dijo Marks.

—¿Cómo se llamaba ese tipo y a qué departamento pertenecía?

—La pregunta de los mil millones de dólares. Nadie lo recuerda, el lugar era una casa de locos. Así que yo mismo lo investigué. O nadie reconoce a ese agente o no era funcionario. Por otro lado, tampoco me sorprendería descubrir que el Departamento de Defensa haya autorizado en secreto que algunos agentes de Black River porten credenciales oficiales.

Soraya respiró hondo varias veces para tranquilizarse y permitir que su mente empezara a establecer conexiones.

—Peter, la directora de IC me envió a Egipto para que intentara averiguar algo sobre los revolucionarios iraníes con los que Black River había establecido contacto, pero en mi última conversación con ella me permitió que profundizara en la teoría de que los terroristas iraníes que derribaron nuestro avión hubieran recibido ayuda para transportar el misil, posiblemente de los saudíes.

—¡Joder!, ¿y…?

—El motivo de que la llamara ahora es que existe la posibilidad de que los iraníes no tuvieran que ver nada en absoluto.

—¿Qué? —exclamó Marks con un estallido—. Tienes que estar de broma.

—Ojalá lo estuviera. Hace dos semanas, cuatro soldados norteamericanos de permiso fueron enviados repentinamente a una misión que empezaba en Jartum.

—¿Y qué?

—Amun Chalthoum y yo hemos estado actuando bajo la suposición de que los saudíes ayudaron a los terroristas iraníes a transportar el misil Kowsar tres a través de Irak y el mar Rojo hasta algún lugar de la costa oriental de Egipto. Su gente ha estado pululando por la costa todo el día sin encontrar nada que demostrara tal cosa, así que nos hemos puesto a buscar alternativas. El único otro acceso a Egipto es por el sur.

Soraya oyó la profunda inspiración de Mark.

—Eso sería Sudán.

—Y Jartum sería el escenario lógico, el lugar donde el Kowsar tres podría ser transportado en avión sin que lo detectara ningún radar.

—No lo entiendo. ¿Cuál es la conexión entre nuestro ejército y los terroristas iraníes?

—Ésa es exactamente la cuestión: no hay ninguna. Estamos buscando un escenario en el que no participen ni iraníes ni saudíes.

Mark se echó a reír nerviosamente.

—¿Estás sugiriendo que derribamos nuestro propio avión?

—El Gobierno tal vez no —contestó ella con absoluta seriedad—. Pero Black River quizá.

—Esa teoría es casi igual de loca —replicó Mark.

—¿Y si el terrible episodio ocurrido ahí estuviera relacionado con lo que ha ocurrido aquí?

—Eso es llevar demasiado lejos las cosas.

—Escúchame con atención, Peter. La directora Hart estaba preocupada por la actual relación entre la NSA (por el secretario Halliday, concretamente) y Black River. Entonces sufre un atentado con coche bomba. —Dejó que la aseveración flotara en el aire un momento antes de proseguir—. La única manera de llegar al fondo del misterio es tener ojos sobre el terreno. Tengo que ir a Jartum.

—Soraya, Sudán es demasiado peligroso para que…

—Typhon tiene un agente destinado en Jartum.

—Bien, pues deja que lo investigue él.

—Esto es demasiado grande, Peter, y las ramificaciones demasiado graves. Además, después de todo lo ocurrido, no confío en nadie.

—¿Y qué hay de Chalthoum? Es el jefe de la al-Mokhabarat, por favor.

—Créeme si te digo que tiene tanto que perder por esta situación como nosotros.

—Me corresponde advertirte que tu agente en Jartum no puede garantizar tu seguridad.

Por el tono de voz, Soraya supo que Marks había dado su brazo a torcer.

—Nadie puede, Peter. Conserva el teléfono de la directora Hart. Te mantendré al corriente.

—De acuerdo, pero…

Soraya cortó la comunicación y miró a Amun.

—La directora de Inteligencia Central acaba de ser asesinada en Washington con un coche bomba. Esta situación apesta, Amun. No nos enfrentamos a ningunos terroristas iraníes, lo sé. ¿Me acompañarás a Jartum?

Amun puso los ojos en blanco y lanzó las manos al aire.

—*Azizti*, ¿qué alternativa me dejas?

Después de que Moira y Humphry Bamber abandonaran el taxi en Foggy Bottom, él la guió en dirección oeste cruzando el puente y atravesando Georgetown. Él estaba nervioso, y caminaba tan deprisa que ella tuvo que agarrarlo del brazo varias veces para que amainara el paso, porque estaba demasiado aterrorizado para escucharla. Mientras caminaban, Moira inspeccionaba los escaparates y los retrovisores de los coches atenta a cualquier señal de que los estuvieran siguiendo a pie o bien en coche. Al menos dos veces dieron la vuelta a la manzana o entraron en una tienda para asegurarse de que no los seguían. Sólo entonces permitió que Bamber la guiara hasta el que era su destino.

Éste resultó estar en la calle R: una casa adosada de ladrillo rojo con tejado abuhardillado de color cobre y cuatro ventanas también abuhardilladas donde se posaban unas palomas gordas que zureaban adormiladas. Subieron los escalones de pizarra, y Bamber utilizó la aldaba de bronce para llamar a la reluciente puerta de madera. Al instante ésta se abrió hacia dentro para dejar ver a un hombre delgado de pelo castaño largo, ojos verdes y pómulos angulosos.

—Humphry, pareces… ¿Qué te ha ocurrido?

—Chrissie, ésta es Moira Trevor. Moira, te presento a Christian Lamontierre.

—¿El bailarín?

Bamber ya estaba en el umbral.

—Moira me ha salvado la vida. ¿Podemos entrar?

—¿Que te ha salvado…? Por supuesto. —Lamontierre retrocedió al interior de la pequeña entrada que parecía una alhaja. Lo hizo con una gracia y una fuerza fuera del alcance de cualquier humano normal.—. ¿Dónde están mis modales? —La congoja ensombreció su rostro—. ¿Estáis bien los dos? Puedo llamar a mi médico.

—Nada de médicos —dijo Moira.

Cuando su anfitrión cerró la pesada puerta, Bamber le dio dos vueltas a la llave.

Al ver esto, Lamontierre dijo:

—Creo que podríamos tomar una copa. —Con un ademán los guió hasta un salón hermosamente amueblado en tonos gris paloma y crema. Era un mundo de paz y elegancia. La mesa de centro estaba sembrada de libros sobre ballet y danza moderna; sobre los estantes se podían ver fotos de Lamontierre en el escenario y en poses informales con Martha Graham, Mark Morris, Bill T. Jones y Twyla Tharp, entre otros.

Se sentaron en sendos sofás a rayas verdes y plateadas mientras Lamontierre se dirigía a un aparador; entonces se dio la vuelta repentinamente.

—Los dos parecéis necesitar descanso y algo de comer. ¿Por qué no voy a la cocina y preparo alguna cosa para todos?

Sin esperar contestación los dejó solos, algo que Moira agradeció, puesto que tenía algunas preguntas que hacerle a Bamber y no quería ponerle en una situación embarazosa.

El hombre se le adelantó. Recostándose en el sofá con un suspiro, dijo:

—Cuando cumplí los treinta, empecé a pensar que los hombres no habíamos sido concebidos para ser monógamos, ni física ni emocionalmente. Estamos pensados para propagar, para perpetuar la especie a toda costa. Ser homosexual no altera ese imperativo biológico.

Moira recordó que le había dicho que la llevaba a algún sitio del que ni siquiera Stevenson había tenido conocimiento.

—Así que ha estado liado con Lamontierre.

—Hablar de ello no habría matado a Steve.

—¿Quiere decir que lo sabía?

—Steve no era idiota. Y era intuitivo, si no sobre sí mismo, sí sobre los que lo rodeaban. Quizá lo sospechara, o quizá no. No lo sé. Pero la imagen que tenía de sí mismo no era la mejor; siempre estaba preocupado por la posibilidad de que lo abandonara.

Se levantó, sirvió agua para los dos, regresó con los vasos y le entregó uno a ella.

—No le habría abandonado, jamás —dijo cuando se sentó.

—No le voy a juzgar —dijo Moira.

—¿No? Entonces sería la primera.

Moira bebió un buen trago de agua. Estaba sedienta.

—Hábleme de usted y Noah Perlis.

—Ese cabronazo. —Bamber hizo una mueca—. Quería una pequeña guerra bien arregladita, eso es lo que Noah quería de mí, algo a lo que pudiera ponerle un lazo y ofrecerlo como regalo a su cliente.

—Le pagaron bastante bien.

—No me lo recuerde. —Bamber vació su vaso—. Todo ese maldito dinero va directo a la investigación sobre el sida.

—Hábleme de Noah —dijo Moira con voz queda.

—Vale.

—Por favor, explíqueme esa frase «una pequeña guerra bien arregladita».

En ese momento, Lamontierre los llamó, se levantaron cansinamente y, con Bamber a la cabeza, recorrieron el pasillo hasta más allá del cuarto de baño, y entraron en la cocina situada en la parte trasera de la casa. Moira estaba impaciente por oír la contestación de Bamber, pero las tripas le hacían ruido, y sabía que para recuperar sus fuerzas tenía que meterse algo de comida en el cuerpo.

Cuando había estado buscando casa, había entrado en casas como aquélla. Lamontierre había hecho instalar una claraboya, así que en vez del espacio oscuro y lúgubre que debía haber sido otrora, la cocina era luminosa y alegre. Estaba pintada de amarillo huevo, con azulejos vidriados detrás de las encimeras de granito marrón oscuro que formaban un complejo dibujo bizantino en tonos dorados, verdes y azules.

Se sentaron a una antigua mesa de tarimas de madera. Lamontierre había preparado huevos revueltos con beicon de pavo y tostadas de pan integral. Mientras comían, no dejaba de lanzar miradas de preocupación a Bamber, porque cuando le preguntó por lo ocurrido, éste dijo:

—No quiero hablar de ello. —Y entonces, dado que Lamontierre pareció ofenderse, añadió—: Es por tu bien, Chrissie, créeme.

—No sé qué decir al respecto —dijo el bailarín—. La muerte de Steve…

—Cuanto menos se hable de eso, mejor —le interrumpió Bamber.

—Perdona. Eso es todo lo que voy a decir. Lo siento.

Al final, Bamber levantó la vista de su plato e intentó sonreír, aunque sombríamente.

—Gracias, Chrissie. Te lo agradezco. Te pido disculpas por ser un mierda tan espantoso.

—Ha tenido un día de órdago —dijo Moira.

—Los dos lo tuvimos. —La mirada de Bamber volvió a su plato.

Lamontierre paseó la mirada de uno a otro.

—De acuerdo, entonces, tengo que ensayar. —Se levantó—. Si me necesitáis, estaré abajo, en el estudio.

—Gracias, Chrissie. —Bamber le dedicó una sonrisa cariñosa—. Bajaré dentro de un rato.

—Tómate tu tiempo. —Lamontierre se volvió hacia Moira—. Señora Trevor.

Entonces salió de la cocina. Los dos vieron que no había tocado su comida.

—Eso estuvo bien —dijo Moira, intentando, y no consiguiendo, levantar el ánimo.

Bamber se llevó las manos a la cabeza.

—Me he comportado como un verdadero gilipollas. ¿Qué me está pasando?

—El estrés —sugirió Moira—. Y un montón de miedo atrasado. Es lo que ocurre cuando intentas meter un kilo de mierda en una bolsa de medio kilo.

Bamber rió fugazmente, pero cuando levantó la cabeza, tenía los ojos dilatados por las lágrimas.

—¿Y usted qué? ¿Acaso los coches bomba forman parte de su rutina diaria?

—Pues la verdad es que antes sí. Los coches bomba y mucho más.

Se la quedó mirando fijamente con los ojos como platos durante un momento.

—¡Joder!, ¿en qué me ha metido Noah?

—Eso es lo que necesito que me cuente.

—Me dijo que tenía un cliente que… quería reproducir escenarios de la vida real, lo más parecido posible a un simulacro de la vida real. Le dije que no había nada en el mercado que se ajustara a ese criterio, pero que podía crearle un programa capaz de hacerlo.

—Por un precio.

—Por supuesto que por un precio —replicó Bamber tajantemente—. No dirijo una organización benéfica.

Moira no sabía por qué estaba siendo tan dura con él. Enseguida se dio cuenta de que su mal humor no tenía que ver con Bamber. Había llamado al doctor Firth a Bali, impaciente por hablar con Willard para que le pusiera al corriente de la recuperación de Jason, y lo único que le había dicho es que Willard había regresado a Washington. Firth no sabía dónde estaba Bourne… o eso afirmaba, en cualquier caso. Había intentado llamar al móvil de Bourne varias veces desde entonces, pero salía directamente el buzón de voz. Aquello le había ocasionado una preocupación terrible, aunque había tratado de tranquilizarse pensando que si Jason estaba con Willard, estaba a salvo y en buenas manos.

—Continúe —dijo entonces, repentinamente avergonzada y prometiendo ser más amable con Bamber.

Él se levantó, recogió los platos y los llevó al fregadero de dos pilas, donde arrojó la comida sobrante en el triturador de alimentos y después colocó los platos y los cubiertos en el lavavajillas. Cuando estaba terminando de recoger la mesa, se paró detrás de su silla y rodeó el listón superior del respaldo con las manos, haciendo resaltar los nudillos descarnadamente. Su miedo renovado originó un circuito de energía nerviosa que apenas era capaz de contener.

—Para ser sincero, creí que su cliente quería probar una nueva fórmula de fondos de capital riesgo. Vaya, Noah me ofreció tanto dinero que pensé, al diablo, dentro de un mes o dos tendré el suficiente dinero para mandar al carajo a todo el mundo, y entonces tanto me dará lo que pase con mi negocio, pues tendré todo ese pastón. Es duro trabajar de autónomo; en cuanto se produce una bajada de precios, tus entradas disminuyen de una manera que no te lo puedes creer.

Moira se recostó un momento en la silla.

—¿No sabía que Noah trabajaba para Black River?

—Se presentó como Noah Petersen. Eso es todo lo que sabía.

—¿Quiere decir que no comprueba la identidad de sus clientes?

—No cuando depositan dos millones y medio de dólares en mi cuenta bancaria. —Se encogió de hombros—. Además, no soy el FBI.

Moira comprendió su postura. En cualquier caso, sabía por experiencia lo persuasivo que podía ser Noah, lo bien que sabía ser otro. Le encantaba interpretar papeles, tanto como a un actor de Hollywood. De esa manera nunca tenía que mostrarse tal cual era.

—¿En algún momento, durante la creación de Bardem, llegó a intuir que el programa no estaba destinado a convertirse en un fondo de capital riesgo?

Cierta tristeza se apoderó de la expresión de Bamber, que asintió con la cabeza.

—Pero no hasta casi el final. Ni siquiera cuando Noah me dio las instrucciones de su cliente para la segunda revisión. Me dijo que tenía que ampliar los parámetros de los datos de la vida real para incluir reacciones de los países a los ataques terroristas, incursiones militares y cosas parecidas.

—¿Y eso no hizo saltar las alarmas?

Bamber suspiró.

—¿Por qué habría de hacerlo? Esos factores son importantes para los fondos de capital riesgo, puesto que afectarían de manera significativa a los mercados financieros, y según tengo entendido, algunos fondos de este tipo se constituyen para sacar provecho de las dislocaciones del mercado a corto plazo.

—Pero en cierto momento llegó a una conclusión distinta.

Bamber iba de un lado a otro de la cocina, reordenando objetos que no necesitaban ser ordenados de nuevo.

—Las anomalías no paraban de acumularse con cada revisión, ahora me doy cuenta de eso con claridad. —Dejó de hablar repentinamente.

—Pero ¿entonces? —le apremió Moira.

—No dejaba de repetirme que todo iba bien —respondió

Bamber con una buena dosis de angustia—. Y seguí metiéndome de lleno en los algoritmos cada vez más complejos de Bardem. Por la noche, cuando las dudas empezaban a asediarme, me concentraba en los dos millones y medio que pondría a producir en bonos del Tesoro, en el dinero de mi independencia. —Se inclinó sobre el fregadero, con la cabeza gacha—. Entonces, hace un par de días, llegué a un punto de inflexión y supe que no podía dejar que las cosas siguieran por el mismo camino que habían llevado hasta ese momento. No supe qué hacer.

—Así que le contó a Steve lo de Bardem, y Steve hizo las averiguaciones sobre Noah que usted no había realizado y descubrió que trabajaba para Black River.

—Y siendo como era, Steve no fue capaz de ocultar la información. Estaba demasiado asustado para acudir a sus superiores, así que pasó un *pendrive* al hombre al que había acudido cuando su investigación interna en el Departamento de Defensa no arrojó nada sobre Noah.

—Jay Weston —señaló Moira—. ¡Pues claro! Yo le robé Jay a Hobart, otro contratista privado del ejército. Habría identificado a Noah de inmediato.

—Y ahora Steve está muerto —dijo Bamber con un gemido— por culpa de mi estupidez y mi codicia.

Con un arrebato de ira, Moira se levantó y atravesó la cocina.

—¡Maldita sea, Bamber, contrólese! Lo último que necesito es su autocompasión.

El hombre se revolvió contra ella.

—¿Qué le pasa, ni siquiera tiene un ápice de humanidad? Mi compañero acaba de ser asesinado.

—No tengo tiempo para sensiblerías ni…

—Y si no recuerdo mal una amiga suya saltó por los aires sin remisión delante de usted. ¿Es que no siente ningún remordimiento, ninguna compasión? ¿Hay algo dentro de usted aparte de querer vengarse de Noah?

—¿Qué dice?

—Quiero decir que es eso, ¿verdad? Eso es de lo que va todo esto…, usted y Noah agarrándose del cuello el uno al otro sin importarles los daños colaterales. Pues bueno, ¡que le jodan a él y que la jodan a usted!

Cuando Bamber se marchó con aire ofendido de la cocina, Moira se agarró al fregadero para no perder el equilibrio. De pronto la cocina empezó a dar vueltas, y le pareció que se desorientaba, que soltaba amarras hasta tal punto que ya no podía distinguir el suelo del techo.

¡Dios mío!, pensó, *¿qué me está pasando?* E inmediatamente acudió a ella una imagen de Ronnie Hart, de aquellos ojos centelleantes que la observaban desde el interior del Buick blanco, y de Ronnie, consciente de que el fin había llegado y de que era incapaz de detenerlo. La explosión brotó de nuevo en su cabeza, bloqueando la visión, el sonido y el pensamiento.

¿Por qué no la salvé? Porque no hubo tiempo. *¿Por qué no lo intenté, de todas las maneras?* Porque, una vez más, no hubo tiempo y Bamber la había agarrado. *¿Por qué no me solté?* Porque ya la había alcanzado la onda expansiva, arrojándola de espaldas, y si hubiera estado un poco más cerca, habría quedado atrapada en el incendio, y ahora estaría muerta o, lo que sería peor, tumbada en la unidad de quemados con quemaduras de tercer grado que la matarían lenta y dolorosamente.

Aun así. Ronnie estaba muerta. Ella se había salvado. ¿Dónde estaba la justicia en eso? La parte racional de su mente le habló de la aflicción, la parte irracional le dijo que el mundo era un caos al que no le importaba la justicia, que, en cualquier caso, éste era un concepto humano y, por lo tanto, sujeto a su propia forma de irracionalidad. Nada de este debate interior pudo contener las lágrimas que le escocieron en los ojos, se deslizaron por sus mejillas y la dejaron temblando como si estuviera enferma.

Las palabras de Bamber volvieron a ella para atormentarla. ¿Era de eso de lo que se trataba, de una cruenta disputa entre ella y Noah? Y de repente se encontró de nuevo en Múnich con Bourne, subiendo por la escalerilla rodante del avión que los iba a llevar a Long Beach, California. Entonces Noah había aparecido en la puerta, y ella se acordó de la ponzoñosa mirada en sus ojos. ¿Habían sido celos? Entonces había estado demasiado entretenida, demasiado absorta en su objetivo inmediato de llegar a Long Beach. Pero en ese momento recordó la gélida expresión en la cara de Noah como si fuera el amargo reflujo de un alimento en mal estado. ¿Cómo podía estar segura de que no estaba malinterpretando el recuerdo de aquel momento entre ellos? Porque, ahora que lo pensaba, cuando ella abandonó Black River, Noah se lo tomó como algo personal, como si él fuera el amante desdeñado de Moira. Y por consiguiente, cuando se marchó, su decisión de fundar una empresa rival robando unos cuantos empleados entre lo mejorcito de Black River, ¿podía haber sido una represalia contra Noah por no habérsele declarado cuando había podido? De pronto, recordó la conversación que había mantenido con Jason aquella noche en Bali, cuando estaban solos en la piscina. Al contarle su idea de fundar una empresa que rivalizara con Black River, él le había advertido que convertiría a Noah en su enemigo, y había tenido razón. ¿Había sabido Jason entonces lo que sentía Noah por ella? ¿Y lo que ella había sentido por Noah? «Dejé de intentar complacerlo seis meses antes de irme de Black River. Era un juego de idiotas», le había dicho a Jason aquella noche. ¿Qué había querido decir exactamente con eso? Al oírlo reverberar ahora en su cabeza mezclado con todas las demás sutiles revelaciones, se le antojó algo que diría un amante despechado.

¡Santo cielo, los daños colaterales que ella y Noah habían ocasionado!

La ira irracional la fue abandonando lentamente como un neumático pinchado, dejó de agarrarse al fregadero, resbaló y cayó al suelo. Si no hubiera tenido la espalda apoyada contra los armarios de madera, se habría caído de bruces.

Le pareció que había transcurrido mucho tiempo —aunque seguramente no podría haber sido así— cuando fue consciente de que alguien estaba con ella en la cocina. De hecho, dos «alguien». Estaban agachados a su lado.

—¿Qué ha sucedido? —preguntó Bamber—. ¿Se encuentra bien?

—Resbalé y me caí, eso es todo. —Moira tenía ya los ojos completamente secos.

—Le traeré un brandy. —Lamontierre, vestido con una malla blanca de las llamadas unitardos y zapatillas de ballet y con una toalla colgada alrededor del cuello, se dirigió de nuevo al salón.

Moira, despreciando la mano tendida de Bamber, se apoyó para levantarse. Lamontierre volvió con una copa medio llena de un líquido ámbar, del que Moira bebió inmediatamente un poco. El fuego se abrió camino por su garganta e inundó su cuerpo, haciendo que volviera en sí totalmente.

—Señor Lamontierre, gracias por su hospitalidad, aunque para ser sincera ahora tengo que hablar con el señor Bamber en privado.

—Por supuesto. Si está bien…

—Lo estoy.

—Excelente, entonces me iré a duchar. Humphry, si quieres quedarte aquí por ahora… —Miró a Moira un momento—. En realidad tanto uno como otro son bienvenidos aquí todo el tiempo que lo necesiten.

—Eso es extremadamente generoso por su parte —dijo ella.

—No es nada. —Le restó importancia a las palabras de Moira con un gesto—. Me temo que no tengo ropa limpia para usted.

Ella se echó a reír.

—Me puedo ocupar de eso con bastante facilidad.

—Bueno, pues. —Lamontierre le dio un rápido abrazo a Bamber y los dejó solos.

—Es un buen hombre —dijo Moira.

—Sí, lo es —reconoció él.

De mutuo acuerdo tácito volvieron al salón, donde se desplomaron, agotados, sobre los sofás.

—¿Qué ocurre ahora? —preguntó Bamber.

—Ayúdeme a averiguar para qué está utilizando Bardem exactamente Noah Perlis.

—¿De verdad? —Todo su cuerpo se puso en tensión—. ¿Y cómo sugiere que haga eso?

—¿Qué tal metiéndose en su ordenador?

—¡Qué fácil sería eso para nosotros dos! —Cambió de postura y se sentó en el borde del cojín—. Por desgracia, es imposible.

Noah utiliza un ordenador portátil. Lo sé porque me hizo enviarle las versiones actualizadas de Bardem directamente ahí.

—¡Puaj!

Aunque las redes Wi-Fi eran notablemente porosas, Black River no lo era. Había montado su propia red mundial que, hasta donde ella sabía, era impenetrable. Por supuesto que, en teoría, ninguna red era segura al cien por cien, aunque la de Black River podía hacer que una sección de piratas informáticos tardaran años en acceder a ella. A menos que…

—Espere un segundo —dijo ella, repentinamente excitada—. Si tuviera un portátil cargado con la clave Wi-Fi de Black River, ¿eso le ayudaría?

Bamber se encogió de hombros.

—Probablemente, pero ¿cómo demonios va a conseguirla?

—La utilizaba para trabajar para Black River —respondió ella—. Cloné el disco duro de mi portátil antes de devolverlo. —Moira consideró el obstáculo restante a esa posible solución—. El único problema es que cada vez que un agente de Black River se va de la empresa, se cambia la clave.

—Eso no importa. Si siguen utilizando el mismo algoritmo raíz, que seguro que sí, debería poder descifrarla. —Bamber sacudió la cabeza—. Lo cual no sirve para nada. —Su voz había adquirido un tono de amargura—. No podemos regresar a nuestros respectivos pisos, ¿recuerda? Seguro que nos encontraríamos con la gente de Noah.

Moira se levantó, buscando su abrigo con la mirada.

—No obstante —dijo—, tengo que intentarlo.

22

En el vuelo de una hora de Sevilla a Madrid, Bourne se dio cuenta de que Tracy ya no llevaba su alianza. Cuando le preguntó por ella, la sacó de su bolso.

—La suelo llevar cuando viajo para ahuyentar cualquier conversación no deseada —dijo ella—, pero ahora no hay razón para llevarla.

En Madrid reservaron billetes en un vuelo de Egiptair con destino a El Cairo. Una vez allí, fueron trasladados a un aeródromo militar contiguo al Aeropuerto Internacional de El Cairo, donde les esperaba un vuelo chárter para llevarlos a Jartum. Tracy ya había conseguido su visado, y gracias a la amabilidad del señor Herrera el de Bourne se agilizó, todavía bajo el nombre de Adam Stone, por supuesto. También le había proporcionado un teléfono vía satélite, porque en África su móvil sólo tendría una cobertura parcial.

Cuando Tracy guardó el anillo, se puso el maletín en el regazo.

—Siento lo de la llamada al profesor Zúñiga.

—¿Por qué? No fue culpa tuya.

Ella suspiró.

—Me temo que sí. —Con una expresión de vergüenza, abrió el maletín—. Me temo que tengo que hacer una confesión bastante espantosa—. Sacó las hojas que Bourne ya había visto: las radiografías del Goya y la carta del profesor.

Cuando se las entregó, Tracy dijo:

—Verás, ya me había reunido con él. Éstas son las radiografías que sacó, y ésta su carta autentificando el Goya. Estaba realmente muy excitado por el hallazgo..., tanto, de hecho, que se echó a llorar de verdad cuando se lo quité.

Bourne la perforó con la mirada.

—¿Por qué no me lo dijiste desde el principio?

—Pensé que eras un rival. Tenía órdenes estrictas de evitar una guerra de ofertas a toda costa. Así que comprenderás por qué no quise revelar nada que hiciera subir el precio.

—¿Y más tarde?

Tracy volvió a suspirar, recogió las hojas y las guardó cuidadosamente.

—Más tarde, ya era demasiado tarde. No quería admitir que te había mentido, sobre todo después de que nos salvaras la vida a los dos en la plaza de toros.

—Eso fue culpa mía —dijo él—. Jamás debería haberte involucrado en mis negocios.

—Eso no cambia nada ahora. Al final resultó que estoy involucrada.

Era difícil oponer argumentos a eso. Aun así, a Bourne no le gustaba que Tracy lo acompañara a Jartum, al corazón del imperio armamentístico de Nikolai Yevsen, a meterse en lo que sin duda debía ser el centro de la red a la que había sido empujado por la bala que casi lo había matado. En Jartum era donde estaba el cuartel general de Yevsen, en el número 779 de la avenida El Gamhuria. Según Tracy, allí era donde Noah Perlis acudiría a recoger el Goya. Y por lo que había dicho el señor Herrera, también era probable que Boris Karpov estuviera allí; un mes antes le había dicho a Bourne que acababa de regresar de Tombuctú, en Mali, y ahora él había visto aquellas fotos y había oído la cinta en la que Boris llegaba a un acuerdo con Bud Halliday. Todavía no había resuelto cómo manejaría una situación en la que un amigo de confianza era el hombre que estaba intentando matarlo. Todavía seguía dándole vueltas a la pregunta del Torturador. ¿Por qué Boris habría de contratar a otro cuando podía ser él mismo quien persiguiera a Bourne?

—Pero ya que hablamos de mentiras —dijo entonces Tracy—, ¿por qué me mentiste acerca del verdadero motivo de que quisieras ver al señor Herrera?

—¿Me habrías llevado a verlo si te hubiera dicho la verdad?

—Probablemente, no. —Tracy sonrió—. Bueno, y ahora que hemos admitido nuestros errores, ¿por qué no empezamos de cero?

—Si así lo deseas.

Ella lo miró meditabunda.

—¿Preferirías que no?

Él se echó a reír.

—Quería decir sólo que las mentiras nos salen con suma facilidad a ambos.

Aunque tardó un poco, Tracy se ruborizó.

—Mi ocupación, y a todas luces la tuya, está infestada de gente sin escrúpulos, estafadores, granujas e incluso criminales violentos. Algo apenas sorprendente, dado que, sobre todo en estos días, las obras de arte alcanzan precios astronómicos. He tenido que aprender métodos de protección contra esos peligros, de los cuales uno es haberme convertido en una mentirosa convincente.

—Ni yo lo podría haber explicado mejor —dijo él.

Dejaron de hablar cuando la asistente de vuelo se acercó para preguntarles qué querían beber.

Cuando les hubo llevado lo que habían pedido, Bourne prosiguió:

—Tengo que preguntarte por qué trabajas para Noah Perlis.

Tracy se encogió de hombros y le dio un sorbo a su champán.

—Es un cliente tan rentable como cualquier otro.

—¿Me pregunto si lo que dices es verdad o mentira?

—Es la verdad. A estas alturas, no tengo nada que ganar mintiéndote.

—Noah Perlis es un individuo muy peligroso que trabaja para una empresa éticamente deficitaria.

—Puede, pero su dinero es tan bueno como el de cualquier otro. Y lo que haga Noah no es asunto mío.

—Lo es si te coloca en la línea de fuego.

El ceño de Tracy se intensificó.

—Pero ¿por qué habría de ocurrir tal cosa? Es un trabajo sencillo, lisa y llanamente. Creo que estás viendo sombras donde no las hay.

Cuando se trataba de Noah Perlis, ningún trabajo era sencillo. Eso era algo que Bourne había aprendido de Moira. Aunque tuvo la sensación de que no serviría de nada seguir hablando de aquel tema con Tracy. Si Noah la estaba manipulando, él no tardaría en averiguarlo. Le inquietaba la inclusión de Noah Perlis en todo aquel asunto. Nikolai Yevsen era uno de los principales traficantes de armas, y Dimitri Maslov, el jefe de la mafia Kazanskaya; incluso podía encontrar una explicación convincente a la participación tangencial de Boris. Pero ¿qué estaba haciendo Noah Perlis, un agente de alto nivel de Black River, con aquellos desagradables criminales rusos?

—¿Qué sucede, Adam? Pareces perplejo.

—No tenía ni idea —dijo Bourne— de que Noah Perlis fuera coleccionista de arte.

Tracy frunció el entrecejo.

—¿Crees que te estoy mintiendo?

—No necesariamente —dijo él—. Aunque estaría dispuesto a apostar que alguien lo está haciendo.

Arkadin recibió la llamada de Triton con absoluta puntualidad. El cargante de Noah tal vez fuera arrogante, irrespetuoso, celoso de su poder e influencia y se diera aires de superioridad, pero al menos era puntual. Un triste consuelo, porque era una nimiedad para todos, excepto para él. Arkadin era un hombre para quien el misterio era lo bastante importante como para que hubiera asumido proporciones míticas. Igual que él era un camaleón físico que había aprendido a modificar su cara, su forma de andar y hasta su mismísimo semblante, dependiendo del papel que estuviera interpretando, Noah era un camaleón vocal. Podía ser sociable y afectuoso, convincente y adulador y lo que hiciera falta entre medias, dependiendo del papel que estuviera interpretando. Era necesario un actor, pensó Arkadin, para distinguir a otro actor.

—El discurso del presidente en Naciones Unidas surtió el efecto deseado —le dijo Noah a Arkadin—. No sólo están a bordo los aliados norteamericanos, sino la mayoría de los países neutrales e incluso un par de países normalmente hostiles. Tienes ocho horas para acabar de entrenar al escuadrón. Para entonces, el avión estará en la pista de aterrizaje, listo para llevaros al punto de lanzamiento en la zona roja. ¿Queda claro?

—Como nunca —contestó Arkadin de forma automática.

Ya no estaba interesado en la perorata estúpida de Noah. Tenía que repasar por diezmilésima vez sus propios planes, la decisiva modificación a la incursión conjunta ruso-norteamericana en Irán. Sabía que sólo tendría una posibilidad de victoria, tan sólo un diminuto resquicio cuando el caos alcanzara su punto álgido para poner en marcha su plan. El fracaso jamás entraba en sus cálculos, porque eso significaría una muerte segura para él y todos sus hombres.

Estaba completamente preparado, no como Misha y Oserov cuando, actuando de manera improvisada, habían creado su hombre de paja para intentar hacerlo salir de su prisión subterránea de Nizhni Tagil.

Las noticias de los extraños y cada vez más truculentos asesinatos de los hombres de Stas se habían extendido por Nizhni Tagil con una virulencia tan imparable que incluso se habían filtrado hasta Arkadin, bien escondido cual rata en el sótano del cuartel general de la banda. Las noticias lo estaban inquietando; tanto, de hecho, que fue lo único que lo impulsó a salir de su lúgubre, frío y húmedo refugio. ¿Quién podría ser el que estaba cazando furtivamente en su territorio? Era cosa suya convertir la vida de la banda de Sta en un auténtico infierno; nadie más tenía derecho a ello.

Así que salió a la atmósfera infernalmente densa de Nizhni Tagil. La noche lo envolvió, junto con una nociva llovizna cenicienta que apenas servía para oscurecer las ardientes almenaras del horizonte: las chimeneas que escupían sulfuro de hierro al aire. Al igual que las campanas de las iglesias de alguna otra ciudad más salubre, los cegadores haces de los reflectores colocados en lo alto de los muros de las cárceles de alta seguridad que cercaban la ciudad anochecida marcaban el paso del tiempo a intervalos regulares y monótonos.

Arkadin seguía considerándola la banda del difunto Stas Kuzin, aunque un tarado llamado Lev Antonin hubiera tomado el mando por medio de la fuerza bruta. Tres hombres habían muerto violentamente como consecuencia de su ascenso al poder; innecesariamente, como bien sabía Arkadin, porque si tenías un cerebro que funcionaba no era difícil hallar la manera de convertirte en sucesor de Stas utilizando la diplomacia. Lev Antonin no era uno de esos hombres, así que en cierto sentido era el tipo adecuado para dirigir a los matarifes, sádicos y estúpidos homicidas de la banda de Kuzin.

Lo que había impulsado a Arkadin era la muerte del principal ejecutor de la banda y su familia: no tenías que tener un doctorado en balística para columbrar que Lev Antonin iba a ser el siguiente blanco del asesino desconocido. Quienquiera que fuera, estaba llevando a cabo su trabajo de una manera metódica. Con cada víctima ascendía un escalón en la jerarquía de la banda, la manera más segura de inspirar temor incluso en aquellos que se consideraban acostumbrados a él.

Bien avanzada la noche, Arkadin se acercó a la casa de Lev Antonin, un edificio de dos plantas grande e indescriptiblemente feo que equiparaba la brutal arquitectura moderna con el buen gusto. Se pasó sus buenos cuarenta minutos reconociendo la manzana, inspeccionándola desde todos los ángulos, calculando los factores de riesgo que implicaba cada vía de aproximación. Todas las luces de seguridad estaban encendidas; el estucado parecía plano y bidimensional bajo aquel resplandor blanco azulado.

De hecho, había un cerezo medio muerto en uno de los lados de la casa. Era un espécimen viejo y retorcido, como si fuera un orgulloso aunque exhausto veterano de muchas guerras. A mitad de su altura, sus ramas entrelazadas formaban un nudo gordiano lo bastante sólido para soportar el peso de varios hombres. Eran suficientemente densas para atrapar la noche en su red y que su esfera repeliera incluso el resplandor creado por el hombre.

De niño, siempre que conseguía escapar de los confines carcelarios de la casa de sus padres, Arkadin se subía a los árboles, a las rocas, a las colinas, a las montañas…, cuanto más empinadas, mejor. Cuanto más desafiaba a la muerte, más le gustaba, y cuanto mayor la altura, más impelido se sentía a trepar. Si moría en el intento, al menos habría muerto a su manera, haciendo lo que le gustaba, y no porque su madre le diera una paliza de muerte.

Sin dudarlo un instante, se subió a la parte más baja del árbol, donde su grueso tronco le ofreció el amparo de una profunda sombra. Mientras trepaba ayudándose con las manos, volvió a sentir una vez más la vieja excitación que había experimentado cuando tenía nueve años, antes de que su madre, al pillarle escabulléndose de la casa una vez más, le hubiera roto la pierna.

Una vez dentro del nudo gordiano, se detuvo para inspeccionar el escenario. Estaba más o menos a la altura de las ventanas del segundo piso, que, por supuesto, se hallaban cerradas a cal y canto en prevención tanto de los intrusos como de la tóxica ceniza de la ciudad. No es que una ventana cerrada supusiera un gran problema para Arkadin; lo que era bastante más importante era escoger la de una habitación vacía.

Se acercó más, mirando por el cristal de una habitación a oscuras y luego por el de otra. Había cuatro ventanas, dos y dos, alineadas con la segunda planta, lo que le hizo suponer que había dos habitaciones, sin duda dormitorios. Las luces apagadas no eran necesariamente garantía de un cuarto vacío. Después de arrancar un trozo de corteza de la rama que estaba más cerca de su hombro derecho, la arrojó contra el cristal de la segunda ventana del primer par. Al ver que no ocurría nada, arrancó otro trozo, esta vez más grande, y lo arrojó con más fuerza. La corteza impactó en el cristal con un ruido claramente perceptible. Esperó. Nada.

Entonces avanzó hasta la mitad delantera del nudo gordiano hasta casi quedar apoyado en el cristal de la ventana. Allí, las nudosas ramas habían sido aserradas o cortadas, mostrando el lado amputado a la casa. Entre los muñones de las ramas podadas y la pared moteada de luz de la vivienda, en la que las ventanas eran como los ojos sin vida de una muñeca cuboide, había una distancia de unos cuarenta y cinco centímetros.

Cuando Arkadin se hubo colocado en una horcadura adecuada, vio que su reflejo le miraba fijamente como si saliera de algún bosque mitológico y sensorial. La palidez de su cara lo sobresaltó. Era como si estuviera mirando una versión futura de sí mismo que ya estuviera muerta, una versión de alguien a quien el fuego de la vida hubiera agotado repentina y cruelmente, no por el tiempo, sino por la circunstancia. En aquella cara no se reconoció, sino que tuvo la sensación de ver a cierto extraño que hubiera entrado en su vida y que, como un titiritero, hubiera dirigido sus manos y sus pies sobre un sendero ruinoso. Un instante después la imagen o ilusión se desvaneció y, echándose sobre el vacío, hizo palanca para abrir la ventana, la subió y entró a gatas sin hacer ruido.

Se encontró en un dormitorio muy normal con un canapé, un par de lamparitas en sendas mesillas de noche y un tocador, todo sobre una alfombra circular de ganchillo. Sin embargo, en ese momento se le antojó una habitación del palacio de un sultán. Se sentó en la esquina de la cama un momento, deleitándose con la elasticidad del colchón, aspirando los efluvios hogareños del perfume y los cosméticos, que le hicieron salivar como a una fiera que oliera la sangre. ¡Oh, lo que daría por un baño caliente o incluso una ducha!

Un estrecho espejo de cuerpo entero cubría la puerta de un armario empotrado, que abrió. Como era natural, sentía aversión por los armarios empotrados, un espacio reducido en el que su madre lo encerraba como castigo. Pero ahora se armó de valor, alargando el brazo para pasar la mano abierta por el dorso suave de la ropa allí colgada: vestidos, combinaciones, camisones..., pálidos y temblorosos como su cara en el reflejo. Sin embargo, lo que aspiró, junto con los vestigios del perfume y los polvos, fue el olor de la soledad que era tan familiar para alguien como él. En su horrible guarida del sótano aquel olor era totalmente familiar, algo que casi se daba por sentado, pero allí, en el hogar de una familia, parecía extraño e inefablemente triste.

Estaba a punto de darse la vuelta y emprender su trabajo cuando en el pozo de oscuridad que era la parte de abajo percibió algo. Con el cuerpo en tensión y preparado para cualquier cosa, se agachó y, apartando unas cuantas faldas de *tweed* horribles, distinguió una cara pálida y oval que surgió de la penumbra. Pertenecía a un niño pequeño. Se miraron de hito en hito un momento, paralizados. Recordó que Lev Antonin tenía cuatro hijos, tres chicas y un niño algo enfermizo, a quien, de haber sido otro su padre, sus iguales le habrían amargado la existencia. Era aquel mismo niño a quien ahora se enfrentaba, agazapado en un armario empotrado igual que lo había estado él en otro tiempo.

Un sentimiento de aversión hacia su pasado se elevó por encima incluso de su odio por Lev Antonin.

—¿Qué haces aquí escondido? —susurró al niño.

—Chist, yo y mis hermanas estamos jugando.

—¿Te han encontrado?

El niño negó con la cabeza y entonces sonrió de todo corazón.

—Llevo aquí arriba mucho tiempo.

Fue un sonido que ascendió por la escalera desde la primera planta lo que los volvió a paralizar a ambos, un ruido tan inesperado que se entrometió en aquella momentánea e inusual conversación. Fue un gemido, pero no de una voz femenina sorprendida en medio del sexo, sino de un terror abyecto.

—Quédate aquí —dijo Arkadin—. Sobre todo, no bajes hasta que venga a buscarte, ¿de acuerdo?

El niño, ahora a todas luces asustado, asintió con la cabeza.

Al salir del dormitorio, Arkadin avanzó sigilosamente por el pasillo. Las luces de toda la segunda planta estarían apagadas, pero lo que era abajo resplandecían como en una casa en llamas. Al acercarse a la balaustrada de madera volvió a oír el gemido, más nítido en esta ocasión, y entonces empezó a preguntarse qué podría estar haciéndole Lev Antonin a su esposa para provocarle un terror tan atroz. ¿Dónde estaban las niñas mientras su padre castigaba a su madre? No era de extrañar que no hubieran subido a buscar a su hermano.

La luz ascendió por las escaleras de manera decreciente a medida que Arkadin las bajaba sigilosamente doblado casi por la cintura para que no lo vieran. No habría descendido más de un tercio de los escalones cuando un extraño retablo se ofreció a su vista. Había un hombre de pie que le daba la espalda. Delante de él estaba Joskar, la esposa de Lev Antonin, atada de pies y manos a una silla de cocina con el respaldo de listones. La mordaza que le había estado tapando la boca estaba en ese momento medio quitada, de ahí los gemidos que salían de su boca. Tenía un ojo hinchado, y cortes en la cara de los que manaban hilos de sangre. Acurrucadas a su alrededor, como polluelos en torno a una gallina, estaban las tres hijas de la mujer, todas con los tobillos atados. Así no podrían moverse, y dada la amenazante actitud del hombre que se alzaba imponente sobre ellas, seguramente no lo harían. ¿Dónde estaba Lev Antonin?

El hombre le dio un desganado puñetazo en la cabeza a Joskar Antonin.

—Deja ya de gimotear —dijo—. Tu suerte está echada. Con independencia de lo que decida tu marido, tú y estas mocosas... —El tipo empezó a dar patadas, y la afilada punta de su zapato impactó con una cadera aquí y una costilla allá. Las niñas, que para entonces ya estaban gritando, empezaron a llorar en serio, y su madre volvió a gemir—. Tú y estas mocosas estáis acabadas. Muertas, a dos metros bajo tierra, ¿me sigues?

Mientras Arkadin escuchaba el manifiesto del hombre, se le ocurrió algo importante. Quienquiera que fuera, ese tipo tenía que ser un forastero; de lo contrario, habría sabido que uno de los hijos de Lev Antonin seguía libre. ¿Podría ser que fuera el que había estado matando a los miembros de la banda? En ese momento a Arkadin se le antojó que ésa era una buena apuesta en la que debía poner su dinero.

Volviendo sobre sus pasos, regresó al armario empotrado del dormitorio y ordenó al hijo de Lev Antonin que lo acompañara, pero que guardara silencio pasara lo que pasara. Manteniendo en todo momento al sumiso niño detrás de él, bajó en silencio los escalones hasta que llegó quizás a la mitad de la escalera. No había cambiado gran cosa en la escena de abajo, excepto que la mordaza volvía a estar en su sitio y había más sangre en la cara de Joskar.

Cuando el hijo de Lev Antonin intentó asomarse por detrás de él, Arkadin lo sacó de la vista empujándolo detrás de sus piernas. Luego se agachó y le susurró:

—No te muevas hasta que te lo diga.

Detectó la mirada de miedo cerval en los ojos del niño y algo le tocó la fibra sensible, una emoción quizás, enterrada bajo el cieno de su pasado. Le alborotó el pelo al niño, se levantó y sacó la Glock que se había metido en la cinturilla del pantalón a la altura de los riñones.

Levantándose por completo, dijo:

—¿Por qué no te apartas de esas personas?

El hombre giró en redondo, y su cara se retorció en una horrible máscara durante una fracción de segundo antes de que una sonrisa pletórica de condescendencia que enseguida se haría familiar la reemplazara. Arkadin reconoció aquella expresión y lo que revelaba de ese hombre. Aquél era un sujeto que vivía para subyugar, y el contundente instrumento que utilizaba para conseguirlo era el miedo.

—¿Quién coño eres y cómo has entrado aquí? —A pesar de estar sorprendido, y a pesar de estar mirando el cañón de la Glock, no había el menor atisbo de preocupación ni en su cara ni en su voz.

—Me llamo Arkadin, ¿y tú qué coño estás haciendo aquí?

—Arkadin, ¿no? Bueno, bueno…

Su sonrisa se tornó engreída e irónica. Era la clase de sonrisa, pensó Arkadin, que suplicaba ser borrada, preferiblemente a puñetazos.

—Me llamo Oserov. Vylacheslav Germanovich Oserov, y estoy aquí para sacarte de este jodido agujero de mierda.

—¿Qué?

—Así es, so gilipollas, mi jefe, Dimitri Ilinovich Maslov, te quiere en Moscú.

—¿Y quién coño es Dimitri Ilinovich Maslov? —preguntó Arkadin—. ¿Y por qué debería importarme un carajo lo que quiere?

Al oír aquello, la boca de Oserov se abrió y un sonido muy parecido al que producirían unas uñas al arrastrarse por una pizarra salió de ella. Con un sobresalto, Arkadin se dio cuenta de que se estaba riendo.

—Realmente eres un paleto. Quizá deberíamos dejarte aquí,

en compañía de todos los demás cretinos. —El regocijo hizo que Oserov se agitara—. Para tu información, Dimitri Ilinovich Maslov es el jefe de la Kazanskaya. —Ladeó la cabeza—. ¿Has oído hablar de la Kazanskaya, hijito?

—La *grupperovka* de Moscú. —Arkadin lo dijo mecánicamente; estaba desconcertado. ¿El jefe de las principales familias mafiosas de la capital había oído hablar de él? ¿Y había enviado a Oserov allí (y presumiblemente a alguien más, puesto que ese tipo había dicho «deberíamos») para ir a buscarlo? Ninguna de las ideas parecía improbable, pero, consideradas en conjunto, la posibilidad parecía absurda—. ¿Quién más está contigo? —preguntó, intentando recuperar desesperadamente el discernimiento.

—Misha Tarkanian. Está negociando con Lev Antonin tu salvoconducto de salida, aunque, ahora que has hecho acto de presencia, no parece que merezca la pena el esfuerzo.

No había ningún motivo concreto para que Arkadin creyera que Misha Tarkanian no estuviera en alguna parte del segundo piso, en el baño quizá.

—Eso es lo que me confunde de tu historia, *gospadin* Oserov. Me pregunto por qué ese tal Maslov enviaría a un incompetente para hacer el trabajo de un hombre.

Antes de que el moscovita pudiera elaborar una contestación, alargó el brazo por detrás de él, agarró al niño por la parte de atrás de la camisa y lo sacó a la luz. Tenía que recuperar el mando, y el pequeño era el as que tenía en la manga.

—Lev Antonin tiene cuatro hijos, no tres. ¿Cómo pudiste cometer un error tan elemental?

La mano izquierda de Oserov, que había mantenido junto al costado fuera de la vista de Arkadin, se movió rápidamente y el cuchillo con el que había estado cortando la cara de Joskar silbó por el aire. Arkadin apartó al niño con una sacudida, pero fue demasiado tarde: la hoja se hundió hasta la empuñadura, y el pequeño fue arrancado de sus manos.

Con un grito salvaje, Arkadin disparó su Glock y a continuación pegó un salto como si pudiera dirigirse contra el alma negra de Oserov montado en la bala. El proyectil no alcanzó su blanco.

Pero él sí aterrizó sobre el moscovita y ambos salieron volando por el suelo de madera. Acabaron chocando con las patas del sofá, tan gruesas y sólidas como los tobillos de una *babushka*.

Arkadin dejó que Oserov tomara la iniciativa, la mejor manera de detectar su estilo, fuerza y coordinación. El moscovita resultó ser un luchador callejero, malintencionado e indisciplinado, alguien que evidentemente confiaba en la fuerza y la malicia animal más que en su inteligencia para ganar los combates. Arkadin encajó algunos golpes en la barbilla y las costillas, desviando en el último momento un violento golpe con el canto de la mano dirigido directamente a sus riñones. Entonces se dispuso a acabar con Oserov en serio.

No sólo le motivaba la ira y la necesidad de venganza, sino también un sentimiento de vergüenza y humillación por haber puesto al niño en el camino del peligro de forma bastante deliberada, confiando en el doble elemento de la sorpresa y la potencia de fuego para mantener bajo control la situación. Además, tenía que admitir que le había cogido completamente por sorpresa que el moscovita matara a un niño a sangre fría. Aterrorizarle, sí, darle una pequeña paliza, quizá, pero ¿clavarle un cuchillo en el corazón? Jamás lo habría esperado.

Tenía los nudillos agrietados y le sangraban, pero apenas era consciente. Mientras aporreaba sistemáticamente al hombre que tenía debajo, se vio agobiado por las imágenes de su infancia, imágenes del pequeño de tez pálida que había sido en otro tiempo, que había vivido aterrorizado por su madre, encerrado en el armario de su habitación durante horas, a veces durante días, con la única compañía de las ávidas y escurridizas ratas que habían terminado por comerle tres dedos de su pie izquierdo. El hijo de Lev Antonin había depositado su fe en Arkadin, y ahora estaba muerto. Era un desenlace desmesurado cuya única redención posible era la muerte de Oserov.

Estaba dispuesto a matar a golpes a Oserov, sin remordimiento ni consideración de las consecuencias que le acarrearía acabar con alguien que pertenecía en cuerpo y alma a Dimitri Maslov, jefe de la Kazanskaya. En su arrebato asesino, a Arkadin le traía al pairo Maslov, la Kazanskaya, Moscú o lo que fuera. Lo único que veía era aquella cara en el armario empotrado del piso de arriba. Si era la del niño o la suya propia, ya no era capaz de discernirlo.

Entonces algo duro y pesado le golpeó en la sien y todo se volvió negro.

23

Moira vivía en una casa adosada de ladrillo marrón rojizo en Georgetown, en Cambridge Place noroeste, cerca de Dumbarton Oaks. Más que un hogar, era un refugio, un lugar donde podía acurrucarse en el sofá con una copa de brandy ambarino en la mano y perderse en una buena novela. Al viajar casi de manera constante, tales noches se habían ido haciendo cada vez más raras, lo que las hacía, cuando llegaban, tanto más valiosas.

En ese momento, mientras el crepúsculo daba paso a una noche reluciente, estaba obsesionada con la idea de que alguien estaría vigilando su casa. Razón por la cual rodeó la manzana dos veces en un nuevo coche de alquiler, porque si la casa estaba siendo vigilada realmente, una segunda pasada en coche levantaría sospechas con toda seguridad. Cuando pasó la segunda vez, oyó que un vehículo ponía en marcha el motor, y al mirar por el retrovisor vio un Lincoln Town Car negro que salía de donde estaba aparcado casi directamente enfrente de su casa y empezaba a avanzar a una distancia de varios coches por detrás de ella. Sonrió para sí cuando empezó a zigzaguear por Georgetown, cuyas laberínticas calles conocía como la palma de su mano.

Había dejado a Bamber en casa de Lamontierre. El hombre se había ofrecido a acompañarla, aunque era evidente que estaba muerto de miedo.

—Le agradezco el ofrecimiento —había dicho ella con total seriedad—, pero la mejor manera de ayudarme es seguir sano y salvo. No tengo la menor intención de dejar que la gente de Noah se le acerque lo más mínimo.

Ahora, mientras se hacía seguir por el Town Car con una serie de maniobras evasivas se alegró por partida doble de mantener alejado a Bamber, aunque aquel plan habría sido bastante más fácil de ejecutar si otro condujera el coche. Ella podría haberse apeado y el vehículo hubiera podido seguir su marcha, alejando al Town Car mientras ella volvía sobre sus pasos hasta la casa y recogía su portátil de Black River. Pero en la vida nada es fácil, al menos no en la suya y en la de nadie que ella conociera, así que para qué gastar energías en lamentarse. Coge las cartas que te han tocado y juégalas con sutileza; eso era lo que siempre había hecho y lo que haría ahora.

Se hizo noche cerrada mientras conducía por las calles que se iban estrechando a medida que se aproximaban al canal. Al final, dobló en una esquina, tomó a la izquierda, frenó y, con los faros todavía resplandecientes, salió del coche a tiempo de que el conductor del Lincoln, que llevaba las luces apagadas, alcanzara a verla cuando el auto asomaba el morro por la esquina.

El Lincoln frenó en seco en el preciso instante en que Moira se colaba en un portal, y dos hombres con trajes negros salieron del vehículo y echaron a correr por los adoquines en dirección al lugar por donde ella había desaparecido. Descubrieron una puerta metálica sumida en las sombras, y sacaron sus armas de cañón corto. El que tenía la cabeza afeitada apoyó la espalda contra el enladrillado del edificio mientras el otro probaba a abrir la puerta moviendo el pomo. Este último sacudió la cabeza, levantó la pierna derecha y abrió la puerta de una patada con tanta fuerza que la hoja se estrelló violentamente contra la pared interior. Con el arma preparada, entró briosamente en la infernal oscuridad. Cuando lo hizo, la puerta impactó con fuerza contra su cara, rompiéndole la nariz. Al recibir el impacto, el sujeto cerró las mandíbulas de golpe y los dientes le arrancaron la punta de la lengua.

El aullido de dolor fue efímero. Moira le hundió la rodilla en la entrepierna, y cuando en un acto reflejo el hombre se dobló por la cintura, le golpeó con los dos puños juntos en la parte posterior del cuello.

El calvo oyó un ruido metálico sordo, y sin el menor titubeo dio un paso hacia la entrada abierta y disparó tres veces a bocajarro a la oscuridad: al centro, a la derecha y a la izquierda. No oyó ni vio nada, y, agazapado y en tensión, entró a toda velocidad.

Moira le estampó la cara lisa de la pala con la que había tropezado en la nuca, y el sujeto cayó de bruces al suelo. Cuando atravesó la oscuridad con sumo cuidado y salió a la noche cerrada, oyó el sonido de las sirenas de la policía. Sin duda, alguien había oído los disparos y había llamado al 911.

Volvió a su coche a paso vivo, con una expresión de concentración en la cara, como si llegara tarde a una cita para cenar. Ahora era esencial que aparentara normalidad y se mezclara con el denso tráfico de la calle M hasta que se perdiera entre las calles adoquinadas, que relucían bajo la luz de las farolas antiguas.

Al cabo de diez minutos estaba de vuelta en su manzana, que rodeó con recelo al acecho de otro coche con las luces apagadas, de alguien en su interior, de un movimiento imprevisto dentro del coche para evitar ser visto. Pero todo parecía normal y sereno.

Aparcó y aún echó otra mirada alrededor antes de subir la escalera de su puerta delantera. Giró la llave, abrió y, después de sacar su Lady Hawk de la cartuchera del muslo, entró. Cerró suavemente la puerta detrás de ella, le dio dos vueltas a la llave y permaneció allí un rato con la espalda contra la puerta, escuchando respirar a la casa. Uno a uno identificó los ruidos caseros: la bomba del circuito del agua caliente, el condensador del frigorífico, el calefactor. Luego olisqueó el aire intentando detectar el rastro de algún olor que no le perteneciera a ella ni a sus cosas.

Satisfecha al fin, le dio al interruptor y una luz cálida y amarillenta inundó la entrada y el pasillo. Dejó escapar un prolongado suspiro para exhalar el aire que había estado conteniendo inconscientemente. Moviéndose en silencio por la casa, inspeccionó todas las habitaciones y los armarios empotrados de la planta baja; también se aseguró de que la puerta del sótano estuviera bien cerrada. Entonces subió las escaleras. A mitad de la subida, oyó un ruido y se quedó paralizada con un pie en el aire y el corazón golpeándole en el pecho. Se volvió a oír el ruido, y entonces lo identificó como el roce de una rama contra el muro posterior, que daba a un estrecho callejón que discurría por detrás de la hilera de casas adosadas.

Reanudó el ascenso, subiendo los escalones de uno en uno, contándolos hacia atrás desde el superior para asegurarse de que había sorteado el peldaño que crujía. Al llegar a lo alto de las escaleras, ocurrió algo: la bomba del circuito de agua caliente se apagó, y el silencio resultante se le antojó inquietante y ominoso. Luego, igual que un viejo amigo, el ruido se reanudó, tranquilizándola. Como había hecho abajo, fue de habitación en habitación encendiendo las luces, inspeccionando detrás de los muebles e incluso debajo de su cama, lo que le pareció una idiotez. No había nada ni nadie. La ventana situada a la izquierda de su cama no tenía el pestillo echado, así que deslizó la lengüeta semicircular para cerrarla.

Su portátil de Black River estaba en el estante posterior de su armario empotrado, debajo de una hilera de cajas de zapatos. Después de atravesar la habitación con sumo sigilo, giró el pomo, abrió la puerta y entró, precedida de su arma. Peinó la ropa colgada con una mano, vestidos, trajes, faldas y chaquetas que le eran familiares, pero que en ese momento habían adquirido un aspecto siniestro al convertirse en unas cortinas tras las cuales podía esconderse alguien.

Nadie se abalanzó sobre ella de repente, lo que le hizo soltar una fugaz risa de alivio. Levantó la vista hacia la hilera de cajas de zapatos del estante posterior situado encima de la ropa colgada, y allí estaba el portátil, justo donde lo había dejado. Estaba alargando la mano para cogerlo cuando oyó el brusco estallido del cristal de la ventana al romperse y el ruido sordo como de alguien que hubiera caído sobre la alfombra. Se giró, dio un paso hacia fuera y entonces la puerta del armario se cerró en sus narices de un portazo.

Alargó la mano hacia el pomo y empujó, pero alguien mantenía la puerta cerrada, incluso cuando empleó el hombro para abrirla. Entonces retrocedió y disparó cuatro veces contra el pomo. El penetrante olor de la cordita le cosquilleó en la nariz y el ruido de los disparos le repicaron en los oídos. Volvió a empujar la puerta; seguía firmemente cerrada, aunque entonces le surgió otra cosa en la que pensar. La luz que se filtraba por el diminuto espacio que había entre la puerta y el marco estaba desvaneciéndose sistemáticamente. Alguien estaba tapando la holgura con cinta adhesiva.

Y entonces, a nivel del suelo, el hueco ligeramente más ancho empezó a oscurecerse, salvo por un espacio que no tardó en llenarse con el extremo abierto del accesorio para limpiar las rendijas de su aspiradora. Al cabo de un instante un generador portátil se puso en marcha y, cada vez más aterrorizada, Moira notó que el oxígeno del armario estaba siendo aspirado, mientras a través del accesorio de su aspiradora se estaba bombeando monóxido de carbono al interior.

Cuando Peter Marks encontró el informe de la policía metropolitana sobre Moira Trevor, se quedó estupefacto. Acababa de regresar de la Casa Blanca, donde había mantenido una entrevista nocturna de diez minutos con el presidente en relación con la vacante producida en la cúpula de Inteligencia Central. Sabía que no era el único candidato, pero nadie más de IC decía nada. Sin embargo, supuso que los otros seis jefes de las direcciones de Inteligencia Central hacían cola para mantener sendas entrevistas similares, si es que no habían acudido ya a la llamada del presidente. De todos ellos, imaginó que Dick Symes, el director de inteligencia, que era el director interino de IC, conseguiría el puesto. Symes era mayor, con más experiencia que el propio Peter, que sólo recientemente había ascendido al nivel sagrado de jefe de operaciones bajo el mandato trágicamente breve de Veronica Hart como directora. La mujer ni siquiera había tenido tiempo de analizar a fondo a los candidatos a subdirector, y ya no lo haría jamás. Por otro lado, al contrario que Symes, él había sido escogido y adiestrado por el mismísimo Viejo, y conocía el profundo respeto que el presidente sentía por el antiguo director de IC.

No obstante, Peter no estaba seguro de querer ocupar el Trono, sencillamente porque eso le alejaría otro paso de gigante del campo de operaciones, que era su primer amor. «Por más alto que llegues —le había dicho el Viejo—, nunca olvidas tu primer amor. Simplemente aprendes a vivir sin él.»

Por otro lado, el dudar sobre ocupar el Trono tal vez fuera una manera de vacunarse contra la decepción en el supuesto de que no fuera elegido para suceder a Hart. Indudablemente ésa fue la razón de que se enfrascara en las carpetas de Moira Trevor en cuanto se sentó a su mesa. El informe de la policía metropolitana, casi mecánicamente breve, no formaba parte del montón de información electrónica e impresa de la que su personal había hecho acopio para él; había tenido que ir a buscarlo él mismo. No es que hubiera estado buscando un informe policial per se, pero tras haber agotado las presuntas pistas que rebosaban en la bandeja de su mesa, había decidido irse de excursión de pesca, como había aprendido a hacer cuando era un agente de campo bisoño. «Nunca confíes en la información que te proporcionen otras personas, a menos que te resulte absolutamente imposible obtenerla por tus propios medios —le había sermoneado el Viejo la primera vez que lo había llevado al redil—. Y nunca jamás confíes en la información de otra persona cuando tu vida esté en juego.» Excelente consejo, que Mark no había olvidado jamás. Y entonces, helo allí: el informe de la policía metropolitana de la víspera, describiendo una colisión entre dos coches en la que un hombre llamado Jay Weston, antiguo empleado de Hobart Industries y a la sazón empleado de Heartland Risk Management, había resultado muerto, y Moira Trevor, fundadora y presidenta de Heartland, herida. Dos cosas raras: primera, Weston no había muerto de resultas de las heridas sufridas en la colisión; lo habían matado a tiros. Segundo, la señora Trevor había afirmado —«repetidamente y a gritos», como el primer agente en llegar a la escena escribió— que un policía de tráfico uniformado había hecho un disparo a la cabeza del señor Weston a través de la ventanilla delantera del conductor. Las pruebas forenses básicas realizadas en el escenario confirmaban la versión de la señora Trevor, al menos en lo relativo al disparo. En cuanto al policía de tráfico, proseguía el informe, ningún individuo del tal departamento había estado siquiera en ninguna parte de los alrededores en el momento aproximado del tiroteo.

Cuando Marks llegó al final del informe, se encontró con que había una cosa aún más rara y desconcertante. No había habido ningún seguimiento, ni se había vuelto a interrogar a la señora Trevor, ni realizado ninguna investigación sobre las andanzas del señor Weston ese día ni de sus antecedentes en general. Aparte de aquel breve informe, era como si todo el incidente jamás hubiera ocurrido.

Marks cogió el teléfono y llamó a la comisaría de la policía metropolitana correspondiente, pero cuando preguntó por el autor del informe, se le dijo que el agente así como su compañero habían sido «trasladados». No había más información. Preguntó por el teniente McConnell, el inmediato superior de los dos agentes, pero McConnell se negó a decirle adónde habían sido destinados y tampoco lo que les había ocurrido, y ninguna amenaza de Marks, le hizo cambiar de opinión.

—Mis órdenes vienen directamente del mismísimo comisionado —replicó McConnell sin ningún rencor en la voz, tan sólo cansancio—. Eso es todo lo que sé, amigo. Sólo trabajo aquí. Si tienes un problema, es con el comisionado.

Durante un instante todo se volvió negro, y luego unas manos fuertes agarraron a Arkadin por debajo de las axilas y lo levantaron sin miramientos de encima del moscovita. Cuando se lanzó ciegamente hacia atrás contra su contrincante, recibió una patada en la caja torácica que le impidió alcanzar su propósito y le hizo acabar tumbado de espaldas respirando con dificultad.

—¡Por san Esteban!, ¿qué está pasando aquí? —rugió una voz.

Arkadin levantó la vista y vio a otro hombre parado ante él en actitud amenazante, los pies separados y los puños casi cerrados. No era Lev Antonin, así que supuso que debía de ser Misha Tarkanian.

—Me llamo Leonid Danilovich Arkadin —dijo entre jadeos—. Esa torpe bestia tuya, Oserov, acaba de clavarle un cuchillo en el corazón a ese niño. —Cuando Tarkanian echó un vistazo hacia la pequeña forma encogida caída sobre las escaleras, continuó—: Ése es el hijo de Lev Antonin, por si te interesa.

Tarkanian tuvo un espasmo, como si hubiera recibido una descarga eléctrica.

—Oserov, por el amor de…

—Si no terminas lo que empecé —dijo Arkadin—, lo haré yo.

—Una mierda vas a hacer tú —bramó Tarkanian—. Te quedarás ahí tumbado quietecito hasta que te diga lo contrario. —Entonces se arrodilló junto a Oserov. Había mucha sangre, y su clavícula derecha sobresalía a través de la piel—. Tienes suerte de que siga respirando.

Arkadin no supo si le estaba hablando a él o hablaba para sí. Se preguntó si eso importaba, y entonces se dio cuenta de que a él le traía al pairo.

—Oserov, Oserov. —Tarkanian estaba sacudiendo a su compatriota—. Joder, tiene la cara como un trozo de carne picada.

—He hecho un buen trabajo —dijo Arkadin.

Tarkanian se levantó lanzándole una mirada de pocos amigos. Entonces levantó un dedo amenazador.

—Te dije…

—Tranquilo, no me voy a acercar a él —dijo Arkadin con una mueca de dolor, y se acercó a Joskar Antonin. Se arrodilló, la desató y le quitó la mordaza.

De inmediato un aullido de dolor y desesperación inundó la habitación. La mujer pasó como una exhalación por el lado de los dos hombres y subió las escaleras para coger entre sus brazos al hijo muerto. Y allí se quedó sentada, sollozando de manera incontrolable, acunando a su hijo contra el pecho, insensible a todo lo demás.

Las tres niñas estaban agazapadas a los pies de Arkadin, llorando y gimoteando. Él dejó de prestar atención a la madre y al hijo y desató a las pequeñas, que inmediatamente echaron a correr al lado de su madre, donde empezaron a acariciar el pelo de su hermano y a sostenerle las piernas brevemente antes de apoyar las cabezas en el muslo de su madre.

—¿Cómo ha ocurrido esto? —dijo Tarkanian.

Una vez más, Arkadin no supo si le estaba hablando a él o lo hacía para sí. Sin embargo, levantando la voz, le contó todo lo que había ocurrido según lo había visto y experimentado. Fue bastante preciso, no dejándose nada, y completamente sincero, pues intuía que ésa era la mejor opción —de hecho, la única— que le quedaba.

Cuando terminó, Tarkanian se volvió a sentar sobre sus talones.

—¡Joder!, ¡maldita sea!, sabía que Oserov iba a ser un problema. Mi equivocación fue subestimar su tamaño y alcance. —Echó un vistazo por el acogedor entorno al que las manchas de sangre, la mujer arrodillada y el hedor de la muerte habían vuelto deprimente—. Básicamente, estamos jodidos. En cuanto Lev Antonin se entere de lo que Oserov le ha hecho a su familia, nuestro salvoconducto para salir de esta ciudad de mierda se evaporará con más rapidez que la que puedas emplear en decir *Bromas con mi mujer, ¡no!*

—Tony Curtis, Virna Lisi y George C. Scott —dijo Arkadin.

Tarkanian arqueó las cejas.

—Norman Panama.

—Me encantan las comedias norteamericanas —dijo Arkadin.

—Y a mí.

Como si se diera cuenta de la inoportunidad de la conversación, Tarkanian se apresuró a añadir:

—Todo lo que nos quedará son esos recuerdos, y luego, en cuanto Lev Antonin y su banda nos atrapen, ni siquiera eso.

La cabeza de Arkadin estaba a pleno rendimiento. Una vez más se encontraba en una crisis a vida o muerte, aunque al contrario que los dos moscovitas él estaba en su territorio. Podía abandonarlos, por supuesto, y a continuación huir. Pero ¿luego qué, de vuelta a su agujero en el sótano? Tuvo un estremecimiento, consciente de que no podría pasar ni un minuto más en un confinamiento forzoso. No, le gustara o no, su destino estaba ya ligado a aquellas personas, porque eran su billete para salir de allí y porque lo llevarían a Moscú.

—Al entrar, vi el coche de Joskar en el camino de acceso —dijo—. ¿Sigue allí?

Tarkanian asintió con la cabeza.

—Recogeré a la mujer y a sus hijas. Encuentra su bolso, las llaves deben de estar dentro.

—Te habrás dado cuenta de que no me voy a ir sin Oserov.

Arkadin se encogió de hombros.

—Ese pedazo de mierda es asunto tuyo, exclusivamente. Ya que lo quieres contigo, carga con él, porque si me vuelvo a acercar a ese tipo, te juro que terminaré lo que empecé.

—Eso no le sentaría nada bien a Maslov.

Arkadin ya se había hartado de aquellos intrusos. Y se encaró con Tarkanian.

—Que se joda ese tal Maslov, deberías preocuparte de Lev Antonin.

—¡Ese cretino!

—Noticia de última hora: ese cretino puede matarte con tanta eficacia como un genio... y además muchísimo más rápidamente, porque un cretino no tiene conciencia. —Señaló a Oserov—. Igual que ese chico tuyo de ahí. Un perro de presa tiene más sensibilidad que él.

Tarkanian lo miró con ojos escrutadores, como si lo estuviera viendo por primera vez:

—Me intrigas, Leonid Danilovich.

—Sólo mis amigos me llaman Leonid Danilovich —replicó Arkadin.

—Y por lo que puedo ver, no tienes ninguno. —Tarkanian se fue a buscar el bolso de Joskar y lo encontró en el suelo, poco más allá del extremo del sofá donde aparentemente había ido a parar después de ser arrojado desde la mesita auxiliar. Lo abrió, hurgó en el interior y al cabo levantó las llaves del coche con aire triunfal—. Puede que, si todos tenemos suerte, eso cambie.

Morir asfixiada en su propia casa no era un final que Moira hubiera considerado nunca. Le lloraban los ojos, y estaba ligeramente mareada por contener la respiración tanto tiempo. Tras enfundar su Lady Hawk, arrastró una pequeña escalera que estaba apoyada en la pared del fondo, la abrió con una sacudida en el centro del pequeño espacio y se subió en ella hasta que pudo tocar el techo, que, al igual que el resto del armario, estaba forrado de cedro. Los oídos ya le habían empezado a zumbar, consecuencia de la falta de oxígeno, mientras buscaba al tacto el contorno del cuadrado en el entarimado de cedro que no era visible desde debajo. Trazó una línea hasta el centro del cuadrado, y utilizó los dos puños para hacer saltar la trampilla que había construido en el armario empotrado. Sacó el portátil y se dio impulso para colarse en el altillo donde almacenaba sus voluminosas prendas invernales durante los meses de verano. Gateó por el suelo de contrachapado desnudo, volvió a colocar la trampilla en su sitio, se tumbó de costado y respiró entrecortadamente para llenar de aire los pulmones que para entonces le quemaban.

Soltó un débil quejido, sabiendo que no podía permitirse permanecer allí por mucho tiempo: el monóxido de carbono se colaría en el altillo con bastante rapidez. La pequeña zona de almacenamiento se distribuía sobre un laberinto de vigas y viguetas del techo elevado, por el cual avanzó en ese momento con gran cuidado.

Dado que había sido ella misma la que había construido aquel espacio de almacenamiento, estaba familiarizada con cada centímetro de él. Por otro lado, como prescribían las ordenanzas municipales, el edificio contaba con triángulos de ventilación. Ignoraba si serían lo bastante grandes para que pudiera colarse por ellos, pero sí que sabía que tenía que intentarlo. La distancia no era grande, aunque, sudando y con el corazón latiéndole con fuerza, se le antojó que tardaba una eternidad en atravesar la traidora extensión de vigas entrecruzadas hasta el otro extremo, donde el resplandor de las faroles anunciaba un triángulo de ventilación. La luz, mayor a medida que se aproximaba, la atrajo como a una polilla. Sin embargo, cuando llegó, sus esperanzas se vinieron abajo, porque el respiradero no parecía lo bastante grande para que cupiera su cuerpo. Enganchó las uñas alrededor del lado inferior de la banda metálica que rodeaba el trazado del triángulo, y lo sacó de un tirón. Una ráfaga del frío aire nocturno le rozó la cara como la caricia de un amante, y durante un momento permaneció allí tumbada, respirando.

Después de dejar cuidadosamente el triángulo a un lado, empezó metiendo la cabeza por la abertura. Entonces pudo ver que estaba en la parte trasera de la casa, sobre el estrecho callejón donde ella y sus vecinos dejaban las basuras para su recogida por el camión que, todos los jueves al amanecer, recorría estruendosamente el callejón adoquinado, alterando el sueño de los residentes.

El resplandor de las luces de seguridad de sus vecinos entró con crudeza en el altillo, iluminando el portátil cuando lo colocó en el borde de la abertura. Fue entonces cuando, entre consternada y alarmada, descubrió que el disco duro externo había desaparecido. Lo examinó una y otra vez como cuando se pierde una cartera, porque la pérdida es tan descomunal que le deja a uno anonadado.

Entonces, soltando un gruñido de indignación, hizo a un lado el portátil con un empujón. Tanto esfuerzo, haberse puesto en peligro..., ¡para nada!

Con las manos contra el enladrillado de la fachada, hizo palanca para impulsarse hacia fuera, girando los hombros para hacerlos pasar por el punto de mayor anchura del triángulo; bien hecho, apenas había tenido espacio para hacerlos pasar. Luego se agarró a uno de los salientes decorativos de piedra para hacer más palanca. Ahora tenía que luchar con sus caderas, que no parecían que fueran a pasar.

Estaba tratando de solucionar aquel problema de geometría de cuerpos sólidos cuando oyó un ruido justo debajo de ella. Torció el cuello dolorosamente, y vio que la puerta trasera se estaba abriendo. Alguien estaba saliendo: una figura vestida de negro. Aunque parecía bastante empequeñecida desde la difícil perspectiva cenital de Moira, lo pudo ver con suficiente claridad. El sujeto se detuvo sin hacer ningún movimiento sobre la escalera posterior, escudriñando los alrededores.

Moira volvió a concentrarse en lo que estaba haciendo, desesperada por salir. Afianzando la mano sobre el saliente ornamental de piedra, redobló sus esfuerzos para impulsar la parte inferior del cuerpo a través de la abertura. Por desgracia, aquello dio como resultado que sus caderas quedaran atascadas en el triángulo. Un poco tarde ya se dio cuenta de cómo debía haber contorsionado el cuerpo para conseguir la mejor manera de hacerlo pasar. Así que intentó empujarse hacia atrás para soltarse, pero estaba atascada. Abajo, el hombre de negro encendió un cigarrillo. Puesto que el sujeto no paraba de mirar a un lado y a otro del callejón, Moira supuso que debía de estar esperando a que el Lincoln Town Car lo recogiera. Mientras seguía forcejeando, le vio sacar un móvil. En cualquier momento marcaría el número de sus secuaces y, al ver que no le contestaban, se marcharía solo. Y con él se iría el disco duro y cualquier posibilidad de piratear la red Wi-Fi de Noah.

El hombre de negro se llevó el teléfono a la oreja, y ella se obligó a relajarse y exhalar el aire para que su cuerpo se ablandara. ¡Ya estaba! ¡Había conseguido hacer pasar sus caderas por aquel agujero! Entonces se impulsó para sacar todo el cuerpo. Agarrada precariamente a uno de los adornos de piedra, oyó la suave voz del hombre ascender hasta ella junto con el humo de su cigarrillo. Sabiendo que se le acababa el tiempo, Moira se soltó y, saltando al vacío, le cayó encima.

Cuando el tipo de negro cayó contra los adoquines, su móvil salió volando por los aires y se hizo añicos a poca distancia. Su cabeza golpeó el pavimento con un ruido escalofriante.

Dando tumbos, dolorida y ligeramente desorientada, Moira gateó por encima del cuerpo del hombre de negro, y al hacerlo, encontró su móvil. Se lo quedó mirando con curiosidad durante un momento. Si tenía el móvil en la mano, ¿qué era lo que había salido volando por los aires?

Tras levantarse a trancas y barrancas, se dirigió haciendo eses hacia donde los trozos astillados de metal y plástico brillaban sobre los adoquines. En uno de los pequeños trozos rectangulares estaba el grueso rayo rojo que discurría desde la esquina superior derecha a la inferior izquierda, el símbolo de todo el *hardware* especialmente diseñado de Black River.

—¡Oh, Dios mío! —gimió—. No.

Se dejó caer de rodillas y recogió los restos del disco duro, que estaba partido, inservible, irrecuperable e irremediablemente echado a perder.

24

Bourne y Tracy esperaban en Madrid en la sala de embarque de primera clase para coger el vuelo de Egyptair, pero entonces él se excusó y se dirigió al lavabo de caballeros. Pasó junto a los brillantes y ordenados estantes donde se exponían periódicos de todo el mundo en muchísimos idiomas, pero todos con más o menos los mismos titulares llamativos: «Se rompen las negociaciones», o «Al borde del abismo», o «Desaparece la última esperanza de la diplomacia», e invariablemente incluían las palabras «Irán» y «Guerra».

Cuando se encontró fuera de la vista de Tracy, sacó su móvil y llamó al número de Boris. No hubo respuesta, ni siquiera señal, lo que significaba que tenía el teléfono desconectado. Pensó un momento y, caminando hasta las ventanas para estar lejos de todo el mundo, hizo avanzar en la pantalla la agenda del teléfono hasta que se detuvo en otro número de Moscú.

—¿Qué coño pasa? —gritó una malhumorada voz de anciano.

—Ivan, Ivan Volkin —dijo Bourne—. Soy Jason Bourne, el amigo de Boris.

—Sé de quién eres amigo. Estoy viejo, no senil. Además, cuando estuviste aquí hace tres meses provocaste el caos suficiente para que permanezca indeleble en la mente de un enfermo de Alzheimer.

—Estoy intentando ponerme en contacto con Boris.

—¿Alguna otra novedad? —dijo Volkin con aspereza—. ¿Y por qué no pruebas a llamarlo en lugar de molestarme a mí?

—Lo haría si cogiera su móvil.

—Ah, entonces es que no tienes su número del teléfono vía satélite.

Lo que significaba, coligió Bourne, que Boris había regresado a África.

—¿Quieres decir que vuelve a estar en Tombuctú?

—¿Tombuctú? —dijo Volkin—. ¿De dónde has sacado la idea de que Boris ha estado en Tombuctú?

—Del mismo Boris.

—¡Ajá! No, no, no. Nada de Tombuctú. Jartum.

Bourne se apoyó en el cristal helado por el despiadado aire acondicionado de la sala de embarque. Tuvo la sensación de que el suelo se levantaba por debajo de sus pies. ¿Por qué todas las hebras de la tela de araña conducían a Jartum?

—¿Qué está haciendo allí?

—Algo que no quiere que tú, su buen amigo, sepa. —Volkin soltó una risa gutural—. Es evidente.

Jason optó por dar un palo de ciego.

—Pero tú sí.

—¿Yo? Mi querido Bourne, yo estoy retirado del mundo de la *grupperovka*. ¿A quién le flaquea la memoria, a ti o a mí?

Había algo que no encajaba en absoluto en aquella conversación, y un instante después Bourne supo lo que era. Era evidente que, con todos sus contactos, a Volkin le debían de haber llegado noticias de su «muerte». Y sin embargo, la voz del hombre no había dejado traslucir ninguna sorpresa cuando se había dado a conocer, ni había hecho ninguna pregunta embarazosa. Lo que significaba que ya sabía que había sobrevivido al ataque en Bali. Lo que a su vez significaba que Boris también lo sabía.

Probó con otra táctica.

—¿Conoces a un hombre llamado Bogdan Machin?

—El Torturador. Por supuesto que lo conozco.

—Está muerto.

—Nadie lo va a llorar, créeme.

—Lo enviaron a Sevilla a matarme.

—¿Ya no estás muerto? —dijo Volkin en un inesperado giro irónico.

—Sabías que no lo estaba.

—A mí todavía me quedan un par de neuronas, lo cual es más de lo que se podría decir del difunto y nada llorado Bogdan Machin.

—¿Quién te lo contó? ¿Boris?

—¿Boris? Mi querido amigo, Boris se pasó una semana borracho cuando se enteró (por mí, debo añadir) de que te habían asesinado. Ahora, claro está, ya sabe la verdad.

—¿Así que no fue Boris el que me disparó?

El estallido de risa obligó a Bourne a apartar el teléfono de la oreja durante un momento.

Cuando Volkin se hubo sosegado, dijo:

—¡Qué idea tan absurda! ¡Estos norteamericanos! ¿De dónde carajo sacaste esa locura?

—En Sevilla alguien me enseñó unas fotos de Boris sorprendido en una cervecería de Múnich con el secretario de Defensa norteamericano.

—¿En serio? ¿En qué planeta ocurrió eso?

—Sé que parece increíble, pero oí una cinta de su conversación. El secretario Halliday le encargó que me matara y Boris aceptó.

—Boris es tu amigo —el tono de Volkin era ya de una absoluta seriedad—. Es un ruso; no hacemos amigos con facilidad, y nunca los traicionamos.

—Fue un trueque —insistió Bourne—. A cambio, Boris dijo que quería muerto a Abdulla Khoury, el jefe de la Hermandad de Oriente.

—Es cierto que Abdulla Khoury ha sido asesinado recientemente, pero te aseguro que Boris no tendría ningún motivo para quererlo muerto.

—¿Estás seguro?

—Boris trabaja en la lucha contra las drogas, ¿no es así? Esto lo sabes o, al menos, lo habrás deducido. Eres un tipo inteligente... La Hermandad de Oriente estaba financiando a sus terroristas de la Legión Negra a través de un canal de distribución de la droga que iba de Colombia a Múnich, pasando por México. Boris tenía a alguien infiltrado en el cártel que le proporcionó el otro extremo del canal, a saber, Gustavo Moreno, un señor de la droga colombiano que vivía en una inmensa hacienda a las afueras de Ciudad de México. Boris asaltó la hacienda con los hombres de su equipo de élite del FSB-2 y liquidó a Moreno. Pero el verdadero premio gordo (el portátil de Moreno con los detalles de cada eslabón de la cadena) se le escapó. ¿Qué ocurrió con él? Boris se pasó dos días registrando el recinto palmo a palmo para nada, porque antes de que lo matara, Moreno insistió en que estaba en la hacienda. No fue así, pero como Boris es como es, se olió algo raro.

—Que finalmente lo llevó a Jartum.

Volkin ignoró deliberadamente el comentario. Quizá pensó que la respuesta era evidente. En vez de eso, dijo:

—¿Sabes la fecha en que se celebró esa supuesta reunión entre Boris y el secretario norteamericano?

—Estaba impresa en las fotos —respondió Bourne. Cuando se la dijo a Volkin, el ruso dijo rotundamente:

—Boris estuvo aquí conmigo tres días, incluida esa fecha. No sé quién estaba sentado con el secretario de Defensa norteamericano, pero tan cierto como que Rusia es corrupta que no fue nuestro común amigo Boris Karpov.

—Entonces, ¿quién era?

—Un camaleón, sin duda. ¿Conoces a alguno, Bourne?

—Aparte de mí, sí. Pero, al contrario que yo, está muerto.

—Pareces estar seguro a ese respecto.

—Lo vi caer al agua desde una gran altura en el puerto de Los Ángeles.

—Eso no es lo mismo que estar muerto. Por Dios, tú más que nadie deberías saber eso —dijo Volkin.

Un gélido escalofrío recorrió a Bourne.

—¿Cuántas vidas tienes? Boris me dijo que muchas. Creo que otro tanto le debe de pasar a Leonid Danilovich Arkadin.

—¿Me estás diciendo que Arkadin no se ahogó? ¿Que sobrevivió?

—Un gato negro como Arkadin tiene nueve vidas, amigo mío, y posiblemente alguna más.

Así que fue Arkadin quien había intentado matarlo en Bali. Aunque de pronto la imagen se volvió más nítida, seguía habiendo algo que no encajaba, algo que se le escapaba.

—¿Estás seguro de todo esto, Volkin?

—Arkadin es ahora el nuevo jefe de la Hermandad de Oriente, ¿qué te parece?

—De acuerdo, pero ¿por qué contrataría al Torturador cuando parece estar desesperado por matarme con sus propias manos?

—No lo contrataría él —dijo Volkin—. El Torturador no era muy de fiar, sobre todo contra un adversario como tú.

—Entonces, ¿quién lo contrató?

—Ésa, amigo Bourne, es una pregunta que ni siquiera yo sé contestar.

Tras decidir ponerse manos a la obra personalmente en su empeño de encontrar a los agentes de la policía metropolitana desaparecidos, Peter Marks esperaba delante de los ascensores para bajar a la planta baja, cuando se abrió la puerta de uno de ellos. La única persona que había dentro era el enigmático Frederick Willard, hasta hacía tres meses el topo del Viejo en el piso franco de la NSA en Virginia. Como siempre, su aspecto era atildado, sus modales corteses, y su actitud reservada. Iba vestido con un impecable terno gris bronce con rayas negras sobre una camisa blanca almidonada y una corbata tradicional.

—Hola, Willard —dijo Marks, cuando entró en el ascensor—. Pensé que estabas de vacaciones.

—Volví hace unos días.

Desde el punto de vista de Marks, dado el aire profesoral a la vieja usanza, desfasado y bastante aburrido de Willard, a éste le iba como anillo al dedo interpretar el papel de vigilante en la casa franca. No era difícil darse cuenta de que acabaría por confundirse con la carpintería. Ser invisible hacía mucho más fácil escuchar a hurtadillas las conversaciones privadas.

La puerta se cerró y bajaron.

—Imagino que ha debido de ser difícil volver a cogerle el tranquillo a la rutina —dijo Marks, más por mostrarse cortés con el veterano que por otra cosa.

—La verdad, ha sido como si no me hubiera ido nunca. —Willard le echó una mirada con una mueca de dolor, como si acabara de salir de la consulta del cirujano y su angustia fuera de tal magnitud que no pudiera ocultarla—. ¿Cómo te fue la entrevista con el presidente?

Sorprendido de que Willard lo supiera, Marks respondió:

—Bastante bien, supongo.

—Aun así, no vas a conseguir el puesto.

—Me imagino. Dick Symes es el candidato lógico.

—Symes también está descartado.

La resignación de Marks se trocó en consternación.

—¿Cómo sabes eso?

—Porque sé quién consiguió el puesto, y estamos jodidos; no es nadie de dentro de IC.

—Pero eso no tiene lógica.

—Todo lo contrario, es de una lógica absoluta —dijo Willard— si da la casualidad de que te llames Bud Halliday.

Marks se volvió hacia el veterano.

—¿Qué ha ocurrido, Willard? ¡Vamos, tío, suéltalo de una vez!

—Ocurre que Halliday se ha aprovechado de la muerte repentina de Veronica Hart. Ha propuesto a su propio hombre, M. Errol Danziger, y después de reunirse con Danziger, el presidente consintió.

—¿Danziger, el actual subdirector de señales de inteligencia para el análisis y producción de la NSA?

—El mismo.

—¡Pero si no sabe nada de IC! —exclamó Marks, alzando la voz.

—Creo que —dijo Willard con cierta aspereza— es de eso de lo que se trata, precisamente.

Las puertas se abrieron y los dos hombres salieron a la zona de la recepción cubierta de mármol y cristal, tan fría como inmensa.

—Dadas las circunstancias, creo que tenemos que hablar —dijo Willard—. Pero no aquí.

—No, sin duda. —Marks estaba a punto de proponerle que se reunieran más tarde, pero entonces cambió de idea. ¿Quién mejor que aquel misterioso veterano con mil y una fuentes, y que conocía todos los secretos extraoficiales del espionaje en poder de Alex Conklin para ayudarlo a encontrar a los policías desaparecidos?

—Estoy llevando a cabo una investigación de campo. ¿Te importa echarme una mano?

Una sonrisa arrugó la cara de Willard.

—¡Vaya, eso será como hacer un sueño realidad!

Cuando Arkadin se acercó a Joskar, la mujer lo escupió y luego apartó la cara. Sus cuatro retoños —las tres niñas y el hijo muerto— estaban apiñados a su alrededor como la espuma que rodea un saliente basáltico que surge del mar. Las pequeñas vivas se levantaron cuando él se acercó para proteger a su madre de una agresión o una intrusión indeseada.

Arkadin se arrancó una de las mangas a la camisa, se inclinó y le limpió la sangre de la cara a la mujer. Fue al cogerle la punta de la barbilla para echarle la cabeza hacia atrás cuando vio los intensos cardenales que tenía en el rostro, y los verdugones en el cuello. La ira hacia Oserov se recrudeció de nuevo en su interior, pero entonces se dio cuenta de que ni los verdugones ni los cardenales eran recientes; tuvo la certeza de que ni siquiera habían sido hechos en los últimos días. Entonces, si Oserov no los había ocasionado, con toda probabilidad había sido su marido, Lev Antonin.

La mujer le sostuvo la mirada durante un instante, y en sus ojos Ardakin vio un débil reflejo de la habitación del piso de arriba, llena de su fragancia íntima y su miserable soledad.

—Joskar —dijo—, ¿sabes quién soy?

—Hijo mío —dijo ella, apretando a su vástago contra el pecho—. Mi hijo.

—Vamos a sacaros de aquí, Joskar, a ti y a tus hijas. Ya no tienes que temer a Lev Antonin.

Ella lo miró de hito en hito, mostrando tanto asombro como si le hubiera dicho que iba a recuperar su juventud perdida. El llanto de su hija más pequeña le hizo volver la cabeza; vio a Tarkanian, que, con las llaves de su coche en una mano, se había echado a Oserov al hombro.

—¿Va a venir con nosotros? ¿El hombre que mató a mi Yasha?

Arkadin no dijo nada, porque la respuesta era evidente.

Cuando la mujer se volvió hacia él, en sus ojos había aparecido una luz:

—Entonces mi Yasha también viene.

Tarkanian, doblado por la cintura como un minero del carbón, ya estaba transportando su pesada carga hasta la puerta principal.

—Vamos, Leonid Danilovich. Los muertos no tienen lugar entre los vivos.

Pero cuando Arkadin cogió el brazo de Joskar, ella se soltó con una sacudida.

—¿Y qué pasa con ese trozo de mierda? En cuanto mató a mi Yasha, él también murió.

Tarkanian abrió la puerta con un gruñido.

—No tenemos tiempo para negociar —dijo con rudeza.

—Estoy de acuerdo. —Arkadin cogió a Yasha en brazos—. El niño viene con nosotros.

Lo dijo en un tono que hizo que Tarkanian le lanzara otra de sus miradas penetrantes. Entonces el moscovita se encogió de hombros.

—Ella es de tu responsabilidad, amigo mío. Todos son responsabilidad tuya ahora.

Salieron en tropel para dirigirse al coche, con Joskar arreando a sus tres confundidas y temblorosas hijas. Tarkanian colocó a Oserov en el maletero y ató la puerta al guardabarros con un trozo de cuerda que había encontrado en uno de los cajones de la cocina, a fin de que su compatriota respirara aire puro. Luego abrió las dos puertas del lado cercano y rodeó el coche para colocarse al volante.

—Quiero tener a mi hijo —dijo Joskar mientras instaba a sus hijas a sentarse en el asiento trasero.

—Es mejor que lo lleve yo delante —dijo Arkadin—. Las niñas necesitan que les prestes toda tu atención. —Al ver que la mujer titubeaba, apartó el pelo de la frente del niño, y dijo—: Cuidaré bien de él, Joskar. No te preocupes. Yasha estará bien aquí conmigo.

Se acomodó en el asiento del acompañante y, sujetando al niño contra un brazo, cerró la puerta. Se dio cuenta de que tenían el depósito de gasolina casi lleno. Tarnakian le dio al contacto, quitó el freno y metió la primera. Partieron.

—Aparta esa cosa de mí —dijo Tarkanian cuando doblaron una esquina a toda velocidad y la cabeza de Yasha le rozó el brazo.

—Muestra un poco de jodido respeto —le espetó Arkadin—. El niño no te puede hacer ningún daño.

—Estás tan loco como un *tyolka* en celo.

—¿Y quién tiene a su amigo encerrado en el maletero?

Tarkanian tocó el claxon con fuerza a un camión que avanzaba pesadamente delante de ellos. Luego giró el volante y desafió al tráfico que venía de frente para adelantar al enorme vehículo, ignorando los furiosos bocinazos de los coches que circulaban en sentido contrario y que a duras penas consiguieron apartarse de su camino para no chocar.

Cuando volvieron a meterse en su carril, Tarkanian le echó una mirada a Arkadin.

—Sientes debilidad por ese chico, ¿eh?

No respondió. Aunque mantenía la vista fija al frente, su mirada se había vuelto hacia dentro. Tenía muy presente el peso de Yasha, aún más que su presencia, la cual había abierto una puerta a su infancia. En un momento en que bajó la vista hacia la cara del niño fue como si estuviera viendose a sí mismo, transportando su propia muerte con él, como si fuera una compañía familiar. El niño no le asustaba, como a todas luces sí que amedrentaba a Tarkanian. Antes al contrario, le parecía importante sujetar a Yasha, como si así pudiera preservar lo que quedara de un ser humano, sobre todo de uno tan joven e inocente, después de muerto. ¿Por qué tenía aquella sensación? Y entonces, un murmullo procedente del asiento trasero le impulsó a inclinarse para mirar por el retrovisor. Vio a Joskar con las tres pequeñas apiñadas a su alrededor, a las que rodeaba con sus brazos, protegiéndolas de más dolor, miedo y ultrajes. Les estaba contando un cuento lleno de hadas deslumbrantes, zorros que hablaban y duendes sabios. El amor y devoción contenidos en su voz lo convertían en un extraño mensaje de una galaxia lejana e inexplorada.

De pronto Arkadin se vio inundado por una profunda oleada de pena, así que inclinó la cabeza sobre los delgados párpados azulados de Yasha, como si estuviera rezando. En ese momento, la muerte del niño y la parte de su infancia que su madre le había arrancado de su pecho se fundieron, haciéndose indistinguibles tanto en su mente enfebrecida como en su alma herida.

Humphry Bamber la estaba esperando con inquietud cuando Moira regresó a la casa de piedra rojiza de Lamontierre.

—Y bien, ¿cómo ha ido? —preguntó él, mientras la hacía pasar al salón—. ¿Dónde está el portátil?

Cuando ella le entregó el disco destruido, Bamber empezó a darle vueltas y más vueltas.

—¿Qué ha pasado?

Moira lo miró con cansancio y se dejó caer de golpe en el sofá mientras él iba a buscarle algo de beber. Cuando regresó, se sentó frente a ella. Parecía demacrado y consumido, los primeros signos de una angustia constante.

—Ese disco está absolutamente inservible —dijo él—, ¿se da cuenta?

Ella asintió con la cabeza y le dio un sorbo a su bebida.

—Igual que el móvil que le quité al tipo que extrajo el disco duro de mi portátil. Era un quemador.

—¿Un qué?

—Un móvil desechable que se puede comprar prácticamente en cualquier tienda. Dispone de una cantidad determinada de minutos de prepago. Los delincuentes los utilizan y se deshacen de ellos a diario; de esa manera no se pueden grabar sus conversaciones ni rastrear sus andanzas.

Le quitó importancia a sus palabras con un gesto de la mano.

—No es que eso tenga mucha importancia en este momento. En lo tocante a acceder al ordenador de Noah, estamos básicamente jodidos.

—No necesariamente. —Bamber se echó hacia delante—. Al principio, cuando se marchó, pensé que me iba a volver loco. No paraba de repasar en mi mente las imágenes del momento en que me sacó del Buick, de Hart detrás del volante y a continuación toda aquella horrible explosión. —Apartó la mirada—. Mi estómago no lo soportó. Pero quizá no fuera tan malo, porque mientras me echaba agua fría en la cara, se me ocurrió una idea.

Moira dejó su vaso vacío junto al destrozado disco duro.

—¿Qué idea?

—Verá, cada vez que le he entregado a Noah una nueva edición de Bardem, él ha insistido en que lo descargara directamente en su portátil.

—Por razones de seguridad, me imagino. ¿Y qué?

—Bueno, que para instalar correctamente el programa, tiene que cerrar todos los demás programas.

Moira sacudió la cabeza.

—Todavía no le sigo.

Bamber tamborileó un momento con los dedos mientras pensaba en un ejemplo adecuado para ilustrar lo que quería decir.

—Muy bien, usted sabe que cuando instala algún programa la pantalla de instalación le pide que cierre todos los programas, incluido el antivirus, ¿verdad? Con Bardem pasa lo mismo, sólo que elevado a la enésima potencia. Es tan complejo y tan sensible que necesita un campo completamente limpio, por decirlo de alguna manera, para instalarse correctamente. Bueno, pues ahí va mi idea. Podría ponerme en contacto con Noah y decirle que he encontrado un error de programación en su versión actual de Bardem y que tengo que enviarle una actualización. Por lo general, la nueva versión se superpone a la anterior, pero con un poco de trabajo creo que podría transferir su versión mientras descargo la nueva.

Excitada de pronto, Moira se levantó como por un resorte.

—Y entonces tendremos todo lo que está en su programa, incluido los escenarios que ha estado ejecutando. Y sabremos con exactitud lo que está planeando ¡y dónde!

Pegó un salto y besó a Bamber en la mejilla.

—¡Es genial!

—Además, podría insertar un rastreador en la nueva versión que nos permitiera seguir la pista a los datos que introduzca en tiempo real.

Moira sabía lo inteligente —y lo paranoico— que era Noah.

—¿Y podría descubrir lo del rastreador?

—Todo es posible —respondió Bamber—, aunque es altamente improbable.

—Entonces no lo hagamos demasiado mono.

Algo avergonzado, Bamber le hizo un gesto con la cabeza.

—De todas formas, no son más que castillos en el aire —comentó—. Tengo que ir a mi oficina y encontrar la manera de tranquilizar a Noah, haciéndole creer que no pasa nada conmigo.

Moira ya estaba dándole vueltas a la cabeza a los posibles escenarios.

—No se preocupe por eso. Concéntrese en las triquiñuelas de la transferencia recíproca de información. Que de Noah me ocuparé yo.

Después de leer todo lo que pudo sobre el rápido agravamiento de la situación en Irán en el *International Herald Tribune* que había cogido en la sala de embarque de Madrid, Bourne se pasó el vuelo a Jartum dándole vueltas a la cabeza en su asiento. Una o dos veces, se percató de que Tracy intentaba entablar conversación con él, pero no se molestó en contestar. Se preguntaba por qué no se le había ocurrido la posibilidad de que Arkadin hubiera sobrevivido a su caída al mar; después de todo, a él le había ocurrido exactamente lo mismo en Marsella, cuando había sido rescatado medio muerto del océano por un barco de pescadores. Los cuidados de un médico local, tan aficionado a la botella como el doctor Firth, le habían devuelto la vida, total para descubrir que el trauma sufrido le había provocado amnesia. Los recuerdos de su vida se habían borrado. De vez en cuando, alguna cosa familiar desencadenaba algún recuerdo fragmentado, pero cuando los recuerdos afloraban, las más de las veces llegaban a trompicones e incompletos. Desde entonces se había esforzado por averiguar quién era, y aunque habían pasado muchos años, no parecía haberse acercado a la verdad; las identidades de Jason Bourne y, hasta cierto punto, la de David Webb era todo lo que podía recordar. Le había parecido que el camino que le llevaría hasta sí mismo discurría a través de sus recuerdos sobre Bali.

Pero primero había que considerar el asunto de Leonid Arkadin. Que Arkadin lo quisiera muerto estaba fuera de toda duda, aunque también intuía que ahí había algo más que un simple caso de venganza. A pesar de que había aprendido que nada que tuviera que ver con Arkadin era sencillo, había un plan omnímodo en relación con aquel entramado en particular en el que se encontraba que trascendía incluso a Arkadin, que parecía ser una hebra entre muchas que estaban tirando de Bourne hacia Jartum.

Si Fernando Herrera estaba o no conchabado con Arkadin —y parecía una apuesta segura que éste le había enviado las fotos y las cintas de audio «incriminando» a Boris—, por el momento era una cuestión marginal. Ahora que sabía que estaba detrás del atentado contra su vida, tenía que suponer que le estaban tendiendo una trampa en el número 779 de la avenida El Gamhuria. Si la trampa era sólo de Arkadin, o si ésta incluía a Nikolai Yevsen, el traficante de armas, y a Noah Perlis, era algo que todavía no sabía. Pero era interesante especular sobre el negocio que Noah pudiera tener con Yevsen. ¿Era personal o Perlis actuaba en representación de Black River? De cualquier manera, ambos formaban un equipo siniestro, un equipo del que tenía que saber más.

¿Y qué papel desempeñaba Tracy en todo aquello? Había tomado posesión del fantástico Goya sólo después de haber transferido electrónicamente la suma exigida a la cuenta bancaria del señor Herrera, que había ordenado a su banco que depositara los fondos en una segunda cuenta cuyo número Tracy desconocía. De esa manera, había dicho Herrera con una sonrisa taimada, se aseguraba de que el dinero hubiera sido entregado realmente y continuara en su poder. Sus años en los campos petrolíferos habían convertido al colombiano en un viejo zorro astuto que consideraba todos los posibles problemas y planificaba todas las contingencias. Bourne pensó que era una ironía que sintiera cierto peculiar afecto por Herrera, aunque a todas luces él y Arkadin eran en cierto sentido aliados. Confiaba en volver a encontrarse con el colombiano algún día, pero por el momento tenía que ocuparse de Arkadin y Noah Perlis.

El sol poniente, rojo como una bola de fuego, descendía pesadamente cuando Soraya y Amun Chalthoum llegaron al aeródromo militar de Chysis. Él mostró sus credenciales y fueron conducidos a un pequeño aparcamiento. Después de pasar por otro control de seguridad, y cuando cruzaban a grandes zancadas la pista hacia el avión repostado de combustible y listo para el despegue que el egipcio había pedido, Soraya vio a dos personas que caminaban hacia un reactor de Air Afrika que los esperaba. La mujer era delgada, rubia y bastante llamativa. Como era la que estaba más cerca de Soraya, durante un momento su acompañante masculino se le hurtó a la vista. Luego, al aproximarse unos a otros, los sentidos de la marcha cambiaron y Soraya alcanzó a ver la cara del hombre, y la angustia que ello le produjo hizo que sintiera una creciente debilidad en las rodillas.

Chalthoum, en cuanto advirtió que aflojaba el paso, se volvió hacia ella.

—¿Qué sucede, *azizti*? —le preguntó—. Te has quedado lívida.

—No es nada. —Respiró hondo y pausadamente en un intento de tranquilizarse. Pero desde que el nuevo director de IC le había llamado y ordenado sin ambages que volviera a Washington sin darle opción a explicarle la situación, ya nada podía tranquilizarla. Y entonces vio a Jason Bourne caminando por la pista en un aeropuerto militar de las afueras de El Cairo. Al principio, pensó: *No puede ser él. Tiene que ser otra persona.* Pero a medida que se fue acercando a él y su rasgos se fueron haciendo más nítidos, se dio cuenta de que no podía haber ninguna duda.

¡Dios mío, Dios mío!, pensó. *¿Qué está pasando? ¿Cómo puede ser que Jason esté vivo?*

Tuvo que contenerse para no llamarlo a gritos, para no salir corriendo tras él y abrazarlo. No se había puesto en contacto con ella, así que tenía que haber un motivo —uno condenadamente bueno, sospechó— para que no quisiera que supiera que estaba vivo. Estaba hablando con su acompañante y por lo tanto no la había visto…, o si lo había hecho, estaba fingiendo que no.

Por otro lado, Soraya tenía que encontrar una manera de hacerle llegar el número de su teléfono vía satélite. Pero ¿cómo hacerlo sin que Amun ni la acompañante de Jason se enteraran?

—Tu silencio resulta doloroso —dijo Tracy.

—¿Y eso es tan malo? —Bourne no la miró, sino que mantuvo la mirada fija al frente, concentrado en el fuselaje rojo y blanco del reactor de Air Afrika, que esperaba como un gato grande y peligroso en la cabecera de la pista principal del aeródromo militar. Había divisado a Soraya en cuanto ella y aquel egipcio alto y desgarbado habían pasado por el control de seguridad y salido a la pista, y estaba intentando ignorarla porque lo último que quería en ese momento era que alguien de IC —incluida Soraya—lo viera.

—Llevas horas sin decir una palabra. —Tracy parecía auténticamente ofendida—. Es como si tuvieras un muro de cristal a tu alrededor.

—He estado intentando resolver cuál es la mejor manera de protegerte en cuanto lleguemos a Jartum.

—¿Protegerme de qué?

—No de qué, sino de quién —le explicó Bourne—. El señor Herrera mintió acerca de las fotos y la cinta de audio, así que quién sabe qué otras mentiras nos ha contado.

—Lo que vayas a hacer no tiene nada que ver conmigo —dijo Tracy—. Me voy a mantener lo más lejos que pueda de tus asuntos, porque, la verdad, me dan un miedo terrible.

Bourne asintió con la cabeza.

—Lo entiendo.

Ella llevaba a buen recaudo el Goya cuidadosamente embalado debajo del brazo.

—La parte difícil de mi trabajo ha terminado. Todo lo que me queda por hacer ahora es entregar el cuadro, recibir el resto de mis honorarios de manos de Noah e irme a casa.

Fue en ese preciso instante cuando Tracy levantó la vista y dijo:

—Esa mujer de aspecto tan exótico parece que no te quita ojo. ¿La conoces?

25

Ya no había más remedio, pensó Bourne, una vez que Tracy se había dado cuenta. Soraya y el egipcio estaban sólo a unos pasos, así que se acercó tranquilamente a ella.

—Hola, «hermanita» —dijo, besándola calurosamente en ambas mejillas. Entonces, antes de que ella tuviera ocasión de responder, se volvió hacia su acompañante y le ofreció la mano—. Adam Stone. Soy el hermanastro de Soraya.

El egipcio le estrechó brevemente la mano.

—Amun Chalthoum. —Pero sus cejas se levantaron rápidamente—. No sabía que tenías un hermano.

Bourne soltó una risotada de despreocupación.

—Me temo que soy la oveja negra. A ningún miembro de la familia le gusta hablar de mí.

Para entonces Tracy se había parado a su lado, y Bourne hizo las presentaciones.

Siguiéndole la corriente, Soraya le dijo:

—Mamá tiene un problema de salud del que creo deberías estar al corriente.

—Nos disculpan un momento, ¿verdad? —les dijo Bourne a Tracy y Chalthoum.

Cuando estuvieron lo bastante lejos para permitirse la intimidad adecuada, Soraya dijo:

—Jason, ¿qué demonios pasa? —Seguía mirándolo como si no pudiera dar suficiente crédito a lo que estaba viendo.

—Es una larga historia —replicó él—, y ahora no tenemos tiempo. —Alejó de los otros a Soraya unos cuantos pasos más—. Arkadin sigue vivo. Casi consiguió matarme en Bali.

—No me extraña que no quieras que nadie sepa que sigues vivo.

Bourne lanzó una mirada hacia Chalthoum.

—¿Qué estás haciendo aquí con ese egipcio?

—Amun pertenece a la inteligencia egipcia. Vamos a intentar averiguar quién derribó realmente el avión norteamericano.

—Creía que los iraníes…

—Nuestro equipo de forenses determinó que fue un misil Kowsar tres iraní el que derribó el avión —dijo Soraya—, pero ahora, por inexplicable que resulte, parece que un equipo de cuatro soldados norteamericanos pudo haberlo introducido en Egipto por la frontera de Sudán. Ésa es la razón de que nos dirijamos a Jartum.

Bourne sintió que de pronto las hebras de la tela de araña dibujaban un entramado preciso, y se inclinó hacia Soraya mientras decía en voz baja y apremiante:

—Escucha con atención. Sea lo que sea lo que esté tramando Arkadin, tanto Nikolai Yevsen como Black River están involucrados. Me he estado preguntando qué es lo que haría que esos tres se unieran. Podría ser que ese equipo que estáis buscando no fueran propiamente militares, sino personal de Black River. —Dirigió su atención hacia el reactor rojo y blanco al que se habían estado dirigiendo él y Tracy—. Se rumorea que Air Afrika es propiedad de Yevsen, lo cual tendría sentido, pues necesita un medio de transporte para los envíos ilegales de armas a sus clientes.

Mientras Soraya estudiaba el avión, él continuó:

—Si estás en lo cierto acerca del equipo de norteamericanos, ¿dónde crees tú, entonces, que podrían conseguir un misil Kowsar tres iraní?, ¿de los mismos iraníes? —Negó con la cabeza—. Yevsen es probablemente el único traficante de armas del mundo con los contactos y el poder suficientes para conseguir uno.

—Pero ¿por qué Black River se…?

—Aquí Black River sólo tiene que hacer el trabajo pesado —dijo Bourne—. Quienquiera que los contratara es el que lo dirige todo. Ya has leído los titulares de la prensa. Creo que alguien en las altas esferas de la administración estadounidense desea entrar en guerra con Irán. Tú sabrás mejor que yo quién puede ser.

—Bud Halliday —dijo Soraya—. El secretario de Defensa.

—Halliday es el que ordenó matarme.

Soraya lo miró con los ojos como platos durante un momento.

—En este preciso instante todo esto no es más que mera especulación, así que no sirve de nada. Necesito pruebas de esas conexiones, así que tendremos que estar en contacto. Me puedes localizar en un teléfono vía satélite —dijo finalmente Soraya, y le soltó atolondradamente una retahíla de números para que los memorizara. Jason asintió con la cabeza y le dio el número de su propio teléfono vía satélite, y ya estaba a punto de irse, cuando ella dijo—: Hay algo más. Veronica Hart, la directora de IC ha sido asesinada con un coche bomba. Un hombre llamado M. Errol Danziger es el nuevo director y ya me ha ordenado que regrese.

—Una orden que evidentemente te has negado a obedecer. Bien por ti.

Soraya hizo una mueca.

—Quién sabe en qué clase de problemas me va a meter esto. —Cogió del brazo a Bourne—. Jason, escucha, ésta es la parte más dura. Por algún motivo Moira estaba con la directora Hart cuando explotó el coche bomba. Sé que ella sí sobrevivió a la explosión, porque a continuación acudió a un servicio de urgencias y se marchó inmediatamente. Pero ahora ha desparecido del mapa. —Le dio un apretón en el brazo—. Pensé que querrías saberlo.

Lo besó como él la había besado hacía un momento. Mientras se alejaba para reunirse de nuevo con el egipcio, que sin duda se estaba impacientando por el retraso, Bourne se sintió como si hubiera abandonado su cuerpo. Le pareció estar mirando a las tres personas paradas en la pista como si estuviera a una gran altura. Vio a Soraya decirle algo a Chalthoum, vio el gesto de asentimiento con la cabeza del egipcio, los vio dirigirse hacia un pequeño reactor militar. Vio a Tracy quedarse mirándolos de hito en hito con una expresión mezcla de curiosidad y de consternación en la cara; se vio a sí mismo tan inmóvil como un fósil petrificado en una gota de ámbar. Observó todo aquello sin el menor atisbo de emoción ni conciencia de trascendencia, abrumado como estaba por las imágenes de Moira en Bali con el sol dándole en los ojos, que los volvía luminosos, centelleantes, fosforescentes, inolvidables. Era como si tuviera que protegerla en sus recuerdos, o al menos mantenerla a salvo de los peligros del mundo exterior. Era un impulso absurdo, aunque, pensó, totalmente humano. ¿Dónde estaba ahora? ¿Cuál era la gravedad de sus heridas? Y sobre todo, la pregunta aterradora surgió amenazadora: ¿el coche bomba que había matado a Veronica Hart iba destinado a Moira? Y a su preocupación se sumó que cuando la había llamado, su número estaba fuera de servicio, lo que significaba que había cambiado de teléfono.

Tan absorto estaba en sus pensamientos que pasó un buen rato antes de que se diera cuenta de que Tracy le estaba hablando. Le contemplaba con una máscara de preocupación.

—Adam, ¿qué sucede? ¿Te ha dado malas noticias tu hermana?

—¿Qué? —Seguía ligeramente distraído por el remolino de emociones que se habían escapado a su férreo control—. Sí, me ha dicho que ayer mi madre sufrió un desvanecimiento inesperado.

—Oh, lo siento mucho. ¿Hay algo que pueda hacer?

Sonrió, aunque seguía muy lejos.

—Eres muy amable, pero no. Nadie puede hacer nada ahora.

M. Errol Danziger tenía un espíritu que se agitaba como un puño furioso. Desde la adolescencia se había empeñado en saber todo lo que hubiera que saber sobre los musulmanes. Había estudiado la historia de Persia y de la Península Arábiga; dominaba por igual el árabe y el farsi; era capaz de recitar partes enteras del Corán de memoria, además de un sinfín de oraciones musulmanas. Conocía a la perfección las diferencias esenciales entre los suníes y lo chiitas, y despreciaba a ambos grupos con igual entusiasmo. Durante años había puesto sus conocimientos de Oriente Próximo al servicio de una fuerza destructiva contra aquellos que deseaban hacerle daño a su país.

Su ardiente —algunos creían que obsesiva— antipatía hacia los musulmanes en general muy bien podría provenir de cuando estudiaba secundaria en el Sur y el rumor de que llevaba sangre siria en su venas corrió entre el alumnado, lo que le convirtió en el blanco de interminables bromas y burlas. Al final, poco a poco, acabó inevitablemente aislado, y más tarde marginado, de toda forma de vida social. Que el rumor se basara en una verdad —el abuelo paterno de Danziger era oriundo de Siria— no hizo sino completar su desgracia.

Danziger enterró su helado corazón a las ocho en punto de la mañana, cuando se hizo cargo formalmente de IC. Todavía tenía que comparecer en el Congreso para someterse a un interrogatorio con preguntas absurdas e irrelevantes de los acicalados legisladores que pretendían impresionar a sus electores haciendo preguntas sagaces proporcionadas por sus ayudantes. Pero aquel espectáculo circense, le había asegurado Halliday, era una mera formalidad. El secretario de Defensa había atesorado más votos de los necesarios para conseguir que se aprobara su ratificación sin necesidad de esforzarse ni de que hubiera demasiado debate.

A las 8.05 exactamente convocó una reunión con los directores en la mayor sala de conferencias del cuartel general de IC, un óvalo alargado sin ventanas porque el cristal es un excelente transmisor de las ondas sonoras y un experto con unos gemelos apuntados a la sala podría leer los labios. Danziger fue bastante claro en cuanto a los asistentes: los jefes de los siete directorios, sus subordinados inmediatos y los jefes de todos los departamentos adjuntos a los diversos directorios.

La espaciosa sala estaba iluminada por luces indirectas ocultas en descomunales plafones construidos en el interior de la circunferencia del techo. La moqueta, especialmente diseñada y fabricada, era tan densa que absorbía casi todos los sonidos, de manera que todos los presentes se veían obligados a concentrar toda su atención en el orador de turno.

Esa mañana en concreto el orador era M. Errol Danziger, también conocido por el Árabe, que, mientras paseaba la mirada por la mesa ovalada, no vio otra cosa que no fueran caras pálidas y angustiadas que todavía seguían intentando digerir la sorprendente noticia de que hubiera sido ungido por el presidente como el siguiente director de IC. Todos —y de eso estaba bastante seguro Danziger— habían esperado que uno de los siete, casi con toda probabilidad Dick Symes, jefe de inteligencia y el más antiguo de los jefes de los siete directorios, convocara aquella reunión.

Razón por la cual Danziger clavó su mirada en Symes en último lugar, y razón por la cual, cuando comenzó su discurso inaugural a la tropa, no le quitó la vista de encima. Después de estudiar el organigrama de IC, había decidido atraerse a Symes, convertirlo en aliado suyo, porque necesitaría aliados, necesitaría congregar a su lado a un equipo de fieles de IC a quienes pudiera imponer su voluntad y adoctrinar pausadamente en los nuevos métodos, y quienes, como discípulos de la nueva religión que tenía intención de implantar en la organización, difundieran el evangelio como era obligación de los escogidos. Harían su trabajo por él, un trabajo que era demasiado difícil, cuando no imposible, que llevara a cabo solo. Porque su misión no era sustituir al personal, sino convertirlo desde dentro, hasta que una nueva Inteligencia Central surgiera de las líneas del anteproyecto que Bud Halliday le había redactado.

A tal fin, ya había decidido ascender a Symes a subdirector, transcurrido el tiempo conveniente. De esta manera, por medio de la adulación primero, y del proselitismo después, tenía intención de cimentar su poder.

—Buenos días, caballeros. Sospecho que han oído rumores... y en esto espero estar equivocado, pero en el caso de que no lo esté, mi objetivo esta mañana es dejar las cosas claras. No habrá despidos, ni traslados, ni destinos forzosos, aunque en el curso natural de los acontecimientos habrá inevitablemente, a medida que avancemos, nuevas misiones, como, según tengo entendido, siempre ha habido aquí y, por supuesto, en cualquier organización que evolucione orgánicamente. En previsión de ese momento, he estudiado la historia de IC, y puedo afirmar con absoluta confianza que nadie entiende el legado de esta gran organización mejor que yo. Permítanme asegurarles (y mi puerta está siempre abierta para discutir éste y cualquier otro tema que pueda preocuparles) que no cambiará nada, que el legado del Viejo, a quien, podría añadir, reverencio desde que era un joven recién salido de la universidad, sigue ocupando un lugar preeminente en mis pensamientos, lo que me lleva a decir con total sinceridad y humildad que es un privilegio y un honor estar entre ustedes, formar parte de ustedes y guiar a esta gran organización hacia el futuro.

Los hombres sentados alrededor de la mesa permanecieron en sus sitios en completo silencio, tratando de analizar aquel prolijo preámbulo mientras, al mismo tiempo, tratando de registrarlo en sus contadores particulares de gilipolleces. Era un hecho curioso que Danziger hubiera asimilado el abstruso ritmo del árabe de forma tan absoluta que hubiera contagiado a su inglés, sobre todo cuando se dirigía a un grupo. Donde una palabra bastaría, aparecía una oración; donde una oración sería suficiente, surgía una parrafada.

Cuando un sentimiento palpable de alivio inundó la sala de conferencias, Danziger se sentó, abrió la carpeta que tenía delante y buscó entre las páginas de la primera mitad. Sin previo aviso, levantó la vista:

—Soraya Moore, la directora de Typhon, no está presente porque actualmente lleva a cabo una misión. Deberían saber que he cancelado tal misión y le he ordenado que regresara de inmediato para que presente un informe exhaustivo.

Vio volverse algunas cabezas consternadas, pero no se levantó el menor murmullo. Tras echar una última ojeada a sus notas, dijo:

—Señor Doll, ¿por qué su jefe, el señor Marks, no está presente esta mañana?

Rory Doll tosió en su puño.

—Creo que está llevando a cabo una investigación, señor.

Cuando el Árabe miró a Doll, un hombre insignificante de pelo rubio y ojos azul eléctrico, sonrió triunfante:

—¿*Cree* que está en una misión o *sabe* que está en una misión?

—Lo sé, señor. Él mismo me lo dijo.

—Bien, pues. —La sonrisa de Danziger no había cedido—. ¿Y dónde se desarrolla la misión?

—No lo especificó, señor.

—Y supongo que usted no le preguntó.

—Señor, con los debidos respetos, si el jefe Marks quisiera que lo supiera, me lo habría dicho.

Sin dejar de sostenerle la mirada al segundo de Marks, el Árabe cerró la carpeta que tenía delante. Pareció como si toda la sala estuviera conteniendo una respiración colectiva.

—Muy bien. Apruebo el sólido procedimiento de seguridad —dijo el nuevo director de Inteligencia Central—. Por favor, asegúrese de que Marks venga a verme en cuanto regrese.

Por fin apartó la vista de Doll y la paseó por la mesa, sosteniendo por turnos la de todos los directores.

—Bien, ¿qué tal si avanzamos? A partir de este momento todos los recursos de la organización se dirigirán a socavar y destruir el actual régimen iraní.

Un escalofrío de excitación corrió como un fuego descontrolado de directivo en directivo.

—Dentro de unos instantes, pasaré a esbozarles la operación general para explotar un nuevo movimiento clandestino autóctono pro norteamericano, que está preparado y capacitado, con nuestro apoyo, con el fin de derrocar al régimen desde el interior de Irán.

—Cuando se trata del comisionado de policía de esta ciudad —dijo Willard—, hacerse el mandón es menos que inútil. Digo esto, porque el comisionado está acostumbrado a salirse con la suya, incluso con el alcalde. Los federales no le intimidan, y no le da ninguna vergüenza decirlo.

Willard y Peter Marks estaban subiendo las escaleras de un edificio de piedra rojiza situado lo bastante lejos de Dupont Circle para no ser pijo, aunque lo bastante cerca para ser receptor de la innata sofisticación de la zona. Todo aquello era cosa de Willard. Tras asegurarse de que Lester Burrows, el comisionado de policía, estaba fuera ese día, había encaminado sus pasos y los de Marks a aquella manzana y a aquel típico edificio en concreto.

—Siendo ése el caso, la única manera inteligente de manejarlo es utilizar la psicología. La miel es un potente incentivo en Washington, y nunca lo es tanto como con la policía metropolitana.

—¿Conoces al comisionado Burrows?

—¿Que si lo conozco? —dijo Willard—. Él y yo hicimos teatro en la universidad; interpretamos *Otelo* juntos. Deja que te diga que hizo un gran Moro, terroríficamente bueno. Yo sabía que su cólera era auténtica, porque sabía de dónde procedía. —Asintió con la cabeza como si lo hiciera para sí mismo—. Lester Burrows es un afroamericano que ha dejado atrás la absoluta pobreza de su infancia en todos los sentidos de la palabra. Lo que no quiere decir que la haya olvidado, ni remotamente, pero, al contrario que su predecesor, que jamás dejó de coger un soborno que le ofrecieran, Lester Burrows, por debajo de la vena mezquina que ha cultivado para protegerse y para proteger a su oficina y a sus hombres, es un buen tipo.

—Así que te escuchará —dijo Marks.

—Eso no lo sé —los ojos de Willard centellearon—, pero seguro que no me dará la espalda.

Había una aldaba de bronce con la forma de un elefante que Willard utilizó para anunciar su presencia.

—¿Qué sitio es éste? —preguntó Marks.

—Lo verás bastante pronto. Limítate a seguir mi ejemplo y no te pasará nada.

La puerta se abrió, dejando a la vista a una joven afroamericana vestida con un elegante traje. La chica parpadeó una vez y dijo:

—Freddy, ¿eres tú de verdad?

Willard rió entre dientes.

—Ha pasado algún tiempo, Reese, ¿no es así?

—Años y años —dijo la joven, y sonrió—. Bueno, no te quedes ahí parado, entra. Se va a alegrar muchísimo de verte.

—Para desplumarme, quieres decir.

Entonces fue el turno de la joven de reírse entre dientes, un sonido cálido y sonoro que parecía acariciar el oído de quien lo oyera.

—Reese, éste es un amigo mío, Peter Marks.

La joven extendió la mano con firmeza. Tenía una cara bastante cuadrada con una barbilla agresiva y unos ojos mundanos del color del *bourbon*.

—Cualquier amigo de Freddy... —Su sonrisa se acentuó—. Reese Williams.

—La firme mano derecha del comisionado —aportó Willard.

—Oh, sí. —La chica se echó a reír—. ¿Qué haría él sin mí?

Los condujo por un pasillo forrado de madera y tenuemente iluminado, decorado con fotos y acuarelas de la vida salvaje de África en las que predominaban sobre todo las de elefantes, salteadas con algunas de rinocerontes, cebras y jirafas.

Enseguida llegaron a una puerta corredera doble que Reese abrió para dejar paso a una nube azul de aromático humo de puro, al discreto tintineo de cristalería y a un vertiginoso reparto de cartas sobre una mesa con un tapete verde situada en el centro de la biblioteca. Seis hombres —incluido el comisionado Burrows— y una mujer estaban sentados alrededor de la mesa, jugando al póquer. Todos eran altos cargos de diversos departamentos de la infraestructura política de la ciudad. A los que Marks no conocía de vista, Willard se los identificó.

Mientras ellos se pararon en el umbral, Reese siguió adelante y cruzó la habitación hasta la mesa, donde Burrows estaba sentado jugando pacientemente su mano. La chica se paró justo detrás de su hombro derecho hasta que el comisionado arrastró hacia sí el considerable monte que acababa de ganar, tras lo cual ella se inclinó y le susurró al oído.

El comisionado levantó la vista de inmediato, y una amplia sonrisa se extendió por su cara.

—¡Vaya! —exclamó, echando la silla hacia atrás y levantándose—. ¡Bueno, que me aspen si éste no es el puñetero Freddy Willard! —Se acercó a zancadas y envolvió a Willard en un gran abrazo. Era un hombre descomunal, con una cabeza como una bola de jugar a los bolos que parecía una salchicha rellena. Sus mejillas pecosas traicionaban los ojos de maestro de la manipulación y la reflexiva boca de político experimentado.

Willard presentó a Marks, y el comisionado le apretó la mano con aquella siniestra calidez característica de las personas públicas y que aparece y desaparece con la rapidez de un relámpago.

—Si venís a jugar —dijo Burrows—, habéis acudido al antro adecuado.

—La verdad es que hemos venido a preguntarle por los detectives Sampson y Montgomery —replicó Marks impulsivamente.

La frente del comisionado se arrugó y se convirtió en una oscura masa de pelos.

—¿Y quiénes son Sampson y Montgomery?

—Con los debidos respetos, señor, usted sabe quiénes son.

—Hijo, ¿es usted alguna especie de vidente? —Burrows se volvió hacia Willard—. Freddy, ¿quién demonios es éste para decirme lo que sé?

—Ignóralo, Lester. —Willard se metió entre Marks y el comisionado—. Peter está un poco nervioso desde que dejó su medicación.

—Bueno, pues haz que vuelva a tomarla de inmediato —dijo Burrows—. Esa boca es una jodida amenaza.

—Lo haré, sin duda —contestó, y agarró a Marks para mantenerlo fuera de la línea de fuego—. Mientras tanto, ¿tienes sitio para uno más en la mesa?

Noah Perlis, sentado a la sombra perfumada de los limeros en el fastuoso jardín de la terraza del número 779 de la avenida El Gamhuria, podía ver a su derecha todo Jartum extendiéndose ante él humoso e indolente, mientras que a su izquierda aparecían el Nilo Azul y el Nilo Blanco que dividían la ciudad en tres. En el centro de Jartum, el horroroso Salón de la Amistad, construido por los chinos, y el extrañamente futurista Al Fateh, tan parecido al morro de un inmenso cohete, se mezclaban inquietantemente con las mezquitas tradicionales y las antiguas pirámides de la ciudad, aunque la perturbadora yuxtaposición era un signo de los tiempos: la inflexible religión musulmana en busca de su camino en el extraño mundo moderno.

Perlis tenía su portátil abierto, y en él la última versión del programa Bardem ejecutaba el último de los escenarios: la incursión de Arkadin y su equipo de veinte hombres en aquella parte de Irán donde, al igual que Palestina, manaban la miel y la leche bajo la forma del petróleo.

Perlis jamás hacía una cosa si podía hacer dos o, preferiblemente, tres a la vez. Era un hombre cuya mente era tan rápida e inquieta que necesitaba una especie de red interna de objetivos, rompecabezas y conjeturas para evitar implosionar y acabar en el caos. Así que, mientras estudiaba las probabilidades de la fase final de Pinprick que el programa estaba regurgitando, pensaba en el acuerdo diabólico al que se había visto obligado a llegar con Dimitri Maslov y, por extensión, con Leonid Arkadin. Ante todo, le irritaba asociarse con rusos, cuya corrupción y estilo de vida disoluto rechazaba y envidiaba a la vez. ¿Cómo era posible que un puñado de cerdos asquerosos como aquéllos nadaran en semejante cantidad de dinero? Aunque era cierto que la vida nunca era justa, reflexionó, a veces podía ser rematadamente maligna. Pero ¿qué podía hacer él? Había intentado otras muchas rutas, aunque, al final, Maslov había sido la única vía de llegar a Nikolai Yevsen, que sentía por los norteamericanos lo mismo que él sentía por los rusos. En consecuencia, se había visto obligado a llegar a un acuerdo con demasiados socios; demasiados socios para quienes el doble juego y la puñalada por la espalda habían sido inculcados en su naturaleza virtualmente desde el nacimiento. Había que tomar medidas previsoras contra la amenaza de semejante traición, y eso significaba el triple de planificación y de horas de trabajo. Por supuesto, también significaba que había podido triplicar los honorarios que le iba a cobrar a Bud Halliday, aunque no es que el precio tuviera ninguna importancia para el secretario dado que la Casa de la Moneda norteamericana imprimía dólares como si fueran confetis. De hecho, en la última reunión de la junta directiva de Black River, los miembros de la junta se mostraron tan preocupados con la amenaza de la hiperinflación que habían votado unánimemente convertir sus dólares en lingotes de oro durante los seis meses siguientes, al tiempo que advertían a sus clientes que a partir del 1 de septiembre la empresa sólo aceptaría el pago de sus honorarios en oro y diamantes. Lo que a Perlis le había molestado de aquella reunión fue que Oliver

Liss, uno de los tres miembros fundadores y el hombre ante quien respondía, estuviera ausente.

Al mismo tiempo, pensaba en Moira, que se había vuelto tan irritante como una carbonilla en el ojo. La tenía alojada constantemente en un rincón de su cabeza desde que se había marchado de Black River sin previo aviso y, después de un breve paréntesis, había fundado su propia empresa haciéndole directamente la competencia. Porque, no había que engañarse, él se había tomado su deserción y subsiguiente traición como algo personal. No había sido la primera vez, pero se había jurado que sería la última. La primera vez..., bueno, tenía buenas razones para no pensar en la primera vez. No lo había hecho desde hacía años y no iba a empezar ahora.

Además, ¿de qué otra manera debía tomarse las acciones directamente encaminadas a dejarle sin su mejor personal? Como un amante abandonado, rebosaba de ansias de venganza, y el afecto durante tanto tiempo contenido que sentía por ella se había agriado y convertido en odio declarado, no sólo hacia ella, sino hacia sí mismo. Mientras Moira había estado bajo su control, él había jugado sus cartas con mucho tiento, y en general —tenía que admitir con amargura— las había jugado fatal. Y ahora ella se había ido, estaba fuera de su control y completamente en su contra. Perlis se consolaba en la medida de lo posible con el hecho de que el amante de Moira, Jason Bourne, estuviera muerto. En ese momento lo único que le deseaba era mal, y no sólo la quería ver derrotada, sino también irremediablemente humillada; nada por debajo de eso aplacaría su ansia de venganza.

Cuando su teléfono vía satélite sonó, supuso que era Bud Halliday para darle el aviso de emprender la fase final de Pinprick, pero en vez de eso descubrió que Humphry Bamber estaba en la línea.

—Bamber —gritó—, ¿dónde carajo estás?

—De vuelta en mi oficina, a Dios gracias. —Su voz sonaba débil y metálica—. Al final conseguí escapar, porque esa mujer, Moira Nosequé, salió demasiado malparada de la explosión para seguir reteniéndome por mucho más tiempo.

—Me enteré de lo de la explosión —dijo Noah con sinceridad, aunque como era natural se abstuvo de añadir que había ordenado el atentado para impedir a Veronica Hart y a Moira averiguar lo de Bardem a través de Bamber—. ¿Te encuentras bien?

—Nada que unos días de descanso no curen —contestó—, pero escucha, Noah, hay un fallo en el sistema en la versión de Bardem que estás ejecutando.

Noah se quedó mirando fijamente los ríos, el principio y el fin de la vida en el norte de África.

—¿Qué clase de fallo? Si el programa necesita otro parche de seguridad, olvídalo, casi he terminado de utilizarlo.

—No, no es nada de eso. Hay un error de cálculo; el programa no está generando un información precisa.

Noah se alarmó.

—¿Y cómo carajo ha ocurrido tal cosa, Bamber? Te pagué un ojo de la cara por este *software* y ahora me dices que...

—Tranquilízate. Ya he solucionado el error interno y lo he corregido. Todo lo que tengo que hacer ahora es descargártelo, pero tendrás que cerrar todos tus programas.

—Ya lo sé, ya lo sé, joder, a estas alturas, y considerando la cantidad de versiones de Bardem por las que hemos pasado, tengo que conocer el protocolo, ¿no te parece?

—Noah, no puedes hacerte una idea de lo complejo que es este programa... En fin, vamos, que literalmente se han tenido que incorporar millones de factores a la arquitectura del *software*, a lo que también han contribuido tus encargos a la velocidad de la luz.

—Corta el rollo, Bamber. Lo último que necesito ahora es que me sermonees. Haz lo que tengas que hacer de una puñetera vez. —Los dedos de Perlis se movieron por el teclado de su portátil, cerrando programas—. Bueno, ¿estás seguro de que los últimos parámetros que he cargado en el programa seguirán allí cuando arranque la nueva versión?

—Por supuesto, Noah. Ésa es la razón de que Bardem tenga un caché monstruoso.

—Mejor que no falte nada —dijo Noah y añadió para sus adentros: *No en esta última cita. Casi hemos llegado a la meta.*

—Avísame cuando estés listo —le apremió Bamber.

Todos los programas estaban cerrados, aunque necesitó varios minutos para pasar de un protocolo deliberadamente enrevesado a otro hasta que salió del *software* de seguridad registrado de Black River. Mientras esto sucedía, silenció la línea de Bamber y marcó un número en un segundo teléfono vía satélite.

—Hay que poner a dormir a alguien —dijo—. Sí, ahora mismo. No cuelgues y te transferiré los datos de inmediato.

Volvió a activar la línea de Bamber.

—Todo listo —dijo.

—¡Entonces allá vamos!

26

Jartum tenía el aire de un depósito de cadáveres infame. La dulce putrefacción de la muerte estaba por doquier, mezclada con el penetrante olor de los cañones de las armas de fuego. Hombres envueltos en sombras amenazadoras fumaban mientras observan la calle iluminada por la noche con la mirada inescrutable del cazador que busca su presa. Bourne y Tracy, subidos en un tintineante *raksha* de tres ruedas que avanzaba a una velocidad endiablada entre el tráfico, recorrieron las avenidas llenas de carros tirados por burros, microbuses jadeantes, hombres que vestían tanto a lo occidental como a la manera tradicional y vehículos que escupían humo azul.

Los dos estaban cansados y nerviosos; Bourne no había tenido la fortuna de contactar con Moira ni Boris, y, a pesar de lo que había afirmado, la experiencia de Tracy en Sevilla parecía tenerla preocupada por su reunión con Noah.

—No quiero que me cojan desprevenida cuando entre por la puerta —le había dicho ella mientras se registraban en un hotel de la parte principal de la ciudad—. Por eso le dije a Noah que no iba a ir a verle hasta mañana por la mañana. Necesito dormir bien toda la noche más de lo que necesito su dinero.

—¿Y qué te dijo él?

Estaban subiendo en el ascensor forrado de espejos a la última planta, que es la que había pedido Tracy.

—No le hizo ninguna gracia, pero ¿qué podía decir?

—¿No sugirió venir él aquí?

La joven arrugó la nariz.

—No, no lo hizo.

A Bourne le pareció raro. Si Noah estaba tan impaciente por tomar posesión del Goya, ¿por qué no habría sugerido haber cerrado la transacción en el hotel?

Tenían habitaciones contiguas con vistas casi idénticas de Al-Mogran —la confluencia del Nilo Blanco y el Azul— y una puerta que las conectaba con cerradura en ambos lados. El Nilo Blanco corría hacia el norte desde el lago Victoria, mientras que el Nilo Azul lo hacía hacia el oeste desde Etiopia. El Nilo en sí, el río principal, continuaba hacia el norte para adentrarse en Egipto.

La decoración de la habitación estaba ajada, y a juzgar tanto por el estilo como por el desgaste, se hacía evidente que no había sido renovada desde principios de la década de 1970. Las alfombras apestaban a cigarrillos baratos e incluso a perfume barato. Tras dejar el Goya en la cama, Tracy se dirigió directamente a la ventana, le quitó el pestillo y la levantó hasta el tope. El ajetreo de la ciudad fue como una aspiradora que absorbiera todos los murmullos de la habitación.

Suspiró mientras volvía para sentarse al lado de su premio.

—Llevo mucho tiempo viajando, y extraño mi hogar.

—¿Y dónde está eso? —preguntó Bourne—. Sé que no es en Sevilla.

—No, no es Sevilla. —Tracy se retiró el pelo de la cara—. Vivo en Londres, en Belgravia.

—Eso es muy pijo.

Ella se rió sin ganas.

—Si vieras mi apartamento..., es una cosa diminuta, aunque es mío y me encanta. En la parte de atrás hay unas antiguas caballerizas ahora convertidas en viviendas, con un peral en flor en el que anidan un par de golondrinas en cuanto llega la primavera. Y la mayoría de las noches, un chotacabras me da una serenata.

—¿Y por qué no estás siempre ahí?

Ella se echó a reír de nuevo, con aquel sonido vivaracho y argentino que era tan relajante de oír.

—Tengo que ganarme la vida por el mundo, Adam, igual que todos los demás. —Entrelazando los dedos, y ya más seria, preguntó—: ¿Por qué te mintió el señor Herrera?

—Hay muchas posibles respuestas a eso. —Bourne miró fijamente por la ventana. Las brillantes luces iluminaban la curva del Nilo, y los reflejos de la ciudad bailaban por el agua negra e infestada de cocodrilos—. Pero la más lógica es la de que de alguna manera está aliado con el hombre que intento encontrar, el que me disparó.

—¿Y no es demasiada coincidencia?

—Lo sería —dijo él— si no me estuvieran tendiendo una trampa.

Tracy pareció necesitar un momento para digerir aquella noticia.

—Entonces el hombre que intentó matarte quiere que vengas al número setecientos setenta y nueve de la avenida de El Gamhuria.

—Creo que sí. —Se volvió hacia ella—. Razón por la cual no voy a estar contigo cuando llames a la puerta principal mañana por la mañana.

Tracy pareció alarmarse.

—No sé si quiero enfrentarme sola a Noah. ¿Dónde vas a estar tú?

—Mi presencia sólo serviría para hacer que las cosas resultaran más peligrosas para ti, créeme. —Sonrió—. Además, estaré allí, sólo que no entraré por la puerta principal.

—Quieres decir que me utilizarás como distracción.

No sólo era insólitamente inteligente, pensó Bourne, sino también rápida.

—Espero que no te importe.

—En absoluto. Y tienes razón, estaré más segura si voy sola. ¿Por qué será, me pregunto, que en general la gente siente la necesidad de mentir? —Le sostuvo la mirada. Parecía estar comparándolo con alguien, o quizá sólo consigo misma—. ¿Tan terrible sería que nos limitáramos a decirnos la verdad los unos a los otros?

—La gente prefiere no mostrarse tal como es —dijo Bourne—, así evitan que les hagan daño.

—Pero se lo hacen de todas las maneras, ¿no es así? —Sacudió la cabeza—. Creo que la gente se miente a sí misma con tanta facilidad (cuando no con más) como mienten a los demás. A veces ni siquiera saben que lo están haciendo. —Ladeó la cabeza—. Es un problema de identidad, ¿no? Vamos, que en tu cabeza puedes ser cualquiera y hacer lo que sea. Todo es maleable, mientras que, en el mundo real, realizar un cambio (cualquier cambio) es tan puñeteramente difícil, y el esfuerzo es tan agotador, que todas las fuerzas externas que no puedes controlar te acaban tumbando.

—Podrías adoptar una identidad completamente nueva —dijo Bourne—, una identidad en la que efectuar un cambio sea menos difícil porque entonces estás recreando tu propia historia.

Ella asintió con la cabeza.

—Sí, pero eso tiene sus riesgos. Ni familia, ni amigos, a menos, claro está, que no te importe estar absolutamente solo.

—Hay a quien no le importa. —Bourne miró más allá de ella, como si la pared con su barato grabado de una escena islámica fuera una ventana a sus pensamientos. Una vez más, se preguntó quién era: David Webb, Jason Bourne o Adam Stone. Su vida, mirase hacia donde mirase, era una ficción. Ya había decidido que no podía vivir como David Webb, y en cuanto a Jason Bourne, siempre había alguien, en alguna parte del mundo, escondido en las sombras de su antigua y olvidada vida, que le deseaba el mal o lo quería muerto. ¿Y Adam Stone? Se podría decir que era una página en blanco, aunque, en la práctica, eso no era verdad, porque la gente que se topaba con aquella identidad reaccionaba contra él, contra quien quisiera que fuera el verdadero Bourne. Cuanto más tiempo pasaba con gente como Tracy, más aprendía de sí mismo.

—¿Y tú qué? —dijo entonces ella mientras se reunía con él en la ventana—. ¿Te importa estar solo?

—No estoy solo —contestó—. Estoy contigo.

Ella esbozó una sonrisa y sacudió la cabeza.

—Escúchate, has perfeccionado el arte de responder a las preguntas personales sin desvelar nada de ti.

—Eso es porque nunca sé con quién estoy hablando.

Tracy se lo quedó mirando durante un momento con el rabillo del ojo, como si intentara averiguar el verdadero significado de lo que él acababa de decir, tras lo cual se puso a mirar por la ventana los dos Nilos que serpenteaban hacia el norte de África, como si leyera un cuento para coger el sueño.

—De noche, todo se vuelve transparente o insustancial. —Alargó la mano y acarició el reflejo de ambos en la ventana—. Y sin embargo, nuestros pensamientos (¿y por qué será que especialmente nuestros temores?) en cierto modo aumentan de tamaño y adquieren las proporciones de titanes o dioses. —Estaba muy cerca de él, y bajó la voz hasta convertirla casi en un susurro—. ¿Somos buenos o malos? ¿Qué es lo que hay realmente en nuestros corazones? Es muy triste que no lo sepamos o no podamos decidirlo.

—Puede que seamos malos y buenos por igual —dijo Bourne, sin dejar de preguntarse acerca de sí mismo, de todas sus identidades y de en dónde estaba la verdad—, todo depende del momento y las circunstancias.

Arkadin estaba perdido en la deslumbrante noche estrellada de Azerbaiyán. Tras ponerse en marcha a las cinco en punto de la mañana, él y su equipo de cien soldados curtidos se habían adentrado a pie en las montañas. Su misión, les había dicho, consistía en encontrar a los francotiradores escondidos a lo largo de su ruta y dispararles con las armas de Paintball de largo alcance que parecían y pesaban exactamente igual que los AK-47 y que habían sido enviadas a petición de Arkadin a Nagorni Karabaj. Veinte miembros de la tribu local equipados con rifles de francotirador para Paintball se habían ocultado a lo largo del camino. Cuando Arkadin se los entregó, había tenido que explicar su uso a unos hombres a los que consideraba tan divertidos como idiotas. Sin embargo, al cabo de media hora los veinte habían acabado por dominar las armas de mentirillas.

A sus hombres les pasó desapercibida la presencia de los dos primeros francotiradores, así que dos de los cien habían sido «eliminados» antes de que se hubieran puesto a cubierto y aprendido la lección de sus distracciones y errores de criterio.

Aquel ejercicio había durado todo el día hasta la rápida caída del crepúsculo, pero Arkadin los siguió obligando a adentrarse más y más en las montañas. Se detuvieron en una ocasión durante quince minutos, para comer sus raciones, y luego reemprendieron de nuevo la marcha, siempre ascendiendo hacia la limpia y brillante bóveda celeste.

A eso de la medianoche, Arkadin puso fin al ejercicio, calificó a cada hombre por su rendimiento, resistencia y aptitud para adaptarse a una situación cambiante y les permitió que levantaran el campamento. Como siempre, comió poco y no durmió nada. Sentía el dolor y la tensión en el cuerpo, pero eran pequeños, y se le antojaron muy lejanos, como si pertenecieran a otro, a un Arkadin diferente que conociera sólo de paso.

El amanecer había llegado antes de que hubiera conseguido aquietar su mente febrilmente laboriosa y, haciendo acopio de energías, sacó su teléfono vía satélite y marcó una serie concreta de números que lo conectaron a una línea «zombi» automática que desvió su llamada varias veces. Con cada desvío se le pidió que marcara un código diferente, lo que le permitió continuar con la llamada. Al final, después de que el último código fuera digerido por el sistema cerrado del otro extremo de la línea, oyó una voz humana.

—No esperaba tener noticias tuyas. —No había reproche en la voz de Nilokai Yevsen, sólo una ligera curiosidad.

—La verdad —dijo Arkadin—, yo tampoco esperaba llamar. —Con la cabeza echada hacia atrás, miraba de hito en hito las últimas estrellas mientras eran desterradas por la luz azul rosácea—. Algo ha llamado mi atención, y pensé que deberías saberlo.

—Como siempre, agradezco tu consideración. —La voz de Yevsen era tan áspera como una sierra que cortara metal. Tenía una calidad montaraz, una especie de fuerza aterradora que sólo le perteneciera a él.

—Me ha llamado la atención que esa mujer, Tracy Atherton, no esté sola.

—¿Y qué tiene eso de interesante para mí?

Sólo Yevsen, pensó Arkadin, podía transmitir una calma letal con el mero tono de su voz. En el curso de su carrera como autónomo con la *grupperovka* moscovita había llegado a conocer al traficante de armas lo bastante bien para ser extremadamente cauteloso con él.

—Está con un hombre llamado Jason Bourne —dijo entonces— que está buscando venganza.

—Todos la buscamos de una u otra manera. ¿Y por qué habría de venir a buscarla aquí?

—Bourne cree que contrataste al Torturador para matarlo.

—¿Y de dónde ha sacado esa idea?

—De un rival, posiblemente. Podría averiguártelo —dijo Arkadin, mostrando su disposición a ayudar.

—No importa —contestó Yevsen—. Ese tal Bourne ya es hombre muerto.

Exactamente lo que quería oír, pensó Arkadin que no pudo impedir que su mente se dirigiera de nuevo hacia el pasado.

Aproximadamente a ochocientos kilómetros de Nizhni Tagil, cuando la luz del día se había diluido en el crepúsculo y éste había caído víctima de la noche, Tarkanian se dirigió hacia el pueblo de Yaransk para buscar a un médico. Se había parado tres veces durante el camino para que todos pudieran orinar y conseguir algo de comer. En esas ocasiones, examinó a Oserov. En la tercera parada, ya casi anochecido, descubrió que se había hecho pis encima. Tenía fiebre, y su aspecto no era bueno.

Durante el largo viaje a toda velocidad por autovías incompletas, desvíos llenos de baches y carreteras sospechosas, las niñas habían permanecido calladas, escuchando embelesadas a su madre alargar y alargar los cuentos, fabulosas aventuras y hazañas prodigiosas del dios del fuego, del dios del viento y, sobre todo, del dios de la guerra, Chumbulat.

Arkadin jamás había oído hablar de aquellos dioses y se preguntó si Joskar no se los habría inventado para el deleite de sus hijas. En cualquier caso, no eran sólo las tres niñas las que estaban embelesadas por las historias. Él las escuchaba como si fueran interesantes reportajes de lejanos países a los que ansiaba viajar. De esta manera, para él, cuando no para Tarkanian, el largo viaje desde el día a la noche pasó con la rapidez propia del sueño.

Llegaron a Yaransk demasiado tarde para encontrar abierta la consulta de algún medico, así que Tarkanian, después de preguntar a varios peatones, siguió las indicaciones que le dieron para llegar al hospital local. Arkadin se quedó con Joskar en el coche. Los dos salieron a estirar las piernas, dejando a las niñas en el asiento trasero jugando con una *matrioska* de madera pintada que Arkadin les había comprado en una de las paradas de descanso.

La mujer tenía la cabeza parcialmente apartada de él cuando la giró para mirar a sus hijas. Las sombras ocultaban la mayor parte del daño infligido a su rostro, mientras que las luces de sodio hacían resaltar el exotismo de sus rasgos, que a Arkadin se le antojaron una curiosa mezcla de asiáticos y fineses. Tenía unos ojos grandes y ligeramente levantados y una boca grande y de labios gruesos. Al contrario que su nariz, que parecía hecha para protegerle la cara de los golpes más duros de la vida, su boca destilaba una sensualidad rayana en el erotismo. Que pareciera ignorar por completo aquella característica suya, resultaba de lo más atrayente.

—¿Te inventaste los cuentos que le contabas a tus hijas? —preguntó.

Joskar negó con la cabeza.

—Me los contaron cuando era pequeña, mientras contemplaba el Volga. A mi madre se los contó su madre, y así sucesivamente remontándose en el tiempo. —Se volvió hacia él—. Son cuentos de nuestra religión. Soy mari, ¿sabes?

—¿Mari? No conozco esa religión.

—Mi pueblo es lo que los investigadores llaman fino-ugrio. Y lo que vosotros, los cristianos, llamáis paganos. Creemos en muchos dioses, los de las historias que cuento, y semidioses, que caminan con nosotros, disfrazados de humanos. —Cuando volvió la mirada hacia sus hijas, algo inexplicable le pasó a su cara, como si se hubiera convertido en una de ellas, en una de sus hijas—. Hubo un tiempo en que éramos fineses orientales, pero a lo largo de los años nos mezclamos con vagabundos del sur y del este, y poco a poco esta mezcla de culturas germánicas y asiáticas se fue moviendo hacia el Volga, donde nuestra tierra acabó incorporada a Rusia.

Pero nunca fuimos aceptados por los rusos, que detestan aprender nuevos idiomas y temen las costumbres y tradiciones que no les sean propias. Nosotros, los mari, tenemos un dicho: «Lo peor que te pueden hacer tus enemigos es matarte. Lo peor que te pueden hacer tus amigos es traicionarte. ¡Teme sólo al apático, porque en su silencioso consentimiento florecen la traición y la muerte!»

—Ése es un credo deprimente, incluso para este país.

—No, si conoces nuestra historia aquí.

—Siempre creí que eras de etnia rusa.

—Nadie sabía que no lo era. Mi marido se sentía profundamente avergonzado de mi herencia étnica, tanto como de haberse casado conmigo. Como es natural, nunca se lo dijo a nadie.

Al mirarla, se dio cuenta de por qué Lev Antonin se había enamorado de ella.

—¿Y por qué te casaste con él? —preguntó Arkadin.

Joskar soltó una risa irónica.

—¿A ti qué te parece? Él es de etnia rusa; además, es un hombre poderoso. Nos protege a mí y a mis hijos.

Arkadin le cogió la barbilla y le movió la cara para que la luz le diera de lleno.

—Pero ¿quién te protege de él?

Ella apartó la cara con una sacudida, como si sus dedos la hubieran quemado.

—Me aseguré de que jamás tocara a mis hijos. Eso era lo único que importaba.

—¿Y no hubiera sido mejor que hubieran tenido un padre que, al contrario que Antonin, los hubiera querido de verdad? —Arkadin estaba pensando en su propio padre, siempre borracho como una cuba o ausente por completo.

Ella suspiró.

—La vida está llena de componendas, Leonid, sobre todo para los mari. Yo estaba viva, él me había dado los hijos a los que adoro y me juró que los mantendría a salvo de cualquier daño. Ésa era mi vida, ¿cómo podía quejarme, cuando mis padres fueron asesinados por los rusos, cuando mi hermana desapareció a los trece años, probablemente secuestrada y torturada porque mi padre era un periodista que no paraba de pronunciarse contra la represión que sufrían los mari? Fue entonces cuando mi tía me mandó lejos del Volga, para asegurarse de que siguiera viva.

Arkadin vio a una de las niñas jugando en el asiento trasero del coche. Sus dos hermanas se habían quedado dormidas, una contra la puerta, la otra con la cabeza en el hombro de su hermana dormida. Bajo la luz macilenta y etérea que entraba sesgadamente en el vehículo parecían las hadas de los cuentos de su madre.

—Tenemos que encontrar enseguida un sitio para inmolar a mi hijo.

—¿Qué?

—Nació en el solsticio del dios fuego —le explicó ella—, así que el dios fuego debe transportarlo a la tierra de los muertos, o de lo contrario vagará solo por el mundo eternamente.

—De acuerdo —dijo Arkadin. Estaba impaciente por llegar a Moscú, pero considerando su complicidad en la muerte de Yasha le pareció que no estaba en posición de negarse. Además, ahora ella y su familia eran responsabilidad suya; si se negaba a cuidar de ellos, nadie más lo haría—. En cuanto Tarkanian y Oserov regresen, nos dirigiremos al bosque para que pueda encontrar un lugar adecuado.

—Necesitaré que me ayudes. La costumbre mari exige la participación de un hombre. ¿Harás eso por Yasha y por mí?

Arkadin observó el juego de la luz y las sombras persiguiéndose por los planos lisos de la cara de la mujer, mientras los coches, deslizándose por su lado, hacían retroceder a la noche inminente con sus faros. No supo qué decir, así que asintió con la cabeza silenciosamente.

No muy lejos, el chapitel de la iglesia ortodoxa se alzaba como un dedo admonitorio que lanzara reproches a los pecadores del mundo. Arkadin se preguntó por qué se gastaba tanto dinero en el oficio de algo que no se podía ver, oír ni sentir. ¿Para qué servía la religión?, se preguntó. ¿Cualquier religión?

Como si le leyera los pensamientos, ella dijo:

—¿Crees en algo, Leonid, en un dios o en varios, en algo mayor que tú?

—Estamos nosotros y está el universo —respondió él—. Todo lo demás es como esos cuentos que les cuentas a tus hijas.

—Te vi prestar atención a esos cuentos, Leonid. Ellos atraparon y retuvieron algo en tu interior de lo que ni siquiera tenías conocimiento.

—Fue como ir al cine. Puro entretenimiento, eso es todo.

—No, son historia. Hablan de la penuria, la emigración y el sacrificio. Hablan de privación y sojuzgamiento, de prejuicios y de nuestra identidad única, así como de nuestra voluntad de sobrevivir a toda costa. —Lo estudió con detenimiento—. Pero tú eres ruso, eres el vencedor, y la historia pertenece al vencedor, ¿no es así?

Qué gracia, él no se sentía como un vencedor, jamás se había sentido así. ¿Quién le había defendido o había hablado por él alguna vez? ¿No se suponía que sus padres tenían que haber sido sus abogados, que tenían que haberlo protegido y no encarcelarlo y abandonarlo? Había algo en Joskar que le rozó un lugar dentro de él que, como ella había dicho, no había sabido que existiera.

—Sólo soy ruso de nombre —dijo él—. No hay nada dentro de mí, Joskar. Soy un hombre vacío. De hecho, cuando coloquemos a Yasha en la pira mortuoria y prendamos la leña, le envidiaré la forma honorable y pura de desintegrarse.

Ella lo miró, y Arkadin pensó: *Si veo piedad en su cara, tendré que golpearla.* Pero ninguna piedad se le hizo evidente, tan sólo una curiosidad extraña. Arkadin bajo la vista y vio que ella le tendía su mano. Sin saber por qué, la cogió, y sintió su calidez, casi como si pudiera oír la sangre cantando en las venas de Joskar. Entonces ella se volvió, regresó al coche y sacó cuidadosamente a una de sus hijas, a la que depositó en brazos de Arkadin.

—Sostenla así —le indicó—. Eso es, forma una cuna con tus brazos.

Se volvió y levantó la vista hacia el cielo nocturno, donde las primeras salpicaduras de estrellas empezaban a hacerse visibles.

—Las más brillantes salen primero, porque son las más valientes —dijo con la misma voz que utilizaba cuando contaba cuentos de dioses, duendes y hadas—. Pero mi momento preferido es cuando aparecen las más tímidas como un encaje delicado, la decoración definitiva de la noche antes de que llegue la mañana y lo eche todo a perder.

Durante todo ese tiempo, él sostuvo en brazos a la niña de miembros esbeltos, el pelo transparente acariciándole la piel, el pequeño puño cerrado ya sobre uno de los índices callosos de Arkadin. La niña se había instalado en su corazón. Sintió su respiración profunda y regular y fue como si le hubieran devuelto un alma inocente.

Sin girarse, Joskar dijo en voz baja:

—No me hagas volver a él.

—Nadie te está enviando de vuelta. ¿Qué te hace decir eso?

—Tu amigo no quiere saber nada de nosotras. Lo sé, me doy cuenta de cómo me mira y siento su desprecio quemándome la piel. Si no fuera por ti, nos habría abandonado en alguna de las paradas, y entonces no me quedaría más remedio que volver junto a Lev.

—No vas a volver con él —dijo Arkadin, oyendo los latidos de la niña dormida cerca de los suyos—. Mataré antes de dejar que eso ocurra.

—Aquí es donde nos separamos —le dijo Bourne a Tracy a la mañana siguiente. Por lo que sabía, estaban a cinco manzanas del número 779 de la avenida El Gamhuria—. Te dije que no te iba a poner en peligro. Entraré en el edificio por mis propios medios.

Se habían apeado de la *raksha* cuando la avenida El Gamhuria había empezado a estar bloqueada permanentemente por una concentración militar que había atraído a una tremenda y ruidosa multitud, congregada alrededor de un estrado portátil en el que se había desplegado un grupo de oficiales vestidos con uniformes caquis, verde oscuro y azules, según su rango. Aquellos oficiales, con sus caras recién afeitadas brillando al sol y unas enormes sonrisas en las caras, saludaban a la multitud como si fueran geniales tíos carnales. Con todo aquel ruido y confusión era imposible entender lo que estaban gritando o celebrando. Cerca, en una calle lateral, un carro de combate tripulado repleto de armamento, esperaba agazapado como un gato gordo que lamiera sus chuletas. Pagaron el viaje y, bordeando a la agitada muchedumbre, decidieron echar a andar por la avenida flanqueada de palmeras.

Él consultó su reloj.

—¿Qué hora tienes?

—Las nueve y veintisiete.

—Hazme un favor. —Bourne ajustó ligeramente la hora en su reloj—. Dame quince minutos, y luego dirígete al setecientos setenta y nueve, entra por la puerta principal y anúnciate al recepcionista. Entretenlo y mantén su atención hasta que Noah envíe a por ti o salga él a buscarte.

Ella asintió con la cabeza. Su nerviosismo había vuelto.

—No quiero que te pase nada.

—Escúchame, Tracy. Ya te he dicho que no confío en Noah Perlis. Además, no me gusta el hecho de que no viniera anoche al hotel a cerrar el trato.

Utilizando a Bourne de pantalla, Tracy se levantó el vestido para enseñar una pistola metida en una brillante cartuchera sujeta al muslo.

—Cuando transportas objetos preciosos, nunca se es demasiado precavido.

—Si el setecientos setenta y nueve tiene algún tipo de medidas de seguridad, la encontrarán —dijo Bourne.

—No, no la encontrarán. —Tracy le dio una palmadita a la culata—. Es de cerámica.

—Chica lista. Supongo que sabes cómo usarla.

Ella se echó a reír al tiempo que le lanzaba una mirada fulminante.

—Por favor, Adam, ten cuidado.

—Y tú también.

Entonces Bourne se metió entre la muchedumbre y desapareció casi de inmediato.

27

El número 779 de la avenida El Gamhuria era un gran edifico de líneas modernistas y tres plantas construido con bloques de cristal verde y hormigón macizo. La segunda y la tercera planta retrocedían en relación con la primera, como si fuera un zigurat. Había algo en el edificio que le confería el aspecto inconfundible de una fortaleza, tanto en el diseño como en el propósito, lo que el jardín de la terraza, cuyas copas de los árboles eran visibles desde la calle, apenas contribuía a aliviar.

Sin embargo, fue el jardín lo que a Bourne le pareció más vulnerable después de que, inmerso en el febril tráfico de la calle, hubiera dado dos vueltas al edificio rápidamente. Había, como era natural, otras entradas aparte de las relucientes puertas delanteras de madera de panga-panga —de hecho, dos para los repartos—, pero ambas estaban vigiladas.

En una de aquellas entradas de mercancías estaba aparcado un camión grande cuya descomunal unidad de refrigeración del techo semejaba una joroba. Bourne calculó las distancias y los vectores mientras cruzaba la calle y se aproximaba al camión desde el lado que no daba al edificio. Dos hombres se afanaban en descargar unos grandes cajones de embalaje de la trasera abierta del camión, vigilados por un guarda de seguridad con cara de pocos amigos. Tomó nota mental de la posición de todos en relación con el camión cuando pasó por su lado.

A varios centenares de metros calle adelante, uno de los numerosos guías-acechadores de la ciudad estaba apoyado en un portal sumido en las sombras mientras fumaba lánguidamente. Observó a Bourne acercarse con suspicacia y aburrimiento.

—¿Una gira turística? —dijo en un inglés muy malo—. El mejor guía de todo Jartum. Todo lo que quiera ver, yo llevar, incluso lo prohibido. —Su risa socarrona se parecía más a un bostezo—. Le gusta lo prohibido, ¿sí?

—¿Qué tal un cigarrillo?

El sonido de su propio idioma sorprendió tanto al hombre que se irguió y sus ojos medio vidriosos parecieron despejarse. Le entregó un cigarrillo a Bourne, que encendió con un barato mechero de plástico.

—¿Te gusta el dinero más de lo que te gusta estar parado en este portal?

El tipo asintió con un movimiento rápido y descoyuntado de cabeza.

—Muéstrame a un hombre que no adore el dinero y lloraré su muerte.

Bourne extendió algunos billetes y los ojos del sudanés se abrieron desmesuradamente; el pobre hombre no lo pudo evitar, fue un acto reflejo. Bourne estaba seguro de que jamás había imaginado poseer tanto dinero.

—Sin duda. —El hombre se humedeció los labios—. Todos los lugares prohibidos de Jartum se abrirán para ti.

—Sólo estoy interesado en uno —dijo Bourne—. El que hay en el setecientos setenta y nueve de la avenida El Gamhuria.

Por un momento el hombre palideció, se volvió a humedecer los labios y dijo:

—Señor, hay sitios prohibidos y sitios prohibidos.

Bourne le dio algunos billetes más.

—Esta cantidad lo cubrirá, sí. —No fue una pregunta; tampoco una afirmación. Más bien fue una orden, que provocó que el sudanés se moviera nerviosamente, incómodo—. ¿O debería buscar a otro que me ayudara? —añadió Bourne—. Dijiste que eras el mejor guía de la ciudad.

—Y lo soy, señor. —El sudanés arrambló con los billetes y se los guardó—. Nadie más en toda la ciudad podría meterte en el setecientos setenta y nueve. Son muy cuidadosos con las visitas, pero —parpadeó— un primo de un primo mío trabaja de vigilante allí. —Sacó un móvil, hizo una llamada local y habló en un árabe vertiginoso. Se produjo una breve discusión que parecía relacionada con el dinero. Entonces el merodeador se guardó el móvil y sonrió socarronamente—. No hay problema. El primo de mi primo está ahora abajo, mientras el camión que ve ahí está descargando. Dice que es un momento excelente, así que vamos ya.

Sin decir una palabra más Bourne desanduvo lo andado y lo siguió por la calle.

Tras mirar su reloj una última vez, Tracy cruzó con aire resuelto la avenida El Gamhuria y abrió la puerta delantera de madera. Nada más entrar había un detector de metales controlado por dos guardias de expresión huraña, que ella y el Goya envuelto atravesaron sin ningún incidente. Aquel lugar no se parecía a la sede central de ninguna línea aérea que ella hubiera visto.

Se acercó al mostrador circular, tan alto y áspero de aspecto como el exterior del mismo edificio. Un joven de cara angulosa y antipática levantó la vista hacia ella cuando se acercó.

—Tracy Atherton. Tengo una cita con Noah Per... Petersen.

—Pasaporte y carné de conducir. —El sujeto alargó una mano.

Tracy suponía que comprobaría su documentación y luego le devolvería los documentos, pero en vez de eso el joven dijo:

—Se le devolverán cuando termine su visita.

Ella titubeó sólo un instante, con una sensación como de haber entregado las llaves de su piso de Belgravia. Estuvo a punto de protestar, pero el hombre de cara antipática ya estaba hablando por el teléfono interior. En cuanto colgó el auricular, su actitud cambió.

—El señor Petersen vendrá a buscarla inmediatamente —dijo con una sonrisa—. Mientras tanto, por favor, póngase cómoda. Hay té y café, además de galletas surtidas en el aparador que hay contra la pared. Y si necesita alguna otra cosa, no tiene más que pedirlo.

Parloteando incansablemente, Tracy mantuvo un monólogo insustancial mientras asimilaba el entorno, que parecía, a su manera, tan opresivo como el interior de una iglesia. Sólo que en vez de estar destinado a glorificar a Dios, la arquitectura del lugar parecía rendir tributo al dinero. De la misma manera que las iglesias —en especial las de la religión católica romana— estaban destinadas a conseguir la veneración del feligrés, para situarlo directamente en su lugar de sumisión en relación con la divinidad, así la sede central de Air Afrika buscaba intimidar y degradar a aquellos penitentes que trasponían sus umbrales que no fueran capaces de imaginarse los quinientos millones de dólares que costaba el edificio.

—Señorita Atherton.

Tracy se volvió y se encontró con un hombre esbelto y atractivo, a pesar de su cara de asesino, de pelo entrecano y actitud afable.

—Noah Petersen. —Sonrió con expresión triunfal y alargó la mano para estrechar la de Tracy. Era firme y seca—. Me inspira una gran confianza la puntualidad en las relaciones humanas. —Levantó una mano, indicando que debían dirigirse por donde él había venido—. Dice mucho acerca de una mente disciplinada.

Deslizó una tarjeta magnética de metal por una ranura, y tras un momento en el que sonaron una serie de chasquidos una luz roja se puso verde. Noah se apoyó en una parte de la pared que resultó ser una puerta colocada a ras de los enormes paneles de hormigón en ambos lados. Una vez dentro, Tracy se vio obligada a pasar su paquete por un escáner de rayos X, tras lo cual subieron a la tercera planta en un pequeño ascensor. Al salir, la condujo por un pasillo donde se abrían unas puertas de caoba de más de tres metros y medio. Las puertas no tenían ningún nombre o número sobre ellas y, tras doblar varias esquinas, Tracy tuvo la sensación de estar en un laberinto. De unos altavoces escondidos salía una música. Aquí y allá pasaron junto a la foto de un primer plano de un avión de Air Afrika con una maqueta a medio revestir colocada a su lado.

La sala de conferencias a la que Noah le hizo pasar estaba decorada para una fiesta, con globos de colores, y la mesa, cubierta con un mantel a rayas de alegres colores, a rebosar de una selección aparentemente interminable de manjares sabrosos, dulces y frutas.

—Tener el Goya aquí por fin es motivo de celebración —dijo Noah, lo cual fue, aparentemente, la única explicación que Tracy iba a recibir. Noah sacó un delgado maletín de debajo del mantel a rayas y, colocándolo sobre un sitio despejado de la mesa, jugueteó con la cerradura de combinación e hizo saltar los cierres.

Tracy vio en el interior del maletín un cheque que, supuso, era el resto de sus honorarios. Desenvolvió el cuadro y el Goya quedó al descubierto.

Noah apenas lo miró.

—¿Dónde está lo demás?

Ella le entregó el documento de autenticidad, firmado por el profesor Alonso Pecunia Zúñiga del Museo del Prado de Madrid. Noah lo estudió durante un momento, asintió con la cabeza y lo puso junto a la pintura.

—Excelente. —Metió la mano en el maletín y le entregó el cheque—. Creo que con esto podemos dar por concluido nuestro trato, señorita Atherton. —En ese momento, el móvil de Noah sonó y se excusó. Sus cejas se entrelazaron—. ¿Cuándo? —dijo por el teléfono—. ¿Quién? ¿Qué quieres decir con solo? Maldita sea, yo no... De acuerdo, ¡que nadie se mueva hasta que yo llegue ahí, joder! —Cortó la comunicación con expresión sombría.

—¿Pasa algo? —preguntó Tracy.

—Nada que le incumba. —Noah consiguió sonreír pese a su enfado—. Por favor, póngase cómoda. Vendré a buscarla cuando no haya peligro.

—¿Peligro? ¿Qué quiere decir?

—Hay un intruso en el edificio. —Noah ya estaba atravesando la sala hacia la puerta a toda velocidad—. No se preocupe, señorita Atherton, parece que ya lo tenemos acorralado.

—Nos están siguiendo desde que llegamos a KRT —dijo Amun Chalthoum mientras él y Soraya estaban entrando en coche en la ciudad. KRT era el acrónimo aeronáutico del Aeropuerto Internacional de Jartum, que había sido adoptado por los propios sudaneses.

—Los he visto —dijo Soraya—. Dos hombres.

—A los que se les han unido otros dos. —Chalthoum echó un

vistazo por el retrovisor—. Viajan en un Toyota Corolla gris de los años setenta a tres coches de distancia de nosotros.

—Los hombres de la terminal parecían locales.

Chalthoum asintió con la cabeza.

—Esto es muy raro, porque nadie de aquí sabía que veníamos a Jartum.

—No es cierto. —Una sonrisilla enigmática bailó en los labios del egipcio—. Como jefe de la al-Mokhabarat, me vi obligado a decirle a un superior que salía del país, aunque sólo temporalmente. El hombre que escogí para decírselo es el que desde hace algún tiempo sospecho que anda intrigando para socavar mi posición. —Sus ojos volvieron a moverse rápidamente hacia la imagen del retrovisor—. Ahora, por fin, tengo la prueba de su traición. Nada me impedirá llevar a uno de esos sinvergüenzas de vuelta a El Cairo para denunciarlo.

—En otras palabras —dijo Soraya—, que tenemos que dejar que nos atrapen.

La sonrisa de Amun se ensanchó.

—Que nos alcancen —la corrigió—, para que así podamos atraparlos nosotros.

La partida de póquer había terminado hacía una hora, dejando la casa de Dupont Circle fragante de los olores de los hombres —y mujeres— en liza: a ceniza de puro, restos de *pizza*, sudor añejo y el efímero aunque penetrante olor del dinero.

Cuatro personas estaban sentadas en los sofás *art déco* de terciopelo: Villard, Peter Marks, el comisionado de policía Lester Burrows y Reese Williams, de quien, sorprendentemente, resultó ser la casa. Entre los cuatro protagonistas, en una mesa baja, descansaban una botella de *whisky* escocés, un cubo medio lleno de hielo y cuatro gruesos y anticuados vasos. Todos los demás habían recogido los restos de sus apuestas y se habían ido a casa tambaleándose. Era poco después de las doce de una noche sin luna ni estrellas y con unas nubes tan densas y bajas que incluso las luces del barrio se habían visto reducidas a unos sucios manchones.

—Ganaste la última mano, Freddy —dijo Burrows, hablando hacia el techo mientras se recostaba contra el curvo respaldo del sofá—, pero no me has contado las consecuencias de ver tu juego después de la última subida de apuestas. Yo me rendí, así que intercediste por mí. Ahora estoy en deuda contigo.

—Quiero que le respondas a Peter la pregunta sobre los dos agentes desaparecidos.

—¿Quiénes?

—Sampson y Montgomery. —Marks suministró amablemente los nombres.

—Ah, ésos.

El comisionado seguía mirando el techo con aire ausente mientras Reese Williams, con las piernas encogidas bajo el cuerpo, contemplaba la escena con una expresión enigmática.

—También está el asunto del policía motorizado que disparó a un hombre llamado Jay Weston y que provocó el accidente al que fueron enviados a investigar Sampson y Montgomery —prosiguió Marks—. Sólo que no hubo investigación; fue abortada.

Todos los presentes sabían lo que significaba «abortar una investigación».

—Freddy —prosiguió Burrows mirando al techo—, ¿esto también está incluido en lo que te debo?

Willard tenía los ojos clavados en la cara sin expresión de Reese Willias.

—Solté un pastón para que vieras mi juego, Lester.

El comisionado suspiró y finalmente renunció a seguir mirando fijamente el techo.

—Reese, ¿sabes que tienes una grieta bastante grande ahí arriba?

—Hay grietas por toda la casa, Les —respondió ella.

Burrows pareció considerar aquel extremo durante algún rato antes de decirle a los otros dos hombres:

—Así y todo, no habrá grietas en la información que se comparta aquí. Cualquier cosa de las que les haga partícipes, caballeros, es estrictamente extraoficial, de fuentes anónimas o como coño quieran decirlo. —Se levantó repentinamente—. En resumidas cuentas: a continuación no sólo negaré lo que les voy a contar, sino que me tomaré la molestia de demostrar que es una falsedad y de destruir a aquellos que afirmen que lo dije. ¿Está claro?

—Perfectamente —dijo Marks mientras Willard asentía con la cabeza.

—Los detectives Sampson y Montgomery se encuentran actualmente pescando en el río Snake, en Idaho.

—¿Están pescando de verdad? —preguntó Marks—, ¿o están muertos?

—¡Por Dios bendito, hablé con ellos ayer! —protestó Burrows acaloradamente—. Querían saber cuándo podrían volver a casa. Les dije que no había ninguna prisa.

—Lester —intervino Willard—, ellos no están en Idaho a tus expensas.

—El Tío Sam tiene los bolsillos más llenos que yo —admitió el comisionado.

Willard vio que las emociones cruzaban como nubes la cara de Burrows.

—¿Y exactamente qué parte del Tío Sam?

—Nadie me lo comunicó, y es la pura verdad —replicó el comisionado con un gruñido, como si nadie le hubiera dicho nada de verdadera importancia—. Pero recuerdo el nombre del diputado, si es que eso sirve de algo.

—A estas alturas —dijo Willard pesadamente—, cualquier cosa podría revelarse útil, incluso un seudónimo.

—¡Bien, maldita sea, en esta ciudad nadie dice la verdad! —Burrows levantó un dedo acusador—. Y dejadme que os diga a los dos en este preciso momento que ninguno de mis agentes de policía disparó a vuestro señor Weston, de eso estoy seguro, joder. Dirigí mi propia investigación para aclarar esa acusación.

—Entonces alguien se estaba haciendo pasar por uno de tus agentes de policía —observó Willard tranquilamente— para indicarle a todos la dirección equivocada.

—Vosotros los espías —Borrows sacudió la cabeza— vivís en un mundo que tiene sus propias normas. ¡Joder, menuda maraña! —Se encogió de hombros como para sacudirse su consternación—. El nombre, pues. El hombre que lo arregló todo para mis detectives dijo llamarse Noah Petersen. ¿Os suena ese nombre o es que el tipo me la metió doblada?

Bourne se separó del guía cuando el primo de su primo se hubo asegurado primero de que los del camión estaban dentro del edificio, descargando cajones, y furtivamente le guió adentro por la entrada de servicio. Agarrándose al manillar de la puerta trasera del camión, Jason dio un salto hacia arriba, se aferró al borde de la parte superior y se echó rodando sobre el techo del vehículo. Tras trepar a la unidad de refrigeración, pudo alcanzar un contrafuerte de hormigón de la fachada del edificio, por medio del cual consiguió llegar a la cornisa que formaba el retroceso de la segunda planta. Utilizando los espacios entre los bloques de hormigón, ascendió con sumo cuidado por la pared del edificio hasta llegar a la cornisa de la tercera planta, donde repitió el procedimiento hasta que, estirando los brazos, se impulsó por encima del pretil hasta el suelo embaldosado del jardín de la terraza.

A diferencia de la arquitectura del propio edificio, el jardín era un delicado mosaico de colores y texturas perfectamente cuidado, fragante y protegido del sol cegador. Agachándose en una zona donde la sombra era más intensa, aspiró el olor embriagador de los limeros mientras estudiaba el trazado del jardín. Excepto por él, la terraza estaba desierta.

Había dos pequeñas construcciones inteligentemente integradas en el diseño del jardín: la puerta de entrada al edificio y, como pudo apreciar, un cobertizo de herramientas para el personal que cuidaba los árboles, las plantas y las flores. Se dirigió a la entrada, vio que estaba protegida por una alarma convencional de interruptor automático. En cuanto abriera la puerta desde fuera, la alarma saltaría.

En el cobertizo cogió unas tijeras de podar y unos alicates y se dirigió con ellas hasta el pretil. Allí, en la hendidura donde se juntaba el suelo de baldosas del techo, encontró los cables que conectaban las luces del jardín. Utilizando la podadora, cortó un trozo de cable de casi dos metros. Tras regresar a la entrada, peló la cubierta aislante de los dos extremos.

En la puerta, buscó a tientas por la parte de arriba el cable de alarma, peló dos trozos de la cubierta aislante y unió los extremos pelados del trozo del cable de la luz que había cortado a las secciones peladas del cable de la alarma. Cuando tuvo la certeza de que las conexiones eran seguras, cortó el cable de la alarma entre los dos empalmes chapuceros que había hecho.

Cautamente, abrió la puerta sólo lo suficiente para colarse dentro. Los empalmes habían funcionado; la alarma seguía en silencio. Bajó sigilosamente por la estrecha y empinada escalera hasta la tercera planta. Su primer punto del orden del día era encontrar a Arkadin, el hombre que lo había atraído hasta allí mediante engaños, para poder matarlo. El segundo era encontrar a Tracy y sacarla de allí.

Tracy estaba de pie junto a la ventana, mirando hacia la caótica calle, cuando oyó que la puerta se abría detrás de ella. Dando por sentado que era Noah, se volvió hacia la habitación y se encontró con un hombre con la cabeza afeitada, una perilla negra veteada de blanco, un pendiente de diamantes en el lóbulo de una oreja y el tatuaje de un murciélago en un lado del cuello. La anchura de los hombros, la fortaleza del pecho y las hercúleas piernas le conferían el aire de un luchador de lucha libre o de uno de esos luchadores mutantes de lucha extrema que ella había visto una o dos veces en la televisión norteamericana.

—Así que es usted la que ha traído mi Goya —dijo el hombre murciélago mientras se acercaba tranquilamente a la mesa donde reposaba la pintura en todo su grotesco esplendor. Tenía aquella manera de andar, de balancearse, propia de sólo los hombres musculosos y de los marineros.

—Es de Noah —dijo Tracy.

—No, mi querida señorita Atherton, es mío —dijo el hombre murciélago en un inglés chirriante con un marcado acento extranjero—. Perlis se limitó a comprarlo para mí. —Levantó el cuadro delante de él—. Son mis honorarios. —Su sonrisa sonó como el gorgoteo de un moribundo—. Una recompensa única por la prestación de unos servicios únicos.

—Usted sabe mi nombre —dijo ella, acercándose a la mesa cubierta de fuentes y gruesos fruteros de cristal—, pero yo no sé el suyo.

—¿Está segura de que quiere saberlo? —Continuó examinando el Goya con el ojo experto de un entendido. Y entonces, sin darle ocasión a contestar, dijo—: Ah, bien, entonces me presentaré, soy Nilokai Yevsen. Quizás haya oído hablar de mí, soy el propietario de Air Afrika y el dueño de este edificio.

—La verdad, nunca había oído hablar de usted ni de Air Afrika. Mi negocio es el arte.

—¿Es eso cierto? —Yevsen volvió a dejar el Goya sobre la mesa y se encaró con Tracy—. Entonces, ¿qué está haciendo con Jason Bourne?

—¿Jason Bourne? —Arrugó el entrecejo—. ¿Quién es Jason Bourne?

—El hombre que trajo aquí con usted.

El ceño de Tracy se intensificó.

—¿De qué está hablando? Vine sola. Noah puede dar fe de eso.

—Perlis está ocupado en este momento, interrogando a su amigo el señor Bourne.

—No… —El resto de las palabras se le atragantaron en la garganta cuando vio el chato revólver del calibre cuarenta y cinco que Yevsen tenía en su mano izquierda.

28

—Si su negocio es el arte —dijo Yevsen—, ¿qué está haciendo con un asesino, un espía, un hombre sin escrúpulos ni corazón? Un hombre que te metería una bala en la cabeza en cuanto te viera.

—Pero ¿quién es el que me está amenazando con dispararme? —preguntó Tracy—. ¿Usted o él?

—Usted lo trajo aquí para que me matara. —Yevsen tenía una cara que transmitía fuerza bruta y un poderío directo. Era un hombre acostumbrado a conseguir lo que quería de cualquiera y cuando quería—. Me veo obligado a preguntarme por qué hizo usted eso.

—No sé de qué me está hablando.

—¿Para quién trabaja? Dígame la verdad.

—Trabajo para mí. Desde hace años.

Yevsen frunció los labios, que eran tan gruesos como unos pedazos de carne cruda e igual de rojos.

—Permítame que se lo ponga fácil, señorita Atherton. En mi mundo sólo hay dos clases de personas: los amigos y los enemigos. Tiene que decir a cuál de las dos pertenece, ahora mismo, en este preciso instante. Si no me dice la verdad, le meteré una bala en el hombro derecho. Luego le volveré a preguntar. El silencio o una mentira sólo le proporcionarán una bala en el hombro izquierdo. Y a continuación, seguiré con esa bonita cara suya. —Movió la pistola hacia ella—. Una cosa es segura, cuando acabe con usted, no será agradable mirarla. —Aquella risa espectral de nuevo—. Ningún cazatalentos de Hollywood la irá a visitar, eso se lo garantizo.

—El hombre con el que estoy se llama Adam Stone, eso es realmente todo lo que sé.

—Mire, el problema, señorita Atherton, es que no me lo creo…, hablo en serio.

—Le estoy diciendo la verdad.

Yevsen dio un paso hacia ella, de manera que quedó apoyado contra el extremo opuesto de la mesa.

—Ahora me ha ofendido. Piensa que me creeré que trajo a alguien aquí sin saber nada de él salvo su nombre, que, de hecho, no es su verdadero nombre.

Tracy cerró los ojos.

—No, por supuesto que no. —Respiró hondo y miró directamente a Yevsen a sus ojos color café—. Sí, sabía que su verdadero nombre era Jason Bourne, y sí, mi trabajo no sólo consistía en traerle el Goya a Noah, sino en asegurarme de que Bourne llegara aquí.

Yevsen entrecerró los ojos.

—¿A qué fue enviado Bourne aquí? ¿Qué anda buscando?

—¿No lo sabe? Usted envió a Sevilla a uno de sus asesinos rusos, un hombre con una cicatriz y un tatuaje de tres calaveras en el cuello, para que matara a Bourne.

—¿Al Torturador? —La cara de Yevsen se contrajo en una mueca de evidente asco—. Antes me cortaría el brazo que contratar a ese pedazo de mierda.

—Todo lo que sé es que Bourne cree que el hombre que intentó matarlo está aquí. El mismo hombre que debió de haber contratado al Torturador.

—Ése no soy yo. Le han dado una información falsa.

—Entonces no entiendo por qué se me contrató para asegurarme de que Bourne venía aquí.

Yevsen sacudió la cabeza.

—¿Quién la contrato para hacer eso?

—Leonid Arkadin.

Yevsen apuntó el cuarenta y cinco al hombro derecho de Tracy.

—¡Otra mentira! ¿Por qué la iba a contratar Leonid Danilovich para que se asegurara de que Bourne llegara aquí?

—No lo sé, pero… —Mientras calibraba su respuesta, observó la expresión de Yevsen, lo que hizo que estableciera tardíamente una conexión—. Espere un segundo, debe de haber sido Arkadin quien le dijo que yo traía a Bourne conmigo. Debió de ser él el que contrató al Torturador, lo que significa que debe de estar aquí, esperando a Bourne.

—Estar tan cerca de la muerte hace que se desespere. En este preciso instante, Leonid Danilovich está en Nagorni Karabaj, Azerbaiyán.

—Pero ¿es que no se da cuenta?, Arkadin es el único que sabía que Bourne me acompañaba.

—¡Tonterías! Leonid Danilovich es mi socio.

—¿Y por qué habría de inventarme una mentira así? Arkadin me pagó veinte mil dólares en diamantes.

Yevsen retrocedió como si hubiera recibido un golpe.

—Los diamantes son la firma de Leonid Danilovich, así cobra y así paga. ¡Maldito sea el muy cabrón!, ¿qué es todo este montón de mentiras de mierda? Si piensa que puede engañarme...

Y en ese momento Tracy vio a Bourne corriendo a toda velocidad por el vestíbulo. Yevsen captó la expresión de sorpresa en sus ojos y se volvió hacia la puerta con su cuarenta y cinco preparado.

La sensación de victoria de Noah Perlis se desvaneció en cuanto vio a un guía sudanés y a uno de los guardias que el personal de seguridad de Yevsen habían acorralado a nivel de la calle dentro del muelle de descarga A.

—¿Qué coño es esto? —dijo en árabe sudanés. Con un gesto de la mano envió a algunos de los hombres de seguridad a la calle para que comprobaran que no hubiera nadie que no tuviera que estar en la manzana. Entonces se encaró con el guardia, y no tardó en decidir que no sabía nada. El jefe de seguridad —que para entonces se había reunido con él— despidió al hombre en el acto.

Luego, dirigiéndose al guía, dijo:

—¿Quién eres y qué estás haciendo en estas dependencias?

—Me... me perdí, señor. Estaba hablando con el primo de mi primo, el hombre que acaba de ser despedido, lo cual, en cuanto oiga mi historia, creo que estará de acuerdo en que es un castigo demasiado duro. —El hombre mantenía la mirada baja y los hombros encorvados en actitud servil—. El primo de mi primo tenía que ir a orinar, ¿sabe?, pero no quería dejarme porque yo necesitaba dinero para que mis hijos pudieran...

—¡Ya basta! —Noah lo abofeteó con fuerza en la cara—. ¿Es que te crees que soy un turista al que puedes engañar con tus estúpidos cuentos? —Volvió a abofetear al hombre, con más fuerza en esta ocasión, lo que hizo que al sudanés le castañetearan los dientes e hiciera un gesto de dolor—. Dime qué estabas haciendo aquí o te entregaré a Sandur. —El jefe de seguridad sonrió abiertamente, mostrando unos huecos negros entre los dientes—. Sandur sabe cómo tratar a la chusma como tú.

—Yo no...

El puño de Noah se estrelló en la boca del guía, esparciendo sangre y dientes sobre su mugrienta camisa.

—Esta noche hay luna llena, pero no cuentes con verla.

El sudanés había empezado a contar su historia sobre un norteamericano que lo había abordado y que quería entrar en el 779 de la avenida El Gamhuria cuando el contingente del personal de seguridad que Noah había enviado a la calle regresó. Uno de los hombres se inclinó sobre él y le susurró algo al oído.

De inmediato Noah agarró al guía y lo arrojó en los brazos de Sandur.

—Toma, ocúpate de él.

—Señor, tenga piedad —protestó el hombre—. No me merezco esto, le juro que le estoy diciendo la verdad.

Pero a Noah ya no le preocupaba ese miserable ni quién hubiera intentado entrar en la sede de Air Afrika. Una apremiante sensación de salvar el pellejo se había apoderado de él. Se acercó a la luz deslumbrante del muelle de carga y atisbó el exterior desde las sombras. En efecto, tal y como le había dicho su hombre de seguridad, había un microbús aparcado al otro lado de la calle. Estaba lleno de gente —todo hombres—, que era lo que había alertado al guardián. Entonces Noah vio el destello del metal —la boca de un AK-47— y sus peores temores se vieron confirmados. Alguien estaba planeando un asalto inminente a las oficinas de Air Afrika. Estaba tan aturdido que ni siquiera pudo pensar en quién podría tener los conocimientos y los medios para intentar lo que la mayoría consideraba impensable. Pero ése no era el problema ahora. Tenía que alejarse de la zona cero antes de que se viera atrapado en el fuego cruzado entre los mercenarios de Yevsen y el grupo de asalto que abarrotaba el microbús aparcado al otro lado de la calle.

Bourne, que estaba peinando la tercera planta del edificio al tiempo que intentaba evitar tanto al personal como a los miembros de seguridad, oyó una voz profunda y áspera que salía de una gran habitación que tenía delante. Cuando oyó la voz de Tracy en el intervalo entre las preguntas del hombre, echó a correr como un loco porque estaba seguro de que ella había sido capturada por Arkadin para utilizarla como cebo definitivo para atraparlo.

Cuando irrumpió como una exhalación por la puerta abierta, se hizo un ovillo, rodó rápidamente por la habitación y se estiró, todo en un movimiento fluido. Entonces vio que un tipo fornido con el tatuaje de un murciélago en un lado del cuello se volvía y le disparaba. Bourne se agachó, rodando hacia la mesa de reuniones llena de comida. En ese momento vio que Tracy sacaba su arma de cerámica de una cartuchera sujeta al muslo. Oyó la detonación de otro disparo y se lanzó, encogiendo y bajando el cuerpo, contra las descomunales piernas del hombre murciélago, al que derribó en el preciso momento en que disparaba a Tracy, que instintivamente se apartó. El disparo salió bajo, yendo a incrustarse en uno de los pesados fruteros de cristal y enviando los fragmentos en todas las direcciones.

Ambos hombres cayeron al suelo. Bourne intentó arrebatarle el cuarenta y cinco al hombre murciélago de la mano izquierda. El arma se disparó una vez más, y la bala pasó silbando junto a su oreja, dejándolo momentáneamente sordo. El hombre murciélago le hundió la mano derecha en las costillas, y Bourne le aplastó los nudillos en la barbilla, lo que completó con tres rápidos golpes dados con el canto de la mano en el cuello. Utilizando toda su fuerza, su adversario movió lentamente la boca del cuarenta y cinco hacia su sien, pero Bourne hizo retroceder el arma, aunque tres puñetazos sucesivos en el mismo sitio de su caja torácica lo dejaron sin respiración, y de inmediato, la boca del revólver le estaba apuntando de nuevo a la cabeza. El hombre murciélago apretó el gatillo con su índice izquierdo.

Fue entonces cuando Bourne descubrió la herida en el hombro de su adversario. Le hundió un dedo en la masa pulposa, haciéndole soltar un aullido como el de un lobo acorralado, y por fin pudo quitarle el cuarenta y cinco de un manotazo. Pero con un gran tirón de su cuerpo, el hombre murciélago se quitó de encima a Bourne, se abalanzó hacia el arma y, cogiéndola por el cañón, le golpeó en la sien con el extremo de la culata. La cabeza del norteamericano cayó hacia atrás con violencia y se golpeó contra el suelo, aunque el hombre murciélago continuó con su ataque, sintiéndose ya cerca de la victoria. Con la conciencia vacilante, Bourne empezó a arrastrarse, como si buscara seguridad debajo de la mesa de reuniones. El hombre murciélago acompañaba cada golpe con un gruñido, levantando el cuerpo para luego descargar la pesada culata una y otra vez.

Bourne, sintiendo la pérdida progresiva de la conciencia, sustituida por una niebla roja de sufrimiento, se arrastró los pocos centímetros más que necesitaba para agarrar el arma de cerámica de Tracy, que estaba tirada en el suelo. Con inexorable determinación apuntó con ella al hombre murciélago y le disparó a bocajarro en la cara.

El aire se llenó con una tormenta de sangre, huesos y fragmentos rosáceos de sesos. El hombre murciélago se había empinado para asestar otro golpe titánico, pero la fuerza del proyectil hizo que su cabeza y su torso se arquearan hacia atrás y se apartaran. Entonces, como a través de una tonelada de algodón, Bourne oyó lo que le pareció un saco de cemento mojado al golpear el suelo.

Permaneció tumbado de espaldas un momento, las piernas levantadas, el corazón latiéndole como el de un velocista en la línea de meta. El dolor lo envolvía, irradiando desde la herida de bala que había sufrido en Bali. La violencia de sus acciones y la paliza que había recibido tuvieron un efecto deletéreo en su cicatriz, como ya le había advertido el doctor Firth. Al igual que después de la segunda operación, le pareció que había sido arrollado por un tren lanzado a toda velocidad.

Respiró y oyó el sonido de su sangre al cantar la canción de la vida en sus oídos internos. Fue entonces cuando surgió la caricia de Shiva al extraer el frío de la muerte de su huesos, como si aquel espíritu —o, como creía Suparwita, dios— le hubiera vuelto a proteger una vez más, extendiendo su fuerte mano para coger la de Bourne y llevarlo de vuelta completamente a la tierra de los vivos.

De repente, al oír los disparos enfrentados de armas semiautomáticas procedentes del pasillo, se movió, se incorporó y, apoyándose en un codo, soltó un profundo gruñido. La cabeza le daba vueltas y tenía la sensación de flotar en sangre, no en la suya, sino en la del hombre murciélago, tan muerto como las noticias de la víspera, sin rostro, totalmente irreconocible.

Fue entonces, en medio del fuego de las semiautomáticas que parecía cada vez más próximo y frenético, que miró por la habitación en busca de Tracy. Estaba tumbada sobre un costado más allá de la mesa.

—Tracy —dijo—, ¡Tracy! —repitió, de forma más apremiante.

Ella movió el brazo derecho a modo de respuesta. Bourne se arrastró dolorosamente por debajo de la mesa, por el suelo reluciente de trozos de cristal que cortaban como cuchillos y que le desgarraron los pulpejos de las manos y las espinillas.

—Tracy.

Tenía la mirada fija al frente, pero cuando él se levantó delante de su campo de visión, lo siguió con la mirada, y una pequeña sonrisa le iluminó la cara.

—Estás aquí.

Bourne bajó la mano, poniéndole un brazo bajo los hombros, pero cuando se movió para levantarla, la cara de Tracy se crispó.

—¡Oh, Dios mío! —gritó—. ¡Ayúdame, Dios mío!

—¿Qué pasa? ¿Cuál es el problema?

Ella lo miró fijamente en silencio con el dolor nublándole la vista como si fuera una red.

Bourne le levantó el torso con todo el cuidado que pudo, y fue en ese momento cuando vio los dos grandes trozos de cristal sobresaliendo de su espalda como hojas de puñales. Limpiándose el sudor de la frente, dijo:

—Tracy, quiero que muevas los pies. ¿Puedes hacer eso por mí?

Le miró los pies, pero no ocurrió nada.

—¿Qué les pasa a tus piernas?

Nada. Le pellizcó la carne del muslo.

—¿Sientes esto?

—¿Qué… qué es lo que has hecho?

Estaba paralizada. Al menos uno de los arpones de cristal le había seccionado los nervios principales. ¿Y el otro? Se movió, intentando ver mejor la profundidad a la que se había incrustado el cristal. Había algunos trozos de buen tamaño, de quince a veinte centímetros de largo, le pareció, y estaban profundamente enterrados. Recordaba haber visto apartarse a Tracy antes de que la bala del arma de Yevsen impactara en el pesado cuenco de cristal. El impacto había actuado como la detonación de una bomba con clavos, y la había atravesado con dos de los proyectiles más grandes.

El estruendo de las armas semiautomáticas se oía ahora más cercano, aunque más intermitente.

—Tengo que llevarte a un hospital —dijo Bourne, pero cuando intento levantarla de la posición medio incorporada en la que se encontraba, Tracy vomitó una gota de sangre, y la volvió a recostar con cuidado, acunándola en sus brazos.

—No voy a ir a ninguna parte.

—No te voy a dejar.

—Tú lo sabes y yo lo sé. —Tenía los ojos inyectados en sangre, hundidos en un cráter rodeado de unos círculos negros que parecían moratones—. No me quiero quedar sola, Jason.

Él la sujetó mientras Tracy se relajaba contra él.

—¿Por qué me has llamado así?

—Sí, conozco tu verdadero nombre, lo sabía desde que te conocí, lo cual no fue una coincidencia. No te muevas —dijo ella, cortándole—. Tengo cosas que contarte y no queda mucho tiempo. —Se humedeció los labios ensangrentados—. Arkadin me contrató para que me asegurara de que vinieras aquí. Nikolai Yevsen, el hombre al que acabas de matar, me dijo que Arkadin está en Nagorni Karabaj, en Azerbaiyán, el motivo no lo sé, pero está allí.

Así que trabajaba para Arkadin desde el principio. Bourne sacudió la cabeza con gravedad por lo bien que había interpretado su papel. Le había hecho sospechar de ella, y luego le había dado una explicación absolutamente verosímil de por qué le había mentido acerca de que supiera que el Goya era auténtico. Ante aquello, había bajado la guardia estúpidamente. Vio la mano de Arkadin en aquella delicada trama, y la admiración se mezcló con la rabia contra sí mismo.

De repente, Tracy abrió tantísimo los ojos que Bourne le vio el blanco ensangrentado de los globos en toda su extensión.

—¡Jason!

Su respiración se había vuelto superficial y errática. Tracy intentó sonreír.

—Es en nuestra hora más oscura cuando nuestros secretos nos comen vivos.

Bourne le puso dos dedos contra la carótida. El pulso era débil e irregular. Se estaba desvaneciendo. De golpe, recordó la conversación que habían mantenido la noche anterior: *¿Por qué será, me pregunto, que en general la gente siente la necesidad de mentir?*, había dicho, y Bourne supo sin ningún género de dudas lo que ella había querido contarle entonces. *¿Tan terrible sería que nos limitáramos a decirnos la verdad los unos a los otros?* Toda su conversación había versado sobre la doble vida de Tracy y su incapacidad para confesárselo a él. *¿Y tú qué?*, le había dicho ella, *¿no te importa estar solo?*

Se esforzó en entender la situación —en entenderla a ella—, aunque todos los seres humanos eran demasiado complicados para ser resumidos por un pensamiento o incluso por una sucesión de ellos. Una vez más, le llamó la atención todos los miles de hilos que se entretejían en la trama de una vida humana; y en la de Tracy no menos que en la cualquier otro, si acaso más en su caso, porque, al igual que él, llevaba una doble vida. Al igual que el señor Herrera y el Torturador, ella había formado parte de la tela de araña de Arkadin, que intentaba manipularlo para hacer… ¿qué? Seguía sin saberlo. Pero allí estaba uno de los peones de su enemigo, tumbada inmóvil y agonizando en sus brazos. En ese momento se le hizo evidente —y, a toro pasado, también la noche anterior— que Tracy se había sentido en conflicto por interpretar el papel para el que Arkadin la había contratado. Su ambivalencia golpeó a Bourne en el estómago como un puñetazo. Ella le había engañado, aunque, como había preguntado la noche anterior, ¿se había engañado a sí misma en el camino? Ésas eran preguntas que apuntaban directamente al meollo del propio dilema de Bourne: el no saber, el estar siempre al borde de otra identidad y, en consecuencia, el perder a la gente que lo rodeaba. La muerte estaba permanentemente a su alrededor, el otro lado de Shiva, que era el destructor además del heraldo de la resurrección.

De pronto, Tracy se estremeció violentamente entre sus brazos, como si estuviera exhalando el último suspiro.

—Jason, no quiero estar sola.

Sus lastimeras palabras derritieron el hielo del corazón de Bourne.

—No estás sola, Tracy. —Se inclinó sobre ella, y le rozó la frente con los labios—. Estoy aquí contigo.

—Sí, lo sé, eso está bien, siento que me rodeas. —Exhaló un suspiró parecido el ronroneo de satisfacción de un gato.

—¿Tracy? —Apartó los labios para poder mirarla a los ojos, que miraban fijamente al infinito—. Tracy.

29

—¡Ha funcionado! —dijo Humphry Bamber.

—¿Cuánto? —preguntó Moira.

Él contempló los números que se desplazaban por la pantalla mientras la barra de descarga registraba la transferencia ilícita desde el portátil de Noah Perlis.

—Todo —dijo, cuando la barra verde alcanzó el cien por cien—. Ahora, a meterse en las tripas y ver qué está pasando.

La descarga de adrenalina de Moira era considerable; estaba perdiendo la paciencia a medida que pasaban los minutos, mientras daba vueltas por el perímetro del espacio de trabajo de Bamber, que olía a metal caliente y a discos duros que giraban, el aroma del dinero en el siglo XXI. El cuarto estaba en la parte trasera de la oficina, y la luz violácea del norte formaba lánguidos charcos entre las sombras que arrojaban las pilas de equipamiento electrónico, cuyos ventiladores y motores runruneaban y zumbaban como animales salvajes. Los dos únicos espacios en las paredes que no estaban llenos de instrumentos o estanterías repletas de dispositivos periféricos informáticos, contenedores de DVD vírgenes y cables eléctricos y USB de todas las longitudes y descripciones, estaban ocupados por una ventana y una foto enmarcada de Bamber en la universidad, ataviado con el uniforme del equipo de fútbol americano, agachado y con una mano apoyada en el suelo. Había sido más guapo todavía de lo que era en ese momento.

Cuando el recorrido de Moira por la habitación la llevó a pasar junto a la ventana, se detuvo y miró de hito en hito la calle a la que daba la parte posterior del edificio. En el que había enfrente estaban encendidos unos fluorescentes que permitían ver una oficina llena de archivadores, pesadas máquinas Xerox y mesas idénticas. Unas personas de mediana edad iban y venían a toda prisa, aferrando carpetas o informes de la misma manera que un hombre que se ahoga se aferra a una tabla a la deriva. En el piso de arriba de aquella muerte en vida, a través de los altos ventanales de un desván, vio el taller de una artista joven que arrojaba pintura sobre un descomunal lienzo apoyado en una pared completamente blanca. Su concentración era tan intensa, estaba tan perdida en la visión que intentaba reproducir, que no parecía darse cuenta de lo que la rodeaba.

—¿Cómo va la descarga? —preguntó Moira cuando se volvió hacia la habitación.

Bamber, tan intensamente concentrado como la artista del otro lado de la calle, se demoró en responder.

—Unos minutos más, y lo sabré —farfulló al fin.

Moira asintió con la cabeza. Estaba a punto de proseguir con su angustioso deambular cuando un repentino movimiento atrajo de nuevo su atención hacia la calle. Un coche se había parado cerca del final de la manzana y había salido un hombre. Algo en su manera de moverse hizo saltar las alarmas en la cabeza de Moira. El hombre tenía una forma de mover la cabeza meticulosa y progresivamente, como si lo mirara todo y nada, que hizo que se le pusieran los pelos de la nuca como escarpias. Cuando aquel tipo llegó al edificio de Bamber, se paró. Manteniéndose cerca de la puerta trasera, sacó un juego de ganzúas e introdujo una en la cerradura, y luego otra, así hasta que encontró la adecuada que simulara los picos y valles de la llave.

Moira bajó la mano y sacó su Lady Hawk de su cartuchera del muslo.

—¡Casi está terminado! —En la voz de Bamber había una desafiante nota de triunfo.

La puerta se abrió y el hombre entró en el edificio.

—Noah Perlis parece ser el nexo de esta crisis —dijo Peter Marks—. Urdió la muerte de Jay Weston, le segó la hierba debajo de los pies a la policía metropolitana, se ha infiltrado en la nueva empresa de Moira y la ha hecho huir.

—Noah es Black River —dijo Willard—. Y por secreta y poderosa que sea esa panda de mercenarios, dudo mucho que tan siquiera tengan la fuerza para realizar todo eso sin que se hagan preguntas.

—¿No crees que Perlis esté detrás de esto?

—No he dicho eso. —Willard se frotó la barba de la mejilla—. Pero en este caso, tengo que creer que Black River cuenta con una ayuda importante.

Los dos hombres estaban en un bar nocturno, sentados frente a frente en un reservado de respaldo alto de piel sintética, escuchando una quejumbrosa canción de Tammy Wynette que sonaba en la gramola y el persistente rugido de los camiones de la basura que pasaban con estruendo. Un par de putas flacuchas, dando por perdida la noche, bailaban juntas. Un viejo con una enmarañada mata de pelo blanco estaba sentado en un taburete, encorvado sobre su bebida; otro, que había metido el dólar de la gramola, estaba cantando a dúo con Tammy con una pasable voz de tenor irlandés y los ojos arrasados en lágrimas. El olor a alcohol añejo y a desesperación aún más añeja estaba adherido a todo el destartalado mobiliario del lugar. El camarero, con un pie sobre la parte interior de la barra, se esforzaba en leer un periódico por encima de su barriga con el mismo entusiasmo que un estudiante que fuma marihuana abre un libro de texto.

—Por lo que he deducido —prosiguió Willard—, el principal cliente en estos momentos de Black River es la NSA, en la persona del secretario de Defensa, que ha estado promocionando la empresa ante el presidente.

Marks lo miró sumamente sorprendido.

—¿Cómo puedes saber todo eso?

Willard sonrió mientras sostenía la copa entre los dedos.

—Digamos que ser un topo en la casa franca de la NSA durante todos esos años me ha aupado por encima... incluso de la gente como tú, Peter. —Salió del asiento deslizándose y pasó al lado de las dos putas, que le lanzaron sendos besos. En la gramola estaba sonando «The Boys of Summer», de Don Henely, que parecía ser la causa de que el tenor irlandés llorara a moco tendido mientras la cantaba a dúo.

Cuando regresó al asiento, lo hizo con una botella de puro malta. Llenó su vaso de chupito y llenó hasta el borde el de Marks.

—Antes de que sigamos adelante —dijo Willard—, me estoy preguntando por qué no has informado al Árabe de nuestra asombrosa información en relación con Noah Perlis y Black River.

—M. Errol Danziger es el nuevo director de IC —dijo Marks pensativamente—. No estoy seguro de que quiera informarle de nada, sobre todo si la NSA está involucrada. Es un hombre del secretario Halliday de los pies a la cabeza.

Willard le dio un sorbo a su puro malta.

—Entonces, ¿qué vas a hacer? ¿Dimitir?

Marks negó con la cabeza.

—Me gusta mucho IC. Es mi vida. —Inclinó la cabeza—. Pero yo podría preguntarte lo mismo: ¿vas a dimitir?

—Por supuesto que no. —Willard sirvió más *whisky*—. Aunque lo que sí tengo planeado es seguir mi propio camino.

Marks sacudió la cabeza.

—No te entiendo.

Algo había aflorado a la cara de Willard, un cierto aire meditabundo, o quizá su innato secretismo estaba librando una batalla con cierto impulso a practicar el proselitismo, porque dijo:

—¿Conociste a Alex Conklin?

—Nadie conocía a Conklin; bueno, nadie lo conocía de verdad.

—Yo sí. Y no lo digo con presunción, es sólo la cruda realidad. Alex y yo trabajamos juntos. Yo sabía lo que estaba creando con Treadstone. No estoy seguro de que entonces lo aprobara, pero era mucho más joven. No había experimentado las cosas que Alex sí había experimentado. En cualquier caso, me confió todos los secretos de Treadstone.

—Creía que los archivos de Treadstone habían sido destruidos.

Willard asintió con la cabeza.

—Lo que el Viejo no trituró, lo destruyó Alex. O eso es lo que contaba, en cualquier caso.

Marks pensó en aquello durante un momento.

—¿Me estás diciendo que los archivos de Treadstone siguen existiendo?

—Siendo como era, Alex creó un juego doble de archivos. Sólo dos personas saben dónde están almacenados los archivos, y una de ellas está muerta.

Marks se bebió de un trago su puro malta y se recostó en el asiento, contemplando a Willard con detenimiento.

—¿Quieres relanzar Treadstone?

Willard rellenó los vasos con la botella.

—Ya está relanzado, Peter. Lo que quiero saber es si quieres formar parte de Treadstone.

—Llevan aquí no más de cuarenta y ocho horas, posiblemente tan sólo veinticuatro. —Yusef, el agente local de Soraya en Jartum, era un hombre pequeño con la piel del color del cuero bien curtido. Tenía unos ojos grandes y límpidos y unas orejas muy pequeñas, aunque lo oía todo. Era uno de los principales agentes de Typhon porque era inteligente y tenía los suficientes recursos para hacer uso del movimiento clandestino juvenil que había vigorizado la ciudad mediante Internet—. Es la cal viva, ¿saben? Quienquiera que se deshiciera de ellos quería destruirlos completamente de una manera que ni el fuego podría conseguirlo, porque la cal viva se lo comerá todo, incluso los huesos y los dientes, que podrían utilizarse para identificar los restos.

Soraya se había puesto en contacto con Yusef en el viaje desde el aeropuerto y, ante la insistencia de Amun Chalthoum, había concertado una reunión con él, a pesar de los hombres que los estaban siguiendo; en realidad, a causa de ellos.

—Esos hombres han sido enviados por mis enemigos —le había dicho Amun en el coche—. Los quiero bastante cerca para que podamos atraparlos.

Yusef había sabido de los hombres muertos por un muchacho que se había topado con la tumba mientras él y algunos amigos exploraban los fortines de Ansar, cerca del cañón de Sabaloga; los fortines habían sido utilizados otrora para atacar las embarcaciones que transportaban a las tropas que acudieron a relevar al general británico Gordon y sus agotados hombres en 1885. El muchacho y su amigo vivían en el pueblo contiguo, aunque una red de muchachos de Jartum enseguida se enteraron del descubrimiento de los cuerpos en su chat de Internet.

Después de entregarle un par de pistolas Glock y munición de repuesto, Yusef los había conducido a unos ochenta kilómetros al norte a través de los vientos implacables y el sol brutal del desierto. Utilizaron dos vehículos con tracción a las cuatro ruedas, como Yusef había aconsejado, porque los muchos baches de las carreteras y la poca fiabilidad de los vehículos sudaneses convertían el viaje en una temeridad.

—Vean lo que queda de los hombres —dijo Yusef en ese momento, mientras contemplaban la somera fosa que había sido excavada a toda prisa en el suelo de tierra apisonada del interior de uno de los viejos fortines desmoronados—, a pesar de la cal viva.

Soraya apartó de un manotazo una nube de moscas cuando se agachó.

—Lo suficiente para ver que a todos les han pegado un tiro en la nuca. —Arrugó la nariz. Al menos, la cal viva se había ocupado del hedor de los cuerpos en descomposición.

—Una ejecución al estilo militar —dijo Chalthoum—. Pero ¿estamos seguros de que estos cuatro hombres son los que buscamos?

—Lo son, seguro —dijo Soraya—. La descomposición es todavía mínima. Reconozco a los hombres alimentados a base de carne de vacuno del centro de Estados Unidos cuando los veo. —Levantó la vista hacia Amun—. Sólo hay una razón para que unos norteamericanos sean ejecutados al estilo militar en Jartum y traídos hasta aquí.

Chalthoum asintió con la cabeza.

—Para arreglar un cabo suelto importante.

En ese momento, Yusef, reaccionando al vibrante timbrazo de su móvil, se llevó el teléfono a la oreja y luego lo cerró.

—Mi vigía dice que sus invitados han llegado —les dijo.

Bourne levantó la mirada cuando una figura familiar llenó la entrada. El hombre de imponentes cejas negras con aspecto de orugas sujetaba un AK-47 y llevaba un chaleco de Kevlar. Se quedó mirando fijamente la figura del hombre murciélago despatarrado sobre el suelo.

—Nikolai, eres un chupapollas —dijo en un ruso gutural—, ¿Quién coño te ha matado antes de que pudiera llevarte de vuelta a la madrecita Rusia? Ahora me han privado del placer de hacerte cantar a grito pelado.

Entonces, al ver a Bourne, se paró en seco.

—¡Jason! —bramó el coronel Boris Karpov como un toro ruso—. Debería haber sabido que estarías en el corazón de este condenado laberinto.

Bajó la vista, percatándose de la forma ensangrentada de la joven que Bourne sostenía entre sus brazos. De inmediato pidió un médico a gritos.

—Es demasiado tarde para ella, Boris —dijo Bourne con voz apagada.

Karpov cruzó la habitación y se arrodilló junto a él. Pasó delicadamente los dedos romos sobre los trozos de cristal enterrados en la espalda de Tracy.

—Qué manera más terrible de morir.

—Todas son terribles, Boris.

Karpov entregó a Bourne una petaca.

—Tienes razón.

El médico del equipo de asalto de Boris, también con ropa antidisturbios, apareció jadeando. Se dirigió hacia Tracy, intentó encontrarle el pulso y sacudió la cabeza con tristeza.

—¿Bajas? —preguntó Karpov, sin apartar los ojos de Bourne.

—Un muerto y dos heridos de poca consideración.

—¿Quién es el muerto?

—Milinkov.

Karpov hizo un movimiento de asentimiento con la cabeza.

—Trágico, pero el edificio está bajo control.

Bourne sintió descender el fuego del *slivovitz*, el aguardiente de ciruela, hasta su estómago. El progresivo calor le sentó bien, como si hubiera recuperado la solidez y el equilibrio.

—Boris —dijo en voz baja—, haz que tus hombres se lleven a Tracy. No quiero dejarla aquí.

—Por supuesto. —Karpov hizo una señal al médico, que levantó a la joven del regazo de Bourne.

Éste la observó cuando se la llevaban de la sala de conferencias. Sintió perderla, y le entristeció la lucha de la muchacha por armonizar una vida de duplicidad con el sentimiento de soledad por vivir medio en las sombras de un mundo del que la mayoría de la gente no era consciente, y mucho menos capaz de comprender. La lucha de Tracy era la lucha de Bourne, y el dolor que a ella le había procurado su vida a él le resultaba demasiado familiar. No quería verla irse, no quería desprenderse de ella, como si de pronto le arrancaran una parte de él, recién descubierta.

—¿Qué es esto? —preguntó Boris, levantando el cuadro.

—Es un Goya, una obra hasta ahora desconocida de la famosa serie de las pinturas negras, lo que hace prácticamente que no tenga precio.

Boris sonrió con sorna.

—Espero que no codicies tenerlo, Jason.

—El botín pertenece al vencedor, amigo. ¿Así que Yevsen era tu misión en Jartum?

El ruso asintió con la cabeza.

—Llevo meses trabajando en el norte de África, intentando seguir la pista de los suministradores, clientes y canales de distribución de Yevsen. ¿Y tú?

—Hablé con Ivan Volkin…

—Sí, me lo dijo. Ese viejo siente debilidad por ti.

—Cuando Arkadin descubrió que su intento de acabar con mi vida había fracasado, se le ocurrió otro plan, que consistía en atraerme aquí. El motivo lo desconozco.

Lanzando una rápida mirada al cadáver tendido en el otro lado de la habitación, Karpov dijo:

—Ése es un misterio, uno de los muchos que hay aquí. Confiábamos en encontrar la lista tanto de suministradores como de clientes de Yevsen, pero los discos duros de sus servidores remotos parecen haber sido borrados.

—No fue Yevsen quien lo hizo —dijo Bourne. Se levantó, y Boris con él—. Estaba aquí con Tracy, así que no tenía ni idea de vuestro asalto.

Boris se rascó la cabeza.

—¿Por qué quería Arkadin que vinieras aquí en compañía de esa joven tan hermosa?

—Lamentablemente, no podemos preguntárselo a Yevsen —dijo Bourne—. Lo que nos lleva a preguntarnos: ¿quién le borró los servidores? Alguien se ha llevado toda su red. Ha tenido que ser alguno de sus hombres, alguien que estuviera lo bastante alto en la jerarquía para que dispusiera de los códigos de acceso a los servidores.

—Cualquiera que se atreviera a actuar contra Yevsen acabaría desapareciendo.

—Siempre que Yevsen estuviera vivo. —Bourne, cuya mente por fin había identificado los suficientes hilos para darle sentido a la tela de araña, ladeó la cabeza y le hizo una seña a Karpov para que lo acompañara—. Pero míralo ahora, ya no es ningún peligro para nadie, incluido Arkadin.

El semblante de Boris se ensombreció.

—¿Arkadin?

Recorrieron juntos el pasillo, controlado ya por el equipo militar de Boris, hasta el aseo de caballeros.

—Haré que te examine mi médico.

Bourne rechazó su ofrecimiento con un gesto de la mano.

—Estoy bien, Boris. —Estaba maravillado del alcance del genio diabólico de Arkadin.

Una vez dentro, se dirigió a la hilera de lavabos y empezó a lavarse la sangre y a quitarse los trozos de cristal. Cuando terminó, Karpov le entregó un rollo de toallas de papel.

—Piensa en ello, Boris, ¿qué motivos tendría Arkadin para traerme aquí con engaño, sobre todo, como dijiste, con una joven hermosa? —Le dolía hablar de Tracy, pero por mucho que ella estuviera presente en su pensamiento, tenía un misterio que resolver... y un enemigo mortal al que enfrentarse.

De pronto, una luz iluminó los ojos de Karpov.

—¿Arkadin contaba con que mataras a Yevsen?

Bourne se salpicó la cara con agua tibia, y los pequeños cortes y moratones le escocieron como ortigas.

—O con que Yevsen me matara a mí. De una u otra manera, saldría ganando.

Karpov se sacudió como un perro que saliera de la lluvia.

—Y si tu teoría es cierta, hasta puede que tuviera conocimiento de mi asalto. No querría que Yevsen ni ningún otro lo delatara. Maldita sea, he subestimado gravemente a ese hombre.

Bourne volvió su cara manchada de sangre hacia el coronel.

—Es más que un hombre, Boris. Al igual que yo, es un graduado de Treadstone. Alex Conklin adiestró a Arkadin, igual que me adiestró a mí, para que se convirtiera en la máquina de matar clandestina suprema y llevara a cabo operaciones encubiertas imposibles de ejecutar por cualquier otro.

—¿Y dónde está ahora ese graduado diabólico? —preguntó Boris.

Bourne se secó la cara con un puñado de toallas de papel, que acabaron de color rosa.

—Tracy me contó antes de morir que Yevsen le dijo que estaba en Nagorni Karabaj, en Azerbaiyán.

—Un país montañoso, lo conozco bien —dijo Boris—. Descubrí que la zona era uno de las principales escalas de Yevsen para los vuelos de Air Afrika que transportaba sus armas ilegales por todo este continente. Es la patria de varias tribus, todos islamistas fanáticos.

—Eso tiene sentido. —Bourne se contempló la cara en el espejo, estudiando los daños, que eran superficiales aunque extensos. ¿De quién era el reflejo que le devolvía la mirada? Tracy seguramente habría hecho hincapié en esa pregunta, sin duda después de habérsela hecho a sí misma muchas veces—. Ivan me dijo que Arkadin se ha apoderado de la Hermandad de Oriente, lo que significa que también es el jefe de sus terroristas de la Legión Negra. Puede que esté intentando diversificar su actividad, metiéndose en el negocio de miles de millones de dólares de Yevsen.

Entonces Bourne vio el Goya que Karpov había apoyado contra la pared de baldosas.

—¿Conoces a un hombre llamado Noah Petersen o Perlis?

—No, ¿por qué?

—En un alto directivo de Black River.

—La empresa de gestión de riesgos norteamericana, también conocidos como contratistas privados de tu país, también conocidos como mercenarios.

—Acertaste en todo. —Bourne salió el primero de nuevo al pasillo, que apestaba a pólvora y muerte—. Tracy le trajo el Goya a Noah, pero ahora creo que en realidad eran los honorarios de Yevsen por los servicios prestados. Ésa es la única explicación lógica a la presencia de Noah aquí.

—Así que Yevsen, Black River y Arkadin están juntos en algo.

Bourne asintió con la cabeza.

—¿Tú o tus hombres os encontrasteis con un norteamericano al asaltar el edificio?

Karpov sacó un pequeño *walkie-talkie* de un bolsillo de su chaleco, y habló por él.

—Eres el único norteamericano en el edificio, Jason. Pero hay un sudanés de dudosa catadura que afirma haber sido interrogado por un norteamericano poco antes de que empezara el ataque.

Perlis debía de haber sido engatusado por la maniobra de distracción de Bourne para la que había utilizado al guía. ¿Adónde se había ido? Sentía que se acercaba al centro de la tela de araña, donde estaba tendido el letal arácnido esperando pacientemente.

—Y puesto que el principal cliente de Black River es la NSA, hay muchas posibilidades de que ésta tenga algo que ver con la creciente tensión de Irán.

—¿Crees que Nikolai Yevsen estaba armando a un equipo de asalto de Black River preparado para invadir Irán?

—Es altamente improbable —respondió Bourne—. La NSA tiene recursos suficientes para proporcionar más armamento de última generación del que Yevsen podría haber dispuesto en toda su vida. Además, para eso no necesitarían la ayuda de Arkadin. No, los norteamericanos han identificado el misil que derribó el avión: un Kowsar tres iraní.

Karpov asintió con la cabeza.

—Esto ya está empezando a tener sentido. Ese Goya es el pago a Yevsen por suministrar el Kowsar tres.

En ese momento, divisó a uno de sus hombres que corría por el vestíbulo hacia él. El soldado miró fijamente a Bourne durante un momento y luego entregó a su comandante una hoja ondulada de papel térmico, a todas luces una copia hecha en una impresora portátil.

—Ve a buscar a Lirov —dijo Karpov mientras examinaba el documento—. Dile que traiga todo su equipo. Quiero que examine a este hombre de pies a cabeza.

El soldado asintió con la cabeza sin decir una palabra y se alejó a toda velocidad.

—Te dije que no necesitaba…

Karpov levantó una mano.

—Espera, querrás oír esto. Mi técnico en informática pudo finalmente recuperar algo de los servidores de Yevsen; según parece, no estaban borrados del todo. —Entregó a Bourne la hoja de papel térmico—. Aquí aparecen sus tres últimas transacciones.

Bourne examinó rápidamente la información.

—El Kowsar tres.

—Exacto. Como había supuesto, Yevsen adquirió un Kowsar tres iraní y se lo vendió a Black River.

—¿Adónde va? —preguntó Humphry Bamber, dándose la vuelta en su asiento—. ¿Y por qué empuña una pistola?

—Alguien sabe que está aquí —dijo Moira.

—Dios mío —gimió él, y empezó a levantarse.

—Quédese ahí. —Moira lo mantuvo en el asiento con mano firme. Sintió los escalofríos que recorrían a Bamber en oleadas—. Sabemos que viene alguien y sabemos lo que quiere.

—Sí, mi muerte. Ni se le ocurra que me voy a quedar aquí sentado a esperar que me peguen un balazo por la espalda.

—Lo que espero es que haga lo que ha hecho hasta ahora, ayudarme. —Bajó la vista hacia la cara contrita de Bamber—. ¿Puedo contar con usted?

El hombre tragó saliva con dificultad y asintió con la cabeza.
—Muy bien, ahora enséñeme dónde está el baño.

A Dondie Parker le gustaba su trabajo..., algunos dirían que incluso demasiado. Otros, como su jefe, Noah Perlis, apreciaban el fervor casi religioso con que acometía sus misiones. A Parker le gustaba Perlis. Le parecía como si los dos ocuparan el mismo espacio gris en el límite de la sociedad, el lugar donde ambos podían hacer que ocurriera cualquier cosa, uno con sus órdenes, el otro con sus manos y las armas elegidas.

Después de entrar por la entrada posterior del edificio de Humphry Bamber, pensó en el trabajo de su vida, que en su fuero interno comparaba con una reluciente caja de madera llena de una selección de los puros más caros y aromáticos. El clímax de cada misión, la muerte de cada objetivo, reposaban en aquella caja para que él volviera a contemplarlos siempre que quisiera. Para sacarlos uno a uno, olerlos, para hacerlos rodar entre sus dedos y saborearlos. Ellos ocupaban el lugar de los galones militares —de las medallas al valor— que conmemoraban las acciones necesarias, como Noah le había dicho repetidas veces, para el bienestar y seguridad de la patria. A Parker le gustaba la palabra «patria»; era mucho más potente, más evocadora y más viril que la palabra «nación».

Parker se quitó los zapatos, ató los cordones entre sí y, tras echárselos sobre los hombros, empezó a subir las escaleras. Cuando llegó al segundo piso, se dirigió por el pasillo hasta el extremo opuesto, donde había una ventana que daba a una escalera de incendios. Le quitó el pestillo a la ventana, la abrió, saltó fuera y empezó a subir piso por piso como una mosca que trepara por una pared.

Noah Perlis había encontrado a Dondie Parker en un gimnasio de mala muerte de la ciudad. Era miembro de un club de boxeo y el principal aspirante al título regional de los pesos medios. Era un boxeador excepcional porque aprendía rápido, tenía una resistencia tremenda y había encontrado en el boxeo una manera de canalizar su agresividad asesina. No obstante, no le volvían loco las conmociones cerebrales y las costillas rotas, así que cuando Noah apareció y manifestó su interés en él, le puso la mar de contento escuchar su proposición.

Decir que se lo debía todo a Noah no sería exagerar en absoluto, una circunstancia que Parker siempre tenía presente, y sobre todo cuando, como en ese momento, llevaba a cabo una misión encomendada directamente por él. Noah sólo rendía cuentas ante un hombre, Oliver Liss, que estaba tan arriba en la cadena trófica de Black River que parecía pertenecer a otro universo completamente diferente. Parker era un profesional tan consumado que de vez en cuando Oliver Liss lo llamaba y le encargaba una misión personal, la cual él ejecutaba inmediatamente y sin decírselo a nadie, ni siquiera a Noah. Si éste estaba al corriente de tales encargos extracurriculares, jamás le había dicho nada a Parker, y éste estaba encantando con no avivar las brasas.

Había llegado a la planta de la oficina de Humphry Bamber. Y entonces, después de comprobar una vez más la distribución del edificio que Noah le había enviado al móvil, se dirigió a gatas hasta el otro extremo de la escalera de incendios, donde atisbó por una ventana. Vio todo tipo de equipamiento electrónico, la mayoría encendido, así que supo que Bamber tenía que estar allí. Desató los cordones y se puso los zapatos. Entonces sacó sus palanquetas y forzó la ventana para abrirla con el mínimo esfuerzo. Luego sacó su SIG Sauer modificada según sus instrucciones y entró por la ventana.

Se volvió cuando oyó que alguien estaba orinando. Sonriendo de oreja a oreja para sus adentros, se dirigió hacia el lugar del que provenía el sonido de la orina al chocar con la porcelana. Lo único que superaba a aquello sería agujerear a Bamber mientras estuviera aliviándose.

La puerta estaba entreabierta y, al mirar dentro, vio un triángulo de luz, y a Bamber con las piernas abiertas delante del retrete. Sólo alcanzaba a ver la esquina de un lavabo y, contra la pared del fondo, una bañera con una cortina de ducha donde bailaba alegremente un pez tan mono que tuvo que vencer el impulso de vomitar.

Espió a través de la hendidura entre la puerta y la jamba donde estaban las bisagras, y al no ver a nadie escondido detrás de la puerta, la abrió de un codazo con el brazo que tenía libre mientras levantaba la SIG a la altura de la cabeza de Bamber.

—Hola, gatito. —Se rió entre dientes con un risa ronca y gutural—. Noah te dice hola y adiós.

Bamber se estremeció, como Parker había esperado que hiciera, pero en vez de volverse hacia él, se desplomó como si le hubieran desnucado de un martillazo. Cuando Parker se lo quedó mirando con los ojos desorbitados, el alegre pez bailarín se plegó como un acordeón. Alcanzó a ver durante una fracción de segundo a una mujer que lo miraba fijamente. Sólo tuvo el tiempo justo para pensar *¿Quién carajo es ésta? Noah no me dijo que…* antes de que el ojo de la Lady Hawk de la mujer escupiera fuego y él girara en redondo en una torpe pirueta a causa de la bala que le fracturó el pómulo.

Parker aulló, pero no de dolor ni de miedo, sino de rabia. Vació su arma, disparando un tiro tras otro, pero tenía sangre en los ojos. No sentía nada, inmune al dolor durante un instante por la descarga de adrenalina y otras endorfinas. Ignorando a Bamber, se encogió en posición fetal bajo el retrete y saltó hacia la mujer —¡una mujer, por favor!— girando la culata de su SIG hacia la curva de la barbilla de su contrincante. Ella se apartó, pero sólo consiguió chocar contra la pared de baldosas y resbalar sobre la traicionera curva de porcelana, y fue a caer sobre una rodilla.

Parker giró salvajemente la SIG para golpearla. La mujer la esquivó, pero no antes de que la mira delantera le hiciera un profundo corte en el puente de la nariz. Parker detectó la mirada vidriosa en los ojos de la mujer y supo que la tenía. Y ya se disponía a plantarle la gruesa suela de su zapato sobre el plexo solar cuando el ojo de la Lady Hawk de Moira volvió a escupir fuego.

Parker no llegó a sentir nada. La bala explotó al atravesarle el ojo derecho y le salió por la parte posterior de la cabeza.

30

—Eres consciente —dijo Bourne, blandiendo la hoja de papel térmico, mientras él y Boris Karpov bajaban estrepitosamente las escaleras del número 779 de la avenida El Gamhuria— de que podrían haber dejado esta información para que la encontraras.

—Pues claro. Podría haberla dejado Yevsen —dijo Karpov.

—Estaba pensando en Arkadin.

—Pero Black River es su socio.

—Como lo era Yevsen.

El médico había hecho lo que había podido para remendarle la cara a Bourne antes de que éste lo hubiera echado con cajas destempladas; al menos había detenido la hemorragia y le había puesto una inyección para prevenir cualquier posible infección.

—Y otra cosa sobre Arkadin: es sistemático —dijo Bourne—. Lo que he aprendido de la manera en que monta sus operaciones es que siempre se asegura de tener una pantalla, un blanco de distracción hacia el que dirigir a sus enemigos. —Le dio un capirotazo a la copia—. Black River podría ser su nueva pantalla, la gente a la que quiere que persigas antes que encontrarlo a él.

—La otra posibilidad —dijo Boris— es que esté liquidando a sus socios uno a uno.

Habían atravesado el vestíbulo y salido a la calle, donde, bajo el hirviente sol de la tarde, el tráfico se había detenido y los transeúntes se iban congregando por minutos, mirando boquiabiertos al contingente fuertemente armado de Boris.

—Eso plantea otra pregunta —dijo éste mientras subían al microbús del que se había incautado y había convertido en su cuartel general ambulante—. ¿Cómo coño encaja Arkadin en este rompecabezas? ¿Por qué habría de necesitarlo Black River?

—He aquí un posibilidad —respondió Bourne—. Arkadin

está en Nagorni Karabaj, una zona remota de Azerbaiyán que, como dijiste, está dominada por caciques tribales, todos ellos musulmanes fanáticos, al igual que los terroristas de la Legión Negra.

—¿Y en qué estarían involucrados los terroristas?

—Eso es algo que tendremos que preguntarle al propio Arkadin —replicó Bourne—. Y para hacerlo, tendremos que coger un avión a Azerbaiyán.

Karpov ordenó a su técnico en informática que le consiguiera unas fotos por satélite en tiempo real de la región de Nagorni Karabaj, a fin de decidir cuál sería la mejor ruta hasta aquella zona concreta utilizada por Yevsen.

El especialista estaba enfocando de cerca la zona cuando dijo:

—Esperen un segundo. —Sus dedos se movieron confusamente sobre las teclas, cambiando las imágenes de la pantalla.

—¿Qué sucede? —preguntó Karpov con cierta impaciencia.

—Un avión acaba de despegar de la zona identificada. —El técnico se giró hacia otro portátil y tecleó algo para acceder a un sitio diferente—. Es un reactor de Air Afrika, coronel.

—¡Arkadin! —dijo Bourne—. ¿Adónde se dirige el vuelo?

—Espere. —El técnico se cambió a un tercer ordenador, sacando una imagen parecida a la de la pantalla de un controlador aéreo—. Dejen que haga una extrapolación de la dirección actual del reactor.

Sus dedos bailaron un poco más sobre el teclado. Entonces se giró de nuevo hacia el primer portátil y una zona de tierra continental llenó la pantalla. La imagen retrocedió hasta que el técnico señaló un lugar en el cuadrante inferior derecho de la pantalla.

—Justo ahí —dijo—. Shahrake Nasiri-Astara, muy cerca de la costa del mar Caspio, al noroeste de Irán.

—Y por todos los diablos, ¿qué es lo que hay ahí? —preguntó Karpov.

El técnico se trasladó al segundo portátil, introdujo el nombre de la zona y apretó la tecla de INTRO; luego descendió por los resultados. Había poquísimos, pero uno de ellos proporcionó la respuesta. Levantó la vista hacia la cara de su comandante y dijo:

—Tres enormes campos petrolíferos y el comienzo de un oleoducto que atraviesa varios países.

—Quiero que salgas de aquí. —Los ojos de Amun Chalthoum centellearon en la semioscuridad del viejo fortín—. Inmediatamente.

A Soraya la cogió tan desprevenida que pasó un rato antes de que dijera:

—Amun, me parece que me confundes con otra.

Él la cogió por el codo.

—Esto no es un juego. Vete. Ahora.

Soraya consiguió soltarse de su mano.

—¿Quién soy, tu hija? No voy a ir a ninguna parte.

—No arriesgaré la vida de la mujer a la que amo —dijo él—. Al menos no en una situación así.

—No sé si sentirme halagada o insultada. Puede que ambas cosas. —Sacudió la cabeza—. Sin embargo, vinimos aquí por mi causa, ¿o lo has olvidado?

—No he olvidado nada. —Chalthoum estaba a punto de continuar cuando Yusef le interrumpió.

—Pensaba que tenías planeado dejar que esa gente te cogiera.

—Sí, eso había planeado —respondió Chalthoum con impaciencia—, pero no contaba con verme atrapado aquí.

—Ya es demasiado tarde para lamentos —susurró Yusef—. El enemigo ha entrado en el fortín.

Chalthoum levantó cuatro dedos para que Yusef supiera cuántos hombres los habían estado siguiendo. El agente local asintió escuetamente con la cabeza y les hizo un gesto para que le siguieran. Mientras los demás salían, Soraya se agachó y le arrancó un trozo de camisa a uno de los cadáveres, hecho lo cual recogió un montón de cal viva para meterla en la improvisada honda.

Cuando llegaron a la entrada, dijo:

—Deberíamos quedarnos aquí.

Los dos hombres se volvieron, y Amun la miró como si estuviera loca.

—Nos atraparán como a ratas.

—Ya estamos atrapados como ratas. —Balanceó la honda adelante y atrás—. Al menos aquí estamos en un terreno alto. —Hizo un gesto con la barbilla—. Ya se han dispersado. Nos matarán uno a uno antes de que podamos pillar alguno de ellos.

—Tienes razón, directora —dijo Yusef, y Chalthoum lo miró como si quisiera atizarle un sopapo.

Ella apeló directamente a Chalthoum.

—Amun, acostúmbrate. Así son las cosas.

Tres de los cuatro hombres que habían encontrado cobijo en las sombras se tumbaron a esperar, observando por las miras de los largos cañones de sus rifles. El cuarto —el batidor— se desplazó cautamente de una habitación desolada a otra destrozada a través de los abandonados espacios sin techo donde se amontonaba la arena. Siempre con el viento en los oídos y la arena del desierto en la nariz y la garganta. Granos lanzados por el viento se metían dentro de su ropa y creaban una capa familiar cuando se adherían a su piel sudorosa. Su trabajo consistía en encontrar los objetivos y dirigirlos a las líneas de fuego cruzado tendidas por sus camaradas. Era un hombre cauto, aunque no aprensivo; ya había hecho ese trabajo y lo haría de nuevo muchas veces antes de que la vejez hiciera imposible aquella vida. Pero sabía que para entonces tendría dinero más que suficiente para su familia e incluso para las familias de sus hijos. El norteamericano pagaba bien; según parecía nunca se le acababa el dinero, de la misma manera que el muy idiota jamás le regateaba el precio. Los rusos..., bueno, ellos sí que sabían conseguir lo que querían. Había sudado la gota gorda en muchas negociaciones con los rusos, que siempre aseguraban no tener dinero o, en cualquier caso, no el suficiente para pagarle lo que pedía. Él acababa por fijar un precio que dejaba a todos contentos y luego iba a ocuparse del negocio de matar. Eso era lo que mejor sabía hacer después de todo; lo único para lo que estaba preparado.

Había recorrido más de la mitad del fortín y estaba realmente sorprendido de no haber visto todavía ni siquiera un indicio de los objetivos. Bueno, uno de ellos era egipcio, le habían dicho. No le gustaban los egipcios, te embadurnaban permanentemente con sus melifluas palabras mientras mentían descaradamente. Eran como chacales: sonriendo mientras te arrancaban la carne a tiras.

Se metió por un corto pasillo. Cuando no había recorrido ni la mitad, oyó el zumbido de las moscas y supo, aunque no le llegó ningún tufillo a carne en descomposición, que debía de haber habido una muerte delante de donde estaba, y además bastante recientemente.

Agarrando su arma con más fuerza, continuó por el pasillo con la espalda contra una pared mientras escudriñaba la penumbra con los ojos entrecerrados. La luz del sol revoloteaba y gorjeaba por todas partes como lo hacen pájaros en un árbol, sobre todo allí donde el techo o la pared estaban agrietados o incluso, como ocurría en algunos lugares, reventados como si el puño demoledor de un gigante asesino hubiera impactado en ellos.

El ruido de las moscas se había convertido en un murmullo, como el de una gran criatura sin forma que aumentaba y decrecía en intensidad según se alimentara o dormitara. Se detuvo, escuchando y, a su manera poco científica, contó el número de moscas. Algo grande había muerto en aquella habitación delante de él, posiblemente más de una cosa grande. ¿Un ser humano?

Apretó el gatillo del arma, y el fugaz destello luminoso, la detonación, transformó toda la zona. Era como una alimaña marcando su territorio, advirtiendo a los demás depredadores de su presencia, queriendo inspirar temor. Si los objetivos estaban en aquella habitación, estaban atrapados. La conocía de la misma manera que conocía todas las habitaciones de aquél y de los demás fortines de la zona. Sólo había una entrada, y él estaba a cinco pasos de ella.

Entonces un figura surgió como un rayo por la entrada abierta, y él hizo cuatro disparos precisos en rápida sucesión que la hicieron bailar y sacudirse.

Soraya apareció detrás del norteamericano muerto que Chalthoum había arrojado por la entrada. Balanceando su improvisada honda en medio de la lluvia de balas, soltó su carga de cal viva en la cara del que había disparado. El cáustico óxido de calcio alcanzó de inmediato los fluidos corporales del hombre —el sudor de sus mejillas y las lágrimas de los ojos—, una reacción química que provocó un calor terrible.

El sujeto gritó, dejó caer el arma e instintivamente se empezó a dar palmas en la cara ardiente, en un intento de sacudirse la sustancia. Aquello sólo empeoró las cosas para él. Soraya cogió del suelo el arma que aquel sujeto acababa de tirar y le disparó en la cabeza, acabando con sus sufrimientos, como habría hecho con un caballo tullido.

Su silbido por lo bajinis hizo salir a Chalthoum y a Yusef de la cámara mortuoria.

—Uno liquidado —dijo Soraya—. Faltan tres.

—¿Se encuentra bien? —Moira salió de la bañera y ayudó a Humphry Bamber a levantarse.

—Creo que soy yo quien debería hacerle esa pregunta —dijo él con un escalofrío, echándole un vistazo a la cara destrozada del intruso. Entonces se volvió y vomitó en el retrete.

Moira abrió el agua fría del lavabo, empapó una toalla de manos y se la colocó en la nuca, pero entonces él la cogió y la sujetó contra el puente de la nariz de ella mientras salían del baño.

Moira le rodeó los hombros anchos con el brazo.

—Le llevaré de vuelta a algún lugar seguro.

Él asintió con la cabeza como un niño perdido mientras regresaban cuidadosamente a la oficina. Estaban casi en la puerta cuando ella echó un vistazo al muro de ordenadores.

—¿Qué averiguó? ¿Qué hay en la versión de Bardem de Noah?

Bamber se soltó, fue hasta el portátil conectado a todo el resto de equipamiento y lo desconectó. Después de cerrarlo, se lo metió debajo del brazo.

—Si no lo ve por sí misma, no se lo creerá —dijo, mientras abandonaban a toda prisa la oficina.

—No estoy interesado en Treadstone ni en lo que estuviera tramando Alex Conklin —dijo Peter Marks.

Willard pareció no inmutarse.

—Pero sí estás, presumo, interesado en salvar a IC de sus enemigos. —Fue casi como si hubiera previsto la respuesta de Mark.

—Por supuesto. —Marks retiró su vaso vacío cuando Willard intentó llenarlo con la última ronda de *whisky*—. ¿Tienes algo en mente… algo, supongo, que tiene que ver con la complicidad de Black River en el asesinato de nacionales, sobre todo, maldita sea, en la muerte de la directora de IC?

—El director es M. Errol Danziger.

—No me lo recuerdes —dijo Marks agriamente.

—He de hacerlo. Él es ahora el poder dominante e imbatible en la organización, y créeme cuando te digo que a todos vosotros, los brillantes caballeretes, os va a convertir en papilla si no se hace nada para detenerlo.

—¿Y qué pasa contigo?

—Yo soy Treadstone.

Marks se quedó mirando sombríamente al veterano. Ya fuera por todo el malta que había ingerido, o por tener que enfrentarse con la realidad, el caso es que se le revolvió el estómago.

—Continúa.

—No —dijo Willard categóricamente—. O estás dentro o estás fuera, Peter. Y antes de que respondas, por favor, entiende que no hay vuelta atrás ni posibilidad de arrepentimiento. Una vez que estés dentro, ya está, no importan ni el coste ni las consecuencias.

Marks sacudió la cabeza.

—¿Qué alternativa me queda?

—Siempre hay una alternativa. —Willard se sirvió lo que quedaba del *whisky* y le dio un buen trago—. Lo que no hay (y esto va tanto por ti como por mí) es la oportunidad de mirar atrás. Desde este momento y en adelante, no hay pasado. Avanzamos, siempre hacia delante, en la oscuridad.

—¡Joder! —Marks tuvo un escalofrío—. Dicho así, parece que esté haciendo un pacto con el diablo.

—Eso tiene mucha gracia. —Willard sonrió y, como en respuesta a una señal, sacó un documento de tres hojas, que extendió sobre la mesa hacia el hombre más joven.

—¿Qué coño es esto?

—También es gracioso. —Willard colocó una pluma encima de la mesa—. Es un contrato con Treadstone. No es negociable y, como puedes ver en la cláusula decimotercera, es irrevocable.

Marks echó un vistazo al contrato.

—¿Hasta qué punto es ejecutable? ¿Me amenazarás con quedarte con mi alma? —Se echó a reír, pero su risa era demasiado crispada para contener algo de humor. Entonces entrecerró los ojos mientras leía un párrafo tras otro—. ¡Joder! —dijo, cuando terminó. Miró la pluma, y luego a Willard—. Dime que tienes un plan para deshacerte de M. Errol *Soplapollas* Danziger o me voy de aquí ahora mismo.

—Cortarle una cabeza a la hidra no servirá de nada, porque lo único que ocurrirá es que le crecerá otra. —Willard cogió la pluma y se la ofreció—. Me desharé de la hidra propiamente dicha: del secretario de Defensa Ervin Reynolds Halliday.

—Muchos lo han intentado, incluida la difunta Veronica Hart.

—Todos creían tener pruebas de que estaba actuando fuera de la ley, un camino trillado que Halliday conoce bastante mejor que lo que ellos conocían. Yo tomaré un camino completamente diferente.

Marks miró en lo más profundo de los ojos del otro hombre, intentando calibrar su seriedad. Al final, cogió la pluma y dijo:

—No me importa qué camino tomemos, siempre que Halliday acabe siendo una víctima de la carretera.

—Mañana por la mañana —dijo Willard—, tendrás que tener bien presente esa opinión.

—¿Es a azufre ese olorcillo que me llega? —Pero la risa de Marks resultó de un desasosiego inequívoco.

—Conozco a este hombre. —Yusef quitó parte de la pasta de cal viva de la cara del pistolero muerto rozándola con la punta de su bota—. Se llama Ahmed, y es un asesino a sueldo que suele trabajar para los norteamericanos o los rusos. —Soltó un gruñido—. Y alguna que otra vez ha trabajado para ambos al mismo tiempo.

Chalthoum arrugó el entrecejo.

—¿Ha trabajado para los egipcios con anterioridad?

Yusef negó con la cabeza.

—No, que yo sepa.

—No lo has utilizado nunca, ¿verdad? —Soraya estaba examinando lo que quedaba de la cara de Ahmed—. No recuerdo haber visto su nombre en ninguno de tus informes.

—No confiaría en este mal nacido ni para me trajera una rebanada de pan —dijo Yusef con un encogimiento del labio superior—. Además de ser un asesino profesional, es un mentiroso y un ladrón, desde siempre, incluso de niño.

—Recuerda —le dijo Chalthoum a Soraya con una mirada severa—. Quiero al menos a uno vivo.

—Lo primero es lo primero —dijo ella—. Concentrémonos en salir vivos de aquí.

Chalthoum seguía intentando sin éxito quitarse el olor de la cal viva y de la muerte de la ropa, además estaba inquieto porque Soraya había tomado las riendas de la operación, lo que era, una vez más, algo que deploraba. Desde que habían llegado a Jartum, algo se había apoderado de él, un sentimiento de protección hacia Soraya que a todas luces le hacía sentir incómodo. Posiblemente fuera el hecho de encontrarse fuera de Egipto; estaba en un terreno desconocido, después de todo, y sabía muy bien que donde se sentía más seguro de sí mismo era en su propio territorio.

Soraya oyó que la llamaba en voz baja, pero venció el impulso de volverse y mirarlo y siguió avanzando con paso seguro y medio agachada hasta que llegó al primer patio. Había posiciones a izquierda y derecha de ambos muros donde los francotiradores tendrían un campo visual excelente. Disparó una vez a cada lugar, pero no hubo ningún disparo de respuesta. Sería por haber disparado con el cuarenta y cinco del pistolero, así que lo tiró y sacó la Glock que Yusef le había dado. Después de volver a comprobar que estaba cargada, atravesó el patio de aspecto lúgubre, manteniéndose en las sombras que proyectaban las paredes. No miró atrás ni una sola vez, confiando en que Amun y Yusef no la siguieran demasiado lejos y la cubrieran si se encontraba en apuros.

Un instante más tarde, apareció el segundo patio central, más grande e intimidatorio que el primero. Una vez más, Soraya disparó contra los lugares donde probablemente pudieran estar apostados los francotiradores, y de nuevo no hubo respuesta.

—Sólo hay otro patio —comentó Yusef—. Es más pequeño, pero dado que está en la parte delantera hay más lugares para defenderlo.

Soraya vio en ese momento que su agente tenía razón, y que con independencia de lo que hicieran jamás podrían llegar a los antepechos de ninguna de las paredes sin que los mataran a tiros.

—¿Y ahora qué? —le preguntó a Amun.

Antes de que el egipcio pudiera pensar en una contestación, Yusef propuso:

—Tengo una idea. Conozco a Ahmed de toda la vida, y creo que puedo imitar su voz. —Paseó la mirada de Chalthoum a Soraya—. ¿Les parece que lo intente?

—No veo en qué nos puede perjudicar —dijo el egipcio, aunque Yusef no se movió hasta que Soraya asintió con la cabeza.

Entonces la apartó para ponerse delante de ella y, agachándose en la entrada oscura donde el pasillo desembocaba en el patio, alzó la voz. No era su voz, sino una que ninguno de los dos había oído antes.

—Soy Ahmed... Por favor, ¡estoy herido! —Ningún ruido, excepto el eco. Se volvió hacia Soraya—. ¡Rápido! —susurró—. Deme su camisa.

—Toma la mía —dijo Chalthoum con una mirada fulminante.

—La suya será mejor —dijo Yusef—. Verán que es de mujer.

Soraya hizo lo que le pedía, se desabrochó la camisa de manga corta y se la entregó.

—¡Los he matado! —gritó Yusef con la voz de Ahmed—.

¡Mirad aquí! —La camisa de Soraya revoloteó sobre los adoquines del patio como un pájaro que se posara en su nido.

—Si los has matado —dijo una voz procedente de la izquierda de donde se encontraban—, ¡sal!

—No puedo —contestó Yusef—, tengo la pierna rota. Me he arrastrado hasta aquí, pero me he caído ¡y no puedo dar un paso más! ¡Por favor, hermanos, venid a buscarme antes de que muera desangrado!

Transcurrió mucho tiempo sin que ocurriera nada. Yusef estaba a punto de gritar una vez más, cuando Chalthoum le aconsejó prudencia.

—No exageres —susurró—. Ahora ten paciencia.

Pasó más tiempo, difícil saber cuánto, puesto que en la situación en la que se encontraban el tiempo adquiría una cualidad elástica en la que los minutos parecían horas. Al final, percibieron un movimiento a su derecha, y pudieron ver a dos hombres. Empezaron a avanzar cautamente, manteniéndose de costado a la entrada del pasillo. Al tercer hombre —el que había respondido a Yusef— no se le veía por ninguna parte. Era evidente que estaba cubriendo a sus compañeros escondido en una posición a la izquierda.

Chalthoum hizo una señal a Yusef, que estaba tumbado, y éste se movió ligeramente para que los dos hombres pudieran ver que tenía una pierna metida debajo de la otra. Soraya y Chalthoum retrocedieron varios pasos en la penumbra.

—¡Aquí está! —gritó uno de los hombres al que los cubría, que, según parecía, era el jefe—. ¡Veo a Ahmed! ¡Está caído, como dijo!

—No veo ningún otro movimiento. —La voz del jefe flotó desde el antepecho—. ¡Id a buscarlo, pero rápido!

Medio agachados, los dos hombres se acercaron corriendo a Yusef.

—¡Quietos! —ordenó el jefe, y los dos hombres se sentaron en cuclillas obedientemente, con los rifles sobre los muslos y los ojos ávidos clavados en su camarada caído.

Hubo un movimiento en la izquierda cuando el jefe abandonó

su nido de rapaz y bajó ruidosamente los escalones de piedra hasta el patio.

—Ahmed —susurró uno de los hombres—, ¿te encuentras bien?

—No —dijo Yusef—. Me duele terriblemente la pierna, es…

Pero había dicho lo suficiente a una distancia tan corta para que el otro hombre retrocediera un paso.

—¿Qué sucede? —preguntó su compañero, apuntando el rifle hacia la entrada del pasillo.

—Creo que no es Ahmed.

Fue entonces cuando Chalthoum y Soraya, con las Glock abriendo fuego, salieron desde ambos lados de Yusef. Los dos hombres en cuclillas fueron alcanzados inmediatamente. El egipcio propinó sendas patadas a sus armas para apartarlas del lugar donde los hombres habían quedado tendidos en el suelo. El jefe, echando a correr para buscar refugio donde no lo había, disparó desequilibrado, y Chalthoum cayó al suelo con un gruñido.

Soraya salió corriendo, apuntó y disparó al jefe, pero fue Yusef, desde su posición boca abajo, quien lo alcanzó en el pecho. El hombre giró en redondo y se desplomó. Soraya se dirigió hacia él de inmediato.

—¡Atiende a Amun! —gritó a Yusef cuando se paró y recogió el rifle del jefe. El tipo se retorcía de dolor, sangrando por el costado derecho, pero respiraba: la bala no le había perforado el pulmón.

Ella se arrodilló a su lado.

—¿Quién os contrató?

El hombre la miró y le escupió a la cara.

Al cabo de un momento Soraya se reunió con Amun y Yusef. Aquél había recibido un balazo en el muslo, pero el proyectil lo había atravesado, y la herida, dijo el agente, parecía limpia. Le había hecho un torniquete improvisado encima de donde había recibido el disparo, valiéndose de la camisa de ella.

—¿Estás bien? —le preguntó Soraya, mirándolo.

Él asintió con la cabeza con su habitual aspereza.

—Le he preguntado quién lo contrato —le explicó Soraya—, pero no quiere hablar.

—Coge a Yusef y ve a ver a los otros dos. —Chalthoum estaba mirando fijamente al jefe caído.

Soraya conocía aquella expresión de resolución.

—Amun…

—Dame sólo cinco minutos.

Necesitaban la información, eso era incuestionable. Soraya asintió a regañadientes con la cabeza y, acompañada de Yusef, regresó a donde estaban tendidos los otros dos hombres, cerca de la entrada al pasillo. No había mucho que ver. Los dos habían recibido múltiples disparos en el abdomen y en el pecho. Ninguno estaba vivo. Mientras recogían los rifles, oyeron un grito ahogado cuyo salvajismo les provocó sendos escalofríos.

Yusef se volvió hacia ella.

—Ese egipcio amigo suyo, ¿es de fiar?

Soraya asintió con la cabeza, con náuseas ya por lo que Amun estaba haciendo con su consentimiento. Entonces se hizo un silencio, sólo roto por la voz desesperada del viento, que soplaba con fuerza entre las abandonadas estancias. Al cabo, Chalthoum se reunió con ellos. Cojeaba considerablemente, así que Yusef le entregó un rifle para que se apoyara.

—Mis enemigos no tienen nada que ver con esto —dijo. Daba la sensación de que lo que acababa de hacer no le había alterado lo más mínimo—. Esos hombres fueron contratados por los norteamericanos, concretamente por un hombre que responde al ridículo nombre de Triton. ¿Te dice algo?

Soraya negó con la cabeza.

—Pero esto tal vez sí. —Soraya vio cuatro pequeños objetos rectangulares de metal que se balanceaban en el extremo de un pedazo de cuerda—. Los encontré alrededor del cuello del jefe.

Ella los examinó cuando se los entregó.

—Parecen chapas de identificación.

Amun asintió con la cabeza.

—Dijo que eran de los cuatro norteamericanos ejecutados ahí detrás. Estos bastardos los asesinaron.

Pero ella tuvo que admitir que las chapas no se parecían a ninguna que hubiera visto antes. En vez de llevar el nombre, el rango y el número de serie, llevaban grabadas en láser lo que parecía…

—Están escritas en clave —dijo con el corazón latiéndole deprisa—. Podrían ser la clave para demostrar quién lanzó el Kowsar tres y por qué.

Libro cuarto

31

Leonid Danilovich Arkadin deambulaba por la zona de pasajeros del vuelo de Air Afrika que habían enviado a Nagorni Karabaj para recogerlo a él y a su equipo. Sabía que el destino era Irán. Noah Perlis estaba seguro de que Arkadin no conocía el lugar concreto, pero se equivocaba. Al igual que muchos norteamericanos en su posición, se creía más listo que los que no eran norteamericanos, y capaz de manipularlos. De dónde habían sacado los nacidos en Estados Unidos tal idea era todo un misterio, pero después de haber pasado algún tiempo en Washington, Arkadin se había hecho algunas ideas. Tal vez el orgulloso sentimiento de aislamiento de Estados Unidos se hubiera visto sacudido por los acontecimientos de 2001, pero no así su sentimiento de privilegio y de tener derecho a todo. Cuando había estado allí, y como parte de su entrenamiento en Treadstone, se había sentado en los restaurantes de barrio, escuchando las conversaciones de la gente a hurtadillas. Pero al mismo tiempo había escuchado a los neoconservadores, hombres con poder e influencia que estaban convencidos de que conocían las claves del funcionamiento del mundo. Para ellos, todo era de una sencillez pueril, como si sólo hubiera dos variables inmutables en la vida: la acción y la reacción, que ellos comprendían a la perfección, y en virtud de las que hacían sus planes. Y cuando las reacciones no eran lo que su grupo de asesores habían previsto —cuando sus planes les explotaban en las narices—, en lugar de admitir su error, afectados de una corriente de amnesia, redoblaban sus esfuerzos. Para Arkadin, lo que volvía a aquella gente sorda y ciega al devenir de los acontecimientos reales se llamaba locura.

Quizá, pensó en ese momento, mientras comprobaba y volvía a comprobar que sus hombres y su equipo estuvieran listos, Noah era uno de los últimos de aquella especie, un dinosaurio que ignoraba que su era se estaba acabando, que el glaciar que se había formado en el horizonte estaba a punto de aplastarlo.

Exactamente igual que Dimitri Ilinovich Maslov.

—Tienen que regresar —dijo Dimitri Ilinovich Maslov—, ella y las tres niñas. De lo contrario no habrá paz con Lev Antonin.

—¿Y desde cuándo un comemierda como Antonin te da órdenes? —dijo Arkadin—. Tu eres el jefe de la *grupperovka* Kazanskaya.

Arkadin tuvo la sensación de que Tarkanian, que estaba de pie a su lado, se había estremecido. Los tres hombres estaban rodeados de ruido, amplificado hasta alcanzar un nivel ensordecedor. En la Sala Pasha de Propaganda, un club *elitny* del centro de Moscú, sólo había otros dos hombres, ambos matones de Maslov. El resto de los presentes —de los que había más de una docena— eran unas guapísimas jóvenes rubias, de piernas largas, pechos generosos y sexualmente deseables, lo que las definía bastante bien: eran todas *tyolkas*. Estaban todas vestidas —o, más exactamente, vestidas a medias— con provocativos conjuntos, ya con minifaldas, bikinis o *tops* transparentes, ya con escotes insondables o vestidos con la espalda totalmente al aire. Todas llevaban zapatos de tacón alto, incluso las que estaban en bañador, e iban muy maquilladas. Algunas regresaban a regañadientes a sus clases del instituto cada día.

Maslov miró con dureza a Arkadin, suponiendo que al igual que todos los demás a los que se enfrentaba podría intimidarlo con sólo una mirada. Estaba equivocado, y a él no le gustaba equivocarse. Nunca.

Dio un paso ciertamente amenazador hacia Leonid Arkadin y arrugó la nariz:

—¿Qué es ese olor a humo de hoguera que desprendes?, ¿es que acaso también eres un jodido leñador?

A ocho kilómetros de la catedral ortodoxa, Arkadin había conducido a Joskar al frondoso bosque de pinos. Ella sostenía a Yasha en sus brazos y él sujetaba un hacha que había sacado del maletero del coche de la mujer. Las tres niñas, llorando histéricamente, los seguían en fila india.

Cuando habían salido del coche aparcado, Tarkanian les había gritado:

—¡Media hora, después me voy de aquí cagando leches!

—¿Nos dejará aquí realmente? —preguntó ella.

—¿Te importa?

—No, mientras estés conmigo.

Al menos, eso es lo que él pensó que había dicho. Había hablado en voz tan baja que el viento se había llevado sus palabras casi en cuanto salieron de su boca. Las alas se agitaron sobre sus cabezas tan pronto como empezaron a caminar bajo las oscilantes ramas de los pinos. En cuanto hicieron crujir la fina corteza, la nieve se volvió tan blanda como escasa. Arriba, el cielo era de una consistencia lanuda que recordaba al abrigo de Joskar.

Al llegar a un pequeño claro, ella depositó a su hijo sobre una lecho de agujas de pino cubiertas de nieve.

—Siempre le gustaron los bosques —dijo—. Solía suplicarme que lo llevara a jugar a las montañas.

Cuando Arkadin se puso a buscar árboles talados y ramas muertas y lo convirtió todo en leños de unos treinta centímetros de largo, recordó sus propias y más que infrecuentes excursiones a las montañas que rodeaban Nizhni Tagil, el único lugar donde podía respirar profundamente sin el opresivo lastre de sus padres y su ciudad natal, que atrofiaban su corazón y le envenenaban el alma.

Veinte minutos más tarde había encendido una hoguera. Las niñas habían dejado de sollozar y las lágrimas se les habían helado en las rubicundas mejillas como diamantes diminutos. Cuando se pusieron a contemplar fascinadas las llamas en ascenso, las lágrimas heladas se derritieron y empezaron a gotear de sus redondas barbillas.

Joskar puso a Yasha en los brazos de Arkadin y empezó a rezar las oraciones en su lengua natal. Mantuvo a sus hijas agarradas junto a ella mientras entonaba las palabras, que poco a poco fueron convirtiéndose en una canción, y su voz fuerte se elevó a través de las ramas de los pinos, resonando contra las densas nubes. Arkadin se preguntó si las hadas, los duendes, los dioses y los semidioses que ella había invocado en sus cuentos estarían en algún lugar cercano, observando la ceremonia con mirada compungida.

Finalmente, Joskar instruyó a Arkadin sobre las palabras que tenía que entonar cuando colocara a Yasha sobre la pira funeraria. Las niñas empezaron a llorar de nuevo mientras contemplaban las llamas que consumían el pequeño cuerpo de su hermano. Su madre rezó una última oración, y entonces acabaron. Arkadin no tenía ni idea de cuánto tiempo había transcurrido, pero Tarkanian y el coche estaban todavía esperándolos cuando salieron del lindero del bosque y volvieron a la civilización.

—Le hice una promesa —dijo Arkadin.

—¿A esa jodida máquina de hacer niños? —se mofó Maslov—. Eres más estúpido de lo que pareces.

—Fuiste tú el que puso en peligro a dos de tus hombres (uno de ellos, un completo incompetente) para que me trajeran.

—Sí, a ti, imbécil, no a ti y a cuatro civiles que pertenecen a otro.

—Hablas de ellas como si fueran ganado.

—¡Eh, que te jodan, chico listo! Lev Antonin quiere que vuelvan, y eso es lo que van a hacer.

—Soy responsable de la muerte de su hijo.

—¿Mataste tú al pequeño cabrón? —Maslov ya estaba levantando la voz considerablemente. Los matones se habían ido acercando despacio, mientras que las *tyolkas* hacían todo lo que podían para mirar hacia otra parte.

—No.

—Entonces no eres responsable de su muerte. ¡Y fin de la jodida historia!

—Le hice la promesa de que no sería devuelta a su marido. Le tiene un miedo cerval. La dejará medio muerta de una paliza.

—¿Y qué mierda me importa a mí eso? —En su furia, los ojos

minerales de Maslov parecieron echar chispas—. Tengo un negocio que dirigir.

Tarkanian se movió en el sitio.

—Jefe, tal vez deberías…

—¿Qué? —Maslov se volvió hacia él—. ¿Es que ahora tú también me vas a decir lo que debo hacer, Misha? ¡Que te jodan! Os pedí algo sencillo: traedme a ese chico de Nizhni Tagil. ¿Y qué ocurre? Que el chico le da una paliza de muerte a Oserov, y tú vuelves como una puta mula cargada de problemas que no necesito. —Tras haber silenciado con eficacia a Tarkanian, se volvió de nuevo a Arkadin—. En cuanto a ti, deberías apretarte los tornillos de la puta cabeza y entrar en razón, chico listo, o te enviaré de vuelta al pozo de mierda del que saliste a gatas.

—Soy responsable de ellas —dijo Arkadin sin inmutarse—. Y las cuidaré.

—¡Escuchadle! —Ahora Maslov estaba gritando—. ¿Quién ha muerto y te ha hecho jefe? ¿Y quién te metió la retorcida idea en la mollera de que tienes algo que decir sobre lo que ocurre aquí? —Tenía la cara roja, casi hinchada—. ¡Misha, llévate de mi vista a este hijo de puta sin madre antes de que lo despanzurre con mis propias manos!

Tarkanian sacó a rastras a Arkadin de la Sala Pasha y lo condujo por el largo bar hasta un lateral de la sala principal. En un escenario, iluminado como si fuera Nochevieja, estaba actuando una núbil y alta *tyolka* con muy poca ropa encima que abría sus piernas kilométricas al son de una canción con mucho ritmo.

—Tomemos una copa —dijo Tarkanian con forzada jovialidad.

—No quiero ninguna copa.

—Pago yo. —Su mirada se cruzó con la del camarero—. Vamos, amigo mío, una copa es lo que necesitas.

—No me digas lo que necesito —dijo Arkadin, levantando repentinamente la voz.

La absurda discusión prosiguió, subiendo de tono lo suficiente para hacer acudir a un gorila.

—¿Algún problema? —Podría haberse estado dirigiendo a

cualquiera de los dos, aunque, dado que conocía a Tarkanian de vista, mantenía los ojos clavados en Arkadin con obstinación.

Con una mirada maligna, éste reaccionó. Agarró al matón y le estampó la frente contra el borde de la barra con tanta fuerza que las bebidas cercanas se tambalearon y las más próximas se volcaron. Luego siguió golpeándolo contra la barra hasta que Tarkanian consiguió detenerlo.

—No tengo ningún problema —dijo Arkadin al sorprendido y ensangrentado matón—. Pero es evidente que tú sí.

Tarkanian lo sacó a empujones a la noche antes de que pudiera hacer más daño.

—Si piensas que voy a trabajar alguna vez para ese montón de mierda —prosiguió Arkadin—, estás muy equivocado.

Tarkanian levantó la manos.

—Está bien, está bien. No trabajes para él. —Lo condujo por la calle, alejándolo de la entrada del club—. Sin embargo, no sé cómo te vas a ganar la vida. Moscú es diferente a…

—No me voy a quedar en Moscú. —El aliento se condensaba en el frío al salir disparado de las fosas nasales de Arkadin como si fuera vapor—. Voy a llevarme a Joskar y a las niñas y…

—¿Y qué? ¿Adónde iréis? No tienes dinero, ni porvenir, ni nada. ¿Cómo os alimentaréis, y ya no digamos las niñas? —Tarkanian sacudió la cabeza—. Sigue mi consejo y olvídate de ellas, pertenecen a tu pasado, a otra vida. Has dejado Nizhni Tagil atrás. —Le miró fijamente a los ojos—. Es eso lo que has deseado toda tu vida, ¿no es así?

—No voy a dejar que la gente de Maslov las envíen de vuelta. No sabéis cómo es Lev Antonin.

—A Maslov le trae sin cuidado cómo sea Lev Antonin.

—¡A la mierda con Maslov!

Tarkanian se enfrentó a él.

—Realmente no lo entiendes, ¿verdad? Dimitri Maslov y los de su laya lo controlan todo. Eso significa que Joskar y sus hijas también les pertenecen.

—Joskar y las niñas no forman parte de su mundo.

—Ahora sí —dijo Tarkanian—. Tú las metiste dentro.

—No sabía lo que estaba haciendo.

—Bueno, esto está bastante claro, pero tienes que afrontar los hechos: lo hecho, hecho está.

—Tiene que haber una manera de salir de esto.

—¿De verdad? Aunque tuvieras dinero (por ejemplo, si yo fuera lo bastante idiota para darte algo), ¿de qué serviría? Maslov enviaría a su gente a buscaros. Peor aún, considerando la manera en que lo has provocado, puede que fuera él mismo tras vosotros. Y créeme si te digo que eso no es lo que quieres para ellas.

Arkadin sintió como si le arrancaran el pelo de raíz.

—¿No lo entiendes? No quiero que vuelvan con ese cabronazo.

—¿No has considerado que ésa podría ser la mejor solución?

—¿Estás loco?

—Mira, tú mismo dijiste que Joskar te contó que Lev Antonin le prometió protegerla a ella y a las niñas. Sabes lo que es ella, y las niñas llevan su sangre. Si su secreto se descubre, jamás podrá llevar una vida normal entre los de etnia rusa. Afróntalo, no puedes protegerlas de Maslov, pero estarán bastante seguras en Nizhni Tagil, donde nadie va a decir una palabra contra ella por temor a su marido. Y escucha, ella es lo bastante inteligente como para contarle que ella y las niñas fueron secuestradas para garantizar tu salvoconducto. Lo más probable es que Antonin no le levante la mano.

—Hasta la siguiente ocasión en que esté borracho o deprimido o de humor para divertirse un rato.

—Es la vida de esa mujer, no la tuya. Leonid Danilovich, te estoy hablando de amigo a amigo. Ésta es la única manera. Conseguiste escapar de Nizhni Tagil: no todo el mundo tiene tanta suerte.

El hecho de que Tarkanian le estuviera diciendo la verdad sólo conseguía enfurecer más a Arkadin. El problema era que no sabía qué hacer con aquel cabreo, así que empezó a dirigirlo hacia dentro. Por encima de todo, quería ver a Joskar de nuevo, deseaba coger a su hija pequeña en brazos una vez más y sentir su calidez y los latidos de su corazón. Pero sabía que era imposible. Si se encontraba con ella de nuevo, jamás sería capaz de dejarla ir. Y con toda seguridad, la gente de Maslov lo mataría y enviaría a la familia de vuelta con Lev Antonin de todas las maneras. Se sentía como una rata en un laberinto sin principio ni fin, obligado a una carrera eterna persiguiendo su propia cola.

Aquello era obra de Dimitri Maslov. Y en ese momento se juró que, tardara lo que tardara, haría que Maslov lo pagara: la muerte le llegaría sólo después de que hubiera sido despojado de todo lo que apreciaba.

Dos días después observaba desde las sombras, al otro lado de la calle —Tarkanian codo con codo con él, tanto para prestarle apoyo moral como para contenerlo por si se le pasaba alguna tontería por la cabeza en el último minuto— mientras Joskar y las tres niñas eran introducidas en un gran Zil negro. Dos de los matones de Maslov las acompañaban, además del conductor. Las niñas, desconcertadas como estaban, se dejaron arrear al interior del coche con la misma docilidad que unos corderos camino del matadero.

Por su parte, Joskar, con las manos sobre el techo del coche y un pie ya en el interior, se detuvo y buscó a Arkadin con la mirada. Al hacerlo, él no vio la mirada de desesperación que había esperado, sino más bien una expresión de infinita tristeza que lo desgarró como si fuera fósforo, dejándole tan calcinadas las entrañas como la carne de Yasha. La había engañado, y había roto su promesa.

En ese momento la oyó mentalmente, llamándolo: *No me hagas regresar con él.*

Le había creído y confiado en él, y ahora no tenía nada.

Joskar se agachó para entrar en el vehículo y él la perdió de vista. La puerta del coche se cerró de golpe, el Zil se alejó y él también se quedó sin nada. Y de esto adquirió plena conciencia de una manera aún más salvaje cuando, al cabo de seis semanas, Tarkanian le informó de que Joskar había matado a su marido de un disparo y luego había vuelto el arma contra sus hijas y contra sí misma.

32

¡Shahrake Nasiri-Astara por fin! Noah Perlis había estado en muchos destinos exóticos en su época, pero aquella zona del noroeste de Irán le era desconocida. De hecho, aparte de las torres de los pozos petrolíferos y de las partículas de petróleo en suspensión, tenía un aspecto tan normal que podría haber sido cualquier sitio de la rural Arkansas. Sin embargo, Noah no tenía tiempo para aburrirse. Una hora antes, había recibido una llamada de Black River comunicándole que Dondie Parker, el hombre que había enviado a matar a Humprhy Bamber, no había informado, como debería haber hecho nada más terminar su misión. Para Noah, aquello significaba dos cosas: una, Bamber seguía vivo y, dos, le había mentido al decirle que ya no estaba con Moira, porque era imposible que hubiera sobrevivido a Dondie Parker por sus propios medios. La extrapolación de aquella hipótesis lo llevó a otra de vital e inminente importancia para él: la posibilidad de que la última versión de Bardem estuviera contaminada de alguna manera que jamás podría descubrir.

Por suerte para él, su paranoia innata le había llevado a hacer una copia de seguridad de todo, incluso de su ordenador. No había razón para dejar que sus enemigos supieran que iba detrás de ellos. Apagaría el portátil en el que Bamber había descargado el *software* contaminado y pasaría a trabajar en su segundo portátil completamente cargado, que seguía ejecutando la versión anterior de Bardem.

Se sentó en el interior de la tienda de lona en una silla de campaña, como se imaginaba que se habría sentado Julio César para planificar sus triunfales campañas militares siglos atrás. En vez de un mapa de las Galias cartografiado a mano por los griegos, tenía un programa de *software* artesanal que analizaba aquella parte del mundo rica en petróleo, ejecutándose en su portátil. César, un general brillante en cualquier época, habría comprendido al instante lo que Noah estaba tramando, de eso no tenía ninguna duda.

Tenía tres escenarios abiertos simultáneamente en Bardem, todos diferentes en pequeños aunque cruciales aspectos. Gran parte dependía de la manera en que el Gobierno iraní reaccionara a la incursión... si la descubrían a tiempo. Esa era la cuestión, en realidad: el momento oportuno. Una cosa era estar en suelo iraní, y otra bastante distinta iniciar una operación militar en él. El sentido de Pinprick era precisamente la pequeña huella que dejaba, como un pinchazo. ¿Podría un elefante sentir un pinchazo? No podía estar seguro de que no. Por desgracia, Noah tampoco podría estar seguro de que el Gobierno iraní no se daría cuenta de Pinprick hasta que la fuerza de veinte hombres de Arkadin hubiera establecido su cabeza de puente y empezara a desviar la dirección del oleoducto.

Porque el objetivo de Pinprick siempre había sido el petróleo de los campos iraníes de Shahrake Nasiri-Astara. Allí no había nada más de valor, ni militarmente ni de ninguna otra naturaleza. Era ahí donde radicaba la brillantez del plan de Danziger: la confiscación de aquellos ricos campos petrolíferos al amparo de una gran incursión militar llevada a cabo por Estados Unidos y una coalición de numerosos aliados, en respuesta a la presunta acción de guerra de Irán no ya contra el primero, sino contra todos los países civilizados. Si los iraníes podían derribar un avión de pasajeros norteamericano en el espacio aéreo egipcio, ¿qué les impediría derribar los reactores de otros países que se opusieran a su programa nuclear? Aquella había sido la piedra angular del argumento del presidente ante Naciones Unidas, un argumento que había resultado tan convincente que perforó todas las gilipolleces dilatorias e incoherentemente pacifistas de los ensimismados y holgazanes que generalmente infestaban el organismo internacional.

Mediante sus intrigas, había quedado demostrado a los ojos del mundo que Irán era un país verdaderamente fuera de la ley. Tanto mejor para todos. El régimen del país era una amenaza; si el resto del mundo necesitaba un empujoncito para levantar su gordo culo y tomar cartas en el asunto, pues bueno, así es como funcionaba el mundo. Una de las especialidades de Black River —y que la distinguía de cualquier otra empresa privada de gestión de riesgos— era su habilidad para alterar los hechos a fin de crear una realidad que pudiera adaptarse a los deseos de sus clientes. Eso era lo que Bud Halliday le había pedido a Black River, y la razón de que la NSA le estuviera pagando una fortuna a través de uno de los muchos fideicomisos que hacían imposible rastrear el origen del dinero hasta el secretario o cualquier otro miembro de la NSA. A todos los efectos, documentalmente —siempre había un rastro documental, electrónico o no, que era obvio—, el cliente de Black River era Good Shepherd Holdings, PLC, con domicilio social en la isla de Islay, Hébridas Interiores, que, como descubriría cualquiera que se tomara la molestia en hacer el viajecito, consistía en una oficina de tres habitaciones en un edificio de piedra lleno de corrientes de aire, donde tres hombres y una mujer rellenaban y gestionaban pólizas de seguros para las destilerías locales de todas las islas.

En cuanto al grupo democrático iraní que Halliday había vendido al presidente con tanto entusiasmo, tanto el grupo como las reuniones que sus cabecillas mantenían con el personal de Black River formaban parte de Pinprick. En otras palabras, no era más que un producto de la imaginación de Danziger. Éste había sostenido que la creación del grupo local era vital, tanto para conseguir que el presidente avanzara en la dirección de la guerra, como para justificar la entrega a paletadas de fondos prácticamente ilimitados a Black River, a fin de cubrir los enormes gastos de sus asociados: Yevsen, Maslov y Arkadin, todos los cuales cobraban de Good Shepherd.

Uno de los hombres de Perlis entró en la tienda para decirle que el avión de Arkadin llegaría en quince minutos. Perlis asintió con la cabeza, despachándolo en silencio. No le había gustado utilizar a Dimitri Maslov, y no le había gustado no porque no confiara en él, sino porque le irritaba necesitarlo para tratar con Yevsen. Además había traído consigo a Leonid Arkadin, un hombre al que jamás había visto, pero cuyo currículum vítae en el mundo sombrío del asesinato profesional era tan impresionante como preocupante. Impresionante porque siempre había culminado con éxito sus encargos; preocupante porque era un comodín que, a su manera, se parecía inquietantemente al difunto Jason Bourne. Uno y otro habían resultado ser poco fiables en lo tocante a recibir órdenes y ajustarse a la estrategia que se les indicaba. Ambos eran maestros de la improvisación, sin duda un elemento esencial en sus éxitos, pero casi una pesadilla para cualquiera que intentara manejarlos.

El pensar en los rusos le hizo considerar el asalto al cuartel general de Nikolai Yevsen en Jartum. No se había quedado por allí para averiguar quién lo había organizado ni lo que había sucedido; antes, había corrido a ponerse a salvo en el aeropuerto, donde le esperaba un transporte ligero de Black River junto a la pista. Cuando había intentado ponerse en contacto con Oliver Liss, en su lugar se había puesto Dick Braun. Éste era otro del triunvirato que había fundado Black River, pero Perlis nunca había despachado con él. Braun no estaba contento, pero entonces ya sabía que el asalto había sido perpetrado por un contingente de la FSB-2 rusa que resultó que llevaba más de dos años tras las huellas del negocio de Yevsen, un giro de los acontecimientos sólo a medias sorprendente, aunque Perlis, al contrario que Braun, lo agradeció. Por lo que a él concernía, la muerte del traficante de armas significaba un socio menos y un problema de seguridad menos con el que lidiar. No podía comprender ni aprobar la intensa furia de Braun ante el disgusto de Dimitri Maslov. En lo que atañía a Perlis, el jefe de la *grupperovka* Kazanskaya no era más que otro matón ruso sediento de dinero. Antes o después tendría que ocuparse de él, algo que ni siquiera le había dicho a su jefe; semejante comentario sólo serviría para inflamar más la situación. Lo que ni él ni Braun sabían era la identidad del norteamericano que se había infiltrado en el edificio de Air Afrika inmediatamente antes del asalto de la FSB-2. Era demasiado tarde para pensar en lo que podría haber querido ese norteamericano.

Por desgracia para Noah Braun estaba totalmente preparado y, antes de que Perlis pudiera preguntarle dónde estaba Liss, le pidió que le pusiera al corriente de la situación con Humphry Bamber, a lo que Noah había contestado que Bardem era tan seguro como lo había sido siempre.

—¿Significa eso que Bamber lo ha terminado? —había preguntado Braun sin ambages.

—Sí —había mentido Noah, no deseando introducir aquel espinoso asunto en la cúspide de la fase operacional de Pinprick. Había cortado la llamada antes de que Braun pudiera seguir interrogándolo.

Durante un fugaz instante sintió una punzada de preocupación ante la prolongada ausencia de Oliver Liss, pero en ese preciso momento tenía problemas más acuciantes, a saber: Bardem. Después de ejecutar los tres escenarios una vez más, obtuvo una probabilidad de éxito del 98, el 97 y el 99 por ciento, respectivamente. Sabía que la incursión militar principal iba a tener lugar en dos frentes en una especie de maniobra de pinza: en las fronteras de Irak y Afganistán. Uno estaba bastante al sur, mientras que el otro se situaba al otro lado del país, en el este. Los tres escenarios eran todos los mismos, excepción hecha de dos detalles cruciales: el tiempo que Perlis y su equipo tenían para asegurar los campos petrolíferos y desviar el oleoducto antes de que el sitiado ejército iraní se oliera lo que estaba ocurriendo, y la condición en que se encontraría el ejército iraní en cuanto se dieran cuenta de la incautación de los campos petrolíferos. Sin embargo, para entonces Halliday habría desviado las fuerzas norteamericanas asignadas al encuentro con el inexistente grupo nativo para que proporcionaran apoyo y bloquearan la zona.

Alguien más entró en la tienda. Suponiendo que sería un informe sobre la evolución del vuelo de Arkadin, levantó la vista y pegó un respingo, convencido de repente de que se trataba de Moira. Con el corazón latiéndole aceleradamente y la adrenalina corriéndole por el cuerpo, se dio cuenta de que sólo era Fiona, otro miembro de su equipo de élite que lo había acompañado allí. Fiona, una pelirroja de rasgos delicados y piel de porcelana densamente poblada de pecas que parecían formar un encaje, no se parecía en nada a Moira, y sin embargo fue a Moira a quien había visto. ¿Por qué la seguía teniendo en su mente?

Durante muchos años había creído que no podía sentir nada aparte de dolor físico. No había sentido nada cuando sus padres murieron, ni cuando su mejor amigo del instituto murió después de ser atropellado por un coche que se había dado a la fuga. Se recordó bajo la dorada luz del sol, en el momento en el que el féretro de su amigo era descendido en la tierra, mirando de hito en hito las épicas tetas de Marika DeSoto, su compañera de clase, y preguntándose cómo sería tocarlas. Le había resultado fácil mirarle fijamente las tetas porque Marika estaba llorando; todos los chicos estaban llorando, excepto él.

Estaba seguro de que había algo en él que no funcionaba, algún elemento o conexión esencial con el mundo exterior perdida que permitía que todo pasara por su lado como imágenes bidimensionales proyectadas en una pantalla de cine. Hasta que apareció Moira, que sin saber cómo le había infectado como si fuera un virus. ¿Por qué le importaba lo que estuviera haciendo o cómo la había tratado cuando estaba bajo su mando?

Liss le había prevenido contra Moira o, más exactamente, contra su relación con ella, a la que había calificado de «enfermiza». «Despídela y que la jodan —le había dicho con su parquedad habitual—, u olvídala. Sea como fuere, quítatela de la cabeza antes de que sea demasiado tarde. Ya te ocurrió esto una vez anteriormente, y los resultados fueron desastrosos.»

El problema era que ya era demasiado tarde; Moira estaba alojada en un lugar de su interior al que ni siquiera él podía acceder. Aparte de él mismo, ella era la única persona viva que parecía tridimensional, que realmente vivía y respiraba. Deseaba desesperadamente tenerla cerca, aunque no tenía ni idea de lo que haría cuando ocurriera tal cosa. Siempre que se enfrentaba a ella últimamente se sentía como un niño, con su ira fría y feroz escondiendo el miedo y la inseguridad. Tal vez uno podría decir que deseaba amarla, aunque siendo incapaz de amarse incluso a sí mismo, no tenía una idea clara de en qué podría consistir eso del amor ni qué se sentiría sintiéndolo y ni siquiera por qué lo deseaba.

Aunque, por supuesto, en su fuero interno más palpitante sabía por qué lo deseaba, porque, de hecho, ni amaba a Moira ni pensaba en ella siquiera. Ella no era más que el símbolo de otra persona, cuya vida y muerte había arrojado una sombra sobre su alma como si fuera el diablo o, si no el diablo, sin duda entonces un demonio, o un ángel. Incluso en ese momento ella ejercía un control tan perfecto sobre él que ni siquiera era capaz de pronunciar su nombre ni pensar en él sin sufrir un espasmo... ¿de qué?, ¿de miedo, de furia, de confusión?... Posiblemente de las tres cosas. Lo cierto era que ella había sido quien lo habría infectado, no Moira. A decir verdad, era terrible saber que su ira contra Moira, bajo la forma de su inconmovible deseo de venganza, fuera realmente una ira dirigida contra sí mismo. Lo había tenido tan claro que había escondido los pensamientos sobre Holly para siempre, aunque la traición de Moira había abierto violentamente el receptáculo en el que almacenaba su recuerdo. Y precisamente aquel recuerdo le obligaba a tocarse el anillo que llevaba en el índice con el mismo miedo con que un cocinero tocaría el asa de una cacerola ardiente. Quería perderlo de vista, de hecho deseaba no haberlo visto jamás o no haber sabido de su existencia, y sin embargo, llevaba años poseyéndolo, y ni una sola vez se lo había quitado por ninguna razón. Era como si Holly y el anillo se hubieran fundido, como si, desafiando las leyes de la física o de la biología o de cualquier ciencia, y por imposible que pudiera parecer, su esencia permaneciera en el anillo. Lo miró. Qué cosa tan pequeña para haberlo derrotado sin remisión.

En ese momento se sintió febril, como si el virus estuviera avanzando a otra etapa, ésta terminal. Permaneció con la mirada fija en el programa de Bardem sin su habitual concentración. «Sólo recuerda este consejo, amigo —le había dicho Liss—. Las más de las veces las mujeres son la perdición de los hombres.»

¿Se estaba desmoronando todo, es que no había nada salvo desastre en el mundo? Apartando el portátil de un empujón, se levantó y salió de la tienda a la atmósfera extraña de Irán. Las torres de perforación rodeaban la zona como si fueran las torres de una cárcel. El sonido de su bombeo llenaba el aire oleaginoso con el estruendo constante y sordo de animales mecánicos que dieran vueltas en sus jaulas. Los chirridos y el estruendo metálico de los camiones anticuados con sus deterioradas cajas de cambios salpicaban la tarde, y el olor del crudo era una presencia permanente en el aire.

Y entonces, por encima de todo aquello, surgió el aullido de los motores a reacción cuando el avión de Air Afrika apareció como un tubo plateado en el azul moteado y calimoso del cielo. Arkadin y sus hombres estaban a punto de aterrizar. Pronto el aire se espesaría con la munición trazadora, las explosiones y la metralla.

Era tiempo de ponerse a trabajar.

—Por favor, dime que esto es una broma —dijo Peter Marks, cuando él y Willard entraron en el restaurante mexicano y vieron al hombre sentado solo en un reservado del fondo. Aparte de aquella figura, ellos dos eran los únicos clientes del lugar. La sala olía a maíz fermentado y a cerveza derramada por el suelo.

—Yo no gasto bromas —replicó Willard.

—Eso realmente me conmueve, sobre todo en este momento.

—No me pidas que lo haga mejor —dijo Willard con cierta aspereza—, porque no sé.

Estaban en una parte de Virginia desconocida para Marks. No tenía ni idea de que pudiera haber un restaurante mexicano que abriera para el desayuno. Willard levantó un brazo, una invitación clara para que Marks siguiera hasta el fondo. El hombre sentado a solas iba vestido con un caro traje azul marengo hecho a medida, camisa azul celeste y corbata azul marino con topos blancos. En la solapa izquierda llevaba un alfiler con una pequeña réplica esmaltada de la bandera norteamericana. Estaba bebiendo algo de un vaso largo de cuyo borde sobresalía una ramita verde. Un julepe de menta, habría pensando Marks, si no fuera por el hecho de que eran las siete y media de la mañana.

A pesar de la presión de Willard, Marks dijo a regañadientes:

—Este tío es el enemigo. Por lo que concierne al mundo del espionaje es el jodido anticristo. Su empresa desprecia la ley, hace todo lo que nosotros no podemos y cobra por hacerlo unas cantidades obscenas de dinero. Mientras trabajamos como negros en la barriga llena de mierda de la bestia, él está fuera, comprando sus reactores Gulfstream a puñados. —Meneó la cabeza, mostrando su obstinación hasta el final—. La verdad, Freddy, no creo que pueda.

—«Cualquier camino que lleve a que sea una víctima de la carretera...», ¿no fueron ésas tus palabras? —Willard sonrió con aire triunfal—. ¿Quieres ganar esta guerra o prefieres ver el sueño del Viejo tirado al cubo del reciclaje de la NSA? —Su sonrisa se volvió esperanzadora—. Uno pensaría que después de servir durante todo este tiempo en la barriga llena de mierda de la bestia, como tú dices, ansiarías un poco de aire fresco. Vamos. Después de la primera impresión, no será tan malo.

—¿Me lo prometes, papá?

Willard se rió entre dientes.

—Ése es el espíritu.

Cogiendo del brazo a Marks lo hizo avanzar por las baldosas de linóleo. Al aproximarse, el solitario hombre pareció evaluarlos a ambos. El pelo negro y rizado, la amplia frente y las facciones duras le hacían parecer una estrella de cine; el primero en acudirle a las mientes fue Robert Forster, aunque Marks estaba seguro de que habían trozos y partes de otros.

—Buenos días, caballeros. Por favor, siéntense. —Oliver Liss no sólo parecía una estrella de cine, sino que hablaba igual. Tenía una voz sonora y profunda que salía de su garganta con una fuerza controlada—. Me tomé la libertad de pedir las bebidas. —Levantó su vaso largo y helado, mientras que otros dos estaban colocados delante de Marks y Willard—. Es té frío con canela y nuez moscada. —Le dio un trago a su bebida, exhortándolos a hacer lo mismo—. Dicen que en dosis altas la nuez moscada es psicodélica. —Su sonrisa consiguió transmitir la idea de que había demostrado la teoría con éxito.

De hecho, todo en Oliver Liss exudaba éxito a un nivel de máxima exigencia. De todas formas no es que él y sus socios hubieran levantado Black River de la nada a base de fideicomisos y una suerte loca. Cuando Marks le dio un sorbo a su bebida, tuvo la sensación de que unas serpientes de cascabel se hubieran trasladado a vivir en su abdomen. Maldijo mentalmente a Willard por no prepararlo para aquella reunión. Intentó desenterrar todo lo que había leído u oído sobre Oliver Liss, y le consternó descubrir que era muy poco. Por un lado, el hombre evitaba ser el centro de atención; Kerry Mangold, uno de los otros socios, era el rostro público de Black River. Por otro, se sabía muy poco acerca de él. Marks recordaba haberle buscado una vez en Google y haber descubierto una biografía desconcertantemente breve. Supuestamente huérfano, Liss se había criado en una serie de hogares de acogida de Chicago hasta los dieciocho años, cuando consiguió su primer empleo a jornada completa con un contratista inmobiliario. Según parecía, el contratista tenía tantos contactos como energía, porque en muy corto tiempo Liss había empezado a trabajar en la campaña del senador del estado, para quien el contratista había construido una casa de mil ochocientos metros cuadrados en Highland Park. Cuando el hombre salió elegido, se llevó a Liss con él a Washington, y el resto era, como suele decirse, historia. Liss estaba soltero y no tenía filiación familiar de ningún tipo, al menos que supiera alguien. En pocos palabras: vivía detrás de una cortina de acero que ni siquiera Internet era capaz de penetrar.

Marks intentó no hacer una mueca de asco cuando bebió el té; era bebedor de café y odiaba cualquier clase de té, en especial los que intentaban hacerse pasar por otra cosa. Aquél le supo a agua del Ganges.

Otro podría haber preguntado: «¿Le gusta?», aunque sólo fuera para romper el hielo, pero no parecía que Liss estuviera interesado en romper ningún hielo ni en ninguna otra forma de comunicación. En vez de eso dirigió los ojos —de la misma intensa tonalidad que el azul del fondo de su corbata— hacia Marks, y dijo:

—Willard me cuenta cosas buenas de usted. ¿Son ciertas?

—Willard no miente —respondió.

Aquello provocó la aparición de la sombra de una sonrisa en los labios de Liss. Siguió sorbiendo su vomitivo té sin que su mirada titubeara ni un instante. Parecía no tener que parpadear, una baza desconcertante en cualquiera, sobre todo en alguien de su posición.

Entonces llegó la comida. Según parecía, Liss no sólo había pedido las bebidas, sino también el desayuno de todos. Éste consistió en tortillas de maíz recién hechas y huevos revueltos con pimientos y cebolla, bañados en una salsa de chile naranja que estuvo a punto de calcinar el velo del paladar de Marks. Tras el primer incauto mordisco, tragó con dificultad y se dio un atracón de tortillas y nata agria. El agua sólo serviría para expandir el calor desde su estómago a su intestino delgado.

Liss esperó gentilmente a que los ojos de Marks dejaran de llorar, y entonces dijo:

—Tiene mucha razón acerca de nuestro Willard. No miente a sus amigos. —Lo dijo como si no hubiera habido ninguna interrupción en la conversación—. En cuanto a los demás, bueno, sus mentiras parecen la esencia de la verdad.

Si Willard se sintió halagado por su palabrería, no dio muestras de ello. Antes, se contentó con aplicarse a su comida igual de parsimoniosa y metódicamente que un cura con la expresión de una esfinge.

—Sin embargo, si no le importa —prosiguió Liss—, cuénteme algo sobre usted.

—¿Se refiere a mi biografía y a mi currículum vítae?

Liss enseñó los dientes fugazmente.

—Cuénteme algo de usted que yo no sepa.

Era evidente que se refería a algo personal, a algo revelador. Y fue en ese preciso momento cuando Marks se percató de que Willard había estado conversando con Oliver Liss antes de esa mañana, quizá durante algún tiempo. «Ya está relanzado», le había dicho Willard, refiriéndose a Treadstone. Una vez más se sintió cogido por sorpresa por el cerebro de su propio equipo, una sensación nada agradable de tener en una reunión de la importancia de aquélla.

Se encogió de hombros mentalmente. De nada servía combatirla, y ya que estaba allí, podía ver qué pasaba. De todas formas, aquél era el espectáculo de Willard, y él no era más que un compañero de viaje.

—Casi una semana después de mi primer aniversario de boda conocí a alguien, a una bailarina, a una bailarina de ballet, nada menos. Era muy joven, ni siquiera había cumplido los veintidós; era doce años menor que yo. Nos estuvimos viendo una vez a la semana durante diecinueve meses y entonces, sin más ni más, se acabó. Su compañía se marchó a hacer una gira por Moscú, Praga y Varsovia, pero ésa no fue la razón.

Liss se recostó y, sacando un cigarrillo, lo encendió desafiando a la ley. *¿Y por qué habría de preocuparle?,* pensó Marks con acritud. *Él es la ley.*

—¿Y cuál fue la razón? —preguntó Liss en un tono de voz extrañamente bajo.

—A decir verdad, no lo sé. —Marks empujó su comida por el plato—. Es gracioso. Aquella pasión..., un día estaba allí, y al siguiente había desaparecido.

Liss expulsó una columna de humo.

—Supongo que ahora está divorciado.

—No, no lo estoy. Aunque sospecho que ya lo sabía.

—¿Y por qué usted y su esposa no se separaron?

Eso era lo que la información en poder de Liss no podía decirle. Marks se encogió de hombros.

—Nunca he dejado de querer a mi mujer.

—Así que le perdonó.

—Nunca supo nada —replicó Marks.

Los ojos de Liss brillaron como zafiros.

—No se lo contó.

—No.

—Y nunca sintió el impulso de decírselo, de confesar. —Se calló con aire pensativo—. La mayoría de los hombres lo sentirían.

—No había nada que contar —dijo Marks—. Me ocurrió algo (igual que una gripe) y se pasó.

—Como si nunca hubiera ocurrido.

Marks asintió con la cabeza.

—Más o menos.

Liss apagó su cigarrillo, se volvió hacia Willard, y lo contempló durante largo rato.

—De acuerdo —dijo—. Tiene su financiación. —Entonces se levantó y, sin decir una sola palabra más, se marchó del restaurante.

—Se trata de los campos petrolíferos, estúpida. —Moira se dio una palmada en la frente—. ¡Dios mío!, ¿cómo no me he dado cuenta en todo este tiempo? ¡Es tan evidente, joder!

—Evidente ahora que lo sabes todo —dijo Humphry Bamber.

Estaban en la cocina de Christian Lamontierre, comiendo bocadillos de rosbif y queso Havarti con pan de germen de trigo que Bamber había sacado del bien abastecido frigorífico, regados con Badoit, un agua mineral francesa. El portátil de Bamber estaba encima de la mesa, delante de ellos, con Bardem abierto y mostrando los tres escenarios que Noah había introducido en el programa de *software*.

—Pensé lo mismo la primera vez que leí *El gran misterio de Bow*, de Israel Zangwill. —Humphry Bamber tragó un trozo de bocadillo—. Es el primer auténtico relato de misterio en el que se comete un asesinato en una habitación cerrada, aunque otros autores tan antiguos como Herodoto en el siglo cinco antes de Cristo, lo creas o no, ya jugaron con la idea. Pero fue Zangwill quien, en 1892, introdujo la estrategia de engañar al lector, que se convirtió en la piedra de toque de todos los relatos de los llamados crímenes imposibles desde entonces.

—Y Pinprick es un engaño clásico. —Moira estudió los escenarios con una fascinación y un pavor crecientes—. Pero a una escala tan descomunal que sin Bardem nadie podría colegir que el verdadero motivo para invadir Irán era confiscar sus campos petrolíferos. —Señaló la pantalla—. Esta zona, la zona del objetivo de Noah, Shahrake Nasiri-Astara…, he leído un par de informes de inteligencia sobre ella. Al menos un tercio del petróleo iraní procede de ahí. —Volvió a señalar la pantalla—. ¿Ve qué pequeña es la zona geográfica? Eso la hace tan vulnerable al ataque de una fuerza relativamente pequeña como fácilmente defendible por la misma fuerza reducida. Es perfecta para Noah. —Sacudió la cabeza—. Dios mío, es genial; demencial, terrorífico, inconcebible incluso, aunque incuestionablemente genial.

Bamber fue al frigorífico y sacó otra botella de Badoit.

—No lo entiendo.

—Todavía no estoy segura de todos los detalles, pero lo que

está claro es que Black River ha hecho un pacto con el diablo. Se ha presionado a alguna alta instancia del Estado norteamericano para que hagamos algo en relación con el rápido progreso del programa nuclear iraní, que amenaza con desestabilizar a todo Oriente Próximo. Nosotros (y los demás países decentes) hemos estado haciendo ruido en los canales diplomáticos adecuados para que Irán cese en su empeño y desmantele los reactores nucleares. La respuesta de Irán ha sido burlarse de nosotros en nuestras narices. A continuación, nosotros y nuestros aliados probamos con los embargos económicos, lo que sólo consiguió hacer reír a Irán, porque necesitamos su petróleo, y no somos los únicos. Peor aún, tienen la opción estratégica de cerrar el estrecho de Ormuz, que tendría el efecto de interrumpir el transporte de petróleo de todos los países de la OPEP de la región.

Se levantó y puso su plato en el fregadero, tras lo cual volvió a la mesa.

—Aquí, en Washington, alguien decidió que la paciencia no nos estaba llevando a ninguna parte.

Bamber arrugó la frente.

—¿Y?

—Así que decidieron forzar la situación. Utilizaron el derribo de nuestro avión de pasajeros para declararle la guerra a Irán, pero aparentemente también están poniendo en marcha una misión paralela.

—Pinprick.

—Exacto. Lo que Bardem nos está diciendo es que bajo el caos de la invasión terrestre, un pequeño equipo de agentes de Black River (con el pleno consentimiento del Gobierno) va a apoderarse de los campos petrolíferos de Shahrake Nasiri-Astara, proporcionándonos así un control mayor sobre nuestro futuro económico. Con este petróleo iraní, ya no tendremos que adular a saudíes, iraníes, venezolanos ni, ya puestos, a ningún otro país de la OPEP. Estados Unidos será independiente desde el punto de vista petrolífero.

—Pero expropiar así los campos petrolíferos es ilegal, ¿no?

—¿A usted qué le parece? Sin embargo, por alguna razón eso no parece preocupar a nadie en este momento.

—Bien, ¿y qué va a hacer ahora?

Ésa era, por supuesto, la pregunta de los mil millones de dólares. En otra época y en otro lugar habría llamado a Ronnie Hart, pero estaba muerta. Noah —de eso estaba bastante segura— se había ocupado de eso. Echaba de menos a Hart, en ese momento más que nunca, pero la naturaleza egoísta de tal sentimiento hizo que se avergonzara, y apartó de sí la admisión del hecho. Fue entonces cuando se acordó de Soraya Moore. Había conocido a Soraya por medio de Bourne, y le gustaba. Que hubieran compartido un pasado no le había molestado en lo más mínimo; no era celosa.

¿Y cómo ponerse en contacto con Soraya? Abrió su móvil y llamó al cuartel general de IC. La directora, le dijeron, estaba fuera del país. Cuando le dijo al agente que su llamada era urgente, éste le contestó que esperara. Al cabo de poco más de sesenta segundos, el hombre estaba de vuelta.

—Deme un número donde pueda localizarla la directora Moore —dijo.

Moira recitó el número de su móvil y cortó la llamada, completamente convencida de que su petición se perdería enseguida en el laberinto de papeleo y solicitudes que debía de inundar constantemente la bandeja electrónica de Soraya. Por consiguiente, se quedó perpleja cuando su móvil sonó diez minutos más tarde, mostrando un logotipo de «fuera de zona» en su diminuta pantalla.

Se llevó el móvil a la oreja.

—¿Hola?

—¿Moira? Soy Soraya Moore. ¿Dónde estás? ¿Estás en apuros?

Moira se echó a reír, aliviada al oír la voz de la otra mujer.

—Estoy en Washington, y sí, he estado en apuros, y salido de ellos. Escucha, tengo que darte algunas noticias. —Rápida y metódicamente, empezó desde el principio, esbozando lo que sabía del asesinato de Jay Weston (y lo que ya estaba segura que había sido el asesinato de Steve Stevenson), además de lo que sabía de la muerte de Ronnie Hart—. Todo se reduce a este programa de *software* que encargó Noah Perlis. —Siguió describiendo lo que hacía Bardem y cómo había conseguido una copia y lo que había revelado acerca de los planes de Black River para incautarse de los campos petrolíferos iraníes.

»Lo que no logro comprender es cómo un plan tan complejo podría haberse tramado después del ataque terrorista contra el avión de El Cairo.

—Porque fue planeado mucho antes —dijo Soraya—. Ahora estoy en Jartum investigando todo este asunto. —Y le contó a Moira lo que ella y Amun Chalthoum habían descubierto en relación con el misil Kowsar 3 iraní y el equipo de cuatro norteamericanos que lo habían introducido de contrabando en Egipto a través de la frontera sudanesa—. Así que ya ves que la cosa es más grande incluso que Black River y los elementos del Estado implicados. Ni siquiera Noah habría podido llegar a Nikolai Yevsen sin la ayuda de los rusos.

Entonces Moira comprendió la razón de que nadie estuviera preocupado por la ilegalidad de la expropiación por la fuerza de los campos petrolíferos. Si los rusos estaban metidos en Pinprick, desviarían la opinión mundial en la dirección correcta.

—Moira —dijo entonces Soraya—, encontramos a los cuatro hombres en las afueras de Jartum. Les dispararon en la cabeza, como en una ejecución, y sus cuerpos fueron cubiertos con cal viva. Pero conseguimos salvar algo extraño de cada uno de ellos. Parecen chapas de identificación, sólo que lo que está escrito en ellas está en clave.

A Moira le aporreó el corazón en el pecho.

—Por lo que dices, parecen las chapas que Black River da a su personal de campo.

—Entonces podríamos demostrar que fueron empleados de Black River los que dispararon ese misil. Y podríamos evitar esta guerra imprudente e interesada.

—Tendría que verlas para estar segura —dijo Moira.

—Te las enviaré por vía aérea esta noche —contestó Soraya—. Amun me dice que puede agilizar el envío para que recibas las chapas mañana por la mañana.

—Eso sería fantástico. Si son lo que parecen ser, puedo tenerlas procesadas en unas horas. Sólo tendré que asegurarme de que se entregan a las manos correctas.

—Ésas no serían las del director de IC —dijo Soraya—. Hay un nuevo director, M. Errol Danziger. Aunque su nombramiento todavía no ha sido anunciado oficialmente, ya ha asumido el mando... y es un hombre del secretario Halliday. —Tomó aire—. Escucha, ¿necesitas protección? Puedo hacer que alguien de mi gente vaya adondequiera que estés en veinte minutos.

—Muchas gracias, pero tal como están las cosas, cuantas menos personas sepan dónde estoy, mejor.

—Lo entiendo. —Hubo otro silencio más largo—. Últimamente he estado pensando mucho en Jason.

—Yo también. —Moira estaba pensando en lo mucho que se alegraba de que él no estuviera involucrado en nada de aquello. Necesitaba tiempo para que le cicatrizaran las heridas, tanto físicas como mentales. Estar al borde de la muerte no era algo que uno superase al cabo de unas cuantas semanas o ni siquiera meses.

—Su recuerdo perdura. —A medio mundo de distancia, Soraya estaba pensando que llamaría a Jason y le pondría al corriente en cuanto concluyera aquella conversación.

—Tú y yo compartimos eso, ¿verdad?

—No te olvides de él, Moira —dijo Soraya justo antes de colgar.

33

Mientras descendía del reactor de Air Afrika, Arkadin sintió desprecio por Noah Perlis apenas lo vio. Por esa razón se mostró de lo más cordial cuando, a la cabeza de su equipo de veinte hombres, se reunió con el agente de Black River. Al mismo tiempo, hizo todo lo que pudo para ignorar las sobrecogedoras similitudes entre aquella parte de Irán y Nizhni Tagil: el hedor a azufre, el aire lleno de partículas en suspensión, el círculo de torres petrolíferas que tanto se parecían a las torres de vigilancia de las cárceles de alta seguridad que rodeaban su ciudad natal.

El resto del contingente de Arkadin estaba todavía en el avión, donde se estaban ocupando del piloto y el copiloto, como habían hecho durante todo el vuelo, para asegurarse de que no alertaran a nadie sobre el exceso de carga transportada. A la señal preestablecida, los hombres saldrían en tropel de la panza del avión, de forma muy parecida a como lo habían hecho los soldados griegos introducidos tras las inexpugnables murallas de Troya en un caballo de madera.

—Me alegro de conocerlo por fin, Leonid Danilovich —dijo Perlis en un ruso aceptable mientras le daba la mano—. Su fama le precede.

Arkadin mostró su sonrisa más cordial, y replicó:

—Creo que debería saber que Jason Bourne está aquí…

—¿Qué? —Perlis tuvo la sensación de que el mundo se desplomaba—. ¿Qué ha dicho?

—… Y si no está todavía aquí, pronto lo estará. —Arkadin mantuvo la sonrisa en el rostro mientras Perlis intentaba arrancar la mano que el ruso le sujetaba con fuerza—. Fue Bourne el que se infiltró en el edificio de Air Afrika en Jartum. Sé que debía de estar preguntándose quién fue.

Perlis dio la sensación de estar esforzándose en entender qué era lo que pretendía Arkadin.

—Eso es una tontería. Bourne está muerto.

—Todo lo contrario. —Tiró con fuerza hacia sí de la mano retenida de Perlis—. Y yo debería saberlo bien. Disparé a Bourne en Bali. También creí que había muerto, pero, al igual que yo, es un superviviente nato, un hombre con nueve vidas.

—Aunque todo eso sea cierto, ¿cómo sabe que estuvo en Jartum, y ya no digamos que entró en el edificio de Air Afrika?

—Mi trabajo consiste en saber esas cosas, Perlis. —Arkadin se echó a reír—. Estoy siendo modesto. En realidad, hice seguir a Bourne una ruta expresamente diseñada para conducirlo a Jartum, al edificio de Air Afrika y, lo que es más importante de todo, hasta Nikolai Yevsen.

—Yevsen es el meollo de nuestro plan, ¿por qué habría de hacer semejante idiotez…?

—Quería que Bourne matara a Yevsen. Y eso es precisamente lo que hizo. —La sonrisa de Arkadin se extendió hasta llegar a sus ojos. *Este arrogante norteamericano tiene buen aspecto a pesar de su palidez*, pensó—. Tengo todos los archivos informáticos de Yevsen: todos sus contactos, clientes y proveedores. No es que sea un círculo amplio de gente, como puede imaginarse, pero a estas alturas ya han sido informados todos de la muerte de Nikolai Yevsen. También se les ha dicho que de ahora en adelante será conmigo con quien negocien.

—¿Se… se ha apoderado del negocio de Yevsen? —A pesar de lo que acababa de oír, no pudo evitar echarse a reír ante la brutal cara de Arkadin—. Tiene manías de grandeza, amigo mío. Usted no es más que un matón ruso sin educación y corto de entendederas que inexplicablemente ha tenido algo de buena suerte. Pero en este negocio la buena suerte sólo le llevará hasta aquí, y ahora ha llegado el momento de que los profesionales le quiten de en medio.

Arkadin reprimió el impulso de convertir la cara del norteamericano en una masa sanguinolenta. Ya llegaría ese momento, pero primero necesitaba tener espectadores para lo que estaba a punto de hacer. Sin soltar todavía la mano de Perlis, abrió el móvil con el pulgar de la mano libre y envió un mensaje de texto de tres dígitos. Al cabo, la panza del reactor de Air Afrika pareció partirse en dos cuando empezaron a salir los restantes ochenta hombres del ejército privado de Arkadin.

—¿Qué es esto? —preguntó Perlis, mientras observaba cómo sus propios empleados eran reducidos, desarmados y arrojados al suelo, donde fueron sistemáticamente maniatados y amordazados.

—No es sólo el negocio de Yevsen lo que me quedo, señor Perlis, también estos campos petrolíferos. Lo suyo es ahora mío.

El helicóptero ruso de combate Havoc Mi-28 que transportaba a Bourne y al coronel Boris Karpov, a dos de sus hombres, además de los dos tripulantes, y un suplemento completo de armas, descendió con un viraje sobre los campos petrolíferos iraníes de Shahrake Nasiri-Astara, e inmediatamente vieron las dos aeronaves: una, el reactor de Air Afrika que el técnico en informática de Karpov de Jartum había rastreado hasta allí, y la otra, un helicóptero Silorsky S-70 Black Hawk pintado de negro mate, pero sin ninguna identificación: un transporte de Black River.

—Según los informes que he recibido de Moscú, las fuerzas aliadas lideradas por los norteamericanos todavía no han entrado en territorio iraní —dijo Karpov—. Puede que aún tengamos tiempo de evitar esta catástrofe.

—O no conozco a Noah Perlis o seguro que tiene algún plan de emergencia. —Mientras observaba con atención el terreno que cambiaba rápidamente, meditaba sobre todo lo que Soraya le había contado. Al menos tenía todas las piezas del rompecabezas, salvo una: qué tenía en mente Arkadin. Tenía que tener algún plan, y eso era algo sobre lo que Bourne estaba tan seguro como que en aquella tela de araña tan delicadamente tejida él cumplía alguna función.

Y allí estaba la araña, pensó, mientras el Havoc descendía rápidamente como un murciélago salido del infierno, pasando sobre las figuras de Arkadin y Perlis. Cuando Karpov indicó al piloto que aterrizara, Bourne sintió el intenso y punzante dolor en la herida del pecho, que volvía a acosarlo como un viejo enemigo. Ignorándolo, intentó entender lo que estaba sucediendo. Cinco hombres y una mujer estaban tumbados boca abajo en el suelo, atados como lechones listos para ser asados. Contó hasta cien hombres fuertemente armados con uniformes de camuflaje que a todas luces no pertenecían al ejército norteamericano.

—¿Qué coño está ocurriendo ahí abajo? —Boris acababa de desviar su atención hacia el mismo escenario que tenía absorto a Bourne—. Y ahí está ese cabronazo, Arkadin. —Apretó los puños—. Qué ganas tengo de cortarle los huevos, y por Dios que se los voy a cortar ahora.

Para entonces el Havoc se había puesto a tiro de las armas cortas, y el piloto, sentado en su cabina elevada de la parte posterior del helicóptero, estaba realizando ya maniobras de evasión, haciendo aullar en consecuencia los dos motores turboeje TV3-117VMA. Ni Bourne ni Karpov se sintieron especialmente preocupados por el fuego de las armas semiautomáticas, puesto que el Havoc estaba equipado con una cabina blindada capaz de soportar el impacto de los proyectiles de 7,62 y 12,7 milímetros, además de fragmentos de metralla de veinte milímetros.

—¿Listo? —le preguntó Karpov a Bourne—. Pareces dispuesto a todo, como buen norteamericano. —Y se echó a reír.

El hombre encargado de las armas gritó para dar la voz de alerta. Al mirar hacia donde estaba señalando, vieron a uno de los hombres que estaban en tierra introducir un misil Redeye en un lanzamisiles, y a un compatriota suyo balancear éste para ponérselo en el hombro, apuntarlo hacia ellos y apretar el gatillo.

En cuanto Arkadin vio introducir el Redeye en el lanzamisiles, propinó un gancho salvaje a Perlis en la barbilla y, soltándole la mano cuando el norteamericano se desplomó, corrió hacia el hombre que estaba a punto de disparar contra el Havoc. Le gritó que se detuviera, pero fue inútil, pues el ruido de los rotores del helicóptero era demasiado fuerte. Sabía lo que había ocurrido. Sus hombres habían visto el Havoc de combate ruso y habían reaccionado instintivamente contra el enemigo.

El Redeye surcó el aire, explotando contra los depósitos de combustible del Havoc. Aquello fue un error, porque los depósitos de Havoc tenían un aislamiento de espuma de poliuretano para protegerlos e impedir que se inflamaran. Además, cualquier grieta que se produjera en los mismos depósitos se sellaba inmediatamente con el látex contenido en las cubiertas de autosellado. Aun si la explosión hubiera reventado alguno de los conductos del combustible, lo que parecía probable dada la poca altura a la que se encontraba el Havoc cuando fue alcanzado, el sistema de alimentación del combustible reaccionaba creando un vacío, lo que evitaba que el combustible se filtrara a las zonas donde podría inflamarse.

Como consecuencia del impacto, el Havoc se balanceó adelante y atrás como un insecto desorientado; y entonces sucedió lo que más temía Arkadin: del vientre del Havoc herido salieron como centellas dos misiles contracarro Shturm en dirección a tierra. Las explosiones resultantes se llevaron por delante a las tres cuartas partes del equipo de Arkadin.

Bourne, tras ser arrojado de bruces contra un mamparo, sintió que la explosión de dolor en su pecho se irradiaba hasta los brazos. Durante un instante pensó que el golpe recibido en la herida le había provocado un ataque al corazón. Entonces se rehizo, reprimió mentalmente el dolor y, extendiendo una mano, levantó a Karpov del suelo del Havoc. El humo estaba llenando lentamente la cabina, lo que le hizo más difícil contener la respiración, aunque de entrada no estaba claro si procedía de los daños sufridos por el helicóptero o de los cráteres superficiales del terreno donde habían impactado los Shturm.

—¡Pon en tierra esta tartana, ahora! —ordenó Karpov por encima del barullo de los motores.

El piloto, que había estado luchando con los controles desde que habían sido alcanzados, asintió con la cabeza y descendió verticalmente. En cuanto tocaron tierra con una sacudida que les hizo temblar todos los huesos, Karpov abrió la puerta de un fuerte tirón y saltó a tierra. Bourne lo siguió con una mueca de dolor. El aire le quemaba en la garganta. Ambos echaron a correr agachados bajo el remolino provocado por la aeronave, hasta que se encontraron fuera de la circunferencia de las aspas.

Lo que se encontraron fue un infierno. O, mejor dicho, la guerra. En el aire, los viriles zumbidos de los misiles habían resultado tonificantes, sobre todo como represalia al primer ataque, pero allí en la tierra, sin la fría imparcialidad de la perspectiva del ojo de Dios, todo era devastación. Enormes montículos de tierra negra, calcinada y humeante como si procediera de las fosas del infierno, medio cubierta aleatoriamente por los pedazos y miembros de cuerpos destrozados, como si alguna criatura demente hubiera decidido mejorar la forma humana desmembrándola primero. El hedor a carne quemada se mezclaba con los nauseabundos olores de los excrementos y la munición de artillería explotada.

Para Bourne, la escena tenía la misma cualidad de pesadilla plasmada en las medio enloquecidas pinturas negras de Goya. Cuando aparecía tanta muerte, cuando miraras donde miraras todo era horror, la mente creía estar ante algo surrealista para no enloquecer.

Los dos hombres divisaron a Arkadin al mismo tiempo y empezaron a perseguirlo. El problema era que el dolor del pecho de Bourne se estaba haciendo cada vez mayor y más abrasador. Mientras que sólo unos momentos antes había parecido ser del tamaño de un tejo, ahora parecía más grande que un puño. Además, parecía haberse acompasado con su corazón. Cuando se desplomó sobre una rodilla, vio a Karpov desvanecerse en una columna de humo negro y aceitoso. No podía ver a Arkadin, pero lo que quedaba de su equipo estaba entablando combate con los guardias del campo petrolífero iraní en una batalla campal cuerpo a cuerpo por cada centímetro de territorio que todavía no se hubiera convertido en una fosa infernal. En cuanto a los agentes de Black River, no quedaba ninguno vivo, habían muerto o bien por el ataque del misil, o bien por haber sido ejecutados por las fuerzas de Arkadin. Todo era un caos.

Bourne se obligó a levantarse, pasó tambaleándose junto a los cadáveres y se adentró en el humo que ascendía en un remolino hacia el cielo. Lo que encontró al otro lado no fue alentador. Boris yacía en la ladera de uno de los cráteres, con una pierna colocada en un ángulo antinatural debajo de la otra. Le sobresalía un hueso blanco. De pie, abierto de piernas sobre él, estaba Leonid Danilovich Arkadin con una SIG Sauer del calibre treinta y ocho en la mano.

—Creías que podía joderme, coronel, pero llevo esperando este momento mucho tiempo. —La voz de Arkadin apenas se podía oír por encima de los gritos y las discordantes ráfagas de las armas de guerra—. Y ahora ha llegado mi momento.

Se volvió de pronto hacia Bourne, y una lenta sonrisa se extendió por su cara cuando, formando un triángulo cerrado, le disparó tres veces al pecho.

34

El impacto de las tres balas arrojó a Bourne de espaldas al suelo. Un dolor abrasador lo carcomió; debió de perder el conocimiento durante un instante, porque lo siguiente que supo es que Arkadin había trepado hasta el borde del cráter y lo estaba mirando con una extraña expresión que podría haber sido de compasión o incluso de decepción.

—Aquí estamos —dijo mientras se dirigía hacia Bourne—. Karpov no va a ir a ninguna parte y los hombres de Perlis están muertos, cuando no enterrados. Ambos son hombres muertos. Así que sólo quedamos tú y yo, el primero y el último de los graduados de Treadstone. Pero tú también estás al borde de la muerte, ¿no es así? —Se agachó—. Fuiste cómplice de la muerte de Devra y te lo hice pagar, pero hay algo que quiero saber antes de que mueras. ¿cuántos graduados más hay? ¿Diez? ¿Veinte? ¿Más?

Bourne apenas podía hablar y se sentía paralizado. El chaleco que le había dado Boris estaba completamente cubierto de sangre.

—No lo sé —consiguió decir. Respiraba con más dificultad de la que hubiera esperado, y el dolor era increíble. Ahora que estaba en el centro de la tela de araña, ahora que había encontrado al inteligente arácnido que, allí agazapado, tejía intrincadamente sus hebras, se sintió impotente.

—No lo sabes. —Arkadin ladeó la cabeza, burlándose de él—. Bueno, esto es lo que sé y, al contrario que tú, no me importa compartirlo. Imagino que crees que contraté al Torturador, pero nada podría alejarse más de la verdad. ¿Por qué habría de contratar a alguien para hacer algo que me muero de ganas de hacer yo mismo? No parece lógico, ¿verdad? Pero ahora es cuando adquiere sentido: el Torturador fue contratado por Willard. Sí, así es, por el hombre que te rehizo en Bali, después de que sobrevivieras, no sé cómo, a un balazo en el corazón. A propósito, ¿cómo lo conseguiste? Da igual. Dentro de un momento, cuando hayas muerto, será irrelevante.

El fuego de artillería de los iraníes —tal vez de morteros— surcó silbando el aire y explotó en dos flancos diferentes ni a cien metros de distancia. Arkadin en ningún momento se asustó ni pestañeó siquiera; se limitó a esperar a que los gritos se mitigaran.

—¿Por dónde iba? Ah, sí, Willard. He aquí otro nuevo resumen informativo para ti: Willard sabía que yo estaba vivo y que era el que había apretado el gatillo en Bali. ¿Que cómo lo supo? Por el procedimiento típico de Treadstone: interrogó al hombre que contraté para asegurarme de que realmente estabas muerto. Me llamó desde el móvil de mi hombre, ¡te puedes creer los huevos que tiene ese cabrón!

No lejos de allí, los motores de una aeronave arrancaron con un aullido. Los rotores del Black Hawk empezaron a girar. Entonces Bourne supo que Perlis se había ido.

—Imagino que te estás preguntando por qué no te lo dijo. Porque te estaba probando, igual que me estaba probando a mí. Quería saber cuánto tardarías en saber de mí, porque ya sabía lo que había tardado yo en saber de ti. —Arkadin se sentó sobre los talones—. Es listo el pequeño cabronazo, eso lo admito.

»Bueno, ahora que hemos llegado a conocernos uno al otro un poquito mejor, es hora de acabar. Éste es el único rato que puedo pasar con mi sosias sin que se me revuelvan las tripas.

Se levantó.

—Haría que te arrastraras, aunque estoy convencido de que en tu estado no podrías.

Fue entonces cuando Bourne se incorporó como si hubiera vuelto de la muerte y se abalanzó sobre él.

Desconcertado, Arkadin levantó la SIG y disparó. Una vez más Bourne fue derribado, y una vez más se levantó sobre una rodilla y luego se puso en pie.

—¡Joder! —dijo Arkadin. Su mirada adoptó una expresión de animal acorralado y peligroso—. ¿Qué coño eres?

Bourne alargó la mano y agarró el arma. En ese preciso momento sonó un disparo que hizo que Arkadin girara en redondo. La sangre manó de una herida en su hombro. Pegó un grito, arremetió contra el norteamericano y disparó dos veces a Boris Karpov que, a pesar de su pierna rota, se había arrastrado por el lateral del calcinado cráter. El cargador de la SIG de Arkadin estaba vacío.

El Black Hawk despegó y haciendo un viraje en redondo ametralló a los miembros restantes del equipo de Arkadin. Para el artillero de Black River a bordo del helicóptero no supuso ninguna diferencia que los hombres de Arkadin siguieran peleando con los guardias iraníes; unos y otros fueron sistemáticamente aniquilados.

Tras arrojar la inútil SIG a la cara de Bourne, Arkadin echó a correr hacia lo que quedaba de sus hombres. El norteamericano dio tres pasos tras él y cayó de rodillas. Tuvo la sensación de que le iba a estallar el corazón. A pesar del chaleco de Kevlar y de las bolsas de sangre de cerdo que Karpov había insistido en meterle debajo, el impacto de los cuatro disparos de Arkadin le habían vuelto a abrir la herida original. Apenas podía respirar.

El Black Hawk estaba virando de nuevo para hacer otra batida contra los hombres del suelo, pero Arkadin ya había introducido de golpe un misil en un lanzamisiles de hombro. Bourne sabía que para el ruso era imperativo proteger a los hombres que le quedaban; sin ellos, no podría hacer nada allí. No podía defender los campos petrolíferos él solo. Su única oportunidad era derribar al Black Hawk.

Con una fuerza de voluntad suprema, se levantó y se dirigió a grandes zancadas hacia un enmarañado montón de soldados muertos. Cogió un AK-47, lo apuntó contra Arkadin y apretó el gatillo. El cargador estaba vacío. Tras arrojarlo a un lado, cogió una Luger de la cartuchera de uno de los soldados, comprobó que estuviera cargada y echó a correr hacia donde estaba parado Arkadin con las piernas separadas y el lanzamisiles sobre el hombro derecho.

Las ráfagas de munición trazadora de la ametralladora del Black Hawk surcaron el aire mientras Bourne corría y apretaba el gatillo de la Luger, obligando a Arkadin a disparar el misil mientras corría. Tal vez el lanzamisiles hubiera sufrido algún daño o el propio misil estuviera defectuoso, porque no dio en el helicóptero. Sin variar el paso, el ruso arrojó el lanzamisiles y, casi con el mismo movimiento, arrancó un subfusil de las manos de un soldado caído. Sin dejar de huir, disparó a Bourne, al que obligó a ponerse a cubierto como buenamente pudo. Luego siguió disparando hasta que agotó el cargador, lo que el norteamericano aprovechó para levantarse y echar a correr, aunque apenas podía respirar. Disparó, todavía corriendo, pero Arkadin se había perdido en una densa columna de humo negro. Por encima de sus cabezas el helicóptero de Black River se elevó y se alejó en dirección a las torres petrolíferas.

Bourne vio que no quedaba ningún empleado de Black River, y el equipo de Arkadin yacía desparramado por el terreno humeante. Se adentró corriendo en el humo e inmediatamente empezaron a llorarle los ojos; su respiración se hizo irregular y le costó respirar. Entonces percibió que algo se dirigía hacia él desde la oscuridad arremolinada y se agachó, aunque no suficientemente a tiempo.

El golpe propinado por Arkadin con las dos manos lo alcanzó en el hombro y le hizo girar en redondo. Por el momento, la Luger era inútil, y el ruso le asestó un puñetazo en un lado de la cabeza, lo que le hizo tambalearse aún más. Bourne tuvo la sensación de que la cabeza y el pecho estaban a punto de estallarle, pero cuando Arkadin se abalanzó para quitarle la Luger, le golpeó con la culata y le hizo un largo corte en la mejilla, tan profundo que se le veía el hueso.

El ruso se tambaleó de espaldas hacia la densa nube negra, y Bourne disparó los tres últimos cartuchos de la Luger. Se abalanzó a toda prisa hacia el humo en busca de su adversario, hasta que finalmente se encontró fuera de la columna de humo. Se volvió mirando en todas las direcciones, pero no se veía a Arkadin por ninguna parte.

De repente se desplomó sobre sus rodillas, derribado por el dolor que sentía en el pecho. Con todo el cuerpo dolorido, su cabeza cayó hacia delante. Mentalmente vio el fuego avanzando lentamente hacia él, amenazándolo con reducirlo a cenizas, y pensó en lo que Tracy le había dicho cuando agonizaba entre sus brazos: «Es en nuestra hora más sombría cuando nuestros secretos nos comen vivos».

Y entonces, en el centro de aquel fuego, apareció una cara, una cara hecha de fuego. Era el rostro de Shiva, el dios de la destrucción y la resurrección. ¿Fue Shiva quien lo levantó? Jamás lo sabría, porque en un momento se encontraba al borde del derrumbamiento, y al siguiente se estaba levantando dando tumbos.

Y fue entonces cuando vio a Boris tumbado en el borde del cráter con la cabeza cubierta de sangre.

Ignorando el dolor, Bourne agarró a Karpov por debajo de las axilas y lo levantó. Luego, con las trazadoras zumbando por el aire sobre sus cabezas, flexionó las rodillas y se echó a su amigo sobre el hombro. Con los dientes rechinándole, empezó a avanzar cuidadosamente, pasando junto a los muertos y los moribundos y los restos humanos que el fuego seguía consumiendo, hacia el helicóptero ruso.

Se vio obligado a detenerse varias veces ya por el fuego graneado de las ametralladoras, ya por el dolor que le atenazaba el corazón como un tornillo de carpintero, tan apretado que apenas le permitía respirar. En un ocasión se desplomó sobre una rodilla, y la mano ennegrecida de un soldado —imposible saber de qué bando— le agarró de la tela del pantalón. Bourne intentó apartarla, pero los dedos se pegaron a él como con pegamento. A su alrededor, las caras medio destrozadas parecieron volverse para mirarlo, gritando en la callada angustia de su agonía mortal. En ese momento todas eran iguales, víctimas de una violencia en el fondo siempre absurda. Sus lealtades resultaban ya irrelevantes por causa del caos, la sangre y el fuego, que borraban no sólo su humanidad sino también sus creencias, aquello que los había impulsado en vida, ya fueran políticas o religiosas, ya meramente pecuniarias. Ahora yacían todos revueltos bajo un cielo opresor lleno de las cenizas de sus compatriotas y sus enemigos.

Finalmente consiguió zafarse de la mano del soldado y, tras levantarse como pudo, prosiguió su agonizante excursión por aquel paisaje maldito. La visibilidad era ya un problema a causa del humo oleaginoso que hacía irrespirable el ya asqueroso aire. Como en un sueño, el helicóptero parecía desvanecerse y volver a aparecer, estar primero al alcance de la mano, y luego, a miles de metros de distancia. Bourne corrió, se detuvo, se agachó, jadeando, y luego echó a correr de nuevo, sintiéndose como Sísifo, empujando la roca colina arriba, pero sin conseguir llegar nunca a la cima. Su objetivo seguía pareciendo estar a más de un kilómetro de distancia, así que siguió adelante, poniendo un pie delante del otro, dando traspiés y trotando con su desgarbada carga, zigzagueando por el camposanto que aquella pequeña guerra había ocasionado. Y al fin, con los pulmones ardiéndole y los ojos arrasados en lágrimas, vio a los hombres de Boris salir atropelladamente del refugio del helicóptero para reunirse con él y su caído comandante. Se lo quitaron del hombro entumecido a Bourne, que cayó de rodillas. Dos de los hombres de Boris lo levantaron y le dieron agua.

Pero allí le esperaban más noticias malas. La tripulación de Boris se había visto obligada a abandonar el Havoc, que había acabado inservible a causa del impacto del misil. Bourne miró en torno suyo mientras intentaba recuperar el aliento y les ordenó que se dirigieran al reactor de Air Afrika, parado ociosamente a unos trescientos metros.

No encontraron a nadie alrededor del reactor ni en la pasarela. La puerta estaba abierta. Una vez dentro, descubrieron la razón: la tripulación había sido maniatada y amordazada, presumiblemente por Arkadin y su equipo. Bourne les ordenó que los soltaran.

Tumbaron al coronel en el suelo del reactor de Air Afrika, y el médico se arrodilló a su lado y empezó a examinarlo.

Al cabo de cinco angustiosos minutos de examen y exploraciones, miró a Bourne y a los hombres que merodeaban alrededor.

—Tiene una rotura limpia en la pierna y no representa ningún problema —dijo—. En cuanto a la herida, podría haber sido peor. La bala le rozó en un lado de la cabeza, pero no le partió el cráneo. Ésas son las buenas noticias. —Siguió explorando al comandante con las manos—. Las malas es que tiene una conmoción grave. La presión intracraneal le está subiendo; voy a tener que disminuirla haciéndole un pequeño agujero en el cráneo —señaló un punto en la sien derecha de Boris—, justo aquí. —Miró con más detenimiento a Bourne y chasqueó la lengua—. De todas formas, sólo puedo practicar una cirugía de urgencias. Tenemos que llevarlo a un hospital lo más rápidamente posible.

Bourne se dirigió a la parte delantera y ordenó al piloto y al copiloto de Air Afrika que los llevaran de vuelta a Jartum. Los tripulantes empezaron de inmediato la verificación previa al despegue. Los motores arrancaron uno a uno.

—Por favor, abróchese el cinturón —le dijo el médico a Bourne cuando regresó—. Estaré con usted tan pronto como haya estabilizado al coronel Karpov.

Bourne no estaba en condiciones de discutir. Se derrumbó sobre el asiento y se quitó el chaleco y las bolsas vacías de sangre de cerdo que las balas de Arkadin habían rasgado. Elevó una silenciosa oración por el alma del cerdo que había entregado su vida para salvar la suya, y no pudo evitar representarse en sus pensamientos al gran cerdo tallado de la piscina de Bali.

Se desató el chaleco de Kevlar y se abrochó el cinturón de seguridad, aunque su mirada no se apartó ni un momento del cuerpo en decúbito prono de Karpov. Parecía mortalmente pálido, tenía sangre por todas partes y, por primera vez en los recuerdos llenos de lagunas de Bourne, le pareció verdaderamente vulnerable. Se encontró preguntándose si le habría parecido así a Moira después de que Arkadin le hubiera disparado en Tenganan.

Cuando empezaron a rodar por la pista, tuvo la presencia de ánimo suficiente para llamar a Soraya a su teléfono vía satélite y contarle lo que había ocurrido.

—Me pondré en contacto con el general LeBowe, que está al

mando de las fuerzas aliadas, y le diré que se retire —dijo Soraya—. Es un buen hombre y me escuchará. Sobre todo, cuando le diga que mañana por la mañana tendrá suficientes pruebas fehacientes que demuestran que fue Black River, y no unos terroristas iraníes, lo que dispararon el Kowsar tres.

—Mucha gente del Gobierno de Estados Unidos se va a quedar con cara de idiota —dijo Bourne con aire cansado.

—Con lo que tenemos, espero que en algunos casos sea algo más que cara de idiota lo que se les quede —dijo Soraya—. En cualquier caso, no sería la primera vez y seguro que no será la última.

Bourne oyó tres tremendas explosiones procedentes de algún lugar del exterior. Al mirar por la ventanilla de plexiglás vio el regalo de despedida de Perlis: el Black Hawk había disparado sendos misiles contra cada una de las torres petrolíferas, que en ese momento ya estaban envueltas en llamas. Sin duda ésa era su manera de asegurarse de que, aunque sobreviviera, Arkadin no les echara el guante.

—Jason, me dijiste que el coronel Karpov se recuperará, pero ¿tú estás bien?

Sentado en la cabina del reactor que acababa de ponerse en vuelo, Bourne no supo que decir.

¿Cuántas veces tienes que morir antes de aprender a vivir?, pensó.

En cuanto Moira rasgó el paquete que Soraya le había enviado y sacó las chapas de titanio, supo que tenía la última prueba física para acabar con Noah y Black River. Las chapas eran de la empresa, en efecto. Después de haberlas descodificado y obtenido los nombres y números de serie de los cuatro agentes, llevó las chapas y el portátil de Humphry Bamber con el programa Bardem cargado a la única persona en la que sabía que podía confiar plenamente: Frederick Willard.

Willard aceptó las pruebas que le entregaba con una dosis controlada de alegría, le pareció a Moira, una curiosa calma que mostraba bien a las claras un cierto grado de presciencia. A su debido tiempo, Willard presentó las pruebas contra Black River a una diversidad de fuentes, para asegurarse de que de una u otra forma no fueran traspapeladas indebidamente o destruidas de alguna otra manera.

Soraya y Amun Chalthoum regresaron a El Cairo. A pesar del hecho de que la gente de Soraya había reunido pruebas convincentes sobre la identidad del enemigo de Chalthoum, no fue un momento feliz para ellos, hablando en términos personales. Ella sabía que él jamás abandonaría Egipto, que sólo se sentía cómodo en su patria. Además, seguía teniendo batallas políticas que librar allí, y ella sabía que, aunque no le hubiera ayudado, Amun jamás las habría rehuido. También sabía que ella jamás abandonaría Estados Unidos para irse a vivir allí con él.

—¿Qué es lo que vamos a hacer, Amun? —preguntó Soraya.

—No lo sé, *azizti*. Te amo de una manera como jamás he amado a nadie en mi vida. La idea de perderte se me hace insoportable. —Le cogió la mano—. Vente aquí. Vive conmigo. Nos casaremos y tendrás hijos y los criaremos juntos.

Ella se echó a reír y negó con la cabeza.

—Sabes que no sería feliz aquí.

—¡Pero piensa en lo guapos que serán nuestros hijos, *azizti*!

Soraya se echó a reír una vez más.

—¡Tonto! —Le besó en la boca. Había pretendido que fuera un beso de amigos, pero resultó algo más, algo más intenso, algo frenético, y se prolongó durante mucho tiempo.

Cuando por fin se separaron, ella dijo:

—Tengo una idea. Reunámonos una semana al año, en un lugar diferente cada año o donde tú quieras.

Él se la quedó mirando mucho rato.

—*Azizti*, no hay nada más para nosotros, ¿verdad?

—¿No es suficiente? Ha de serlo, tienes que entenderlo.

—Lo entiendo muy bien. —Suspiró y le cogió la mano—. Tendremos que hacer que sea suficiente, ¿no?

Tres días después el escándalo de Black River saltó a Internet y a las agencias de noticias con la fuerza de un huracán, eclipsando incluso la desbandada de las fuerzas aliadas establecidas en las fronteras con Irán, noticia que para entonces ya había sido desmenuzada hasta la saciedad por los presentadores de los informativos.

—Llegó la hora —le dijo Peter Marks a Willard—, esto es el fin tanto para Black River como para el secretario Halliday.

Se sorprendió cuando Willard le lanzó una mirada inescrutable.

—Confío en que no estés deseoso de retractarte de nuestro acuerdo, principito.

Aquel críptico comentario se volvió transparente cuando, horas más tarde, el secretario de Defensa Bud Halliday celebró una conferencia de prensa para condenar el papel de Black River en lo que denominó «un pasmoso abuso de poder que va más allá de los parámetros de la misión encomendada a la empresa, para cuyo desmantelamiento ya se están tomando las medidas necesarias. He hablado personalmente con el fiscal general, que me ha confirmado el inicio de las diligencias para exigir las responsabilidades pertinentes, tanto penales como civiles, a los miembros de Black River, incluidos sus responsables. Quiero dejar absolutamente claro al pueblo norteamericano que la NSA contrató a Black River de buena fe sobre la base de las garantías dadas por dicha empresa de que se habían reunido y llegado a un acuerdo con los líderes de un grupo pro democrático dentro de Irán. La empresa suministró los datos relativos a las fechas, horas, nombres de los cabecillas y temas discutidos, todo lo cual he entregado al fiscal general como pruebas contra Black River. Quiero asegurar al pueblo norteamericano que en ningún momento ni yo ni nadie de la NSA tuvo conocimiento de que todo esto fuera una completa invención por parte de Black River, y para investigar este asunto se ha procedido a crear una comisión excepcional. Lo que hoy les prometo es que sobre los autores de esta inconcebible conspiración caerá todo el peso de la ley».

Como cabía esperar, jamás se descubrió ninguna conexión entre la NSA, o el mismísimo Halliday, y Black River, aparte de la que el secretario había descrito públicamente. Y para asombro de Marks, los directivos acusados por el fiscal general fueron Kerry Mangold y Dick Braun. En ningún sitio se hizo mención a Oliver Liss, el tercer miembro del triunvirato de Black River.

Cuando Marks le preguntó a Willard a este respecto, por toda contestación recibió la misma inescrutable mirada, lo que le llevó a buscar como pudo en Google los artículos sobre Black River. Lo que descubrió, después de una búsqueda exhaustiva, fue un pequeño artículo de varias semanas atrás enterrado en *The Washington Post.* Según parecía, sin previo aviso Oliver Liss había renunciado a su puesto en la empresa que había contribuido a fundar «por razones personales». Por más que lo intentó, Marks fue incapaz de encontrar en ninguna parte referencia alguna a cuáles podrían ser las razones personales.

Fue entonces cuando Willard, con una sonrisa de gato de Cheshire, le dijo que no había ninguna.

—Confío en que estés preparado para empezar a trabajar —dijo Willard—, porque Treadstone vuelve a la actividad.

35

Un espléndido día de sol en Bali cuando mayo empezaba a florecer, Suparwita llegó al templo sagrado de Pura Lempuyand. No había ni una sola nube en el cielo cuando subió la escalera de los dragones y atravesó el pórtico de piedra labrado para entrar en el segundo templo, situado en lo alto de la ladera de la montaña. Despejado, sin una nube y azul como el estrecho de Lombok, Mount Agung se alzó en todo su esplendor. Entonces, cuando Suparwita se dirigió hacia un grupo de penitentes arrodillados, una sombra se extendió sobre las piedras y vio que Noah Perlis lo estaba esperando.

—No pareces sorprendido. —Perlis llevaba un *sarong* balinés y una camiseta con la misma incomodidad que un drogadicto llevaría un traje.

—¿Por qué habría de sorprenderme —dijo Suparwita—, cuando sabía que volvería?

—No tenía otro sitio al que ir. En Estados Unidos soy un prófugo de la justicia. Bueno, ahora soy un fugitivo, era eso lo que querías, ¿no?

—Me refería a que sería un marginado —dijo Suparwita—. No es lo mismo.

Perlis sonrió sarcásticamente.

—¿Crees que me puedes castigar?

—No tengo necesidad de castigarle.

—Debería haberte matado cuando tuve ocasión, hace años.

Suparwita lo miró con sus grandes ojos transparentes.

—¿No le bastó con matar a Holly?

Perlis pareció sobresaltarse.

—No tienes ninguna prueba de eso.

—No necesito eso que llama pruebas. Sé lo que ocurrió.

Perlis dio un paso hacia él.

—¿Qué sabes exactamente?

—Que siguió a Holly Marie Moreau hasta aquí desde Europa. Lo que estuviera haciendo allí con ella es algo que no puedo atreverme a saber.

—¿Por qué no? —El rictus de sarcasmo no había abandonado el rostro de Perlis—. Afirmas saber todo lo demás.

—¿Por qué siguió a Holly hasta aquí, señor Perlis?

Éste mantuvo la boca cerrada y se encogió de hombros, como si le pareciera que eso ya no importaba.

—Se había apoderado de algo mío.

—¿Y cómo ocurrió eso?

—¡Lo robó, maldita sea! Regresé aquí para recuperar lo que era mío. Tenía todo el derecho…

—¿A matarla?

—Iba a decir que tenía todo el derecho a recuperar lo que había robado. Su muerte fue un accidente.

—La mató a propósito —dijo Suparwita.

—Se lo quité. Conseguí lo que quería.

—Pero ¿de qué sirvió eso? ¿Ha conseguido abrir su secreto?

Perlis permaneció en silencio. Si supiera cómo llorar, ya lo habría hecho.

—Ésa es la razón de que haya regresado —dijo Suparwita—, no sólo a Bali, sino al mismo sitio donde asesinó a Holly.

Perlis tuvo un repentino arrebato de ira.

—¿Ahora eres policía además de santón o comoquiera que te hagas llamar?

Suparwita esbozó la sombra de una sonrisa que no ofreció nada a lo que agarrarse a Perlis.

—Creo que es justo decir que lo que Holly le quitó, usted mismo lo robó.

Perlis se quedó lívido.

—¿Cómo es posible, cómo es posible que sepas eso? —susurró.

—Holly me lo dijo. ¿Cómo iba a saberlo, si no?

—Ella no sabía eso. Sólo lo sabía yo. —Agitó los brazos desdeñosamente—. De todas formas, no vine aquí para ser interrogado.

—¿Ya sabe por qué vino? —Los ojos de Suparwita ardieron con tanta intensidad que el sol poco pudo hacer para atenuar su fuego.

—No.

—Sí lo sabe. —Suparwita levantó un brazo y señaló la mole del Mount Agung que se alzaba al otro lado del arco de piedra.

Perlis se volvió para mirar, protegiéndose los ojos del resplandor con la mano, pero cuando se dio la vuelta de nuevo Suparwita se había desvanecido. La gente seguía con sus rezos interminables, el sacerdote estaba absorto en sólo Dios sabía qué y el hombre que estaba a su lado contaba su dinero con una lentitud y una regularidad que resultaba fascinante.

Entonces, como si hubiera perdido la voluntad, Perlis se encontró caminando hacia Mount Agung, la puerta de piedra labrada y lo más alto de las escaleras, donde, años antes, Holly Marie Moreau había sido enviada a la muerte.

Perlis se despertó intentando negar sin conseguirlo con un grito que se ahogó en su garganta. A pesar del aire acondicionado de su habitación, estaba sudando. Se había incorporado en la cama saliendo de un sueño profundo o, más exactamente, del sueño profundo con Suparwita y Pura Lempuyang. Sintió el dolor alrededor de su corazón palpitante que siempre acompañaba el despertar de aquellos sueños.

Durante un momento no pudo recordar dónde estaba. Llevaba huyendo desde que había ordenado incendiar los campos petrolíferos iraníes. ¿Qué había fallado? Se había hecho aquella dolorosa pregunta miles de veces y, al final, se quedaba con una respuesta: Bardem no había conseguido predecir aquel resultado a causa de la introducción de dos variables casi idénticas extrañas al millón de parámetros con el que había sido programado: Bourne y Arkadin. En el mundo de las finanzas, la aparición de un acontecimiento cambiante que nadie preveía recibía el nombre de Cisne Negro. En el hermético mundo de los esotéricos programadores informáticos, una circunstancia extraña a los parámetros que provocaba el fallo del programa se denominaba Shiva, el dios hindú de la destrucción. Que apareciera un Shiva era bastante raro, pero dos era algo inconcebible.

Los días y las noches habían pasado como en uno de los sueños de Perlis; a esas alturas le costaba distinguir lo onírico de la vida en vigilia. En cualquier caso, ya nada parecía real, ni la comida que lo alimentaba, ni los lugares en los que permanecía, ni el sueño superficial que conseguía conciliar. Entonces, la víspera había llegado a Bali, y por primera vez desde que el Black Hawk se había alejado de las ruinas de Pinprick, algo cambió en su interior. Su trabajo en Black River había sido su familia, sus camaradas; no era capaz de ver nada más allá de sus parámetros. Ahora, ya sin eso, había dejado de existir. Pero no, era bastante peor que eso, porque, puestos a pensar en ello, durante todo el tiempo que había trabajado en Black River se había obligado a dejar de existir. Se había recreado en todos los papeles que había tenido que interpretar porque cada vez lo alejaban más de sí mismo, una persona que jamás le había gustado ni le había servido para mucho. Fue Noah Perlis —el patético alfeñique del que no había vuelto a tener noticias desde su niñez— el que se había enamorado de Moira. Entrar en Black River fue como ponerse una armadura, una manera de protegerse del alfeñique lleno de sentimientos que acechaba como un infeliz sin carácter dentro de él. Ahora que no tenía a Black River, había sido despojado de aquella armadura, y su pequeño yo sonrosado y lloricas había salido a la luz. Se había accionado un interruptor, pasándolo del polo positivo al negativo, y estaba perdiendo toda la energía que solía afluir a él.

Sacó las piernas de la cama y se dirigió a la ventana. ¿Qué tenía aquel lugar? Había estado en muchas islas paradisíacas en su momento, lugares deslumbrantes como diamantes desperdigados por todo el globo. Pero Bali parecía vibrar ante sus ojos con una presencia etérea. Incluso de niño, había sido pragmático. Se había pasado prácticamente toda su vida de adulto aislado, sin familia ni amigos; una situación que había creado él por entero, puesto que tanto amigos como familia tenían la costumbre de traicionarte sin enterarse siquiera. En las primeras etapas de su vida había descubierto que si no sentías nada, nada podía herirte. Y, sin embargo, le habían herido, y no sólo Moira.

Se duchó, se vistió y salió al resplandor y al húmedo calor. El cielo estaba exactamente tan limpio de nubes como lo había estado en su sueño. A lo lejos, pudo distinguir la mole azul de Mount Agung, un lugar eternamente misterioso para él, y temible, porque le parecía que algo que no quería saber sobre sí mismo habitaba en aquella montaña. Aquella cosa —lo que fuera— lo atraía con tanta fuerza como lo repelía. Intentó recuperar alguna apariencia de equilibrio, aplastar las emociones que habían hecho erupción en su interior, pero no pudo. Los malditos caballos habían salido en estampida del establo y sin la férrea disciplina de Black River, sin su armadura, no había manera de hacerlos regresar adentro. Se miró fijamente las manos, que temblaban con tanta violencia como si tuviera un delírium tremens.

¿Qué me está pasando?, pensó. Pero sabía que no era la pregunta correcta.

¿Por qué has venido? Ésa era la pregunta correcta, la que Suparwita le había hecho en el sueño. Por lo que había leído sobre el tema, toda la gente que aparecía en los sueños eran aspectos de uno mismo. Si era así, se había estado haciendo la pregunta. ¿Por qué había regresado a Bali? Al marcharse después de la muerte de Holly Marie había estado seguro de que jamás regresaría. Y, sin embargo, allí estaba. Moira le había herido, era cierto, pero lo ocurrido con Holly era lo que más le había dolido.

Comió sin saborear la comida, y cuando llegó a su destino, no fue capaz de recordar qué había comido. No sentía el estómago ni lleno ni vacío. Al igual que el resto de él, parecía haber dejado de existir.

Holly Marie Moreau estaba enterrada en un pequeño *sema* —cementerio— al sudoeste del pueblo donde ella se había criado. Por norma, los balineses modernos incineran a sus muertos, pero había bolsas de población —balineses autóctonos como los de Tenganan, los que no eran hindúes— que no lo hacían. Los balineses creían que el occidente que da al mar era la dirección del infierno, así que las *semas* siempre se construían —cuando se construían—

en el occidente marítimo del pueblo. Allí, en el sur de Bali, eso era el sudoeste. Los balineses sentían un terror pánico hacia los cementerios, convencidos como estaban de que los cuerpos no incinerados eran los muertos vivientes, que vagaban de noche atraídos fuera de sus tumbas por los espíritus malignos comandados por Rudra, el dios del mal. En consecuencia, el lugar estaba completamente abandonado; según parecía, hasta por los pájaros y los animales salvajes.

Densos bosquecillos de árboles poblaban el lugar sumiendo la *sema* en profundas sombras, de manera que el cementerio parecía perdido entre los azules y verdes oscuros de un crepúsculo perpetuo. Aparte de una tumba, el lugar tenía un inconfundible aspecto de abandono que bordeaba lo vergonzoso. Aquella tumba tenía encima la lápida de Holly Marie Moreau.

Perlis permaneció mirando fijamente la losa de mármol, sobre la que aparecían grabados el nombre y las fechas de nacimiento y defunción, durante lo que pareció una eternidad. Bajo la impersonal información sólo había una palabra: «BIENAMADA».

Al igual que lo que fuera que le esperase en Mount Agung, sintió una atracción y una repulsión inexorables hacia la tumba. Caminó lenta y parsimoniosamente con un paso que parecía dictado por los latidos de su corazón. De repente, se paró, al ver, o creer ver, una sombra más oscura que las otras revoloteando entre los árboles. ¿Era algo, no era nada, un efecto visual de la luz crepuscular? Pensó en los dioses y demonios que decían habitaban las *semas* y se rió de sí mismo. Entonces vio la sombra, en esta ocasión con más claridad. No pudo distinguir la cara, aunque sí la larga melena suelta de una mujer joven o una niña. Los muertos vivientes, se dijo, como continuación de la broma. Estaba bastante cerca de la tumba de Holly, prácticamente de pie encima de ella, y miró alrededor, lo bastante preocupado como para sacar su arma, al tiempo que se preguntaba si la *sema* estaría tan desierta como parecía.

Decidiéndose por fin, pasó junto a la lápida y empezó a caminar lentamente a través de los árboles, siguiendo la dirección de la sombra que había visto o creído ver. El terreno ascendía abruptamente hasta la cresta de una colina más densamente poblada de árboles que la zona de la *sema*. Se detuvo en la cresta un momento, sin saber qué camino tomar debido a que los árboles que se extendían en todas las direcciones le impedían la vista. Entonces, con el rabillo del ojo vio el destello de otro movimiento, y volvió la cabeza como un perro expectante. ¿Acaso sólo era un pájaro? Pero inclinando la cabeza para oír mejor, no oyó el canto de ningún pájaro ni el crujido de las hojas en la maleza.

Se obligó a avanzar en la dirección donde había visto el movimiento y echó a andar con paso firme por un escarpado barranco donde la floresta era aún más frondosa.

Entonces, más adelante, vio flotar el pelo de la chica y la llamó por su nombre, aunque le pareció una tontería y algo totalmente imposible.

—¡Holly!

Holly estaba muerta, por supuesto. Lo sabía mejor que nadie, pero aquello era Bali y todo era posible. Echó a correr tras ella, con el corazón y las piernas moviéndose vigorosamente. Pasó corriendo entre dos árboles y entonces algo le golpeó en la nuca. Cayó hacia delante y se hundió en la negrura.

—¿Quién la conoció mejor —dijo una voz en su cabeza—, tú o yo?

Perlis abrió los ojos y, sumido en el abotargamiento del dolor, vio a Jason Bourne.

—¡Tú! ¿Cómo supiste que estaba aquí?

Bourne sonrió.

—Ésta es tu última parada, Noah. Fin del trayecto.

Perlis echó un vistazo alrededor.

—Esa chica... Vi a una chica.

—A Holly Marie Moreau.

Perlis vio su pistola sobre el suelo y se abalanzó a cogerla.

Bourne le dio una patada tan fuerte que el crujido de dos costillas resonó entre las ramas de los árboles. Perlis soltó un gruñido.

—Háblame de Holly.

Perlis miró a Bourne de hito en hito. No pudo reprimir la mueca de dolor de su cara, pero al menos no gritó. Entonces tuvo una idea.

—No la recuerdas, ¿verdad? —Perlis intentó reírse—. ¡Oh, ésta sí que es buena!

Bourne se arrodilló a su lado.

—Todo lo que no pueda recordar me lo vas a contar tú.

—¡Que te jodan!

Cuando Bourne le apretó con fuerza los globos oculares con los pulgares, entonces Perlis sí que gritó.

—¡Ahora, mira! —le ordenó Bourne.

Perlis parpadeó, y a través de los ojos arrasados en lágrimas vio la sombra de la chica, que descendía de uno de los árboles.

—¡Mírala! —dijo Bourne—. Mira lo que hiciste de ella.

—¿Holly? —Perlis no se lo podía creer. Con los ojos llorosos vio una figura ágil, la figura de Holly—. Ésa no es Holly. —Pero ¿quién más podría ser? El corazón le golpeaba en el pecho.

—¿Qué ocurrió? —dijo Bourne—. Háblame de ti y de Holly.

—La encontré vagando por Venecia. Estaba perdida, desesperada. —Perlis oyó su propia voz débil y amortiguada, como si estuviera hablando por un móvil casi sin cobertura. ¿Qué estaba haciendo? El interruptor había sido accionado, dejándolo sin energía, igual que a aquellas palabras que había guardado en su interior durante años—. Le pregunté si quería ganar algún dinero fácil y dijo: «¿Por qué no?» No sabía en lo que se estaba metiendo, pero no pareció preocuparla. Estaba aburrida, necesitaba algo nuevo, algo diferente. Quería volver a sentir correr la sangre por sus venas.

—Así que estás diciendo que lo único que hiciste fue darle lo que deseaba.

—¡Así es! —dijo Perlis—. Que es lo que siempre hago con todo el mundo.

—¿Le diste a Veronica Hart lo que deseaba?

—Era agente de Black River, me pertenecía.

—Como una cabeza de ganado.

Perlis apartó la vista. Miró fijamente la sombra de la chica, que lo observaba sin moverse, como si asistiera a la lectura de su sentencia de muerte. ¿Por qué habría de preocuparle?, se preguntó. No tenía nada de qué avergonzarse. Y sin embargo era incapaz de mirar a otra parte, incapaz de librarse de la idea de que la sombra de la chica era Holly Marie Moreau, que sabía todos los secretos que él tenía encadenados en la prisión de su corazón.

—¿Como Holly?

—¿Qué?

—¿Holly también te pertenecía?

—Aceptó mi dinero, ¿no?

—¿Para qué le pagaste?

—Tenía que acercarme a alguien, y yo sabía que no podía hacerlo solo.

—A un hombre —dijo Bourne—. A un hombre joven.

Perlis asintió con la cabeza. Ahora que había tomado aquella senda, parecía necesitar seguir adelante.

—Jaime Herrera.

—Espera un minuto. ¿El hijo de don Fernando Herrera?

—La envié a Londres. En aquella época, Jaime no trabajaba todavía en la empresa de su padre. Frecuentaba un club; el juego era un vicio al que todavía no podía resistirse. Aunque era menor de edad, no lo parecía, y nadie se atrevía a cuestionar su documentación falsa. —Perlis guardó silencio durante un momento, esforzándose en respirar. Mientras intentaba aliviar su sufrimiento, movió ligeramente el brazo izquierdo por debajo del cuerpo—. Qué divertido. Holly parecía tan inocente, pero era condenadamente buena haciendo aquello para lo que la envié. Al cabo de una semana, ella y Jaime eran amantes, y diez días después ella se traslado a vivir a su piso.

—¿Y luego?

Perlis parecía tener cada vez más dificultades para respirar. Siguió mirando fijamente, no a Bourne, sino a la sombra de la chica, que le pareció que era todo lo que quedaba del mundo.

—¿Es real?

—Depende de lo que quieras decir con real —respondió Bourne—. Sigue, ¿qué tenía Jaime Herrera que querías que robara Holly?

Perlis no dijo nada, pero Bourne le vio cerrar los dedos de la mano derecha y meterla bajo la hojarasca del bosque.

—¿Qué intentas esconder, Noah?

Perlis, que había mantenido la mano izquierda bajo el cuerpo, la sacó con un giro, y la hoja de una navaja automática atravesó la ropa de Bourne y se hundió en la carne de su costado. Empezó a retorcer el cuchillo, intentando llegar, a través de los músculos, los huesos y los tendones, a algún órgano vital. Bourne le propinó un golpe terrorífico en la cabeza, pero Perlis, en un arrebato de fuerza sobrehumana, hundió más el cuchillo.

Bourne le cogió la cabeza entre las manos y, con una violenta torsión, le partió el cuello. La fuerza vital de Perlis desapareció de inmediato y sus ojos perdieron el brillo, quedando completamente abiertos. En la comisura de su boca había un poco de espuma, o del esfuerzo excesivo o de la locura que había empezado a apoderase de él al final de sus días.

Jadeando, Bourne le soltó la cabeza y extrajo la hoja de su costado. Empezó a sangrar, pero no en exceso. Cogió la mano derecha de Perlis y le sacó el puño de la arena. Le abrió los dedos uno a uno. Había esperado que hubiera algo en la palma de la mano —lo que fuera que Perlis hubiera recuperado de Holly—, pero no había nada. Alrededor de su índice, el que con tanta impaciencia había querido esconder, había un anillo. Era imposible de sacar, así que Bourne utilizó la navaja para cortarle el dedo. Lo que levantó a la luz esmeralda y azul fue un aro liso de oro, en nada distinto a diez millones de alianzas en todo el mundo. ¿Podría ser aquel el motivo de que Perlis hubiera matado a Holly? ¿Por qué? ¿Qué podría haberlo hecho más valioso que la vida de una joven?

Le dio una y mil vueltas, manoseándola entre los dedos. Y entonces vio la inscripción del interior. Ocupaba toda la circunferencia. Al principio pensó que estaba en cirílico, y luego quizás en alguna antigua lengua sumeria, extinguida y olvidada hacía mucho, excepto por los especialistas en esoterismo, pero al final los caracteres resultaron incompresibles. Entonces, con toda seguridad era un código.

Mientras continuaba sujetando en alto el anillo, se dio cuenta de que la sombra de la chica se acercaba. Ella se paró a unos pasos de distancia, y como Bourne detectó la expresión de temor en su rostro, se levantó con un gruñido de dolor y se acercó a ella.

—Has sido muy valiente, Kasih —le dijo a la chica balinesa que le había conducido hasta la vaina del proyectil en el pueblo de Tenganan, donde le habían disparado.

—Estás sangrando. —Le apretó contra el costado un puñado de hojas aromáticas que había recogido.

Bourne le cogió la mano, y juntos empezaron a recorrer el camino de vuelta al recinto familiar de la chica en lo alto de los arrozales en las afueras de Tenganan. Con la mano que tenía libre se apretaba el emplasto de hojas contra la herida abierta, y sintió cómo se coagulaba la sangre y el dolor remitía.

—No tienes nada que temer —le dijo a la chica.

—No, cuando estás aquí. —Kasih lanzó una última mirada por encima del hombro—. ¿Está muerto el demonio? —preguntó.

—Sí —dijo Bourne—, el demonio está muerto.

—¿Y ya no volverá?

—No, Kasih, no volverá.

La joven sonrió, contenta.

Pero mientras lo decía, Bourne sabía que estaba mintiendo.